L'ORPHELINE

CATHERINE COOKSON

L'ORPHELINE

Traduit de l'anglais par
Marie-José Épron

PIERRE BELFOND
216, boulevard Saint-Germain
75007 Paris

Ce livre a été publié sous le titre original
TILLY TROTTER
par Heinemann, Londres

Si vous souhaitez recevoir notre catalogue
et être tenu au courant de nos publications,
envoyez vos nom et adresse en citant ce livre
Editions Pierre Belfond
216, boulevard Saint-Germain,
75007 Paris

ISBN 2-7144-1418-4

PREMIÈRE PARTIE

LA VIE D'ANTAN

CHAPITRE PREMIER

Il pressa son cheval jusqu'en haut de la butte, puis, suivant son habitude, s'immobilisa au sommet pour contempler le paysage autour de lui. Aujourd'hui, le ciel était haut, clair et bleu et ne semblait pas reposer comme souvent sur les collines basses et lointaines à sa gauche, ou sur les mâts des vaisseaux plus proches, alignés au bord de la rivière. De là, il voyait le village de South Shields se dérouler comme une foule affairée le long des rives du fleuve jusqu'à l'endroit où celui-ci se frayait un passage vers la mer du Nord.

De Tyne Dock aux abords du village de Jarrow, la terre était nue, à l'exception d'un cottage ou d'une ferme çà et là. Il ramena son regard sur Jarrow qui lui donna de nouveau, dans une plus faible mesure, ce même sentiment d'activité; le petit chantier naval qu'il connaissait bien devait bourdonner comme une ruche, et aux vases de saunage le long de la rivière, il savait que l'on travaillait sans relâche.

Puis venait Hebburn. Il la devinait là, même si elle était masquée à son regard par une série de monticules. La vie d'une ville, même la grande Newcastle, éveillait toujours en lui le soupçon d'un sentiment de pitié, car il ne comprendrait jamais que des hommes puissent, de leur plein gré, choisir de vivre dans l'affairement et la bousculade et, en général, dans la puanteur et la crotte. Mais, finalement, la plupart d'entre eux n'avaient pas le choix. Cependant, si l'occasion leur était proposée, accepteraient-ils de vivre ici, en rase campagne ?

La rase campagne ! A présent, les mots se coloraient dans son esprit d'une nuance de mépris. Il baissa les yeux vers le sol. Une mine s'étendait sous les pieds de son cheval. Quand les mineurs profitaient-ils de la campagne ? Une fois par semaine ? Certains étaient tellement épuisés que le privilège dominical ne signifiait pour eux que sommeil.

Il pressa de nouveau son cheval avec impatience : « Allez ! Monte ! » Mais pourquoi, au cours de cette visite mensuelle à

William Trotter, été comme hiver, éprouvait-il le besoin de faire une pause sur ce monticule et de s'interroger sur des questions n'ayant absolument rien à voir avec lui ou avec sa vie ?

Ici, il était un fermier prospère, bien établi : oh oui ! il connaissait bien sa propre valeur. Il aurait évidemment préféré mesurer quelques centimètres de plus, mais un mètre soixante-treize, ce n'était pas si mal, surtout si cela s'accompagnait d'une bonne carrure; et les cheveux sur sa tête étaient épais comme la crinière d'un cheval, et d'un beau ton noisette, par-dessus le marché. Quant à son visage, son miroir lui avait dit qu'il existait des hommes plus beaux, mais seulement parmi les bellâtres. Son visage était puissant et viril; tous les visages puissants avaient le nez prononcé. Sa bouche bien proportionnée était grande. De plus, il avait toutes ses dents; celles du bas étaient aussi larges que hautes et aussi blanches que pouvait les rendre le sel. Tout le monde ne pouvait pas avouer vingt-quatre ans et se vanter de n'avoir eu aucune dent cassée ou arrachée. A Jeff Barnes, il en manquait déjà trois devant, bien qu'il n'ait pas encore atteint vingt ans, et ce à cause de son incapacité à supporter un mal de dent, lui qui était large comme un pignon de maison ! Non, son visage, comme le lui disait sa mère, lui permettrait de se débrouiller dans une foule... mais tout juste. Sa mère le faisait rire autrefois; elle avait été une farceuse.

En bas de la butte, il se trouva encore sur un monticule. Il fit tourner son cheval dans une piste cavalière d'où il dominait maintenant une masse de terrain boisé. Au loin, une rangée de cheminées ornementales crevait le ciel et, à leur vue, il arrêta encore sa monture. Il s'interrogea. La rumeur pourrait-elle être vraie ? La mine Sopwith était-elle condamnée ou épuisée ? Car, si tel était le cas, ce serait la fin de la famille et du Manoir. Mais, dans un sens, ce pourrait être une chance pour lui. Cela pourrait lui permettre de réaliser un rêve. Cependant, si la terre, la ferme et tout le reste passaient sous le marteau, lui serait-il possible d'aller trouver Monsieur Mark et de lui dire : « J'ai de quoi acheter ma ferme » ? Il ne le pourrait pas, car il restait très peu de chose du gros lot et Monsieur Mark lui demanderait probablement tout de suite: « Comment t'es-tu procuré tant d'argent ? » Et que répondrait-il à cela ? « Un de mes oncles est mort en Australie » ? Les gens donnaient effectivement de telles réponses. Il n'avait aucun oncle en Australie et Mark Sopwith le savait. Cela faisait trois cents ans que des Sopwith habitaient le Manoir et des

Bentwood la ferme Brook, et chacun connaissait l'histoire de l'autre.

Il encouragea de nouveau son cheval, et un seul souci le préoccupait. Plût à Dieu que ce ne soit qu'un bruit ! Oui, je l'espère bien pour eux.

Pendant quelques minutes, il chevaucha à travers une étroite parcelle de bois et, au moment d'en sortir, il lui sembla avoir pénétré dans un pays nouveau, tellement la scène avait changé. Au-delà de cette étendue de lande se déployait un fouillis de maisons connu sous le nom de Village de Rosier. Il était composé de méchantes maisons de mineurs — deux pièces et un sol en terre battue — où logeaient les ouvriers de la mine située quelque huit cents mètres plus loin, et le terrain entre les maisons et la mine semblait parsemé de petits tas noirs de charbon. Même s'il n'y en avait que trois, ils dominaient cependant le paysage.

Perdu dans la contemplation du panorama industriel, il se demandait pourquoi un propriétaire de mine tel que Rosier jouissait de la prospérité, alors qu'un homme d'une stature et d'une habileté supérieures, comme Sopwith, était acculé à la ruine. La réponse semblait composée de deux éléments : d'abord, même si, comme il l'avait compris, Rosier avait des difficultés avec l'eau, les explosions et le reste, à l'instar de tout propriétaire de mine, la sienne était à puits, tandis que celle de Sopwith était une mine à galeries; le deuxième élément de la réponse résidait dans la chance qui, dans l'industrie charbonnière, se traduisait par de bonnes ou de mauvaises veines, même si l'on disait que la malchance n'était que prétexte pour dissimuler une mauvaise prospection.

Longtemps après avoir dépassé le village, la puanteur envahissait encore ses narines. Il parcourut deux miles ou plus, puis arriva en vue de son but. C'était un cottage au toit de chaume, situé non loin de la piste cavalière et abrité dans un creux au fond plat, à l'intérieur des limites de la propriété Sopwith. Devant, il y avait un grand carré de jardin cultivé et, derrière, un enclos, le tout très proprement clôturé. Au loin, à sa gauche, le terrain descendait légèrement, puis devenait une colline herbeuse qui, à mi-chemin, s'aplatissait en un étroit plateau, remontait de nouveau et se terminait en une hauteur apparemment plate. Il chevaucha jusqu'au cottage, mit pied à terre et attacha son cheval à l'un des montants de la barrière. Quand il ouvrit le loquet et emprunta le chemin, les oies dans l'enclos se mirent à caqueter, donnant ainsi le signal pour que s'ouvre la porte. En atteignant celle-ci, il s'adressa à la vieille femme debout dans l'embrasure :

— Elles valent bien deux chiens de garde, ces deux-là !

— Oh ! bonjour, Simon. C'est bien bon de te voir. Viens, entre. Quelle belle journée, n'est-ce pas ?

— Eh oui, Annie, il fait beau.

Il la suivit dans la maison.

— Je venais juste de dire à William (elle tendit la main vers le lit clos au fond de la pièce), encore un jour ou deux comme celui-ci et nous pourrons t'emmener dehors.

— Pourquoi pas ? Pourquoi pas, vraiment... Comment vas-tu, William ?

L'homme dans le lit se releva de sous sa couette et se pencha en avant, tendant la main.

— Comme tu me vois, comme tu me vois, Simon; ni mieux ni plus mal.

— Eh bien, c'est déjà quelque chose.

Tout en parlant, Simon Bentwood déboutonnait sa veste croisée et glissait son doigt dans sa grande écharpe en s'écriant :

— J'ai eu chaud à cheval.

— Je connais un remède à cela. Et enlève ton manteau. Gingembre ou tisane ?

Simon était sur le point de dire : « Gingembre », lorsqu'il se souvint que la dernière pinte de bière au gingembre bue ici l'avait tenu éveillé la moitié de la nuit. Elle y avait mis une telle quantité de gingembre de racine que cela lui avait brûlé les entrailles.

— Tisane, dit-il, merci, Annie.

— Tisane, répéta-t-elle; je pensais que tu aimais le gingembre.

— Je les aime bien tous les deux, mais j'ai le droit de varier, non ?

En riant, elle se détourna et traversa rapidement la longue pièce dallée, ses hanches rebondies faisant danser sa jupe de serge fanée. Elle disparut par une porte tout au bout de la pièce. Simon s'assit près du vieil homme dans le lit, et lui demanda calmement :

— Et alors, comment ça va ?

— Ah ! Pas tellement bien, par moments, Simon.

— La douleur empire-t-elle ?

— Je ne peux pas dire. Elle a toujours été pire, dit-il, tandis que son visage moustachu grimaça un sourire.

— J'aurai peut-être une chance de me procurer une bouteille de vraie gnole bientôt; je crois que les gars vont de nouveau sortir.

— Ce serait bon, Simon. Ah ! ce serait bon ! Rien ne vaut une

12

goutte de véritable gnole. Mais c'est curieux qu'elle doive venir de l'étranger, tu ne trouves pas ?

— Ouais, c'est vrai, quand on y pense, William. Mais de toute façon, le cognac doit venir de l'étranger.

— Ouais, ouais; je me souviens du dernier lot, j'ai dormi comme un bébé pendant des nuits. Le sommeil est une chose merveilleuse, tu sais, Simon, c'est ce que Dieu nous a donné de plus beau, le sommeil. Je crois qu'il nous l'a accordé comme apprentissage de la mort, car elle sera ainsi, la mort, simplement un long sommeil.

— Oui, William, oui, je... je suis d'accord avec toi là-dessus, simplement un long sommeil. Ah !...

Il se retourna avec un rire forcé et accueillit Annie Trotter qui revenait dans la pièce, tenant une théière grise par la poignée :

— Ah ! vous voilà. Remarquez, vous avez pris votre temps.

— Pris mon temps ! Je ne suis plus aussi jeune qu'avant; c'est difficile d'aller sous la maison, c'est toujours Tilly qui y va, à quatre pattes.

— A propos, où est-elle ?

— Oh ! elle est sortie comme d'habitude pour ramasser du bois. Elle passe son temps à scier des branches et à en faire des bûches. Je parierais bien qu'il n'existe pas dans tout le comté une ligne d'arbres plus nette que celles du bois de Sopwith. Elle fait du bon travail. Monsieur Mark ne voit pas d'inconvénient à ce qu'elle nettoie les arbres jusqu'à hauteur d'homme, mais je dois dire en sa faveur qu'elle le fait correctement, aussi bien que n'importe quel homme; la sève ne coule plus après son passage; elle met du goudron partout.

— Je suis inquiet.

Simon regarda William :

— Inquiet ? De quoi ?

— D'elle, de Tilly. Plus de quinze ans, presque seize; elle devrait être placée dans une bonne maison pour apprendre à être une femme au lieu de vagabonder comme un jeune poulain. Je ne serais pas étonnée si elle décidait un jour de porter un pantalon.

— Oh ! je ne pense pas que vous ayez à vous inquiéter de cela; elle ne fera jamais rien d'idiot, pas Tilly, elle a la tête bien vissée sur les épaules, dit Annie.

— Je sais cela, je le sais, Simon. Le problème c'est qu'elle a une trop bonne tête. Sais-tu qu'elle sait lire et écrire aussi bien que le pasteur lui-même ?

13

— Et danser.

Simon se tourna vivement vers Annie qui lui passait un bock de tisane :

— Danser ?

— Ouais. Tu ne connais pas la dernière. C'est la femme du pasteur, Mme Ross.

— La femme du pasteur ?

— Ouais, je te dis. Elle a dû penser qu'il manquait à Tilly des qualités de femme du monde ou quelque chose dans ce genre et alors... Elle lui a appris à danser. Elle l'emmène même à la cure, je te l'assure ! Elle joue un air sur l'épinette, puis l'entraîne à la cave et là, elle lui fait exécuter un menet... non, un menuet. C'est ça.

— Mme Ross, la femme du pasteur ?

— Ouais. Mais, oh ! Simon, ne dis rien. Maintenant ne dis pas un mot, car si cela s'ébruitait, mon dieu ! Bon, je veux dire, si c'était n'importe qui d'autre, elles pourraient danser et s'user les pieds jusqu'aux genoux, mais elle est la femme du pasteur et aussi ignorante, dit-on, la pauvre, du comportement d'une femme de pasteur, que je le suis de celui de la maîtresse du manoir.

Maintenant elle riait. Ses deux avant-bras sous ses seins rebondis, elle se balança d'avant en arrière pendant un moment, les larmes jaillissant de ses yeux. Puis elle interrogea :

— L'as-tu vue ?

— Oui, oh oui ! Elle est là, assise au premier rang tous les dimanches, et ce premier rang n'a rien vu d'aussi joli depuis bien des années, je peux vous le dire.

— Elle est jolie, alors ?

Il inclina la tête, puis songea un instant avant de répondre :

— Ouais, elle est mieux que jolie. Mais elle n'est pas ravissante. Elle a un air, elle est vivante... Ouais, c'est le mot. Ça alors, c'est curieux, elle a la même qualité que Tilly.

— Que notre Tilly ? Elle, une femme de pasteur ? **Ah non !**

Cela était venu du lit Simon se tourna vers le vieil homme et dit :

— Ouais, William, c'est une espèce de rayonnement. Je ne suis pas doué pour les mots, je peux seulement dire qu'elle semble pleine de vie.

— Eh bien ! je peux dire que si elle ressemble à Tilly et agit comme elle, elle n'aurait jamais dû épouser un pasteur.

— Oh ! je ne sais pas, William, le pasteur Ross a passé des moments peu agréables avec l'autre. Elle aurait été capable d'inquiéter le diable dans son enfer et cela a dû parfois se produire, je crois. Mais je dois avouer que je me suis moi-même demandé s'il avait été raisonnable dans son second choix. Je me suis laissé dire qu'elle vient d'une très bonne famille. Mais oui, d'une très bonne famille. Elle a un cousin ou un parent quelconque dans la maison de la jeune reine, et haut placé, dit-on. On raconte également que les deux familles étaient voisines, il y a des années, au fin fond du Dorset; cadet de sept garçons, il a, par conséquent, été précipité dans le ministère. De toute manière, je peux te dire ceci, elle l'a transformé, ce garçon. Il n'est plus tellement du genre à faire sensation, mais plutôt doux comme un agneau. Tu vois ce que je veux dire ? Et veux-tu savoir autre chose ? Elle ne le quitte pas des yeux durant tout le temps de son prêche. Je l'ai observée. Mais, lui, en revanche, il ne la regarde jamais. Il n'ose pas... Je le crois amoureux, ce garçon.

Il rejeta la tête en arrière et rit, mais c'était un rire gêné. Annie se tenait debout, le regardant, le visage sérieux, puis elle dit :

— Mais, à propos de la danse, c'est la dernière chose au monde dont j'aurais pensé que Tilly puisse avoir envie, parce que, comme tu sais, elle n'est heureuse que lorsqu'elle a une scie ou une hache entre les mains. Elle sait fendre une bûche mieux que je n'aie jamais pu. Et elle a creusé chaque centimètre de cette terre là-bas aussi bien que William l'a jamais fait. Elle a toujours voulu s'attaquer à des tâches masculines et cela m'a inquiétée. Mais je crois que cela m'inquiétera encore plus, maintenant qu'elle veut danser.

— C'est une fille, Annie. Et je me disais qu'elle pourrait bien devenir une jolie fille.

— Ah ! j'en doute; son squelette n'a aucune rondeur. A presque seize ans, elle devrait se développer, mais regarde-la. Raide comme un piquet, droite comme un I.

— Elle a bien le temps... et il y a des gars qui les aiment maigres.

— Je n'en ai pas encore rencontré un. Personne n'achète une vache dont on voit les côtes, s'il y en a une bien grasse à côté.

— Elle n'est pas une vache, et ne parle pas d'elle comme si elle en était une, Annie Trotter !

Annie tourna vivement la tête vers le lit et cria :

— Et n'aboie pas après moi, William Trotter, sinon je te ferai ton affaire ! Tu es bien là où tu es. Tu vas me parler poliment.

Elle hocha la tête vers lui avant de se retourner vers Simon pour lui adresser un clin d'œil; puis elle jeta un regard du côté de la fenêtre vers le petit tertre et l'endroit où une jeune fille descendait la colline avec la légèreté d'un cabri. Subitement, elle s'arrêta pour une raison évidente car, de derrière une touffe d'ajoncs, était apparue la silhouette d'un jeune homme.

— Qui est avec elle ? Peux-tu voir, Simon ?

Simon ne répondit pas mais plissa les yeux; puis, une fois les deux silhouettes arrivées à mi-chemin du bas de la colline, il dit :

— McGrath. Hal McGrath.

— Oh non ! Encore lui ?

Annie se redressa, et au même moment Simon se détourna de la fenêtre et mit sa main dans sa poche; il en retira un souverain et dit en le lui donnant :

— Mieux vaut que vous le preniez avant qu'elle n'arrive.

— Merci, Simon. Merci.

Elle leva la tête vers lui. Il la dévisagea un moment, se mordit la lèvre, puis dit :

— Que pensez-vous qu'il cherche ? Croyez-vous qu'il ait des intentions à son égard, ou est-ce l'autre chose ?

— Il espère faire d'une pierre deux coups, je suppose. Il vient ici tous les dimanches depuis des mois.

Simon regarda Annie de nouveau et sa voix venait du fond de sa gorge quand il marmonna :

— Il n'abandonnera pas, hein !

— Pas tant qu'il lui restera un souffle, si je connais bien Hal McGrath. C'est son père tout craché, et son grand-père aussi.

— Pose-t-elle des questions, je veux dire à propos... ?

Il montrait sa main qui tenait maintenant le souverain serré contre sa poitrine, et elle cligna les yeux, détournant son regard, avant de dire :

— Il y a environ un an, elle a demandé où nous trouvions l'argent pour acheter la farine, la viande et le reste. Elle nous fournit les légumes du jardin, et, comme tu le sais, elle le fait depuis que William est alité, alors j'ai... j'ai dû lui donner une sorte de réponse. Je lui ai dit que c'était de l'argent que tu nous avais emprunté il y a quelques années. Enfin, pas toi, ton père.

— Cette réponse-là en valait bien une autre. Vous a-t-elle cru ?

— Elle a paru s'en contenter. Je me souviens qu'elle a dit : « J'aime bien les gens qui paient leurs dettes. »

— Hum ! les dettes ! Elle l'a quitté; elle court comme un lièvre et il reste là comme une meule.

Lorsque, quelques minutes plus tard, la porte du cottage

s'ouvrit brusquement, on eût dit qu'un vent frais avait subitement soufflé dans la pièce. Tilly Trotter était grande pour son âge, car elle mesurait à présent un mètre soixante-quatre. Elle portait une robe de coton passé, pendant toute droite de ses épaules jusqu'en haut de ses bottes épaisses, sans la moindre forme. Son cou était long et bruni par le vent et l'air, comme l'était son visage; cependant, il y avait une nuance de rose dans le brun de ses pommettes saillantes. Ses yeux, maintenant brillants et rieurs, semblaient avoir pris la couleur de la peau, avec pour unique différence que le brun de son teint était mat, alors que celui de ses yeux était clair et profond. Sa chevelure épaisse d'un brun foncé aurait dû, à son âge, être soit ramenée bien haut sur son crâne, soit retenue par un nœud décoratif dans le dos; au contraire, elle pendait en deux grandes tresses retenues derrière son cou par ce qui avait été autrefois un bout de ruban bleu. Sa bouche aux lèvres charnues et épanouies s'ouvrait maintenant d'un air engageant, tandis qu'elle jacassait, haletante :

— Bonjour, Simon. Pourquoi n'es-tu pas venu à mon secours ? Sais-tu par qui je viens d'être abordée, et c'est bien le mot, abordée, ce qui veut dire attirée dans un guet-apens ? Ce Hal McGrath m'a encore poursuivie. Même la semaine des quatre jeudis, tu ne devineras jamais ce qu'il m'a demandé. Il veut me fréquenter. Lui, Hal McGrath ! Et tu sais ce que je lui ai dit ? Je lui ai dit que j'aimerais mieux sortir avec un des cochons de Tillson. Oui ! Je le lui ai dit ! Je le lui ai dit !

Elle riait maintenant bruyamment.

— Te fréquenter ! (Très droit dans le lit et parlant avec force, William répéta :) Te fréquenter !

— Oui, pépé, c'est ce qu'il a dit. Il voulait me fréquenter parce qu'il pensait... (L'hilarité disparut de son visage; sa voix tomba; elle abaissa son menton sur sa poitrine et termina timidement :) il a dit que je... j'étais mûre pour... qu'il me fréquente.

— Le bougre d'imbécile !

Annie se penchait à présent sur le lit, enfonçant son mari dans les oreillers et lui disant avec douceur :

— Allons ! Allons ! Ne te fâche pas. N'as-tu pas entendu ce qu'elle a dit ? Elle aimerait encore mieux marcher au bras d'un des cochons de Tillson. Allons ! Allons ! Repose-toi, calme-toi.

Simon s'était levé et ajustait sa veste; son visage était raide et inflexible, et, une fois le dernier bouton mis en place, il baissa les yeux sur Tilly : elle était toujours assise à la table, ses mains jointes devant elle, maintenant. Il lui dit :

— Evite-le, Tilly.

Elle se tourna vers lui et, d'une voix aussi posée que la sienne, lui répondit :

— Oh ! je l'évite, Simon, je l'évite chaque fois que je peux, mais il est très présent ces temps-ci...

La voix d'Annie l'interrompit, disant :

— Va nous chercher de l'eau, nous sommes presque à sec.

Tilly se leva immédiatement et quitta la table. Elle fit cependant une pause devant Simon :

— Salut, Simon.

— Salut, Tilly.

Il tourna la tête afin de voir les deux vieux d'un même coup d'œil, puis déclara avec un rire confus :

— Je vous ai apporté une nouvelle aujourd'hui, mais je suis sur le point de partir sans vous avoir rien dit... Je vais me marier.

— Te marier ? Non !

Annie fit deux pas vers lui, puis s'arrêta; William se redressa de nouveau dans le lit mais ne dit rien; et Tilly leva les yeux vers son visage et après un moment demanda doucement :

— Qui épouses-tu, Simon ?

— Mary... Mary Forster. Tu ne la connais pas, elle n'est pas d'ici, elle vient d'au-delà de la route de Felling.

— Si loin de ta ferme ! reprit Annie.

— Oh, ça ne fait que sept ou huit kilomètres, et vous connaissez le dicton : un cœur chaud et un cheval au galop sont capables de les surmonter.

— A quand la noce, Simon ?

— Les bans seront publiés dimanche prochain.

— Oh !

Elle inclina la tête et sourit faiblement, et le silence remplit la pièce; il le rompit en riant et dit d'une voix forte, en se penchant vers elle :

— Et tu pourras venir danser à mon mariage. Mais n'amène pas la femme du pasteur.

Il avait fait semblant de chuchoter et il jeta un regard vers les deux vieux avant de ramener ses yeux sur elle; simultanément, elle lança un regard vers ses grands-parents, puis dit posément :

— Ne parle pas de cela, Simon, je t'en prie; le pasteur n'aime pas qu'elle aille danser, je veux dire, Mme Ross.

18

— Oh ! je ne livrerai pas ton secret.

Il s'était penché afin de mettre son visage rieur au niveau du sien, mais au moment où il la regarda dans les yeux, son sourire le quitta, et comme il se redressait, sa voix redevint profonde et forte, et il s'écria :

— Eh bien ! Je dois partir, les vaches savent mieux que moi quelle heure il est.

— As-tu toujours Randy ?

— Oh oui ! Mais il est bigrement paresseux, il s'endort avec sa tête dans leurs côtes et ses joues pendent presque dans le lait. Mais les jeunes Bill et Ally sont de bons gars, ils s'amélioreront avec les années. A propos (il se tourna vers William) j'ai oublié de te dire; tu ne devineras jamais qui est venu me demander du travail. Il l'a fait en douce, discrètement — il le fallait bien, évidemment — le cadet du Grand McGrath, Steve, celui de quatorze ans, tu sais. Il m'a pris par surprise, un soir de la semaine dernière et m'a demandé s'il y aurait une chance. J'ai été obligé de lui rire au nez. Je lui ai dit : « Ton vieux sait-il que tu cherches du boulot ? » Mais il a secoué la tête. Puis, je lui ai dit sérieusement : « Ce n'est pas la peine, mon gars. Je te mettrais bien au boulot demain, parce que tu as l'air costaud et courageux, mais tu sais ce qui se passerait; ton vieux viendrait te rechercher et t'emmènerait. Vous êtes tous voués à la ruine, et pour de bon ! Et tu sais ce qu'il a répondu à cela ? (Son regard allait de l'un à l'autre maintenant.) Il a seulement dit : « Pas moi, pas moi, pour de bon, je vais m'en sortir », et il a tourné les talons. C'est curieux, ce jeune gars ne ressemble à aucun des autres. Il n'a vraiment rien d'un McGrath; pas des McGrath que nous connaissons, hein, William ?

— Tous les McGrath sont pareils sous la peau, Simon. Ne fais jamais confiance à un McGrath.

— Tu as peut-être raison. Mais repose-toi.

Il inclina la tête vers le vieil homme, et William lui répondit :

— Ouais, ouais.

— Bon, alors, salut ! dit-il, les enveloppant tous du regard.

Puis il sortit, en fermant la porte derrière lui. Annie fut la première à bouger. Elle se dirigea vers l'âtre dans lequel la marmite de soupe aux choux pendait, suspendue à une broche; elle tendit la main vers le manteau de la cheminée, en descendit une boîte à thé en bois et plaça doucement le souverain au fond; puis, remettant la boîte à sa place, elle se tourna vers Tilly :

— Je croyais t'avoir demandé d'aller chercher de l'eau.

19

— Tu m'as seulement dit cela pour me faire sortir de la pièce, mémé; le tonneau est à moitié plein dehors, et tu le sais. Qu'est-ce que je ne dois pas entendre ?

— Ah ! ne sois pas insolente, mademoiselle !

— Je ne suis pas insolente, mémé. Vous me dites toujours que je vais sur mes seize ans et que je devrais me conduire comme une jeune femme, et pourtant il y a des choses que vous me cachez, comme vous l'avez toujours fait. Comme le souverain là-haut que Simon apporte chaque mois. Et saviez-vous qu'il allait se marier ? Cela vous a-t-il tellement surpris ?

— Evidemment, cela m'a surprise, et ton grand-père aussi. (La voix d'Annie s'était durcie.) C'est la première fois que nous en entendons parler. Nous ne savions même pas qu'il fréquentait, hein, William ? Non, ma fille, nous n'en savions rien. Maintenant, s'il s'était agi de Rose Benton, ou de cette Fanny Hutchinson, oui, qui lui court après depuis des années, je n'aurais pas été étonnée, mais je n'ai jamais entendu parler de celle-ci. Comment l'appelle-t-il ?

— Mary Forster.

Ils regardèrent tous deux Tilly et, au bout d'un moment, Annie répéta :

— Mary Forster. Je n'ai jamais entendu un nom pareil.

— Bon, eh bien, voilà qui est expliqué !

Le ton de la voix de Tilly était tel que ses grands-parents en restèrent bouche bée de surprise, tandis qu'elle continuait :

— Mais à propos de l'autre chose, ne continuez pas à me dire que Simon vous rembourse de l'argent qu'il vous doit. Je ne peux vraiment pas croire que vous auriez eu tant d'argent à lui prêter, que ça lui prenne toutes ces années pour se libérer de sa dette. Alors de quoi s'agit-il ? J'ai le droit de savoir...

William se mit à tousser, une toux déchirante et tourmentée, et Annie, se précipitant vers lui, le remonta sur les oreillers et se mit à lui taper dans le dos. Elle tourna la tête vers Tilly et s'écria :

— Tu vois ce que tu as fait avec tes questions importunes. Depuis des jours il n'avait pas eu de crise. Chauffe un peu de miel et apporte-le vite ici !... Toi et ton droit à savoir !

Tilly, changeant complètement d'attitude à présent, courut vers un vaisselier en chêne au bout de la pièce et en sortit un pot, puis elle revint rapidement vers la table et versa deux cuillères à soupe dans une chope : ensuite, elle s'approcha du feu, plongea vivement

20

sa chope dans la marmite d'eau bouillante et en mélangea le contenu avec une petite cuillère en bois, avant de s'approcher du lit et de tendre la chope à sa grand-mère.

Entre les quintes, le vieil homme but des petites gorgées de l'eau mielleuse et chaude; puis il se renversa dans les oreillers, sa poitrine ne cessant de se soulever comme un soufflet pendant tout le temps.

Tilly se tenait près du lit, la mine aussi contrite que la voix.

— Je regrette, pépé. Je suis désolée de t'avoir ennuyé.

— Non, non, tu ne m'ennuies jamais, ma chérie. Tu es une bonne fille; tu l'as toujours été et je vais te dire encore quelque chose... lorsque j'aurai repris mon souffle. (Il aspira difficilement pendant quelques secondes, puis lui dit avec un sourire :) Tu as été la joie de ma vie, depuis que tu y es entrée.

— Oh ! pépé ! (Elle se pencha, posa son visage contre sa joue poilue et sa voix se brisa lorsqu'elle redit :) Oh ! pépé !

Puis, sa grand-mère dissipa l'émotion en disant à présent d'un ton égal :

— Je n'avais pas besoin d'eau, mais c'est un fait que j'avais besoin de bois, et il m'en faut, si tu veux avoir un repas ce soir.

Tilly s'éloigna du lit. Elle passa devant sa grand-mère : la vieille femme se tourna vers elle et elles échangèrent un regard dénué de rancœur.

Derrière le cottage, un des côtés de la cour grossièrement pavée était bordé par deux petites dépendances; l'une d'elles avait été une écurie, et l'autre une sellerie. La sellerie servait maintenant à remiser les légumes et l'écurie de réserve à bois. Dehors, devant l'écurie, se trouvait un chevalet de sciage sur lequel reposait une grosse branche qu'elle avait descendue du bois ce matin-là. Elle posa la main dessus, tourna son corps à demi et s'appuya sur le chevalet pour regarder à travers l'enclos et au-delà, à l'endroit où le terrain se creusait, très loin, avant de s'élever à nouveau vers les bois bordant la propriété Sopwith; et, pour une fois, en contemplant le paysage, elle ne pensait pas : « Ah ! c'est joli ! » car elle se sentait légèrement mal à l'aise, au fond d'elle-même.

Simon allait se marier. Elle était encore sous le choc que lui avait procuré la nouvelle; jamais elle n'avait imaginé que Simon se marierait. Mais pourquoi n'y avait-elle jamais pensé ? Un beau fermier fringant comme lui, avec sa gentillesse et sa gaieté. Elle l'avait aimé pour tant de choses, mais surtout pour ces qualités-là.

Elle se souvenait du tout premier jour où elle l'avait vu; c'était le jour où sa mère l'avait amenée à ce cottage. Elle avait cinq ans. Elle se souvenait, elle était vêtue d'une robe de serge noire, d'un manteau noir et court et d'un bonnet; elle portait le deuil car son père était tombé d'une falaise à Shields et s'était noyé. Son grand-père lui avait pris son manteau et l'avait assise sur une chaise, puis, avec sa grand-mère, il avait aidé sa mère à monter en haut de l'escalier raide menant à la chambre, car sa mère était malade.

Elle était près du feu, lorsque la porte s'était ouverte, livrant passage à un homme et un garçon; le garçon s'était approché d'elle et lui avait dit :

— Et qui es-tu quand tu sors ?

Il avait ri en la regardant. Mais elle au contraire s'était mise à pleurer; il l'avait consolée en sortant de sa poche un sucre d'orge qu'il lui avait donné.

Et quand son grand-père était redescendu, il avait parlé avec l'homme. C'était également ce jour-là qu'elle avait entendu pour la première fois le nom de McGrath, et aussi un juron, car l'homme avait dit :

— Nom de dieu, ça m'étonnerait que ton Fred soit tombé d'une falaise !

Le garçon lui avait alors demandé comment elle s'appelait et quand elle avait répondu : « Tilly », il avait dit « Tilly Trotter ! Voilà un nom idiot, Tilly Trotter ! » Et elle se souvenait de son grand-père criant au garçon : « Ne traite pas cette enfant d'idiote, Simon ! Son nom est Matilda », et l'homme avait dit au garçon : « Allez, sors. Je m'occuperai de toi après. C'est toi, l'idiot. »

Mais le garçon n'était pas sorti. Elle le revoyait, se tenant très droit, le regard sur son grand-père et son propre père, disant :

— J'ai entendu dire que M. McGrath était là à attendre le bateau, il n'était pas à son poste, il l'avait lâché. Bill Nelson a entendu son père en parler.

Les deux hommes s'étaient alors approchés du garçon, et curieusement, le garçon n'avait plus paru être un garçon, mais un homme.

A partir de ce moment-là, elle avait toujours considéré Simon comme un homme et quelqu'un lui appartenant. Mais il n'était plus à elle. Elle ressentait une envie de pleurer, et cette envie était étrange car elle pleurait rarement. Il n'y avait rien dans sa vie qui puisse la faire pleurer, ses jours avaient été libres, heureux et emplis de tendresse; en plus, on ne l'avait pas envoyée travailler aux champs — ni même à la mine.

22

Elle avait sept ans lorsque sa mère était morte, et celle-ci lui avait à peine manqué car les deux personnes en bas, dans la salle, l'avaient toujours entourée d'une attentive tendresse, et elle avait tenté de la leur rendre non pas par l'affection, mais par le travail. Malgré tout, elle savait qu'ils n'auraient jamais eu de quoi vivre durant ces dernières années, depuis que son grand-père avait dû s'aliter, s'il n'y avait pas eu ce souverain mensuel.

Mais pourquoi ? Pourquoi Simon se sentait-il tenu d'apporter cet argent ? Il devait avoir une obligation car, à sa connaissance, il n'avait jamais manqué un mois au cours des six dernières années. Et, avant cela, il accompagnait son père dans ces mêmes missions. Il y avait quelque chose, là, qu'elle ne parvenait pas à comprendre. Et que se passait-il lorsqu'elle posait des questions ? Cela donnait une crise à son grand-père.

La femme de Simon serait-elle curieuse ? Tilly était incapable de connaître la réponse.

Elle se retourna rapidement, entra dans l'écurie et, prenant un panier en osier, y mit quelques bûches; puis, elle ramassa des poignées de copeaux dans un coffre en bois et les jeta par-dessus les bûches. Difficilement, elle souleva le lourd panier et, les bras tendus pour l'agripper, elle se dirigea vers la porte de derrière. Là, elle appuya le panier contre l'huisserie et, la tête tournée par-dessus son épaule, elle regarda de nouveau le vaste paysage, mais cette fois, comme pour lui faire ses adieux; elle se sentait envahie d'un pressentiment angoissant, comme si elle était subitement sortie d'une vie pour entrer dans une autre; elle comprit que plus jamais elle ne connaîtrait la liberté d'esprit qui l'avait entraînée à courir sur la colline, ou à sauter les ruisseaux comme une biche; ou même à s'asseoir dans le clair de lune sur la butte, laissant le jour l'abandonner doucement et la nuit envahir une zone de silence située au plus profond d'elle-même et d'où sourdait la compréhension, compréhension dont elle ne se rendait pas complètement compte, car elle n'avait pas encore vécu son temps d'épreuves. Mais alors, elle comprit que ce temps-là n'était plus loin.

Elle poussa la porte et entra dans la souillarde. Son esprit fit un pas en arrière, vers la longue jeunesse qu'elle venait de quitter, et elle pensa : « Si mes seins s'étaient développés, peut-être m'aurait-il remarquée. »

CHAPITRE II

Simon, adossé à la barrière de la ferme, leva le regard vers son propriétaire, M. Mark Sopwith. Il rendit à son aîné son sourire, accompagné d'un hochement de tête :

— C'est vrai, c'est vrai, demain je me laisse passer le licol.

— Il y a beaucoup de situations plus pénibles : tout dépend du caractère de la cavalière.

— Oh ! je le connais ! je saurai dompter la cavalière.

— Enfin ! On ne peut pas porter le licol et être le cavalier, c'est absolument impossible.

— Vous avez raison, là. J'ai toujours voulu avoir le beurre et l'argent du beurre. A propos, Monsieur, y a-t-il du vrai dans ce que j'entends ?

— Ça dépend, les rumeurs comportent toujours un brin de vérité. Qu'entends-tu dire ?

— Eh bien... On dit que la mine est pratiquement fichue depuis que l'eau l'a envahie.

Mark Sopwith dévisagea Simon sans répondre, puis dit :

— Les pompes, ça existe. L'eau est bien entrée, mais elle est partie. Et tu peux lancer une autre rumeur : ma mine n'est pas encore fichue, et a peu de chances de l'être.

— J'en suis bien content, Monsieur, vraiment bien content.

— Merci. Eh bien ! Je dois partir à présent, mais tu as mes meilleurs vœux pour une vie heureuse à partir de demain.

— Merci, Monsieur.

Mark Sopwith était sur le point d'enfoncer ses genoux dans les flancs de son cheval, mais il retint son geste en voyant un cavalier déboucher d'un tournant de la route à quelques mètres de là. C'était une jeune fille — non, une femme —, et elle se tenait sur sa monture comme s'ils avaient été moulés ensemble. Encore un petit trot et elle arriva à leur niveau; elle immobilisa sa bête et les regarda; les deux hommes lui rendirent son regard, intrigués, les yeux écarquillés.

— Bonjour.

— Bonjour, madame.

Ils lui répondirent presque simultanément. Mark Sopwith souleva son chapeau, mais Simon, tête nue, ne porta pas les doigts à son front.

— Je parle à Monsieur Sopwith ?

Elle regardait Mark, à présent, et il inclina la tête.

— C'est cela, madame.

— Je suis Lady Myton.

— Oh ! comment allez-vous ? Je... je suis navré, je n'ai pas encore eu la possibilité de vous rendre visite, je...

La dame souriait maintenant, puis étouffa un rire.

— Je suis allée vous rendre visite ce matin même mais on m'a dit que vous étiez sorti et que votre femme était indisposée.

Simon, se tenant droit, dévisageait tour à tour l'un puis l'autre des cavaliers. Il remarqua que le visage de M. Sopwith avait perdu son teint olivâtre et acquis soudain une chaude roseur; il nota également l'amusement de la dame. Il avait entendu dire qu'un noble avait repris Dean House et que c'était un bonhomme plutôt vieux avec une femme jeune. Eh bien, d'après ce qu'il voyait, elle n'était pas si jeune que cela, elle devait approcher de la trentaine, apparemment; mais fi ! elle était bien faite ; et l'effronterie qu'il lisait dans ces yeux-là évoquait celle que l'on aurait pu surprendre dans ceux d'une serveuse distribuant des bières dans une auberge.

Il sentit soudain la tête inclinée et les yeux pleins de curiosité posés sur lui et il devina également que son propriétaire était embarrassé, hésitant à le présenter. Il sentit sa colonne vertébrale se raidir légèrement et le geste accentua son expression lorsqu'il leva le regard.

— Voici le fermier Bentwood, un de mes locataires.

De nouveau, elle regardait Mark Sopwith et quelques minutes s'écoulèrent avant qu'elle inclinât la tête vers Simon, mais lui n'avait pas encore, suivant les usages, porté sa main à son front et dit : « Bonjour, Madame ». Au contraire, il lui rendit son salut, inclinant imperceptiblement la tête. Cela parut agacer M. Sopwith car, faisant reculer son cheval, il le manœuvra de façon à obliger Simon à faire un écart ; il amena la tête de sa monture près de celle du cheval de Lady Myton et, son genou touchant presque sa robe, il dit :

— Avez-vous un but particulier ou êtes-vous simplement en promenade ?

— Je me promenais simplement.

— Alors, peut-être me ferez-vous l'honneur de chevaucher avec moi jusqu'à la maison pour y faire la connaissance de ma femme ?

— Certainement.

Au moment de partir, Mark Sopwith tourna la tête et abaissa son regard sur Simon :

— Au revoir, Bentwood, et joyeux mariage demain.

Sur ces mots, Lady Myton tira sur les rênes et se retourna sur sa selle.

— Vous vous mariez demain ?

Il fit une pause avant de dire doucement :

— Oui, Madame.

— Eh bien, permettez-moi aussi de vous souhaiter un heureux mariage, monsieur, fermier... Comment avez-vous dit que vous vous appeliez ?

— Bentwood, Simon Bentwood.

— Simon Bentwood. Eh bien, de nouveau, je vous dis joyeux mariage, fermier Simon Bentwood.

Sur ce, elle éperonna brusquement son cheval qui détala, laissant Mark Sopwith la suivre loin derrière ; en atteignant le bout de la route sinueuse, il lui cria :

— Tournez à droite et prenez l'allée cavalière.

Il prit alors lui-même la tête, mettant son cheval au galop; il ressentit à ce moment un certain amusement. Si elle était sur ses talons, elle ne manquerait pas, même après une si courte rencontre, d'être agacée de ne pouvoir le dépasser et lui montrer ses qualités de cavalière; il avait immédiatement reconnu en elle une de ces femmes qui, sitôt assises sur un cheval, vont à un train d'enfer par-dessus murs, fossés, barrières... et même cultures. Oui, ces gens-là n'avaient aucun respect pour les cultures. Bentwood avait dû le déceler chez elle et cela lui avait inspiré son comportement irrespectueux et déplacé.

Lorsque le chemin s'élargit enfin, il ramena son cheval au pas; elle chevauchait maintenant à côté de lui et il la regarda, mais elle ne manifesta aucun agacement. Elle regardait au loin, à droite, vers un cottage, et commenta :

— Voilà un joli cottage et un jardin bien tenu. C'est quelque chose que j'ai remarqué depuis le peu de temps que je suis arrivée : les cottages ont des jardins très mal entretenus; certains ont quelques légumes, rien de joli.

— C'est la maison des Trotter. Elle est sur ma propriété. Le vieux et la vieille Trotter habitent là. C'est leur petite-fille qui assure l'entretien. La voilà maintenant qui remonte du ruisseau. Elle est capable de faire le travail d'un homme. Elle peut abattre un arbre aussi bien que n'importe qui; elle a nettoyé un de mes taillis, il était propre comme un sou neuf.

— Vous lui permettez de scier vos arbres ?

— Non, seulement les branches jusqu'à ça de hauteur; cela leur fait du bien.

Tandis qu'ils se rapprochaient de la chaumière, la jeune fille devint plus visible et Lady Myton reprit :

— Elle a l'air très jeune, plutôt fragile.

— Oh ! il ne faut pas la juger d'après sa maigreur, elle est solide comme un jeune poulain.

Lorsque la jeune fille les vit, elle ne s'arrêta pas mais continua vers l'arrière du cottage, portant deux seaux en bois remplis d'eau; au moment où ils passèrent devant l'enclos, Lady Myton demanda :

— Alors, tout ceci fait partie de votre propriété ?

— Oui, ce qui en reste. La moitié de nos terres ont été vendues pour enrichir votre propriété, il y a environ cinquante ans.

— Vous deviez être très à court d'argent.

— Nous l'étions.

— Et maintenant ?

— Les choses n'ont pas beaucoup changé.

— Mais vous avez une mine ?

— Oui.

— Ne rapporte-t-elle pas ?

— Le seul moyen, semble-t-il, de gagner de l'argent avec une mine, c'est d'aller vivre à Londres ou à l'étranger et de la confier à un gérant. Si vous restez sur place et défendez les intérêts des gens, vous perdez sur toute la ligne.

— D'après ce que j'ai compris, les Rosier réussissent très bien.

Son visage devint sérieux. Il abaissa alors son regard sur sa main qui agrippait les rênes en marmonnant :

— Les gens sans scrupules réussissent... généralement très bien.

Le silence se fit entre eux pendant un moment. Ils éloignèrent leurs chevaux l'un de l'autre pour éviter un profond nid-de-poule, et lorsqu'ils furent de nouveau rapprochés elle dit :

— Vous n'avez pas l'air de porter les Rosier dans votre cœur. Pourquoi ?

Il avait une réponse toute prête sur le bout de la langue : « Que je les porte dans mon cœur ou non, madame, ne vous concerne pas », car il se rendait subitement compte qu'il n'avait pas passé une demi-heure en compagnie de cette femme et qu'elle le questionnait déjà comme n'importe quel vieil ami l'aurait fait. Mais, lorsqu'il se tourna et regarda l'expression de ses grands yeux bleus profonds, toute l'amertume qu'auraient pu contenir ses paroles suivantes fut balayée.

— Vous êtes une dame bien curieuse, dit-il.

Pour toute réponse, elle rejeta la tête en arrière et s'esclaffa avec un rire qu'il considéra comme tout à fait indigne d'une femme distinguée; elle le regarda, les yeux pétillants, et lui dit :

— Vous savez, certaines personnes peuvent passer une journée entière avec moi avant de mesurer à quel point je suis indiscrète.

Il riait maintenant avec elle, mais il s'agissait cette fois d'un doux rire sous cape et comme il maintenait son regard sur elle, il sentit dans son sang un ravivement qu'il avait pensé ne plus jamais pouvoir éprouver. Il avait quarante-deux ans, un fils de sa première femme, trois fils et une fille de la seconde qui était sur le déclin, une hypothèque étouffante sur sa propriété, une mine parvenant à peine à couvrir les paies de ses ouvriers et une maison plongée dans le chaos, faute d'une main pour la diriger. Il croyait ne plus avoir en lui la possibilité d'éprouver le moindre soupçon des émotions de sa jeunesse; le désir du corps, oui, mais pas l'excitation qui, à l'origine, l'avait accompagné. Et, à ce moment, c'était comme si le printemps de sa virilité avait subitement jailli de la terre.

Elle mit subitement son cheval au galop et ils empruntèrent une autre allée cavalière menant à l'allée secondaire, qui conduisait elle-même à la maison; il la laissa passer en tête.

Au début du XIXᵉ siècle, les livres de comptes indiquaient que le personnel de Highfield Manor comprenait trente-deux personnes; cela incluait six jardiniers et quatre personnes dans la cour de l'écurie. A présent, les livres ne citaient que treize personnes attachées à la maison, dont un cocher et trois jardiniers, mais ne tenaient pas compte de M. Burgess, le précepteur, et de Mlle Mabel Venner Price, la dame de compagnie de Mme Sopwith.

La réduction du personnel ne se ressentait pas seulement dans les jardins d'ornement entourant la maison, mais dans la maison elle-même. M. Pike, le maître d'hôtel qui avait été pendant soixante ans dans la famille, n'apparaissait plus dans l'entrée chaque fois que Robert Simes, le laquais, ouvrait la porte, car il était généralement occupé aux tâches subalternes, comme il disait tristement; Mme Lucas, la gouvernante, n'apparaissait plus non plus à tout bout de champ pour accueillir son maître, comme l'aurait fait sa devancière. Lorsque Mme Lucas apparaissait, c'était généralement pour dire de sa manière polie, prudente et raide qu'elle ne pouvait obtenir aucune aide de la part de sa maîtresse et que l'on ne pouvait pas s'attendre à ce qu'elle dirige une maison comme celle-ci avec un personnel aussi réduit; ou bien, voudrait-il donner l'ordre à M. Burgess, le précepteur, de descendre à la salle à manger du personnel pour prendre ses repas ? Cela en ferait un de moins à monter à l'étage des enfants. Mais, en général, quand elle l'arrêtait en chemin, c'était pour se plaindre des enfants; ils ne respectaient aucune discipline, la bonne d'enfants n'avait aucune autorité sur eux et le précepteur, pas plus. Voudrait-il bien parler à M. Matthew, car quoi que celui-ci fasse, les autres lui emboîtaient le pas.

Depuis quelque temps, Mark redoutait de rentrer à la maison, car, du rez-de-chaussée au grenier, il ne rencontrait que des plaintes. Il se remémorait avec nostalgie l'époque où, à Londres, à l'étranger ou même à la mine, il ne souhaitait qu'une chose, rentrer chez lui. Maintenant, à la mine, il ne désirait que s'en échapper; et il ressentait la même impression à la maison.

Il fit un pas de côté, et ouvrit la porte pour permettre à son élégante visiteuse d'entrer dans le hall, et ce faisant, il regarda autour de lui. Puis, il appela le laquais qui disparaissait du côté de la salle à manger :

— Simes ! (Lorsque l'homme se retourna et s'avança vers eux sur le dallage de marbre, Mark indiqua Lady Myton qui tenait ostensiblement sa badine et ses gants, puis demanda :) Ta maîtresse est-elle toujours dans sa chambre ?

L'homme cilla une fois avant de répondre :

— Oui, mon Maître.

Et Mark savait qu'il aurait pu ajouter : « En sort-elle jamais ? »

— Voulez-vous venir par ici ?

Il menait à présent sa visiteuse à travers un grand hall, emprunta le grand escalier recouvert d'un tapis rouge passé et atteignit une large galerie arborant également le même tapis passé et dont les murs disparaissaient presque entièrement sous des tableaux richement encadrés, presque tous des portraits. Il lui jeta un regard en traversant la galerie et son œil étincela en remarquant qu'elle ne portait pas sur son bras, comme c'était la coutume, la traîne de son amazone, mais la laissait pendre à terre. Elle avait décidé d'être différente, cette dame.

Il était sur le point de lui faire emprunter un long couloir lorsqu'une suite de cris aigus les obligea tous deux à regarder à l'autre extrémité, d'où un escalier menait à l'étage supérieur; et maintenant, le descendant allégrement, trois enfants s'approchaient d'eux. Les deux premiers étaient des garçons, et la troisième, une fille, plus petite. C'était elle qui criait le plus fort, et apparemment avec raison, car de son crâne dégoulinait sur son visage et son tablier à volants une substance bleue et épaisse.

— Matthew ! Luke ! Jessie Ann !

Il parut un instant avoir oublié la présence de sa compagne, et marchant à grandes enjambées vers les enfants qui, apparemment inconscients de leur présence, se dirigeaient maintenant vers l'escalier principal, il les força, d'un puissant rugissement, à s'immobiliser :

— Arrêtez ! Arrêtez immédiatement !

Comme s'ils avaient été dirigés par un seul cerveau, ils se figèrent en dérapant et se bousculant, et le cadet des garçons, Luke, sept ans, chevelure brune, yeux bruns et visage espiègle, secouait à présent vigoureusement ses mains dans tous les sens pour se débarrasser de la substance bleue attrapée au contact du tablier de sa sœur.

— Qu'est-ce que tout cela ? Jessie Ann, qu'avez-vous fait ?

— Oh ! papa, papa !

Elle s'approcha de lui, mais reculant imperceptiblement, il s'écria :

— Allez-vous-en ! Où est Dewhurst ?

Il parlait maintenant à son fils aîné, Matthew, qui murmurait d'un air qu'il voulait sérieux :

— Dans la nursery, papa; elle pleure.

Mark ferma les yeux et était sur le point de donner un nouvel ordre, lorsque la voix de Lady Myton, mêlée d'hilarité, intervint.

— Quelqu'un a dû bien s'amuser. (Elle se tenait à côté de Mark, légèrement penchée en avant, observant les trois visages aux regards dirigés vers le sien, et Jessie Ann cessa un instant de pleurnicher quand la dame ajouta :) C'était du haut d'une porte ?

Tandis que Jessie Ann opinait lentement, les garçons hurlèrent en chœur :

— Oui, oui, madame ! C'était pour Dewhurst, mais Jessie Ann était à côté d'elle.

Ils demeuraient bouche bée d'admiration devant la dame qui avait eu l'astuce de deviner comment Jessie Ann avait bien pu être couverte de colle.

— Je n'ai jamais pensé à utiliser de la colle, je n'ai jamais réussi avec autre chose que de l'eau.

Les garçons étaient maintenant secoués de petits rires nerveux, et la petite fille renifla, puis grimaça et éternua violemment, s'efforçant de libérer ses narines de la colle.

— Remontez, tous tant que vous êtes ! Et n'essayez pas de quitter votre étage tant que je ne serai pas monté vous voir. Compris ?

— Oui, papa.

— Oui, papa.

Jessie Ann était incapable de répondre, elle continuait d'éternuer, mais ses frères, la prenant chacun par un bras, l'entraînèrent à nouveau vers l'escalier de la nursery et, à ce moment, Mme Lucas apparut au bout du couloir.

S'approchant vivement d'elle et la voix apparemment tendue, il dit d'entre ses lèvres serrées :

— Madame Lucas, je vous prie de bien vouloir assumer votre tâche et rétablir l'ordre là-haut et également de veiller à ce qu'ils ne descendent pas à cet étage, à moins d'être accompagnés. Vous vous souvenez peut-être que nous avons déjà parlé de cette question précise ?

Mme Lucas, les mains jointes au niveau de la taille, les y enfonça, faisant rebondir ses seins déjà plantureux, gonfler son corsage d'alpaga noir et bouffer un petit tablier blanc qui constituait comme une tache sur le devant de sa large jupe. Elle regarda son maître droit dans les yeux et, ignorant totalement la visiteuse, répondit :

— Mes tâches diverses m'entraînent d'un bout à l'autre de la maison, Monsieur ; je ne peux pas passer mon temps dans la nursery. De plus, il y a une bonne d'enfants et un précepteur dont c'est le rôle.

— Je suis tout à fait conscient de cela, madame Lucas, et il me semblait que la bonne d'enfants, au moins, était sous vos ordres. Mais assez ! Assez ! Montez à l'instant et rétablissez l'ordre !

La gouvernante tendit le cou qui émergeait de l'étroit col amidonné bordant sa robe ; elle inclina à peine la tête, puis, d'un

31

pas exprimant son indignation blessée, elle passa entre son maître et la visiteuse et se dirigea vers l'escalier.

Alors, Mark se retourna et marcha lentement vers une fenêtre à large baie dans le couloir; il se tint un moment immobile, la main sur les yeux, puis revenant de nouveau vers Lady Myton, il fit un geste d'impuissance de ses épaules et de ses mains tendues.

— Que puis-je dire ? Je... je suis vraiment désolé que vous ayez dû subir cette scène.

— Ne soyez pas ridicule ! Je n'en ai pas perdu une miette. Cela m'a rappelé ma jeunesse; j'en faisais autant. Je détestais les bonnes d'enfants, les gouvernantes et toute leur engeance. On me changeait toujours de bonnes d'enfants. Je leur faisais une vie d'enfer.

Il la regardait dans les yeux; quelques secondes s'écoulèrent puis sa poitrine se secoua et du fond de sa gorge monta un profond grondement, et alors il se mit à rire avec elle. Mais c'était un rire étouffé, et un instant après, toujours en la regardant, il dit doucement :

— Vous êtes quelqu'un de très rafraîchissant. Mais je pense que vous devez le savoir ?

— Non, non... eh bien, on ne m'avait encore jamais dit que j'étais rafraîchissante; cela me fait penser à une de ces boissons gazeuses. Et cela me rappelle à nouveau la nursery, car, lorsque je rotais, et je le faisais souvent et délibérément, ma nurse avait l'habitude de presser un citron dans un verre d'eau, d'y ajouter une grande cuillerée de bicarbonate et lorsque cela pétillait, ce qui se produisait immédiatement, elle me forçait à le boire, en me le versant, pour ainsi dire, dans la gorge. Mais, non, on ne m'a jamais considérée comme rafraîchissante; excitante, oui; séduisante, oui; amusante, oui, et... une véritable garce. Cette dernière remarque provient de source strictement féminine.

Il ne dit rien, mais continua de la contempler, lui portant maintenant un regard d'admiration évidente; puis, il la prit par le bras, la fit tourner sur elle-même, et la mena plus loin le long du couloir. S'arrêtant devant une porte peinte en gris, il lui jeta un regard rapide avant de frapper deux coups de son poing.

Entré dans la chambre, il s'effaça immédiatement pour lui permettre de passer et ferma la porte posément avant de la mener à travers la pièce jusqu'à la fenêtre où, sur une chaise longue, était étendue sa femme.

Eileen Sopwith avait trente-sept ans. Elle avait le teint clair, les yeux gris, un ton de peau délicat, et une chevelure qui, jadis très blonde, avait maintenant pris un ton pisseux. Elle s'était étendue sur ce canapé quatre ans auparavant, et depuis n'avait pas posé le pied en dehors de ses appartements. Elle ne quittait son siège que pour se faire conduire aux toilettes et, la nuit, dans son lit, dans la pièce contiguë. Elle consacrait le plus clair de son temps à la broderie — elle s'appliquait longuement à broder des tabliers et des robes pour sa fille — et les moments les plus éprouvants de sa journée étaient ceux où l'on faisait défiler cérémonieusement ses quatre enfants dans sa chambre pour la saluer. Cela ne prenait que cinq minutes pour qu'ils lui disent : « Bonjour, maman. Comment allez-vous, maman ? » et pour qu'elle leur réponde en ajoutant : « Soyez de bons enfants », mais même cela l'épuisait.

Les traits de son visage se modifiaient rarement, exprimant surtout, comme sa voix, une résignation patiente. Ses visiteurs étaient rares et se composaient surtout de membres de sa propre famille.

Donc, lorsque son mari introduisit dans sa chambre l'étrangère à l'allure surprenante, vêtue d'un costume d'amazone, sa mâchoire inférieure tomba légèrement et sa tête se souleva de son oreiller. Pendant un instant, elle fut sur le point d'appeler : «Mabel ! Mabel ! » car bien peu de personnes parvenaient à franchir le barrage de Mabel, mais voici que son mari menait vers elle une femme, une personne en pleine santé, à l'allure vigoureuse.

Elle n'eut pas à parler car Mark disait :

— Je vous présente Lady Myton, Eileen. Elle était déjà passée mais vous n'étiez pas encore prête à recevoir des visites, alors quand je l'ai rencontrée, en rentrant vers la maison, je lui ai affirmé que vous seriez heureuse de la voir. Ils ont repris Dean House, vous savez.

Eileen Sopwith détourna son regard de son mari et baissa la tête pour saluer sa visiteuse, et Agnès Myton tendit la main.

— Je suis ravie de faire votre connaissance. J'étais venue vous rendre visite pour vous apporter une invitation pour un petit dîner que nous organisons la semaine prochaine, mais peut-être cela vous fatiguerait-il ?

— Oui, oui, je le crains bien.

— Quel dommage ! Comme vous êtes nos voisins les plus proches, j'avais espéré... (Elle haussa les épaules.) Eh bien, ce n'était qu'un dîner, je peux toujours vous rendre visite.

— Prenez un siège, je vous prie.

Elle se retourna et sourit à Mark en guise de remerciement au moment où il avançait une chaise sous son épaisse jupe d'amazone. Une fois qu'elle fut assise, il y eut un moment de silence puis elle dit, cette fois en riant :

— J'ai fait la connaissance de votre charmante famille.

Eileen Sopwith lança alors un rapide regard inquisiteur vers son mari qui ajouta avec un sourire :

— Oui, oui, ils se sont fait remarquer par quelque espièglerie.

— Avez... avez-vous des enfants ?

— Non, je n'en ai pas. Mais j'ai tout mon temps, cela fait à peine un an que je suis mariée.

Elle termina sur un rire comme après avoir exprimé quelque chose d'amusant. Eileen Sopwith la dévisageait mais ne dit mot, tandis que Mark reprenait vivement :

— Je suppose que vous devez trouver ce pays bien vieux jeu après Londres. Je présume, bien entendu, que vous habitiez Londres ?

— Oui, oui, nous y avions une maison et une autre dans le Warwickshire, mais il les a vendues toutes deux, Billy, vous savez. Si j'ai bien compris, sa famille était originaire de cette région, il y a environ cent ans. Il a toujours eu envie de vivre ici; il prétend qu'il trouve mieux à s'occuper ici qu'à Londres. Il est venu à la fin de l'année dernière, au moment où il a fait si mauvais, simplement pour assister à la vente de Mansion House à Newcastle; il voulait acheter certains meubles pour notre maison, vous comprenez. En plus, il s'intéresse beaucoup aux techniques de construction; et il y avait un certain nombre de ponts en chantier à l'époque, j'ai oublié leurs noms.

— Ah oui ! les viaducs de la voie ferrée qui passent au-dessus de Ouseburn et du Willington Dean.

— Oui, c'est cela, je ne me souviens jamais des noms... Le premier endroit où il m'a emmenée lorsque je suis arrivée ici a été le Nouveau Théâtre à Newcastle, vraiment splendide, et nous avons passé une excellente soirée. Je n'avais pas autant ri depuis bien, bien longtemps, pas seulement à cause de la pièce, mais aussi des gens. Vraiment, vous allez probablement enfourcher vos grands chevaux de provinciaux à ce que je vais dire, mais je pouvais à peine comprendre un mot de ce qu'ils disaient.

Comme Mark ne répondait pas immédiatement à cette phrase car le mot provincial l'avait quelque peu agacé, elle s'écria bruyamment :

34

— Vous voyez ! Vous voyez ! je vous l'avais dit.

— Retournez... vous à Londres bientôt ou vous installez-vous définitivement ?

La question tranquille venant de la chaise longue interrompit son rire et elle répondit :

— Oh non ! nous ne sommes arrivés que depuis environ une quinzaine. Nous devions venir beaucoup plus tôt, mais le roi est mort, la reine a été proclamée et Billy était obligé d'assister à la cérémonie. Je crois que Billy va beaucoup se plaire ici; en fait, j'en suis certaine, mais pour l'instant, je ne peux pas en dire autant en ce qui me concerne, sauf que je sais qu'il me plaira de monter à cheval. Le pays est si grand et si sauvage... comme les gens.

Elle tourna de nouveau la tête et lança un regard vers Mark, et son expression quêtait la contradiction.

A ce moment-là, la porte s'ouvrit, livrant passage à la dame de compagnie, et son hésitation et l'expression de son visage alors qu'elle tenait sa main immobile sur la poignée de la porte indiquaient à la fois sa surprise et son mécontentement. Celui-ci fut immédiatement évident à Mark qui, décidé à l'apaiser, lui tendit la main, tout en regardant Lady Myton.

— Je vous présente Mlle Mabel Venner Price, la dame de compagnie de ma femme, Lady Myton.

Le titre de Lady parut produire peu d'effet car l'attitude de Mlle Price n'en fut pas du tout modifiée; sa bouche s'ouvrit, son menton carré s'abaissa et elle plongea dans la plus discrète des révérences en disant : « Milady ».

Lady Agnès remercia par une simple inclinaison de la tête, geste qui rappela à Mark le regard qu'elle avait accordé au jeune Bentwood. Elle avait apparemment un comportement précis réservé aux subalternes, et, à son avis, elle y mettait un peu trop de condescendance.

C'était une dame, c'était certain, mais une dame très agréable, oh oui ! très sympathique.

Il la regardait maintenant faire ses adieux à Eileen et celle-ci semblait avoir été quelque peu troublée par cette visite. Eh bien, ce n'était pas plus mal, voilà. Par moments, il avait des doutes quant aux malaises de sa femme, et pourtant le Dr Kemp comme le Dr Fellows avait dit qu'elle ne devait plus avoir d'enfants. Cela avait quelque chose à voir avec son utérus, et l'homme qu'il avait fait venir d'Edimbourg avait été encore plus loin, déclarant que les douleurs qu'elle ressentait de part et d'autre de son estomac venaient de ses ovaires et qu'il n'existait véritablement aucun remède à moins que la bonne nature prenne les choses en main, ce qu'elle faisait fréquemment. Eh bien, la nature mettait le temps à prendre les choses en main et il s'était récemment demandé si elle le préviendrait lorsque cela arriverait. La chaleur de son corps lui manquait — elle ne lui permettait plus de s'étendre à côté d'elle la nuit. Lorsqu'il lui avait expliqué qu'il pouvait l'aimer sans la prendre, elle avait été choquée.

Il s'était demandé comment faisaient les femmes du peuple. Certaines femmes dans sa mine se traînaient à quatre pattes, tirant et poussant des wagonnets chargés de charbon, moins de huit jours après avoir enfanté. Souvent lorsqu'il était descendu dans la mine avec le directeur, ils avaient rencontré des couples se câlinant, et même plus, dans une galerie de traverse, à même le sol rocailleux, et pendant que Yarrow les séparait en criant « Je te câlinerai, pardieu que je te câlinerai ! » il s'était senti envahi par le désir. Il pensait souvent au mot câliner. C'était un mot magnifique et tendre.

— Alors, partons-nous ?

— Oh oui !

Il ne s'était pas rendu compte qu'il la dévisageait pendant tout le temps de ses réflexions, mais il avait maintenant pris conscience des yeux de sa femme posés fermement sur lui; il se tourna vers elle et lui dit :

— Je remonte tout de suite.

Il sourit à Mabel Price qui lui ouvrit la porte, mais ses joues n'esquissèrent pas la moindre réponse.

Ils avaient atteint le hall principal avant de reprendre la parole. Il lui dit en la regardant :

— Je suis très gêné, personne ne vous a offert de rafraîchissement.

— Je vous en prie, ne m'offrez pas d'excuses, il n'y a pas à vous excuser. La visite elle-même a été pour moi très rafraîchissante. (Puis, la tête inclinée de côté, elle demanda :) Puis-je compter sur vous pour venir dîner dans quinze jours ?

Il marqua une pause imperceptible avant de répondre :

— Très certainement. J'en serai ravi.

Ils échangèrent un long regard, puis elle tourna les talons, marcha vers la porte où le laquais lui tendait sa badine et ses gants et elle les prit comme s'ils avaient été accrochés à un vestiaire; elle sortit sur la large terrasse, puis descendit les trois marches basses, jusqu'au gravier parsemé d'herbes où Fred Leyburn, le cocher-palefrenier-homme à tout faire, tenait son cheval. Mark l'aida lui-même à monter en selle; puis, prenant les rênes des mains du cocher, il le renvoya d'un hochement de la tête :

— Dans quinze jours, donc.

— Dans quinze jours... si ce n'est pas avant.

En disant cela, elle éperonna son cheval et s'en fut au galop le long de l'allée; il la regarda disparaître avant de rentrer, gravissant d'un pas leste les trois marches de la maison.

Au pied de l'escalier principal, il fit une pause, les doigts appuyés sur la lèvre inférieure. Il savait qu'il aurait dû aller directement à la nursery, ôter le pantalon de Matthew et lui donner la fessée — il lui avait promis de sévir la prochaine fois qu'il jouerait un sale tour à Dewhurst — mais, s'il s'exécutait il y aurait probablement des cris et lorsque le son atteindrait Eileen, ce qui se produirait immanquablement parce que Matthew était doté d'une bonne paire de poumons, soit elle aurait une de ses grandes crises, soit elle le punirait de son arme de silence peiné pendant les deux jours suivants.

Il se remit à courir et monta les marches deux par deux. Il haletait en atteignant la galerie et, se forçant à reprendre une allure normale, se demanda d'où venait son empressement.

Au moment où il pénétra dans la chambre de sa femme, Mabel Price étalait une fine couverture de soie sur les genoux de sa maîtresse et elle présenta un visage sévère à son maître, avant de passer devant lui pour quitter la chambre.

— Qu'est-ce qui lui prend ? demanda Mark en regardant vers la porte close.

— Elle n'a pas aimé votre visiteuse.

— Ma visiteuse ? C'est vous qu'elle venait voir.

Eileen Sopwith négligea cette remarque et poursuivit :

— Elle a entendu des rumeurs.

— Oui, oui, j'en suis sûr. S'il y a le moindre ragot à recueillir, notre chère Mlle Price sera la première à le faire.

— Vous ne devez pas parler d'elle en ces termes, Mark, elle est pour moi une très bonne amie, tout à fait indispensable.

— Et cela l'autorise-t-il à être malhonnête envers les invités ?

— Lady Myton n'est pas une invitée, Mark, elle est venue ici sans invitation.

— Elle est venue ici en voisine, espérant, je crois, un accueil amical. Elle a probablement envie de nouer des liens.

— Elle est apparemment très douée pour nouer des liens.

Il était debout, le regard baissé sur sa femme tandis qu'elle lissait un mouchoir de fine batiste entre l'index et le pouce :

— Saviez-vous qu'elle a déjà été mariée ?

— Non, je ne le savais pas… Mais vous saviez que moi, j'avais déjà été marié, vous le saviez, n'est-ce pas, et cela ne m'a pas entaché à vos yeux d'une telle scélératesse.

— C'est différent pour une femme, et je ne la critique pas d'avoir été mariée avant, mais je ne comprends pas pourquoi ils sont venus ici avec un tel empressement. On a associé son nom à celui d'un certain monsieur de Londres et son mari était prêt à lui casser la figure.

— Vous venez d'apprendre tout ceci en quelques minutes. Puis-je savoir d'où Price a obtenu ses renseignements ?

— Oui, vous pouvez le savoir, Mark, c'est-à-dire si vous ne criez pas. Il se trouve que leur cocher est un parent éloigné de Simes, cousin issu de germain, ou quelque chose de ce genre.

— Vraiment !

— Oui, vraiment.

Il hocha la tête à plusieurs reprises comme souvent lorsqu'il était furieux ou agacé et il reprit :

— Je suppose que Lord Myton a dû provoquer en duel un jeune homme parce qu'il admirait sa femme ?… Oh ! pourquoi écoutez-vous de tels ragots, Eileen ? Myton, il me semble, a dépassé la soixantaine et a la possibilité de rosser qui que ce soit, ou quoi que ce soit, même ses chiens.

Il soupira puis demanda doucement :

— Pourquoi écoutez-vous Price ?

Il vit trembler ses lèvres. D'une voix fluette et aiguë, elle répondit :

— Je n'ai personne d'autre à écouter, vous me réservez bien peu de votre temps, à présent.

Il se laissa tomber sur le bord du canapé et, prenant les mains de sa femme dans les siennes, lui dit patiemment :

— Je vous l'ai dit, Eileen, je ne peux pas être dans deux ou trois endroits à la fois; à la mine j'ai du travail par-dessus la tête. Il fut un temps où je pouvais me reposer entièrement sur Yarrow, mais ce n'est plus le cas, nous sommes dans une situation critique. Allez, faites-moi un sourire. (Il lui prit le menton dans sa main, puis dit gaiement :) Vous ne devinerez jamais qui se marie demain… Le jeune Bentwood, vous savez, le fermier.

— Vraiment ! le jeune Bentwood. Eh bien ! Je ne l'ai pas vu depuis des années. Jeune homme, il présentait très bien.

— Oh oui ! il est toujours très bien. Un peu suffisant, mais c'est un bon fermier. Il a tiré un meilleur parti de sa terre que ne l'avait fait son père.

— Qui épouse-t-il ?

— Une fille, je crois.

— Oh ! Mark !

— Non, je ne la connais vraiment pas.

— Croyez-vous que nous devrions leur offrir un présent ?

— Un présent ? Oui, probablement, mais quoi ?

— Oui, quoi ? Un peu d'argenterie, un petit pot à lait ou un sucrier en argent. Il y en a plusieurs dans le placard en bas, une pièce ne nous manquera jamais.

— Vous avez raison, et c'est un geste gentil. (Il approcha la tête et lui baisa légèrement la joue, puis répéta :) Un gentil geste, très attentionné. Lorsque je remonterai plus tard, je vous apporterai quelques pièces pour que vous puissiez choisir.

— Oui, c'est ça. Oh ! à propos, Mark (elle lui tendit la main en un geste de douce supplication, tandis qu'il s'éloignait), montez à la nursery et parlez à Matthew, mais, s'il vous plaît, soyez gentil. Je sais qu'il a été vilain. Mabel me dit qu'elle est montée et qu'elle lui a fait des remontrances. Il a de nouveau bouleversé Dewhurst. Mais cette fille est faible et n'a aucune autorité sur les enfants. Je... je ne sais pas ce que nous allons faire.

— Je sais ce que nous devrions faire, cela fait quelque temps que je le sais, et il va falloir que nous en parlions, Eileen. Ce garçon devrait aller en pension.

— Non, non ! Je ne l'accepterai pas, je vous l'ai dit. Je ne veux même pas en parler. Et... de toute façon, les pensions coûtent cher et vous me dites continuellement que nous devons diminuer les dépenses du ménage. Non, non, il n'en est pas question. Laissez-moi. Je vous en prie, laissez-moi.

Il la laissa, battant de ses mains le couvre-lit en soie, mais il ne monta pas à la nursery. Il descendit de nouveau les marches, quatre à quatre, mais sa hâte était maintenant causée par une profonde irritation; il s'échappa de la maison, traversa vivement la cour, entra dans l'écurie et quelques minutes plus tard il était à cheval, chevauchant vers la mine.

Il ne parvenait pas à comprendre cette femme, vraiment pas. Elle ne supportait de voir les enfants que quelques minutes chaque jour, et pourtant la simple idée qu'ils puissent aller en pension la bouleversait... Non, non; il ne parvenait absolument pas à la comprendre. Ni n'importe quelle femme, d'ailleurs. Lady Myton, qui semblait considérer la vie comme une plaisanterie, ou peut-être plus exactement comme un théâtre où jouer ses aventures et le cocufiage de son mari. Les femmes étaient des énigmes et des sources de tracasseries, sans exception.

CHAPITRE III

— Ouais, tu es vraiment jolie, n'est-ce pas, William ?

— Ouais, ouais, suffisamment.

Le sourire aux lèvres, tous deux regardaient Tilly qui se tenait droite, mais la tête légèrement penchée.

— Tu aurais dû aller à l'église. Tu ne penses pas, William ?

— Oui, il me semble que cela devrait te faire plaisir de voir Simon se marier, car personne n'a été plus gentil avec toi depuis que tu as mis le pied dans cette maison.

— Tu as raison, William, ajouta Annie en secouant la tête. Et tu te serais fait emmener dans un des chars pour l'aller et le retour. C'est un plaisir qui vous arrive rarement, hein ! Et je suis sûre que Simon sera un peu intrigué, et peut-être même un peu blessé. J'aurais aimé pouvoir y aller moi-même, c'est vrai.

Le menton de Tilly tomba un peu plus bas sur sa poitrine. Elle savait qu'ils la regardaient tous deux, attendant l'explication qu'elle avait refusée pendant ces derniers jours; elle était incapable de leur dire : « Je ne supporterai pas de le voir marié », mais elle savait qu'il lui fallait donner une réponse, alors elle se borna à murmurer :

— C'est ma robe.

— Ta robe ! Qu'est-ce qu'elle a, ta robe ? Elle te donne l'air fraîche comme une rose.

— Ah ! mémé ! Elle est toute délavée ! Elle a été si souvent rallongée et raccourcie qu'elle en a le tournis et ne sait plus où elle en est.

Il y eut un moment de silence. William, qui s'était appuyé sur son coude, se laissa aller dans ses oreillers et lâcha un petit rire étouffé, puis Annie barra ses lèvres de ses doigts tandis que Tilly, sa tête retombant à nouveau, joignait son rire au leur.

Sa robe était en effet vraiment délavée. Son rose profond d'origine n'apparaissait plus maintenant que sous les dix rangs de petits plis religieuse du corsage, sur ses seins plats. Lorsqu'on l'avait achetée pour neuf pence, cinq ans plus tôt, au marché aux chiffons de Newcastle, les manches étaient beaucoup trop longues; même avec les poignets deux fois retroussés, elles atteignaient presque le bas de ses paumes; quant à la jupe à lés en forme de cloche, son ourlet de quinze centimètres avait été encore retourné d'une bonne vingtaine. Il n'avait absolument pas été question à l'époque de couper le bas de la robe ou le bas des manches car Tilly grandissait, « comme une asperge devenue folle, » selon la formule préférée et quotidienne d'Annie. Ainsi, au fur et à mesure que grandissait Tilly, on rallongeait la robe. Un jour, l'ourlet de quinze centimètres avait été ramené à sept et la robe était à présent d'une longueur gênante, atteignant à peine le haut de ses bottes; en fait, Tilly savait qu'il serait inconvenant qu'elle portât des chaussures car ainsi ses chevilles seraient entièrement dénudées.

— Vas-y, allez, va-t'en, ma fille, sinon tu seras en retard. Les réjouissances seront terminées avant ton arrivée. Et regarde, ajouta Annie en levant les mains vers le bonnet de Tilly, lâche un peu tes cheveux, juste une mèche ou deux, pour les ramener sur tes oreilles.

— Oh ! mémé ! je n'aime pas qu'ils bouffent autour de mon visage.

— Je ne les fais pas bouffer autour de ton visage. Là, elles font ressortir ton teint, le mettant en valeur, en quelque sorte.

— Oh ! mémé !

— Et cesse de dire « Oh ! mémé ! » Voilà. Amuse-toi. N'en perds pas une miette parce que nous voulons tout savoir demain. Et redis encore à Simon que nous lui souhaitons d'être heureux. Dis-lui que nous lui souhaitons tout ce qu'il aimerait pour lui-même, et encore plus, car il le mérite. Allez, va-t'en.

Tilly se tourna vers la porte ouverte et, regardant derrière elle en direction du lit, dit doucement :

— Au revoir, pépé.

— Au revoir, fillette. Tiens-toi droite, tiens la tête haute et rappelle-toi que tu es jolie.

— Allez, allez, ne dis plus « Oh ! mémé » ou « pépé », sinon je te donne une tape.

Un dernier coup de pouce d'Annie envoya Tilly vers la clôture, et là elle se retourna et agita la main avant de se presser le long de l'allée cavalière.

Elle se hâta jusqu'au moment où elle se sut hors de vue du cottage, puis son pas ralentit. A présent, ce serait terminé; il serait bien marié, et à cette fille ! Femme ! Elle avait déjà vingt-quatre ans, il l'avait dit, mais elle en paraissait plus. Ses yeux bleus et ronds et sa chevelure blonde et bouffante ne lui donnaient pas l'air d'une jeune femme. Ce n'est pas que son visage paraissait âgé, mais il y avait quelque chose dans sa manière. Elle ne l'avait rencontrée qu'une fois en sortant de l'église et elle savait qu'elle ne l'avait pas trouvée sympathique. Et ce n'était pas seulement parce qu'elle épousait Simon, c'était le genre de femme qu'elle n'aimerait jamais. Elle s'en était ouverte à Mme Ross.

N'était-ce pas curieux ? Elle trouvait étrange la manière dont elle pouvait parler ouvertement à la femme du pasteur, encore plus qu'avec sa mémé. Parfois, il lui semblait que cette femme et elle-même avaient presque le même âge, mais Mme Ross avait déjà vingt-six ans, il fallait bien l'admettre. Elle n'avait jamais connu personne qui lui ressemblât tout à fait; la vie serait bien terne sans elle, sans leurs leçons de lecture et leurs conversations. Elle se demandait si son amie danserait ce jour-là. Probablement pas, pas ouvertement. Et, de toute façon, elle ne serait peut-être pas là car le mariage avait eu lieu à Pelaw. Malgré tout, si le pasteur se trouvait là par hasard et si Mme Ross se joignait aux danseurs, est-ce que cela ne ferait pas sensation ?

Pendant un moment, elle oublia le malaise de son cœur en imaginant les visages sérieux et les hochements de tête de certains des villageois, si la femme du pasteur s'oubliait au point de permettre à ses pieds de sautiller.

Elle était contente de ne pas habiter le village; il y avait toujours des chamailleries parmi certains d'entre eux, surtout les pratiquants. Elle savait que Simon avait été le sujet de pas mal de cancans à cause de son choix d'une fille venant d'aussi loin, alors que tout autour de lui se trouvaient, comme avait dit son grand-père, des filles comme des prunes mûres attendant qu'il vienne les cueillir.

Elle arriva au ruisseau. Il coulait gaiement aujourd'hui; l'eau gargouillait et se débattait pour se frayer un chemin parmi les cailloux. Elle le passa avec précaution car le niveau avait légèrement monté au cours des derniers jours à cause des pluies récentes et affleurait sur certaines des pierres du gué.

En atteignant l'autre rive, elle se penchait en avant pour se hisser jusqu'au chemin lorsqu'elle aperçut la tête et les épaules d'un garçon à demi caché par les arbustes entourant une petite mare à côté du ruisseau. Comme elle se redressait, le garçon se leva du remblai, mais ne l'approcha pas, et elle le regarda par-dessus les arbustes.

— Salut, Steve.

— Ohé, Tilly !

— Tu pêches ?

— Non, non, j'suis là, assis, à regarder. Il y a un saumon. Je ne sais pas comment il a pu arriver jusqu'ici.

— Oh ! Tu vas l'attraper ?

— Non.

— Non ?

— Non; cela me fait plaisir simplement de le contempler. Je crois que personne ne doit savoir qu'il est là.

— Certainement, sinon il n'y resterait pas longtemps.

— Tu as raison.

Elle le regardait. Son visage était sérieux. Il ne ressemblait à aucun des McGrath, ne parlait et n'agissait comme aucun d'eux. A une époque, elle s'était demandé s'il était un enfant trouvé, mais son grand-père lui avait ôté cette idée de la tête car il se souvenait du jour où Steve était né. Ce jour-là, il avait aidé à ramener chez lui son père qui était soûl. Il y avait un alambic sur place et la gnole avait coulé à flots.

— Tu vas au mariage ?

— Oui.

Ils se regardaient tous deux. Il n'était pas très grand pour son âge. Il avait un long visage et des cheveux couleur de sable qui semblaient drus, même raides, car certaines mèches se tenaient toutes droites sur le haut de son crâne. Ses épaules étaient épaisses, mais ses jambes avaient l'air minces, plutôt maigres, sous sa culotte de moleskine. Ses gestes étaient rapides, nerveux; pourtant, lorsqu'il parlait, ses paroles venaient toujours lentement, comme s'il devait inventer chacune d'elles avant de les prononcer.

Comme il ne parlait plus, elle dit :

— Bon, je vais m'en aller, sinon ce sera terminé.

— Tu as un air différent aujourd'hui.

— Tu trouves ?

— Ouais, jolie.

Elle se détourna à moitié, puis le regarda de nouveau et lui sourit plutôt tristement en disant :

— Merci, Steve, mais je ne te crois pas. Je ne serai jamais jolie car je n'ai pas de chair sur les os.

— C'est idiot. Tu n'as pas besoin d'avoir tout plein de graisse partout sur toi comme les mamelles d'une vache pour être jolie.

Pendant un moment son visage demeura sérieux, puis sa bouche

44

se fendit et elle secoua la tête, et tandis qu'elle riait, le rire étouffé de Steve se joignit peu à peu au sien.

— Tu es drôle, Steve. Je n'avais pas envie de rire aujourd'hui, mais c'est la manière dont tu le dis.

— Ouais. Je sais être drôle par moments, c'est ce que l'on dit, mais la plupart du temps je reste muet; je trouve ça payant.

Son visage était redevenu sérieux. Celui de Tilly également, et elle replia soigneusement son mouchoir et le rangea dans le pli de son poignet avant de reprendre :

— Eh bien, maintenant, je dois vraiment m'en aller. Salut, Steve.

— Salut, Tilly.

Elle avait dépassé les arbustes lorsque sa voix la rejoignit comme un chuchotement sifflant :

— Ne dis rien à propos de ce poisson.

— Mais non ! Je n'en soufflerai pas un mot.

Mais, en s'éloignant, elle se demandait pour quelle raison il pouvait bien être assis là, surveillant un poisson, surtout un saumon. C'était un curieux garçon, ce Steve, mais gentil. Elle avait toujours eu de la sympathie pour lui. Elle regrettait que le reste de la famille ne lui ressemble pas.

Elle venait d'atteindre la route carrossable lorsqu'un char rempli de gens la dépassa; ils agitaient les mains dans sa direction, lui lançant des salutations inintelligibles. Mais le cocher ne fit pas arrêter ses chevaux pour la faire monter, et elle demeura où elle était, bien en retrait du bord de la route, jusqu'à ce que le véhicule ait disparu au loin, car elle ne voulait pas marcher dans la poussière qu'avaient soulevée les chevaux et les roues.

Les clameurs de la noce l'atteignirent alors qu'elle se trouvait encore à une certaine distance de la ferme, et elle ralentit le pas. Elle aurait voulu ne pas avoir à y aller, elle n'avait pas envie de voir Simon, ou sa jeune épouse. Elle avait pensé toute la semaine que cela vaudrait mieux pour elle si elle ne posait plus jamais les yeux sur Simon, mais elle savait que ce serait difficile parce que l'on ne savait jamais quel jour il ferait son apparition avec le souverain mensuel. Cette histoire la préoccupait encore et elle restait même éveillée la nuit, s'interrogeant à ce propos.

Elle franchit une brèche dans le mur de pierre et traversa la cour de la ferme pour se diriger vers le devant de la maison; tout paraissait transformé. Non seulement il y avait des quantités de gens évoluant de-ci, de-là, mais on avait disposé deux longues tables formant un T, toutes deux chargées de victuailles, et il y avait au bout de la pelouse une tente dont les pans relevés laissaient entrevoir la grosse panse d'un tonneau de bière et un homme réjoui remplissant des bocks d'un air affairé.

Elle se tenait timidement près d'une des longues fenêtres qui flanquaient chaque côté de la porte d'entrée. Quelques années auparavant, le père de Simon les avait fait percer, à ses propres frais, et avait dû payer un impôt pour obtenir l'autorisation de le faire. Tout en regardant la scène de joyeuse agitation, elle se reprochait de se demander à ce moment particulier si l'argent des fenêtres était venu de la même cassette que le souverain mensuel et elle pensait qu'elle devrait cesser d'y songer, car la question se glissait peu à peu entre elle et sa raison; elle entendit prononcer son nom d'une voix forte et se tourna pour voir Simon sur les deux marches devant la porte d'entrée. Une minute après, il lui tenait la main et elle regardait son visage où brillaient les yeux et souriait la bouche :

— Où étais-tu ? J'ai cru que tu ne viendrais pas. Et pourquoi n'es-tu pas venue à l'église, hein ?

Il se penchait vers elle, mettant son visage au même niveau que le sien.

— Viens, dit-il en la poussant, viens voir Mary.

Il l'entraîna jusqu'en haut des marches et vers la salle de la ferme où son épouse se tenait dans sa robe blanche.

Tilly lui exprima ses bons vœux suivant les instructions de sa grand-mère.

— J'espère que vous aurez une vie très heureuse et ne manquerez jamais de rien; et cela, de la part de mon grand-père et de ma grand-mère.

— Oh ! merci. Merci.

Ses paroles étaient polies et guindées. Ses paupières clignèrent rapidement sur ses yeux bleus et comme sa bouche arquée s'épanouissait en un sourire, Tilly pensa en bougonnant : elle est jolie, évidemment, et je vois ce qui a séduit Simon. Oh, ouais ! Son regard se posa à l'endroit où la dentelle blanche se creusait profondément entre les deux seins gonflés, puis balaya la taille bien prise et, tandis que ses yeux s'abaissaient jusqu'au sol, son esprit pratique lui souffla qu'il devait bien y avoir dix mètres ou plus de satin dans la jupe de la robe.

— Oh ! comme c'est gentil à vous !

Elle se trouva poussée de côté par le marguillier et sa femme,

M. et Mme Fossett. Mme Fossett se répandait comme d'habitude en torrents d'exubérance.

— Oh ! vous êtes vraiment ravissante, madame Bentwood. Et quel mariage ! Quel buffet ! Le village n'avait rien vu de semblable depuis des années. C'est... c'est dommage que vous n'ayez pu vous marier dans notre église. Oh ! cela aurait donné du cachet à la journée. Mais voilà, voilà... je voudrais que vous acceptiez ce petit cadeau. Ce n'est vraiment rien, bien que très ancien, cela appartenait à mon arrière-grand-mère.

Tout en parlant, elle déballait un petit paquet et lorsque le papier en fut tombé, on vit un vase de fleurs sans aucun intérêt apparent.

— Oh ! merci. Merci.

Les yeux sur la mariée, Tilly se demandait si celle-ci n'allait rien dire de plus; mais elle se trompait car la nouvelle Mme Bentwood les mena alors vers une table au bout de la pièce et là, parmi un certain nombre de présents, elle souleva un sucrier à godrons et, le tenant à la vue de tous, elle déclara :

— M. Sopwith lui-même nous a rendu visite tout à l'heure et nous a apporté ceci. C'est un cadeau de sa femme. C'est de l'argent massif; ça vient de leur collection.

— Oh ! Oh ! Très joli. Très joli, dit Mme Fossett d'un ton froid en hochant la tête.

— Assez. Assez de cadeaux pour le moment. Venez, il est temps que nous allions manger quelque chose... Madame Bentwood, reprit Simon d'un air enjoué en s'emparant du bras de son épouse avant de réclamer sur un ton de maître : ne vas-tu pas songer à me nourrir, femme ?

Il y eut un rire général et toute la compagnie sortit vers la pelouse avec le marié et son épouse. Tous sauf Tilly. Elle s'attarda un moment en contemplation. C'était une jolie pièce; elle n'était pas comme certaines autres dans la maison, sombres à cause de leurs petites fenêtres. Le vieux M. Bentwood savait ce qu'il faisait en perçant celles-ci.

Elle se détourna, se dirigea vers la porte et vit alors passer Mme Ross, la femme du pasteur, qui gravit rapidement les marches pour venir à sa rencontre :

— Bonjour, Tilly. (Sans attendre le salut de Tilly, elle ajouta d'une voix basse et rapide, doublée d'un petit gloussement espiègle :) As-tu vu le vicaire ? J'aurais dû être ici depuis une heure, mais je me suis laissé retarder par une classe. (Sa voix se fit encore plus basse et ses yeux parurent plus brillants lorsqu'elle approcha son visage de celui de Tilly et chuchota :) J'ai trois mineurs. Aha ! Aha ! Que penses-tu de cela ? Trois mineurs !

La voix de Tilly avait également pris un ton de conspirateur et ses yeux brillaient lorsqu'elle répéta :

— Trois.... pour apprendre ?

— Chut ! Pas un mot. Ils sont venus de leur plein gré, et m'ont dit qu'ils voulaient apprendre à lire. Evidemment, c'est dangereux. Je veux dire, pour eux. Si M. Rosier l'apprenait, ils seraient renvoyés. C'est terrible. Terrible, quand on y pense.

— C'est vrai, c'est effroyable, dit Tilly en hochant vigoureusement la tête. Simplement parce qu'ils veulent apprendre à lire.

— Ils étaient noirs comme le diable lui-même. Ils ne s'étaient pas lavés, tu comprends. Bon, s'ils s'étaient nettoyés pour venir à la cure, quelqu'un l'aurait sûrement remarqué. Mais ils étaient soi-disant sur le chemin du retour de leur poste, comme ils disent.

— Mais, où leur avez-vous enseigné ? Je veux dire, où les as-tu emmenés ?

— Dans la maison d'été, en bas du jardin.

— Oh ! Madame Ross ! Et le pasteur ?

A cette question, Mme Ross leva les yeux au plafond.

— Tra-la-la. Tra-la-la.

— Sera-t-il très fâché ?

Mme Ross tourna la tête de côté comme si elle réfléchissait, puis répondit :

— Je ne sais pas vraiment, Tilly. J'y ai pensé et, en quelque sorte, je crois qu'il pourrait même fermer les yeux... puisque ce sont des hommes. Oh ! c'est différent pour les hommes. Comme tu le sais, il ne tient pas à ce que les femmes s'instruisent. Je ne parviens pas à comprendre cela chez Geor... M. Ross, parce qu'il est ouvert, tu sais, Tilly, très large d'esprit.

— Oui, oui, je sais, madame Ross. Oui, je sais. Oh ! par exemple ! Ils s'asseyent autour des tables. Ne faudrait-il pas y aller ?

— Mon dieu ! Mon dieu ! Oui.

Mme Ross se retourna si vite que la jupe de sa robe d'alpaga gris prit un instant une forme de cloche et il sembla à Tilly qu'elle était sur le point de descendre les marches et de traverser la pelouse en courant. Cette idée lui donna envie de rire; quelles têtes ils feraient tous s'ils voyaient la femme du pasteur courir sur la pelouse !

Elle aimait Mme Ross. Oui, elle l'aimait tant... Pouvait-on aimer une femme ? Oui, elle pensait qu'on le pouvait, comme on aimait Dieu. Et, pour Tilly, Mme Ross était ce qu'elle connaissait de plus approchant. Hé ! Cela ressemblait à un blasphème ! Mais, c'était vrai, elle était très proche de Dieu ; elle était meilleure et plus généreuse que n'importe qui, à sa connaissance. En plus, elle faisait partie de la « société » et on ne pouvait pas s'attendre à beaucoup de gentillesse de la part de ces gens-là, n'est-ce pas ? Pas vraiment. Il fallait généralement travailler pour mériter leur gentillesse. Et pourtant, cette classe, sous la forme de M. Sopwith, avait été bonne avec son grand-père et son arrière-grand-père en leur laissant l'utilisation du cottage. Evidemment, son arrière-grand-père avait travaillé avec les Sopwith à partir de ses six ans, et son grand-père avait travaillé à la mine Sopwith dès l'âge de huit ans. Pourtant, ce n'était pas parce qu'il travaillait à la mine qu'il avait eu le cottage : des quantités d'hommes travaillaient à la mine et on ne leur donnait pas un cottage ; il avait eu le cottage pour avoir plongé dans le lac par un froid glacial et avoir ainsi sauvé M. Mark Sopwith qui se noyait. Le jeune homme était sorti en barque et celle-ci s'était retournée ; il ne savait pas nager et son père l'avait regardé de la berge, complètement désemparé ; alors, son grand-père à elle avait plongé et l'avait ramené presque mort. Le jeune homme avait survécu, mais depuis, son grand-père avait toujours souffert des poumons. Il n'aurait pas dû se trouver sur les terres des Sopwith ce jour-là, il courait après un lapin et aurait pu se faire arrêter pour braconnage, mais le vieux M. Sopwith, qui était très pieux, avait déclaré que Dieu l'avait envoyé et, en remerciement du sauvetage de son fils, il lui avait permis d'habiter le cottage gratuitement, pendant toute la durée de sa vie.

Son esprit divaguait. Tout le monde riait et criait d'un bout à l'**autr**e des tables et vers le marié et l'épouse. Quelqu'un poussa devant elle un gros morceau de tarte au lièvre. Elle n'aimait pas le lièvre, c'était trop fort et elle en grignota un morceau par politesse.

Depuis qu'elle était à table, elle avait perdu la notion du temps. Tout le monde parlait, mais elle n'avait pas grand-chose à dire. Mme Ross était maintenant à la table du haut, assise à côté du pasteur, et elle-même était coincée entre M. Fairweather et Bessie Bradshaw, la femme de l'aubergiste. Elle ne connaissait pas très bien Mme Bradshaw ; elle savait simplement que personne ne l'appelait jamais Mme Bradshaw, c'était toujours Bessie. Elle connaissait M. Fairweather car il était un des marguilliers adjoints à l'église, mais il ne lui avait jamais plu ; il chantait toujours les cantiques plus fort et plus longuement que n'importe qui d'autre, et ses « Amen » ressemblaient à un écho, tellement ils mettaient de temps à venir après la fin de la prière. Mais, maintenant, il riait beaucoup; il s'était fait remplir son bock au moins quatre fois. Devant elle également il y avait un bock de bière de distillation maison, mais elle n'avait fait que la goûter et l'avait trouvée amère; son amertume était différente de celle de la bière à l'herbe de sa mémé, et celle-là, elle l'aimait.

Toute la table parut s'ébranler lorsque quelqu'un s'écria : « Les violoneux ! Les violoneux ! » et là, de l'autre côté de la pelouse, deux ménétriers glissaient leurs archets sur les cordes pendant que l'homme au mélodéon entamait un air.

Elle était contente de se retrouver debout, mais comme elle enjambait discrètement le banc, elle poussa un cri perçant et manqua de faire un bond; puis elle se retourna, en colère, et rougit; elle regarda M. Fairweather bien en face et s'écria d'une voix forte :

— Comment osez-vous me faire ça, monsieur Fairweather ?

A quoi Andy Fairweather, le marguillier adjoint généralement sérieux, rejeta la tête en arrière et répondit en riant :

— C'est un mariage, ma fille ! C'est un mariage !

— Mariage ou non, gardez vos mains à leur place.

Des rires prolongés fusèrent du bout de la table et alors que la compagnie se dirigeait vers l'extrémité de la pelouse, quelqu'un bredouilla en s'étouffant :

— Andy Fairweather lui a mis la main aux fesses.

— Pas possible ! Andy Fairweather ? Oh ! Oh !

— C'est le mariage, c'est le mariage. On verra autre chose que des derrières pincés, ce soir.

Elle avait envie de rentrer chez elle, elle ne s'amusait pas à ce mariage, pas du tout. Mais elle l'avait su avant de venir.

— Hé ! Tilly ! Qu'est-ce qui te donne cet air si solennel ?

C'était Simon, et une fois encore, il lui avait pris la main.

— Pas le moindre sourire sur ton visage. Je t'ai vue au bout de la table. Et qu'est-ce que c'est que cette histoire avec Andy Fairweather ?

Elle détourna la tête, puis baissa les yeux et simplifia les choses en murmurant :

— Il m'a pincé... mon... les

— Oh ! Andy Fairweather t'a pincé les... ? Eh bien ! Eh bien !

Les yeux rivés sur lui, elle voyait bien qu'il s'efforçait de ne pas rire; puis, sa bouche s'épanouissant, il reprit :

— Tâche d'en voir le côté drôle, Tilly; qu'Andy Fairweather puisse pincer qui que ce soit ! Mon dieu ! la bière a dû se répandre jusqu'au fond de ses entrailles pour qu'il fasse une chose pareille. La prochaine fois que tu le verras à l'église protestant de sa parenté avec le Tout-Puissant, souviens-toi de ce jour, hein ? Viens par là, il y a un gentil garçon, ses parents sont des voisins de ceux de Mary. Allez, viens faire un tour de danse avec lui.

— Non, non !

— Ecoute, je ne profiterai pas de mon mariage si je te vois un visage de rabat-joie. Allez, viens.

Mais comme il l'entraînait sur la pelouse, se faufilant au milieu de la compagnie, la voix de sa femme l'atteignit soudain :

— Simon ! Viens là une minute.

Il s'immobilisa, regarda au-delà du groupe qui l'entourait et, le menton en avant, lui cria :

— Deux secondes, Mary. Je suis à toi dans deux secondes.

L'instant suivant il avait arrêté Tilly devant un jeune garçon de dix-sept ans.

— Bobby, je te présente Tilly, une de mes très chères amies. Je voudrais que tu t'occupes d'elle, que tu la fasses danser. D'accord ?

— Ouais. Oui, oui, Simon.

Simon dévisageait Tilly. Simulant la sévérité, sa voix imita un rugissement et lui ordonna :

— Amusez-vous, mademoiselle Tilly Trotter. Vous m'entendez ? Amusez-vous.

Puis, il lui tapota la joue en riant et se détourna pour rejoindre son épouse avec empressement.

Tilly regarda le garçon et le garçon regarda Tilly, et ni l'un ni l'autre ne trouvèrent la moindre chose à dire.

Puis, gênée, elle s'éloigna de lui et alla s'asseoir sur un banc de chêne dégradé par le temps, placé contre une haie basse bordant la pelouse; il attendit une longue minute avant de la suivre et de prendre place à ses côtés.

Ensemble ils restèrent assis en silence et observèrent les femmes qui nettoyaient les tables et emportaient les reliefs du repas de l'autre côté de la maison et dans la grange où, plus tard, les réjouissances allaient continuer.

La pelouse se libéra enfin, les ménétriers et le joueur de mélodéon entamèrent un air joyeux et, presque immédiatement, Simon, menant son épouse jusqu'au milieu de la pelouse, s'écria :

« Allez, on y va !» Et ce fut le signal qu'attendaient les hommes pour attraper leurs partenaires et commencer à danser.

Les musiciens jouèrent des polkas et des gigues, et les danseurs dansaient, certains en mesure et d'autres pas du tout, s'arrêtant entre-temps pour se rafraîchir au tonneau. Une fois, Simon fit un signe de main à Tilly, lui disant de se lever, mais elle secoua la tête.

Sur le point de planter là son compagnon muet, elle vit Simon qui se faufilait vers elle. Puis il leur fit face, son regard allant de l'un à l'autre, et il leur demanda :

— Qu'est-ce que vous avez, vous deux ?

Il la souleva et une minute plus tard, il tournoyait sur l'herbe. Un, deux, trois, hop ! Un, deux, trois, hop ! Ils entrèrent dans la polka et il s'écria en riant :

— Mais tu es légère comme une plume ! Elle t'a bien appris.

Il ne lui restait pas assez de souffle pour parler; elle se contenta donc de hocher la tête et continua à lever les pieds : une, deux, trois, hop ! Une deux, trois, hop ! Quand il la faisait quasiment voler, elle se sentait tellement légère qu'elle aurait pu ne pas avoir de bottes du tout.

La musique s'arrêta enfin ; il la tint serrée contre lui pendant un moment; puis, la regardant bien en face, il dit :

— Pas mal, ça, hein ?

— C'était merveilleux, Simon. Merveilleux.

— Bon, maintenant tu vas prendre Bobby.

— Non ! Non ! Je n'y retourne pas, il n'a pas ouvert la bouche.

— Bon, mais as-tu ouvert la tienne ?

— Non.

— Eh bien, alors... Je dois te laisser, mais amuse-toi. (Son visage se fit grave pendant un instant et il termina :) Je veux que tu t'amuses, Tilly, et que tu sois heureuse, avec moi, aujourd'hui.

Elle fut incapable de trouver une réponse ou même de dire poliment : « Oui, oui. Ne t'inquiète pas, je vais m'amuser. »

— Simon ! (Un homme le tirait par la manche.) Ta dame, elle t'appelle. Mon vieux ! tu vas te faire disputer.

— Oh ! ouais. Oh ! ouais. J'arrive, George. J'arrive.

Sans autres adieux, il la quitta. Elle le regarda mais il n'alla pas directement vers l'endroit où sa femme était assise devant les marches de la maison; au contraire, il entra dans la tente de bière et, quand on lui offrit un bock, elle le vit le porter à sa bouche et le vider presque d'un seul trait.

Il serait soûl avant la fin de la soirée. Les hommes se soûlaient généralement la nuit de leurs noces, ou tout au moins ceux qui buvaient. Cela lui plairait-il que l'homme qu'elle épouserait se soûlât le soir de leur mariage ? Quelle question idiote elle se posait, car elle ne se marierait jamais. Avec ou sans la chance, jamais elle ne se marierait.

Elle regarda autour d'elle. Que pouvait-elle faire ? A qui pouvait-elle parler ? Il y avait trois vieilles villageoises assises le long du mur contre le pignon de la maison; elle irait leur parler, elle était habituée à parler aux vieilles personnes. Elle s'entendait bien avec les vieux : cela venait probablement du fait de toutes ces années passées avec son grand-père et sa grand-mère.

Deux heures plus tard, lorsque le jour se mit à baisser, elle sut que maintenant elle pouvait s'excuser et rentrer chez elle. Elle avait parlé aux vieilles femmes, avait été à la cuisine et aidé à la vaisselle; à la grange, elle avait rempli des assiettes avec des restes et avait emporté les assiettes vides dans la maison. Les invités s'étaient maintenant séparés en deux groupes; ceux qui rentraient chez eux étaient déjà partis, tels que le pasteur et Mme Ross et les vieilles personnes fatiguées. Une heure auparavant, un char bondé s'était ébranlé pour retourner à Felling. Elle grimpa les marches et entra dans la maison pour faire ses adieux à Simon et à sa femme. Il n'y avait personne dans la salle. Elle sortit dans le couloir, puis entra dans le hall; et c'est là qu'elle les trouva. Il l'entourait de ses bras et l'embrassait.

Elle murmura : « Oh ! je suis désolée ! » et ils se séparèrent, tout en restant enlacés.

— C'est pas grave, Tilly, c'est pas grave. (Elle bredouillait et il lui tendit une main, mais elle demeura immobile.)

— Je m'en vais, maintenant; je voulais simplement vous dire merci. (Elle ne regardait pas Simon, mais sa femme.) C'était... c'était un beau mariage. Bonsoir.

Elle était sur le point d'ajouter : « Je vous souhaite beaucoup de bonheur », lorsque Simon fit un geste pour s'approcher d'elle mais fut arrêté par sa femme, la main sur son bras. Il resta immobile, lui demandant :

— Tu vas te débrouiller ? Ça va ?

— Oui, oui, évidemment. Merci, merci.

Elle inclina la tête vers chacun d'eux, puis recula vers la porte avant de se retourner et sortit rapidement. Elle avait commencé à se diriger vers la cour de la ferme lorsqu'elle vit M. Fairweather et M. Laudimer, un autre marguillier adjoint de l'église, conversant ensemble. Ils riaient et se tenaient chacun par l'épaule. Elle n'avait pas envie de passer devant eux. Elle regarda vers l'extrémité de la pelouse. Une barrière ouvrait sur la prairie et, au-delà, une allée cavalière la mènerait vers le pont à péage et la route carrossable, et, de là, elle pourrait retrouver son chemin habituel pour rentrer.

Quelques minutes plus tard, elle s'était glissée de l'autre côté de la barrière, avait traversé la prairie et sauté un petit mur de pierre et se retrouvait donc sur l'allée cavalière qui le longeait.

Elle avait dû parcourir environ un kilomètre et demi, le long de l'allée, lorsqu'elle vit galoper vers elle un cavalier. Elle sauta de côté et se tint serrée contre la haie pour lui céder le passage, mais l'homme immobilisa son cheval presque en face d'elle. Elle reconnut M. Sopwith et lui, la reconnaissant, lui dit :

— Ohé !

— Oh ! Bonsoir, Monsieur.

— Tu es bien loin de chez toi, n'est-ce pas ?

— Oui, oui, Monsieur; j'étais au mariage de M. Bentwood.

— Ah ! le mariage. Tu n'aurais pas vu une dame à cheval, un peu plus loin sur cette route ?

— Non, Monsieur, non; je n'ai rencontré personne à part vous-même.

— Ah bon ! Merci. Bonsoir.

— Bon... bonsoir, Monsieur.

Il continua à chevaucher, mettant son cheval au galop, et elle le regarda un instant avant de continuer son chemin.

Quand Mark arriva à la prairie, il fit passer son cheval par-dessus le mur de pierre, puis s'arrêta de nouveau, et une fois encore regarda tout autour de lui; puis, se tassant sur sa selle, il serra les dents vigoureusement pendant un moment avant de grommeler tout haut : « Que le diable l'emporte ! » Elle jouait avec lui au chat et à la souris; elle tenait tout à fait le rôle du chat et il n'aimait pas se trouver dans la position de la souris. « Tous les prix doivent se gagner », avait-elle dit, se considérant sans aucun doute comme un prix de grande valeur. Eh bien, il en avait assez; il rentrerait chez lui. Voici une heure qu'il chevauchait de-ci, de-là comme un lièvre aux abois et elle était probablement rentrée chez elle, riant sous cape.

Qu'est-ce qui lui prenait, en tout cas ? Pourquoi s'était-il laissé mettre dans un pareil état ? Elle l'empêchait de dormir. Il savait qu'il ne connaîtrait plus de repos avant de l'avoir possédée. Et alors, quoi ? Le goût de cette femme le consumerait-il ou lui ramènerait-il l'équilibre, et alors le feu en lui s'apaiserait-il ? Cela lui était déjà arrivé. De nombreuses années auparavant, il était tombé amoureux d'une femme, à tel point que la vie sans elle lui avait paru dénuée d'intérêt. Janet, sa première femme, l'avait appris. Cela lui avait fait énormément de peine, mais il n'avait pas su se dominer. Cependant, une fois conquise, la femme s'était aigrie et il avait juré que jamais, jamais, au grand jamais... Et pourtant, il était là, battant la campagne, galopant après un feu follet; sauf que Lady Agnès Myton n'était pas un feu follet, c'était une femme au sang chaud, séduisante, et qui le rendait fou.

Il chevaucha le long du mur, sauta une haie et arriva sur la route carrossable; il entendait au loin le son à peine perceptible d'un violon... Le mariage du fermier Bentwood battait encore son plein.

En mettant son cheval au galop, il jura et voua Lady Agnès Myton aux enfers. Il était fatigué, comme l'était sa monture et il doutait d'être rentré avant la nuit. A nouveau il la maudit.

Puis, à un tournant de la route, son cheval fit un écart, effrayé par la silhouette d'un garçon sorti précipitamment de la haie.

— Que diable...

Mark Sopwith se redressa sur sa selle et, le regard furieux, se pencha vers le garçon qui s'était arrêté dans sa course et haletait en bredouillant :

— Désolé, Monsieur, désolé.

Il reprit une longue respiration et s'en fut rapidement sur la route, laissant Mark le suivre d'un regard furieux.

Que pouvait-il bien faire ? Braconnait-il ? Mais si quelqu'un le poursuivait, il ne se serait pas arrêté pour s'excuser. Mark fit faire demi-tour à son cheval, et le laissa à présent prendre une allure de marche...

Steve McGrath était bon coureur. Il avait gagné une course à la foire des collines, l'année précédente, et avait battu des gars de trois et quatre ans plus vieux que lui, mais cela ne l'avait pas fatigué autant que la course d'aujourd'hui. La transpiration lui dégoulinait le long de l'aine et sa culotte courte de moleskine lui collait aux fesses.

Il ne parut pas entendre la musique avant de s'être arrêté pour étreindre le bout du mur de brique entourant la cour de ferme et l'entrée sans grille. Sa poitrine lui faisait mal, ses pieds étaient douloureux et ses jambes flageolantes menaçaient de se dérober. Il tenta d'appeler quelqu'un qui traversait la cour mais sa voix ressemblait à un coassement.

Une minute plus tard, il entra dans la cour en trébuchant et, attrapant le bras d'un des hommes, dit :

— Monsieur ! Monsieur ! Où est-ce que je peux trouver M. Bentwood ?

L'homme tourna vers lui un visage rieur.

— Avec sa mariée, mon gars, avec sa mariée, à danser, où pourrait-il être ?

Il indiqua du doigt la grange d'où provenait le son bruyant des violons et la plainte du mélodéon.

— Pouvez-vous le trouver, monsieur, pouvez-vous aller me le chercher ?

— Aller te le chercher ? Tu es le jeune McGrath, n'est-ce pas ? Ah ouais ! le jeune McGrath. Qu'est-ce que tu lui veux ?

— Je dois le trouver, lui parler, j'ai quelque chose à lui dire.

— Tu ne peux rien lui dire ce soir, mon gars; je crois qu'il n'est plus capable d'écouter quoi que ce soit.

— Monsieur ! Monsieur ! Dites-lui, voulez-vous ? Dites-lui qu'il va arriver du mal à quelqu'un, quelqu'un qu'il connaît. Demandez-lui si je peux le voir une minute. Allez-y, voulez-vous ? S'il vous plaît ! Je vous en prie.

— A qui va-t-il arriver du mal ?

— Juste... Juste quelqu'un, une connaissance.

— Oh ! bon, bon, si c'est ça !

L'homme se retourna et, d'une démarche qui en disait long sur son état d'ébriété, il trouva le chemin de la grange.

Steve s'effaça pour éviter de se trouver sur le passage des gens qui allaient et venaient, tous à leurs rires et leurs plaisanteries. Il tenait son dos appuyé contre le mur de pierre de l'étable mais gardait les yeux sur les grandes portes ouvertes de la grange, et, fasciné, observait la scène à l'intérieur.

La grange était entièrement illuminée par des lanternes. Certains dansaient, certains buvaient debout et d'autres étaient assis le long des murs et mangeaient, mais tous avaient la bouche ouverte et riaient.

La scène l'absorbait à tel point qu'il n'avait pas vu Simon s'approcher de lui, ni la mariée se tenir juste à l'intérieur de la grange, seule à ne pas sourire.

— Qu'est-ce qu'il y a, mon grand ? Qu'est-ce que tu veux ?

— Oh ! monsieur Bentwood, c'est... c'est Tilly. Il faut que quelqu'un l'accompagne jusque chez elle. Je... je ne pouvais pas parce qu'ils sont trois.

— Au nom du ciel, de quoi parles-tu, mon garçon ? (Le cerveau de Simon n'était pas très clair, il était embué de bière et aussi un peu du bonheur et de l'espérance de sa nuit de noces, et sa voix trahissait son impatience lorsqu'il demanda :) Parle clairement, mon garçon ! Où veux-tu en venir ?

Steve avala sa salive avant de dire lentement :

— Elle va avoir besoin de quelqu'un pour l'accompagner chez elle, peut-être plus d'une personne, parce qu'ils vont lui faire le coup du filet.

— Le coup du filet ? Le coup du filet ? Qu'est-ce que tu racontes, mon gars ?

— C'est... c'est Hal et Mick et Ned Wheeler. Hal a dit, enfin, que comme elle ne voulait pas de lui selon les règles, alors il faudrait bien qu'elle l'accepte autrement.

Simon se redressa et regarda autour de lui. D'un coup d'œil, il vit sa femme l'observer d'un air interrogateur et il leva la main comme pour dire : « J'arrive dans une minute », puis il prit le garçon par l'épaule, le poussa dans l'étable et ayant apparemment retrouvé ses esprits, il reprit :

— Dépêche-toi, mon grand, explique-toi.

— Ils l'attendent. Ils ont suspendu un filet à un arbre. Elle est forte, Tilly, rude, et Hal savait qu'elle se débattrait comme une putain enchaînée, alors ils vont la prendre au filet, et... et... il va la jeter à terre et alors elle sera obligée de se laisser faire.

— Quoi ?

Le garçon leva les yeux vers le visage de Simon grimaçant à présent d'incrédulité et ajouta :

— Il me tuerait s'il savait que j'ai cafardé. Mais c'était George, je l'ai entendu le raconter à mon père, et mon père il était pour. George ne voulait pas aller avec eux et mon père s'est jeté sur lui et lui a dit qu'il était mou. Et puis il a dit...

Il s'arrêta et secoua la tête, et Simon s'écria avec impatience :

— Oui ! Oui ! Qu'est-ce qu'il a dit ?

— Je ne sais pas ce que ça voulait dire... c'était à propos de quelque chose qu'ils voulaient savoir, ça paraissait confondu avec de l'argent, et s'il attrapait Tilly, il le découvrirait. C'était de l'hébreu. Je n'ai pas compris.

— Mon dieu !

— Vous allez la raccompagner ?

—·Elle est partie, mon gars, depuis quinze ou vingt minutes, ou plus... Allons-y !... Non, attends. Où vont-ils faire ça ?

— Billings Flat, près du bois. Mon dieu, ils l'ont peut-être déjà attrapée ! Mais, je... je ne peux pas aller avec vous parce qu'il... m'assommerait.

Simon n'entendit pas protester le garçon, il courait déjà vers la grange où son épouse se tenait toujours debout lorsqu'il l'atteignit, il lui prit les mains et l'entraîna à l'écart dans la cour, de l'autre côté, et dans la laiterie, et là, lui tenant les mains contre sa poitrine, il dit :

— Ecoute, ma chérie, quelque chose est arrivé, je dois... je dois te laisser, mais je ne m'absenterai pas plus d'une demi-heure ou un peu plus.

— Où... où vas-tu ?

— C'est... ce n'est rien, c'est juste une petite affaire.

— Une affaire ? Une affaire qui ne peut pas attendre un soir comme celui-ci ! Que voulait ce garçon ?

— Il était venu me dire quelque chose. je... je t'expliquerai quand je reviendrai. Je te dis, je n'en aurai pas pour plus d'une demi-heure. Occupe-toi de la soirée. De toute façon, je ne manquerai à personne, sauf à toi, j'espère. (Il la tira fortement à lui et l'embrassa sur les lèvres. Puis la regardant de nouveau, il dit :) Nous avons eu une bonne journée, et elle n'est pas encore terminée, n'est-ce pas ?

— J'espère que non. Ne t'attarde pas trop.

— Sûrement pas, je te le promets.

Il l'embrassa encore une fois rapidement; puis l'entraînant par la porte, il la poussa doucement vers la grange avant de se retourner pour courir à l'étable.

Simon était très habitué à monter à cru, mais généralement sans pantalon serré. Ce n'était pourtant pas le moment de s'attarder pour seller la jument, et en quelques minutes il eut quitté la cour sous les regards ahuris de certains des invités; ils n'en croyaient pas leurs yeux, car n'était-ce pas le marié qui partait ainsi tout seul ?

Billings Flat était à trois bons kilomètres de la ferme et environ huit cents mètres du cottage. Si ce nom évoquait pour certains un grand espace libre, ce lieu particulier était fort mal nommé, car le chemin suivait le fond d'un terrain encaissé que longeaient de chaque côté des arbres entrelacés ici et là de grosses touffes de lierre; le Flat en soi faisait plus de vingt mètres de large et la lumière ne le pénétrait vraiment que l'hiver, lorsque les arbres étaient dénudés.

Simon savait qu'il pouvait raccourcir son chemin d'au moins un kilomètre en menant son cheval à travers champs. C'était contre ses principes car il détestait que l'on traverse ses champs, fût-ce en chassant, à cheval ou à pied, mais c'était un cas de force majeure lorsque le diable menait la danse, et le diable la menait en effet, à présent, car il se jura que si Hal McGrath avait violé Tilly, alors il ne vivrait pas longtemps pour savourer sa victoire.

Tilly ne s'était pas pressée pour rentrer. Comme fréquemment ces temps-ci, elle avait de nouveau eu envie de pleurer; et il ne fallait surtout pas qu'elle pleure, pas avant de s'être couchée, car comment expliquerait-elle ses yeux rougis à ses grands-parents : elle rentrait d'un mariage et ils devaient veiller dans l'attente de son récit détaillé. Elle savait qu'il lui faudrait inventer, tout au moins en ce qui la concernait, la manière dont elle avait dégusté un grand thé et bu de la bière brassée à domicile, chez Simon, et comment elle avait dansé. Et puis, elle devrait décrire la mariée et aussi Simon. Eh bien, elle dirait la vérité, à propos de Simon; elle leur dirait qu'il avait l'air heureux.

Elle sortit de la pénombre et entra dans Billings Flat. Elle cligna les yeux et dirigea son regard vers le sol, posant les pieds avec précaution car les racines des arbres s'étendaient par endroits dans le chemin et l'avaient maintes fois fait trébucher dans le passé. Elle n'avait jamais éprouvé de crainte en passant par Billings Flat. Beaucoup de gens étaient effrayés; les femmes du village, en particulier, ne seraient jamais passées par ici une fois la nuit tombée, car on racontait que les bas-fonds avaient longtemps servi de cimetière jusqu'à l'époque où on les avait vidés et où l'on avait transféré les sépultures. Mais son grand-père disait que tout cela n'était qu'absurdités car il aurait fallu quelques centaines de corps étendus les uns à côté des autres pour remplir le Flat.

Elle était arrivée a mi-chemin et voyait à travers le sombre entonnoir le lieu où les arbres se terminaient, et le crépuscule paraissait presque lumineux par comparaison; soudain, quelque chose vola sur elle à travers le ciel, comme un oiseau aux ailes déployées, et lui arracha un cri perçant. La chose l'avait maintenant clouée au sol, lui piégeant les bras et les jambes; elle continua de se débattre et de crier jusqu'à ce qu'un corps, un corps humain, s'appesantisse sur elle et des doigts, s'enfonçant dans ses joues, lui bâillonnent la bouche.

Ses yeux, qu'écarquillait un regard pétrifié, fixaient maintenant un visage à travers les mailles d'un filet, et ce visage, elle le connaissait. D'autres silhouettes de chaque côté lui tenaient les bras collés au sol. Elle tentait de crier sa douleur parce qu'un de ses avant-bras forçait sur une ornière du chemin.

Elle ne parvenait pas à croire que tout cela lui arrivait mais Hal McGrath, dont l'haleine lui enveloppait maintenant le visage, dit en haletant :

— Tu as de la résistance, maigre comme tu es, c'est grâce à ce que tu haches et tu scies, j'utiliserai ça, c'est certain. Maintenant, écoute... écoute, Tilly Trotter, je t'ai demandé honnêtement, je voulais te fréquenter correctement, je t'ai donné une chance, mais tu l'as refusée. Bon, eh bien, tu n'as pas voulu m'accepter selon les convenances, alors tu m'accepteras de force, et quand ton ventre sera plein, je viendrai réclamer mon dû. Tes deux vieux n'en ont plus pour longtemps, et alors qu'est-ce que tu vas faire ? Tu sais ce qui arrive aux filles qui se font violer, c'est la maison ou le bordel... Di... Dieu Tout-Puissant !

C'était Tilly qui venait de lui arracher cette exclamation. Faisant appel à tout ce qui lui restait de forces, elle les avait tous surpris en libérant une jambe de sous le corps de son agresseur et, se tortillant pour ramener son genou dans l'aine de McGrath, avec toute l'énergie qu'elle avait pu rassembler, l'avait obligé à relâcher, momentanément, la pression qu'il exerçait sur sa bouche; et maintenant, ses dents puissantes traversaient le filet et s'enfonçaient dans le gras de sa main.

— Quelle sacrée mégère tu es ! Mon dieu !

Il enfonça son poing serré entre ses jambes. Puis, pendant que les hommes de part et d'autre de lui se bousculaient pour la maintenir, elle jeta encore un cri à faire dresser les cheveux sur la tête. Mais celui-ci fut brutalement étouffé par une main vissée de nouveau sur sa bouche. Et à présent, McGrath grondait :

— Enlevez le filet, ce sera ici et maintenant. Bon dieu ! Tout de suite. Ici !

Il retroussa sa jupe par-dessus sa tête. Sa main quitta sa bouche et de nouveau elle cria, mais encore une fois, elle eut le souffle coupé.

Pendant que quelqu'un riait, elle cria du fond de son âme : « Oh Dieu ! Non ! Non ! De grâce ! Non ! Non ! Non ! »

Et ce fut comme s'il avait instantanément entendu sa prière, car on relâcha ses mains et elle entendit une voix qui n'avait pas encore parlé bredouiller :

60

— Quelqu'un vient. Hal ! Hal, mon vieux, arrête. Arrête ! On vient. Un cavalier et plus d'un, quelque part. Je sais, je sais, je les entends. Allez, on s'en va ! On s'en va !

Puis, une autre voix reprit à son tour :

— Abandonne, Hal, bonhomme. Ecoute, ils viennent. J'm'en vais. J'm'en vais.

Une minute après, le poids s'arracha à son corps. Elle demeurait étendue inerte, jupe et jupons recouvrant toujours sa tête; elle tremblait de la tête aux pieds, consciente de son apparence inconvenante et pourtant incapable de rassembler les forces nécessaires pour arranger ses vêtements et regarder autour d'elle.

Un sentiment étrange l'envahissait et elle pensait être sur le point de s'évanouir. Mais cela ne lui était jamais arrivé, seules les dames s'évanouissaient et alors uniquement à l'église. Elle avait faiblement conscience de bruits mats, de cris et de gémissements, et de sabots de chevaux piétinant le sol tout près d'elle. Elle entendit une voix féminine et une voix d'homme, toutes deux étrangères, puis sa jupe et ses jupons furent retirés de son visage et on la souleva par les épaules; la femme s'écriait :

— Vraiment ! Vraiment ! Ce sont des sauvages ! Ne vous avais-je pas dit que ce sont des sauvages ! Arrêtez-le avant qu'il ne le tue, qui que ce soit !

Mark Sopwith courut alors à l'endroit où Simon tenait Hal McGrath appuyé contre un arbre, les doigts sur sa gorge, tandis que les mains de McGrath s'agrippaient à ses poignets, s'efforçant de se libérer.

— Laisse-le ! Laisse-le, bonhomme ! tu vas l'étrangler. Lâche-le, je te dis !

Mark Sopwith frappa brutalement les avant-bras de Simon de la tranche de sa main et, comme sous l'action d'un ressort, Simon lâcha la gorge de McGrath et recula en trébuchant.

Son visage saignait d'une plaie au-dessus de l'œil; la manche de sa veste de marié était partiellement arrachée à l'épaule. La tête projetée en avant, les mains pendant mollement le long du corps, à présent, il haletait, les yeux fixés sur McGrath qui, tenant sa gorge, s'éloignait de l'arbre d'un pas d'ivrogne.

C'était au tour de Mark Sopwith de parler. Cherchant dans la pénombre, il dit avec une certaine surprise :

— Tu es McGrath, n'est-ce pas, le forgeron de la mine ? Oui. Oui. Eh bien ! Je m'occuperai de toi plus tard. Maintenant, va ! Va-t'en. Allez ! Va !

— Ça n'avait rien à voir avec aucun de vous, non ! Je lui faisais la cour. C'est une affaire de famille, courtiser.

— Avec elle qui hurlait tant qu'elle pouvait ? Allez, va-t'en avant que je ne décide moi-même de m'en payer une tranche avec toi. Et, à propos, présente-toi au bureau lundi; mon directeur aura quelque chose à te dire.

McGrath grimaça en fixant le propriétaire de la mine : puis, marmonnant des jurons, il se détourna. Les deux hommes se dirigèrent alors vers l'endroit où Tilly était assise sur le sol, mais Lady Myton ne se penchait plus sur elle, elle se tenait debout et secouait la poussière de ses mains gantées. Elle les regarda et dit :

— Elle est toute tremblante, elle a eu très peur.

Simon passa devant elle sans mot dire, et se laissant tomber à croupetons aux côtés de Tilly, il lui passa le bras autour des épaules, disant avec hésitation :

— Est-ce... est-ce que ça va ?

Les mots « ça va » avaient un double sens, et après un moment, comme si elle réfléchissait, elle répondit « oui » de la tête.

— Viens, je vais te ramener chez toi.

Comme il la levait doucement, ses jambes menacèrent de la trahir et elle s'appuya contre lui, reposant sa tête sur sa poitrine.

— Le fermier, n'est-ce pas ?

Simon se retourna et risqua un coup d'œil en direction de Lady Myton, mais il ne lui donna aucune réponse et la dévisagea simplement pendant qu'elle continuait avec, à présent, un gloussement dans la voix :

— C'est votre mariage, si j'ai bien compris. Qu'est-ce qui vous a amené ici, vous ne pouviez pas avoir entendu ses cris de la ferme ?

— Non, Madame, je ne l'ai pas entendue crier de ma ferme, j'ai été prévenu de ce qui allait lui arriver.

— Oh ! et vous êtes arrivé juste à temps... du moins, je le pense.

— Viens.

Il se détourna alors d'eux et conduisit Tilly vers l'endroit où se tenait son cheval qui mâchonnait tranquillement l'herbe du remblai; après l'avoir hissée sur la croupe non sellée, il tourna la tête, chercha Mark Sopwith du regard, et dit :

— Merci. Merci de m'avoir aidé.

— Je ne t'ai pas aidé, sauf pour t'éviter de le tuer. Tu aurais bien pu, tu sais.

— Dommage que je ne l'aie pas fait.

Il plia alors les genoux, puis avec un effort de son corps, lui aussi se trouva assis sur le cheval, ses bras entourant Tilly et tenant les rênes. Il pressa lentement les flancs de son cheval et en passant devant Lady Myton, il ne la regarda pas et ne lui adressa aucune parole d'adieux. Et, cependant, elle le regardait...

Mark Sopwith retourna le long de la route et prit les rênes des deux chevaux qui, eux aussi, se délectaient en broutant l'herbe du remblai; il les approcha de Lady Myton. Elle quitta des yeux les silhouettes qui s'éloignaient, et lui dit en le regardant :

— Eh bien ! Eh bien ! quel intermède intéressant. (Puis après une pause, elle ajouta :) L'interruption est arrivée à un moment tout à fait crucial de notre conversation. Si je me souviens bien (sa tête s'affaissa alors d'un côté), vous étiez sur le point de réclamer votre dû, monsieur Sopwith.

Au moment où il lui donna les rênes de son cheval, il parvenait à peine à discerner son visage; cependant, il savait qu'elle se moquait de lui, et il savait aussi qu'elle ne pensait pas qu'il serait assez peu homme du monde pour, comme elle le disait, exiger d'elle son dû.

Eh bien, elle se trompait car il n'y avait pas de meilleur moment que le présent, ni de meilleur endroit, tout compte fait, pour lui prouver qu'elle se trompait, et, si cela dépendait de lui, il exigerait la totalité de son dû avant la fin de la nuit, car elle l'avait mené en bateau. C'était comme si toute la soirée, elle avait été en position de surveiller chacun de ses gestes car, lorsque, mécontent, il s'était trouvé sur le chemin du retour, elle lui avait coupé la route, élégante et droite sur sa selle, à quelque distance du Flat et lui avait dit :

— Bonsoir, monsieur Sopwith. Vous me cherchiez ?

Puis, descendu de cheval, il s'était approché d'elle et elle lui avait tendu les bras pour qu'il l'aide à descendre de selle. Il l'avait déposée à terre, et l'avait tenue dans ses bras en lui répondant :

— Non, Lady Myton, vous n'étiez même pas dans mes pensées.

Il la tenait encore, leurs deux visages très proches l'un de l'autre, leurs yeux se disant qu'un certain type de rapport allait bientôt s'établir lorsqu'un cri féminin les avait séparés.

Cela aurait pu être le cri de plaisir d'une jeune fille, mais ils n'en étaient pas certains et ils avaient attendu qu'il se répète, puis étaient sur le point de poursuivre leurs propres affaires lorsqu'il s'était reproduit. Il s'était reculé et avait tendu l'oreille, et elle s'était enquise froidement :

— Que pensez-vous que ce puisse être, un campagnard faisant jouir sa belle à en crier ?

— Ce n'était sûrement pas un cri de jouissance.

Quelques minutes plus tard, un autre cri avait été brusquement écourté et il l'avait fait remonter précipitamment sur son cheval, puis, tournant vers Billings Flat, il lui avait dit :

— Suivez-moi.

— Quoi ? Qu'avez-vous dit ?

— J'ai dit, suivez-moi.

— Oh ! c'est bien ce qu'il me semblait.

Il avait compris son agacement, mais une fois arrivés sur la scène où se débattait la fille Trotter, son attitude avait changé, et il lui semblait que tout cela l'avait vraiment beaucoup amusée. Et maintenant, elle attendait la suite. Eh bien, elle n'aurait plus longtemps à attendre.

Au bout du Flat, il prit les rênes de ses mains et poussa vigoureusement les chevaux vers une butte peu élevée. Une fois arrivés en haut, il les mena le long du terre-plein, au-delà du rideau d'arbres qui bordaient le Flat.

Ici, les arbres s'éclaircissaient; c'était un jeune bois, sur du terrain pauvre. Après avoir marché quelques secondes, il attacha les chevaux à un arbre, puis se retourna et attendit qu'elle s'approche de lui en trébuchant. Ses yeux étaient écarquillés, pleins de gaieté, et sa bouche riait. Elle ne dit rien, mais il lui déclara :

— Je suis prêt à distribuer les prix.

Il la sentait disposée à rire, bruyamment, mais comme le cri de Tilly avait été étouffé, son rire le fut également maintenant car, l'entourant de ses bras, il l'arracha du sol. Une minute plus tard, ils étaient tous deux tombés à terre, et ils restèrent ainsi à se dévisager, mais seulement un moment.

Comme cela lui arrivait souvent, le prix s'avéra finalement une sorte de surprise comportant une qualité négative car, bien qu'au début il se sût le maître, à la fin il n'en était plus si certain, et il se demanda comment un homme âgé comme Lord Myton parvenait à faire face à une telle passion. En fait, faisait-il le moindre effort ? Une telle voracité venait peut-être du fait qu'il ne tentait même pas de faire face.

Cela avait été une nuit bien inhabituelle, mais étrangement, il n'éprouvait aucune exaltation, et n'était même pas momentanément heureux.

Lorsque Simon ramena Tilly dans le cottage, Annie se retourna dans le fauteuil où elle s'était assoupie, devant la cheminée; elle posa les mains sur ses lèvres et murmura :

— Dieu du Ciel ! Qu'est-il arrivé ?

En quelques secondes, elle s'arracha de son siège et jeta un œil vers le lit où William se tournait maintenant sur le côté; son visage exprimait également la stupéfaction.

De nouveau elle dit :

— Qu'y a-t-il ? Qu'y a-t-il ? Qu'est-il arrivé ?

Elle faisait maintenant face à Tilly qui se jeta dans les bras de la vieille femme et se mit à sangloter, tout en bredouillant :

— Oh ! mémé ! mémé !

La tenant très fort dans ses bras, Annie leva les yeux vers Simon, vit son visage taché de sang et sa veste arrachée, et, d'une voix qui n'était qu'un souffle, elle lui demanda encore :

— Que s'est-il passé, mon gars ? Qu'est-il arrivé ? Et pourquoi es-tu là, cette nuit entre toutes les nuits ?

Simon, se laissant tomber sur une chaise à côté de la table, ne lui répondit pas directement, mais regardant vers William, il dit :

— Ça n'est pas long à raconter. McGrath a essayé de la violer, le sale bougre ! Mais, en plus, il l'a attrapée au filet pour y parvenir.

— Au filet ? grimaçait William.

— Ouais, tu connais le vieux truc, le filet suspendu entre deux arbres, avec un nœud coulant et une perche. La dernière fois que j'en ai entendu parler, c'était il y a des années, lorsqu'on a voulu attraper un bon poney. C'est plus sûr que de cavaler sur la lande.

— Au filet ? Dieu du Ciel ! si j'avais au moins l'usage de mes jambes !

Il tourna la tête, regarda Simon et conclut :

— Rien ne les arrêtera, ils sont tellement sûrs que c'est ici.

— Oui, William, ils sont sûrs que c'est ici.

Ils furent tous deux surpris, et Annie faillit tomber à la renverse, lorsque Tilly, tournant violemment tout son corps sur le tabouret, s'écria alors :

— Qu'est-ce qui est ici ? Il n'en a pas seulement après moi, il y a quelque chose de plus, et... j'ai le droit de savoir; après cette nuit, j'ai le droit de savoir, grand-père ! Cette histoire d'argent, j'ai le droit de savoir.

Le silence se fit dans la pièce pendant un moment, à l'exception du vent qui soufflait dans la cheminée, le feu siffla, la bûche se sépara en deux par le milieu et tomba doucement de chaque côté de l'âtre, et alors, William, s'appuyant sur son oreiller, fit une courte aspiration douloureuse avant de répondre :

— Ouais, ouais, ma fille, tu as le droit de savoir. Mais je pense que tu en as eu assez pour une nuit, nous en parlerons demain.

— Non, non, tu dis toujours de ne pas remettre au lendemain ce qui peut être fait le jour même, ou que demain on rase gratis, ou quelque chose comme cela. Demain, tu auras une autre bonne raison. Et toi, aussi, mémé, dit-elle, et sa voix se brisa, alors qu'elle se retournait pour regarder sa grand-mère.

Annie baissa la tête comme pour acquiescer à une vérité évidente.

— Viens, assieds-toi.

Simon s'était levé de sa chaise et lui entourant maintenant les épaules, il l'entraîna au bout de la table et l'assit sur une chaise, face au lit :

— Vas-y, William, dit-il, ou préfères-tu que je lui raconte l'histoire, telle que je la connais ?

Les yeux de William étaient fermés; la tête légèrement détournée, il murmura :

— Ouais, Simon; ouais, c'est mieux.

Simon tira alors sa chaise vers le bout de la table et s'assit en y appuyant son coude; il regarda Tilly dont le visage était à demi tourné vers lui et dit :

— Cela va bien faire trente ans, au mois d'août. N'est-ce pas, William ?

William ne répondit pas; il acquiesça simplement d'un léger mouvement de la main et Simon continua :

— Bien, c'était un jour d'été, un dimanche, et ton grand-père prenait l'air parce que, comme mineur de fond, c'était son seul jour de liberté de la semaine. Il avait pas mal marché; il avait chaud et était fatigué. Il s'étendit au milieu des ajoncs et s'assoupit. Puis, comme il le raconta à l'époque, entendant de l'agitation au-delà des ajoncs, il se tint immobile, pensant qu'il s'agissait d'un couple se livrant à des ébats amoureux. Mais il se rendit compte qu'il se trompait : un homme haletait comme s'il se débattait avec quelque chose de lourd. Ton grand-père se tourna alors sur le côté et rampa précautionneusement de manière à mieux voir. Il se trouva alors face à une partie de la colline qui était recouverte de rochers; il venait de les découvrir en arrivant à l'endroit herbeux où il s'était étendu. Ce qu'il vit alors lui fit sortir les yeux de la tête, comme il me l'a fréquemment raconté, et je le crois, car là se trouvait McGrath, le père de Hal McGrath, tu sais, qui était déjà forgeron au village, comme il l'est encore, aux prises avec un rocher. Il réussit finalement à le faire bouger, mais dans la direction où regardait ton grand-père, ce qui l'empêcha de voir ce qui se passait derrière. Mais, quelque temps après, le grand McGrath se colleta de nouveau avec le rocher et le remit en place, puis il se releva, secoua la poussière de ses mains et s'éloigna calmement dans le crépuscule.

« Ton grand-père se mit naturellement à s'interroger. Il resta où il était pendant un long moment pour laisser le temps à McGrath de bien s'éloigner, puis il fit le tour de cette grosse masse de rocher pour l'examiner. Et il fut rempli d'admiration qu'un homme seul ait pu la déplacer. Il essaya lui-même, mais ne réussit même pas à l'ébranler. Puis, ton grand-père se mit à réfléchir.

« Bien, les choses allaient très mal au pays, à cette époque; on trouvait difficilement du travail; les fermiers tels que mon père avaient été obligés de renvoyer certains de leurs aides à cause des impôts et du reste; tout le pays était en état d'agitation. Nous trouvons que ça va mal actuellement, mais, à cette époque, deux hommes venant d'environ deux kilomètres d'ici avaient été envoyés à Botany Bay pour avoir volé un mouton. L'un d'eux avait perdu deux enfants en trois mois à cause de la famine, mais cela ne constituait pas une excuse suffisante; il avait eu de la chance de s'en tirer vivant. Notre village était un des plus durement atteints dans toute la région car la moitié des ouvriers travaillaient à la terre et quatre fermiers avaient fait faillite au cours d'une année. On fut à deux doigts des émeutes. Tu connais les grandes maisons qui existent encore entre ici et le village de Harton, eh bien, à cette époque, on plaçait des gardes tout autour la nuit, avec des chiens, pour empêcher la paysannerie, comme on l'appelait, de voler dans les jardins potagers ou les basses-cours. On disait qu'il serait impossible, pendant de longues années, de trouver un lapin entre le village de Westoe et Gateshead... Alors, comment, se demanda ton grand-père, les McGrath faisaient-ils pour avoir toujours l'air de s'en sortir, toujours paraître bien nourris et bien chaussés, car des fermes en moins, ça voulait dire non seulement des ouvriers agricoles en moins, mais aussi moins de chevaux à ferrer et le Grand McGrath faisait marcher lui-même la forge. La mine de Rosier et celle de Sopwith avaient chacune leur propre maréchal-ferrant, alors, comment se faisait-il que les McGrath, non seulement survivaient, mais survivaient bien ? La réponse, pensa ton grand-père, reposait sous cette pierre. Mais comment la bouger ?

« Maintenant, tu savais, n'est-ce pas, William, que si tu allais dans le village pour demander à un de tes voisins de te venir en aide pour découvrir ce que McGrath avait caché sous cette pierre, et que l'on y découvrait de l'argent — car l'argent était la seule chose qui pouvait acheter de la nourriture à cette époque-là, puisque les gens n'avaient plus rien à échanger —, eh bien, tu savais que s'il se servait, on remarquerait vite un changement dans son mode de vie. »

Simon regarda de nouveau Tilly. Son visage blanc, ses yeux fixes et grands ouverts retinrent les siens pendant quelques secondes, puis il humecta ses lèvres et continua :

— Tu vois, des hommes comme les mineurs travaillaient pour des salaires de misère. Fréquemment, un mari et une femme étaient obligés de descendre dans la mine simplement pour se maintenir en vie. Ouais, et emmener leurs petits avec eux, à cinq ou six ans. Il y avait environ trois douzaines d'hommes de Sopwith dans le village à l'époque, vivant dans des taudis; et comme tu le sais, certains y sont toujours et ton grand-père était l'un d'eux.

« Enfin, ton grand-père était décidé à voir ce que le Grand McGrath avait enterré, mais il ne savait pas à qui s'adresser pour demander de l'aide. Alors, il prit le chemin du retour. Sur sa route, il devait passer devant notre ferme; elle n'avait pas le même aspect qu'aujourd'hui. Mon père, si j'ai bien compris, était au bout du rouleau, à la fois sur le plan financier et familial. Tu vois, ma mère avait fait cinq fausses couches avant d'avoir son sixième enfant, et celui-là n'avait vécu qu'un mois. De plus, on était seulement à cinq mois de Noël et, à cette date, il allait falloir payer le loyer à M. Sopwith, le propriétaire. Le vieux Sopwith traversait également des moments difficiles, en tout cas, c'est ce qu'il disait; il n'était pas aussi coulant que l'actuel, et avec lui, c'était : pas de loyer, pas de ferme; en plus, il n'était pas aimé car il avait enclos des pâturages libres au nord de sa propriété. Les gens disaient que c'était parce que son propre père avait été obligé de vendre la moitié de la propriété afin de se maintenir. Mais les temps difficiles pour la noblesse et les temps difficiles pour le peuple, c'étaient des chevaux de couleurs différentes. Les nobles gardaient tout de même leurs serviteurs par douzaines, montaient à Londres, couvraient leurs femmes et leurs enfants de cadeaux; mais par-dessus tout, aux yeux de l'homme de la rue, ils continuaient à manger.

« En tout cas, je m'éloigne de l'histoire, et c'est tentant pour notre esprit car ces questions sont tout aussi actuelles de nos jours. Et, alors, en passant devant la cour de la ferme, ton grand-père aperçut mon propre père. Bon, il est écrit dans la Bible qu'un bienfait n'est jamais perdu; moi je traduis cela de la manière suivante, Tilly, aide ton prochain et si c'est quelqu'un de correct, ça te sera rendu au centuple. En effet, quelques années auparavant, lors d'une grève à la mine, mon père avait donné gratuitement à ton grand-père du lait, surtout du lait écrémé, bien entendu, mais tout de même du lait gratuit tous les jours, pendant tout le temps où ils étaient arrêtés; il avait aussi ajouté environ six kilos de patates par semaine. Ton grand-père ne l'avait jamais oublié; alors, quand il vit mon père venant à lui dans la cour, pour utiliser ses propres termes, il pensa, voici un homme qui, autant que n'importe qui d'autre a besoin d'un ou deux shillings de plus et il lui raconta ce qu'il venait de voir. Et mon père, après l'avoir écouté en silence, dit simplement : " Allez, viens, montre-moi. "

« Il y avait un bon kilomètre pour retourner sur le site et la nuit commençait à tomber; arrivés sur place, ils durent faire appel à toutes leurs forces pour déplacer la pierre d'un centimètre. Mais, peu à peu, progressivement, ils la poussèrent de côté, et là, dans la pénombre, sous leurs yeux, ils virent un trou contenant une boîte en fer-blanc. Ce n'était pas une boîte ordinaire, mais une de celles qui voyagent dans les carrosses, cerclées d'acier et fermées à clé; les nobles les utilisent parfois pour transporter des bijoux ou de l'argent en allant d'une propriété à l'autre; on en voyait également dans la malle-poste, quand il fallait transporter des centaines de livres jusqu'aux chantiers de construction des chemins de fer. Enfin (Simon baissa la voix), non seulement cette boîte était remplie de guinées d'or, mais tout autour, il y avait quantité de sacs de cuir, également pleins. Mais ceux-là contenaient un mélange d'or et d'argent.

« Eh bien, ton grand-père et mon père se sont regardés et c'est mon père qui prit la parole : " Qu'est-ce qu'on fait, Trotter ?" et ton grand-père répondit : " On le prend, mais où le mettre ? "

« Mon père réfléchit un instant, puis dit : " J'ai exactement ce qu'il faut, l'ancien puits asséché ! » C'est un puits qui avait été asséché à l'époque de mon père, après qu'il eut agrandi et grossièrement dallé la grainerie. Cela fait trois ou quatre ans que je n'y ai pas regardé. Il était toujours sec à cette époque, un peu boueux au fond, mais c'est tout. De toute façon, avec ou sans eau, les guinées ne fondent pas.

« Alors, ils vidèrent le trou de son secret et ils replacèrent la pierre et, dans la nuit devenue noire, ils se glissèrent le long de la route, en longeant la haie comme deux voleurs de grand chemin avec leur butin. (Pour la première fois, le visage de Simon se laissa aller à sourire et il ajouta :) Il n'y a pas grand-chose à ajouter. Ils comptèrent l'argent. Il y avait près de mille livres. Ils étaient tous deux ébahis et un peu soûlés par l'événement, mais s'étant assis pour réfléchir, ils se trouvèrent devant un problème; ils n'allaient pas pouvoir utiliser l'argent, pas ouvertement, pas d'une manière qui manifesterait un changement dans leur style de vie. C'était plus facile pour mon père, car s'il avait envie de dépenser un peu plus, cela pouvait apparaître comme un profit de la ferme, mais pas William. Il était payé douze shillings par semaine; même s'il dépensait un seul shilling supplémentaire, il risquait d'éveiller les soupçons car il savait que McGrath, une fois qu'il aurait découvert l'affaire, ferait espionner par ses fils tous les gens du village et même au-delà. Et alors, ton grand-père décida de prendre cinq shillings par semaine, pendant aussi longtemps qu'il y en aurait, mais il allait les dépenser loin, à Shields, par exemple... Et voilà, à présent, tu sais pourquoi j'apporte le souverain chaque mois. Et ce que veut McGrath. »

Les yeux de Tilly étaient grands ouverts, sa bouche légèrement entrouverte. Elle dévisagea Simon pendant un long moment, puis tourna lentement la tête vers son grand-père, et enfin vers sa grand-mère assise au bout de la table. Annie prit la parole. Tristement, elle dit :

— J'ai parfois été tentée d'en demander plus, mon petit chou, pour t'acheter des vêtements convenables. Et j'aurais peut-être risqué le coup mais, un jour, j'ai commis une erreur... C'était quelques semaines après qu'on eut ramené William du puits. On pensait qu'il allait mourir et je ne pouvais pas le quitter et nous avions besoin de viande, de bougies, de farine et du reste, et comme tu avais déjà dix ans et étais une enfant pleine de bon sens par-dessus le marché, je t'ai dit ce qui nous manquait. Et alors, j'ai emballé le souverain dans un chiffon et je l'ai épinglé dans la poche de ton jupon et je t'ai donné un penny pour le char allant à Shields. Eh bien, tu es revenue fière comme Artaban, avec toutes les commissions et la pièce intacte et, quand je t'ai demandé comment tu t'étais débrouillée, tu m'as dit qu'une femme à l'étal du charcutier t'avait demandé comment un petit bout comme toi avait pu se procurer un souverain, et tu avais répondu que ta grand-mère te l'avait donné, pour faire les courses. Et puis, tu as aperçu Bella McGrath, à un autre étal, et tout simplement, pour prouver ton honnêteté à la charcutière, tu as dit : « Voilà Mme McGrath qui vient du village, elle me connaît et ma grand-mère aussi. » Et tu es allée vers elle et tu l'as ramenée devant la charcutière et tu lui as dit : « Vous me connaissez bien ainsi que ma mémé, madame McGrath, n'est-ce pas ? et Bella McGrath a dit : « Mais oui. Mais oui, je te connais. Mais pourquoi demandes-tu ça ? » Et tu lui as expliqué à propos du souverain. C'est depuis ce jour-là, mon petit chou, que toutes ces histoires ont commencé. Les Mc Grath savaient, comme tout le monde, que William, étant malade, ne gagnait pas d'argent, alors depuis ce jour-là, ils n'ont jamais renoncé. Tu comprends, ils pensent que nous l'avons caché ici. Ils ont calculé qu'il doit encore en rester pas mal. C'est pourquoi Hal McGrath est décidé à t'avoir; c'est une manière de mettre la main sur ce qui en reste.

Tilly ne trouvait pas de mots pour exprimer ses sentiments. Toute l'histoire paraissait trop fantastique pour que l'on y croie et cependant, elle savait qu'elle était vraie, trop vraie. Ils vivaient d'argent volé depuis des années. Ils l'avaient volé aux McGrath, mais à qui McGrath l'avait-il volé ? Tout cet argent, tous ces souverains ? Et, en toute innocence, elle avait dénoncé son grand-père et attiré sur elle-même l'attaque au viol de cette soirée. Elle frissonna visiblement et baissa la tête. Jusqu'à la fin de ses jours, elle sentirait ce corps sur le sien et ces mains griffant sa peau nue. Instinctivement, elle serra ses jambes sous la table.

Comme elle rendait son regard à Simon, elle pensa : J'ai gâché son mariage. Et cependant la question qu'elle lui posait à présent n'avait absolument rien à voir avec son mariage :

— Où McGrath s'était-il procuré l'argent ? Etait-ce un bandit ?

— Non, pas lui, il n'aurait jamais eu assez de cœur au ventre. Mais son cousin avait été emprisonné trois ou quatre années plus tôt. Il était l'un des trois hommes qui avaient attaqué un coche sur la route entre Gosforth et Morpeth, en Ecosse, un endroit désert. L'un des hommes avait été tué par un garde et les deux autres avaient réussi à s'échapper. Le cousin de McGrath fut arrêté quelques semaines plus tard, alors qu'il participait à la cueillette du houblon à Newcastle; un des nobles qui s'étaient trouvés dans le coche le reconnut et en informa les gendarmes. On ne pouvait pas vraiment prouver ses méfaits d'après des on-dit, mais on s'en contenta pour l'envoyer à Botany Bay; sinon, ç'aurait été sa fête. William, tu te souviens de lui, n'est-ce pas, du cousin de McGrath ?

— Ouais, ouais, je m'en souviens tout à fait. C'était un petit bonhomme, silencieux, brun, aux gestes rapides. Aux environs de cette époque, il y eut deux ou trois grosses attaques à main armée. On n'en connut jamais l'auteur, mais l'argent dans cette cassette racontait assez bien l'histoire. Je n'ai jamais réussi à comprendre pourquoi il en avait confié la garde au Grand McGrath car lui-même vivait à Glasgow, dans un de ces taudis dont on disait qu'on n'y logerait même pas un rat.

— Tiens (Annie se tenait maintenant à côté de Simon, avec une assiette remplie d'eau), laisse-moi te nettoyer cette plaie. Tu n'es pas arrangé ! Mon dieu ! Ceci mérite d'être recousu, sinon, tu vas avoir une cicatrice, là. Tiens, essuie ta figure. (Elle lui tendit une serviette rugueuse, puis ajouta :) Je suis désolée de ne rien pouvoir faire pour ta veste, c'est un travail de tailleur. Eh bien ! ta femme va être folle quand elle te verra. Et que cela t'arrive le soir de tes noces ! Comme je suis désolée, Simon, du fond du cœur.

Il se leva, et lui rendit la serviette en souriant. Juste à temps, il retint sa réponse : « Cela n'arrive pas à tous les hommes de sauver une femme d'un viol le soir de ses noces et de se faire casser la figure par-dessus le marché », car Tilly n'était pas une femme, elle était une jeune fille, encore une jeune fille douce et charmante. Il la regarda et, croisant son regard ouvert, chaleureux et troublé, il tourna les talons : Ah ! au diable ! Qu'il s'en aille d'ici et retourne à Mary. Ouais, qu'il retourne à Mary. Et que lui dirait-elle ? Ouais, que dirait-elle ? Oublierait-elle son escapade et l'accueille-rait-elle les bras ouverts en le voyant revenir dans un pareil état ? Il en doutait. Eh bien, plus vite il rentrerait pour éprouver son caractère, mieux cela vaudrait.

— Bonsoir, William. Bonsoir, Tilly. Bonsoir, Annie.

William marmonna :

— Bonsoir, mon gars, et merci, merci, de ce que tu as fait cette nuit.

Tilly ne lui fit pas d'adieux. Elle se contenta de le regarder pendant que sa grand-mère lui tendait une lanterne en disant :

— Tu auras besoin de ça, maintenant.

— Eh oui ! j'en ai besoin à présent.

Elle lui ouvrit la porte et, au moment où il passait dans le noir, elle lui dit :

— Dis à ta femme que je regrette que tu aies été appelé et que tu lui reviennes ainsi. J'... j'espère qu'elle comprendra.

Il ne fit pas de réponse, mais comme il se hâtait le long du chemin vers la barrière et son cheval, il pensait : J'espère qu'elle comprendra.

Mais Mary Bentwood ne devait jamais comprendre cette nuit, ni la lui pardonner, jusqu'au jour de sa mort.

CHAPITRE IV

La lanterne posée au centre de la sacristie illuminait les six visages qui l'entouraient. Il y avait M. Septimus Fossett, le marguillier, et les cinq marguilliers adjoints : Burk Laudimer, charron, Andy Fairweather, charpentier, George Knight, tonnelier et fossoyeur, Tom Pearson, peintre et homme à tout faire, et Randy Simmons, le vacher de Simon Bentwood.

M. Fossett avait fini de parler et Andy Fairweather lui répondait :

— Ouais, comme tu dis, c'est une affaire sérieuse. Et c'est pourquoi nous sommes ici. Nous sommes responsables de la gestion de l'église. Eh bien, je veux dire ceci : nous devons veiller à ce que ceux qui la dirigent se comportent convenablement.

— Mais elle ne la dirige pas, c'est le pasteur le responsable.

— Ouais, mais il est responsable de sa femme.

Les voix d'Andy Fairweather et George Knight s'étaient mêlées pour lui répondre.

— Ouais, bien là, tu as raison. Mais elle vient d'une autre classe, nous le savions dès le début. Elle vient de la noblesse et nous savons tous comment elles sont. Comme des garces en chaleur, elles se glissent partout.

— Ah ! ferme ta gueule ! Nous ne parlons pas de garces, mais de la femme du pasteur.

— C'est la même chose, peut-être...

— Allons, allons, Burk, ce n'est pas le moment d'être drôle, ni de prendre ceci à la légère. Maintenant, dis-nous, es-tu sûr de ce que tu as vu ?

— Que Dieu me frappe si je mens. Et, comme je l'ai dit, vous n'êtes pas obligés de ne croire que moi, il y avait Andy. Tu les as vues de tes propres yeux, n'est-ce pas, Andy ?

— Ouais, ouais, c'est vrai, Burk. Tu as raison, je les ai vues. Elles étaient là, dans cette même pièce, et elles avaient poussé cette table contre le mur et étaient en train de danser. C'était surprenant de les voir dans un lieu de culte, se donnant le bras. Et elle qui chantait ! Pas un cantique. Oh non ! non ! Pas un cantique. Un chant rythmé qu'elle chantait, un air de danse, et comme vous l'a dit Burk, là — je l'ai vu aussi bien que lui — lorsqu'elles se sont séparées, elles ont relevé leur jupe comme l'auraient fait une paire de putains sur les quais de Shields. Jusqu'au milieu de leurs mollets, elles les ont soulevées, et elles se sont mises à sautiller de tous les côtés. Bon, ça n'aurait pas été bien grave si cela s'était passé dans une grange ou dans la pièce de l'autre côté, là-bas (de son pouce, il indiquait, par-dessus son épaule), où elle tient ce qu'elle appelle son école du dimanche, mais je suppose que la pièce était trop petite pour qu'elles puissent s'y amuser... Mais, maintenant, écoutez. Je vais vous dire quelque chose. Je n'accuse pas la femme du pasteur complètement. Non, non, je ne l'accuse pas, car je crois qu'elle a été détournée du droit chemin, ouais, et par cette jeune Tilly Trotter.

— Ah ! ne sois pas idiot, bonhomme !

— Ecoute, Tom Pearson, ne me traite pas d'idiot, je sais de quoi je parle.

— Eh bien, tu es seul à le savoir. Détournée par Tilly Trotter ! Ce n'est qu'un brin de fille, pas même seize ans.

— Elle n'est pas un brin de fille, pas dans un sens ordinaire, je dirais. Et en plus, elle est très mûre pour son âge, elle l'a été depuis des années. Elle a toujours eu quelque chose de bizarre; et ses grands-parents également. Le vieux Trotter ne fait rien de ses dix doigts depuis des années, mais ils n'ont jamais paru manquer de quoi que ce soit. Avez-vous jamais réfléchi à cela ? Et pouvez-vous me dire autre chose ? Pourquoi Simon Bentwood est-il parti subitement le soir de ses noces pour vérifier que tout allait bien pour elle, simplement parce qu'il avait entendu dire que Hal McGrath allait la violer ? Il a laissé sa femme, vous savez, et toute la noce; en plein milieu des réjouissances, il est parti à cheval et est revenu plusieurs heures après, l'arcade sourcilière ouverte, avec un œil au beurre noir et ses vêtements arrachés, pour s'être battu pour elle contre Hal McGrath. Bon, moi, je vous demande, est-ce là le comportement habituel d'un marié, le jour de ses noces ? Et regarde le chahut qui a suivi. Randy, là, a dit qu'il s'était fait sérieusement engueuler. Et les gars ne les ont pas accompagnés dans leur lit, cette nuit-là. Et, en plus, il y a eu la poisse dans toute la maison le lendemain. Cette fille, je vous le dis, c'est une fauteuse de trouble; en fait, elle a quelque chose d'une sorcière, d'une certaine manière. Avez-vous jamais remarqué son regard ?

— Oh ! pour l'amour du ciel ! dit Tom Pearson en se levant, de toute ma vie, je n'ai jamais entendu dire autant de sacrées absurdités.

— Pas de gros mots ici, Tom. Rappelle-toi où nous sommes.

— Pas si absurde que ça, Tom.

C'était George Knight, le fossoyeur, à présent. Sa voix fluette et pointue parut calmer la colère des deux hommes qui le regardèrent, et il enchaîna :

— Il y a eu l'étrange histoire du chien de Pete Gladwish, ça, vous ne pouvez pas le nier. Etrange, tout ce qu'il y a d'étrange.

— Ouais, c'est possible, mais qu'est-ce que cela a à voir avec la jeune Tilly Trotter ?

— Plus que tu ne le penses, Tom, plus que tu ne le crois, d'après ce qu'en disent certains. Le chien de Pete était un ratier, tu le sais aussi bien que moi, et un des meilleurs terriers à des kilomètres à la ronde. Et le vieux bonhomme vivait de ce qu'il attrapait, n'est-ce pas ? Samedi soir, dans le puits, j'ai vu ce chien-là tuer cinquante rats en autant de minutes ou même moins. Ouais, ou moins. Puis, un soir, il l'a emmené du côté de Boldon et ils ont rencontré la jeune Tilly sur la route, et tu sais ce qui est arrivé ? Elle a caressé le chien. Elle lui a parlé, racontait Pete, et la sacrée bête, après ça, ne voulait plus aller avec lui; il tirait pour la suivre. Et cette nuit-là, il ne voulait même pas aller dans le puits. Est-ce que tu peux imaginer un terrier qui verrait un rat et n'aurait même pas envie de lui courir après ? Tu sais, quand ils voient grouiller au fond du trou, l'envie de les attraper les rend presque fous. Mais Pete racontait que son chien restait là, immobile, comme hébété. Bon, il lui a donné une bonne rossée et l'a ramené chez lui et l'a enchaîné, et que s'est-il passé ? Eh bien, tu habites dans le village aussi bien que moi, et tu sais ce qui est arrivé. Le chien était parti le lendemain matin, n'est-ce pas, et depuis on n'en a jamais retrouvé la moindre trace. Puis, il y a eu cette histoire du mariage et cette manière d'attirer le fermier Bentwood au cours de la nuit la plus exceptionnelle de sa vie, et le vieux Pete s'est mis à réfléchir à propos du soir où Tilly Trotter avait caressé son chien; il n'avait jamais fait le lien avant. Mais, d'après moi, il y a quelque chose là...

— Toi, tu y vois toujours quelque chose, même s'il s'agit d'une cosse de pois vide.

— Dommage que le pilori ne soit plus sur la place.

— Pourquoi, tu pensais t'y mettre ?

Burk Laudimer se tourna vers Tom Pearson :

— Je ne sais pas pourquoi on t'a demandé de venir à cette réunion, tu es de son côté, n'est-ce pas, de leur côté à toutes les deux. Quand elles dansent sur l'autel à côté et boivent aux fonts baptismaux, tu vas me dire que ce n'est pas de la sorcellerie. Juste un peu de gaieté, tu pourrais dire.

— Ouais, je le pourrais, évidemment. Bon, j'ai du travail à terminer, je m'en vais, mais avez-vous décidé ce que vous allez faire ?

M. Fossett posa les paumes de ses mains à plat sur la table devant lui et observa ses cinq adjoints pendant un moment avant de répondre :

— Oui, j'ai pris ma décision, et en tant que marguillier, c'est mon devoir, comme je le vois, de l'appliquer.

— Et qu'est-ce que tu vas appliquer ? demanda tom Pearson.

— C'est simple. Il va falloir que le pasteur mette un terme à son galop; il lui dira qu'elle doit se conduire convenablement ou alors...

— Ou alors quoi ?

— Eh bien, nous ne pouvons pas permettre que l'église soit déshonorée et si sa femme se tient comme une femme légère, cela ne peut que déshonorer l'église.

— Tu as raison. Tu as raison.

Ses partisans approuvèrent en chœur; puis ils se levèrent tous ensemble et la réunion prit fin. Dehors, dans la cour de l'église, ils se dispersèrent pour aller chacun son chemin, à l'exception de Burk Laudimer et Andy Fairweather. Comme s'ils étaient animés d'une même idée, ils demeurèrent tous deux à regarder s'obscurcir le ciel, puis, ensemble, ils se mirent en route et longèrent l'église; ils passèrent entre les pierres tombales, se dirigeant vers la basse clôture de pierre qui entourait le cimetière. Avant de la franchir, Burk Laudimer s'arrêta dans sa marche et, regardant son compagnon, dit à mi-voix :

— Tu te souviens de l'histoire de la vieille Cissy Clackett ?

— Cissy Clackett ?... Tu veux dire Cissy Clackett, là ?

Du doigt, il montrait à droite un endroit où les hautes herbes masquaient presque entièrement les petites pierres tombales.

— Ouais, cette Cissy Clackett.

Burk Laudimer s'éloignait à présent de la barrière et se frayait un chemin dans les hautes herbes; il atteignit une pierre tombale dont l'inscription était presque oblitérée par une épaisse couche de mousse, puis se tourna vers Andy Fairweather et, d'une voix lente et basse, il reprit :

— Elle a été enterrée en 1774 et d'après ce que l'on raconte, elle a tout juste évité d'être brûlée, ça ne se faisait plus à l'époque. Mais pourtant, écoute-moi : la vieille Annie Trotter était née Page, avant de se marier, n'est-ce pas ?

— Je ne sais pas.

— Bon, eh bien, c'est comme ça; et tu devrais le savoir parce que tu as vécu dans le village aussi longtemps que moi, et ta famille avant toi. Enfin, les Page, du côté des femmes, s'appelaient Clackett et descendaient directement de la vieille Cissy, là. (Sur le point de frapper de sa main la vieille pierre tombale, il s'arrêta subitement, comme effrayé, et se frotta la paume le long de sa cuisse, avant de continuer.) Ce truc-là se transmet dans les familles, par les femmes — toujours par les femmes — et à l'évidence de ce que nous avons entendu ce soir, et que je soupçonne depuis longtemps, la jeune Tilly Trotter a repris le flambeau.

— Eh bien ! C'est une curieuse chose à dire, Burk.

— C'est vrai, ces choses-là se transmettent dans les familles, comme les yeux qui louchent et les becs-de-lièvre.

— Ouais, je dois te l'accorder, pour ça; ouais, tu as raison, là.

Ils se retournèrent tous deux alors et se dirigèrent à nouveau vers la clôture, la franchirent et parcoururent leur chemin le long d'une route en creux menant au village. Après un certain temps, Burk Laudimer proposa :

— Tu veux passer chez nous ?

Andy Fairweather hésita :

— Oh ! je ne sais pas; ce soir je ne me sens pas trop bien, un thé un peu trop lourd, je crois.

— Viens donc, un bock du cru de Bessie te guérira ça.

— Je ne crois pas qu'on devrait, Burk. Si Fossett l'apprend, il n'aimera pas ça.

— Au diable Fossett, je te dis ! Je fais ce qui me plaît, quand je veux. Je respecte le jour du Seigneur, je fais mon devoir, mais personne ne va m'empêcher de me rincer la dalle quand j'en ai envie.

Andy Fairweather baissa momentanément la tête, émettant un rire incertain; il tourna avec Burk Laudimer dans la rue étroite où les maisons paraissaient se faire la révérence, de chaque côté de la route. Ils arrivèrent à une place centrée sur un rond d'herbes folles avec, au milieu, une pierre plate mesurant environ deux mètres carrés.

De l'autre côté de la pelouse, une rangée de cottages se tenait un peu en retrait par rapport à leurs petits jardins, et, tout près, du côté vers lequel se dirigeaient à présent les deux hommes, on pouvait reconnaître des ateliers disposés en croissant. Celui du bout semblait être l'atelier du forgeron, une faible lueur filtrant par la porte ouverte. Celui du charron, juste après, se distinguait grâce à son enseigne de bois peint. Un espace le séparait du magasin du pâtissier et un autre espace, au-delà de la pâtisserie, permettait aux clients de l'auberge de ranger leurs véhicules. Plus loin, deux cottages, aux façades de pierre et à l'aspect robuste, étaient occupés, l'un par le cordonnier et l'autre par le fabricant de pantalons qui était également bonnetier, car il savait tricoter des chaussettes aussi bien que n'importe quelle femme, même mieux, disaient certains. Mais ce n'était pas vraiment un homme, car il avait subi des troubles de croissance et ne mesurait qu'un mètre vingt. La boutique de l'épicier occupait la surface de deux cottages, et cela ne faisait rien de trop car, à l'exception de la viande, on y vendait presque tous les articles et denrées nécessaires à la vie du village.

Le croissant se désagrégeait ensuite et s'ouvrait sur un fouillis de petits cottages où logeaient le toucheur qui était aussi taupier, le couvreur dont la femme était la sage-femme de la région, et aussi les familles de Andy Fairweather, George Knight, Tom Pearson, Burk Laudimer, et enfin les McGrath.

M. Septimus Fossett, comme il convenait à son rang dans l'église et à sa qualité de propriétaire d'un magasin de draperie dans les faubourgs de Harton Village, avait une maison à cinquante mètres de là. Elle comportait cinq vraies pièces et possédait des sols en plancher, même dans la cuisine. De plus, la clôture du côté sud de son jardin secondaire jouxtait les terres de la première des résidences des gentilshommes en allant vers les villages de Harton, puis de Westoe. Mais, malheureusement, et ceci l'irritait, ses fenêtres arrière donnaient sur la rangée de cottages s'étendant plus bas, dans la vallée. C'étaient les habitations des ouvriers de la mine Rosier.

Burk Laudimer et Andy Fairweather entrèrent dans l'auberge et leurs yeux se posèrent sur les éléments adultes de la famille McGrath, car le Grand Bill, le père, Hal et Mick étaient assis côte à côte sur une banquette en chêne située perpendiculairement à une grande cheminée, et, leur faisant face, sur une banquette semblable, étaient assis quatre hommes, deux d'âge moyen et deux autres vraiment âgés. Le doyen d'entre eux, Charlie Stevenson, plus de quatre-vingts ans à présent, essuya du dos de la main la bière dégoulinant de ses moustaches en broussailles, regarda les nouveaux et croassa :

— Hé là ! Burk !

— Salut, Charlie. Soir, Jambe-de-Bois.

L'homme à côté de qui était posée la béquille rustique lui offrit un sourire édenté; sa tête rebondit deux ou trois fois mais il ne fit aucune réponse. Andy Fairweather s'adressa au cadet des deux autres hommes :

— Tiens, Billy, c'est pas souvent qu'on te voit par ici.

Et Billy Foggett, le roulier répondit :

— J'suis en visite chez ma sœur, Andy, en visite chez ma sœur.

— Qui est-ce qui s'occupe de ta charrette ?

— Oh ! mon gars s'en occupe pendant quelques jours, il faut bien qu'il apprenne.

Puis, Bessie Bradshaw appela de derrière le comptoir rudimentaire :

— Qu'est-ce que ce sera ?

Laudimer et Fairweather se regardèrent, et Andy Fairweather répondit :

— Une brune.

Après avoir tiré deux tabourets de dessous une table fruste, ils les placèrent face à l'âtre, entre les banquettes, et la conversation devint générale; le roulier recueillit une grande part de l'attention car il voyageait partout et était au courant des événements. Il leur raconta comment il emmenait des charretées entières de gens au Nouveau Théâtre de Newcastle qui venait d'ouvrir; il ne leur demandait que la moitié de ce qu'ils auraient payé par coche, mais tout de même un supplément par temps de pluie car alors il leur fournissait de quoi se protéger, un penny pour des sacs, et deux pour une toile cirée. Il leur dit qu'il avait parlé à des gens qui avaient été à Londres et avaient aperçu la famille royale; et quand il leur raconta qu'il se trouvait à Newcastle le 21 juin, le jour où l'on avait appris que le roi était mort et que la jeune princesse Victoria était maintenant reine, les quatre hommes sur la banquette en restèrent bouche bée.

Les trois McGrath paraissaient également intéressés, car Foggett, conteur né, avait l'art de tenir son auditoire en haleine;

c'est-à-dire jusqu'au moment où Dickens-à-la-Jambe-de-Bois parla pour la première fois.

— Merveilleuse chose que c'est de voyager. Moi, j'ai visité le monde avant d'avoir ça. (Il tapotait le moignon de sa jambe.) Mais à présent, les choses ont changé. Par les temps qui courent, il ne se passe rien par ici et tous les jours se ressemblent.

Il secouait la tête quand le compagnon de Billy Foggett, Joe Rowlands, qui était planteur de haies et creuseur de fossés, ajouta avec un grognement rieur :

— Ah ! je n'dirais pas ça. Tout dépend ce que tu cherches comme distraction; ouais, ça dépend. Moi, je trouve la mienne. Les choses que j'vois, personne ne les croirait, sauf Dick et Bessie, là. Ils savent que c'est vrai, n'est-ce pas, Bessie ? Hein, Dick ?

— A propos de Sopwith ? (Bessie Bradshaw, de ses avant-bras, remonta ses seins ramollis et dit en riant :) Les nobles, ils sont capables de tout. Rien n'est jamais impossible.Quant à la nouvelle, voilà une coureuse comme je n'en ai jamais vue. Elle est passée par ici, comme le diable sur un tourbillon de vent, hier. Elle croit que le comté lui appartient, celle-là, et elle vient d'arriver.

— De quoi s'agit-il ?

Andy Fairweather regardait à présent Joe Rowlands qui, sentant l'attention de la compagnie fixée sur lui, paraissait peu pressé de s'expliquer. Il avala une grande rasade de son bock, s'essuya chaque coin de la bouche du revers de la main, avant de diriger son regard vers le sol. Il le maintint ainsi pendant quelques secondes; puis, relevant lentement la tête, il regarda la compagnie par en dessous, avant de dire :

— Je vois des choses au cours de mes déplacements, j'en vois que vous ne croiriez jamais. La première fois qu'on les voit, on croit se tromper, mais pas la seconde. Non, pas la seconde.

— Bon, alors vas-y, vas-y, tu le distribues comme de la mélasse à l'asile.

Un gros rire suivit la remarque de Burk Laudimer et le vieux Charlie Stevenson bredouilla :

— Ouais, vas-y, vas-y, Joe, c'est du piment que tu as dans la gueule, je le vois bien, alors, crache-le, bonhomme, crache-le.

Joe Rowlands riait maintenant en regardant le vieux. Avec un hochement de tête, celui-ci répondit :

— Ouais, du piment. Ouais, Charlie, c'était du piment, c'est sûr. C'était cette nuit, la nuit que ce village n'oubliera pas, celle du mariage du fermier Bentwood, vous connaissez... ce qu'on en a dit, et toutes les diableries qui sont arrivées. Bon, alors j'ai vu une partie de ce qui s'est produit, mais seulement à la fin. J'ai entendu les cris et les coups à distance. Je prenais un raccourci de chez Lord Redhead, vous savez, c'est la propriété où travaille l'homme à notre Fanny et il avait un petit quelque chose pour moi, c'était en forme d'oiseau, vous comprenez ? Alors, j'étais là, à revenir par le chemin, ne m'attendant vraiment pas à rencontrer quelqu'un car j'étais sur le point de descendre à Billings Flat. En tout cas, il y avait tout ce tohu-bohu et avec ce que j'avais avec moi, je n'avais pas envie de me montrer. Je suis resté en haut du talus. Il y a du terrain accidenté, là, vous savez, tout en haut de Billings Flat. Je ne parvenais pas à entendre exactement ce qui se passait, mais c'était du chahut pour de vrai et des voix qui criaient et des chevaux au galop. Puis, les choses se sont calmées et j'étais sur le point de continuer mon chemin, quand j'ai entendu des chevaux venir de mon côté, et alors, je me suis tenu coi, et là, qu'est-ce que vous croyez que j'ai vu ? M. Sopwith, lui-même. Et qui était avec lui ? La nouvelle dame de Dean House, Lady Myton. Et ils étaient là juste devant moi, et je les voyais clairement de là où j'étais, étendu entre deux rochers. Il lui a dit quelque chose que je n'ai pas entendu; puis, comme s'il ramassait un sac de blé, il l'a soulevée dans ses bras, puis couchée sur le dos. Mais ce n'était pas un viol, parce que, bon dieu, elle était consentante. Ouais, bon dieu, je dirai ça en sa faveur, à lui, elle était consentante.

Le silence envahissait la pièce à présent; puis, pour la première fois, un des McGrath parla. C'était Hal. D'une voix basse et terne, il dit doucement :

— Tu en es sûr ?

Cette insulte dirigée contre son honnêteté fit lever Joe Rowlands d'un bond et il répondit à Hal McGrath, en aboyant :

— Je ne suis pas un sacré menteur ! Qu'est-ce que tu crois que je te raconte, tu crois que je l'ai inventé ?

— Non, non, seulement, c'est une nuit où les histoires ont circulé, dit-il en lançant un regard vers le roulier.

— C'est pas une histoire, dit Joe Rowlands. C'était comme je l'ai dit, je pouvais à peine en croire mes yeux, la première fois, mais quand je les ai rencontrés à nouveau, alors, je n'ai eu aucun doute. Non, il n'y avait aucun doute. Ils sont passés près de moi, le long de la route, c'est vrai, sans le moindre coup d'œil de mon côté. J'ai mis ma main à ma casquette, mais ni l'un ni l'autre n'ont paru me voir. J'étais dans le fossé quand ils sont passés, mais comme je remontais par hasard le talus, quelques minutes plus tard, je les ai vus couper en direction des collines et ça m'est venu qu'ils visaient de nouveau le même endroit. Eh bien, je ne pouvais pas les gagner à la course et y arriver avant eux, car c'était bien à huit cents mètres et il y avait trois murs de pierres à sauter et pour moi le temps de sauter est terminé. Mais, ce que j'ai tout de même fait, c'est de me glisser à travers le taillis de Fletcher et de grimper en haut de la butte, près du cottage de Trotter, et de là, même si je ne voyais pas exactement ce qu'ils faisaient, j'ai pu les voir arriver et partir. Bon, entre le moment où ils ont atteint les rochers et celui où ils en sont ressortis, il s'est passé une bonne demi-heure, et comme je l'avais deviné, ils ne sont pas sortis par le côté où ils étaient entrés, mais du côté opposé. Ils étaient à une bonne distance du monticule mais je les ai nettement vus, bien qu'ils fussent protégés de chaque côté par des arbres, et leurs adieux n'étaient pas « Au revoir, M. Sopwith », « Au revoir, Lady Myton », car elle était accrochée à lui comme une chienne en chaleur et il l'étreignait de la même manière. Alors, voilà la vérité.

Il regarda droit dans les yeux Hal McGrath qui dit :

— Eh bien ! eh bien ! Ouais, comme tu dis, Joe, les choses qui se passent ici, ce n'est pas aussi calme que l'on pense.

— Non, tu as bien raison.

Burk Laudimer le regardait et pour ne pas se laisser devancer dans l'art de conter, il dit solennellement :

— Des choses se passent à l'air libre et derrière des portes closes; quel est le pire, je n'en sais rien. Andy et moi, nous venons d'une réunion à la sacristie, une réunion importante et le résultat pourrait avoir des répercussions sur le village. Ouais, vraiment.

— Quelle sorte de répercussions ?

La voix de Dick Bradshaw venait de derrière le bar, et ils savaient tous qu'il associait dans son esprit les répercussions avec les affaires. Burk Laudimer, regardant de son côté, dit sur un ton doucereux :

— Oh ! cela ne risquerait pas de te toucher, Dick, cela ne t'affecterait pas. Mais la cure, ça l'affecterait. Ouais, ça oui, la cure.

— La cure ?

— Ouais, la cure.

— La cure ?

Les questions fusaient de toutes parts à présent, puis Dickens-à-la-Jambe-de-Bois reprit :

— Qu'est-ce qui ne va pas avec le pasteur alors ?

— C'est pas le pasteur, Jambe-de-Bois, c'est pas le pasteur, c'est sa femme.

— Sa femme ?

— Ouais. Elle et cette jeune Tilly Trotter faisant les folles dans la sacristie.

— Faisant les folles ?

Le roulier aux yeux brillants se penchait en avant. Son regard passa de l'un à l'autre, puis se posa sur les trois McGrath qui se tenaient droits et silencieux, et il rit en répétant : « Elles faisaient les folles », s'attendant à ce qu'ils joignent leur hilarité à la sienne. Cependant, ils ne firent ni sourire ni geste, mais attendirent que Burk Laudimer continue, et il reprit :

— Elles étaient là, à danser, à danser ensemble avec leurs jupes presque aux cuisses, lançant leurs jambes en l'air.

On entendit un murmure :

— Jamais ! Jamais ! Pas la femme du pasteur.

— Ouais, la femme du pasteur. Mais je n'accuse pas la femme du pasteur, non, non, c'est la jeune Trotter que j'accuse, comme l'a dit Joe, ici. Il y a eu toutes ces diableries le soir des noces du fermier Bentwood, n'est-ce pas, mais qui a commencé ? On ne peut pas t'accuser, toi, Hal; non, non, fréquenter, c'est fréquenter dans le monde entier, et comme tu l'as dit, tu as essayé de le faire honnêtement, parce qu'elle t'avait aguiché; si elle ne l'avait pas cherché, tu n'aurais pas essayé de la prendre, n'est-ce pas ? Non, non, alors, on ne peut rejeter la faute sur toi. Et c'est sacrément dommage que Sopwith t'ait renvoyé, c'est sûr. Elle ne vaut rien de bon, cette fille, rien de bon. Tu es bien mieux sans elle. Ouais, je le dis parce que j'étais justement en train de montrer à Andy, là-bas, dans le cimetière, cette vieille tombe de Cissy Clackett, tu sais. Tu te rappelles Cissy Clackett ? Eh bien, elle vient de cette lignée, la jeune Trotter. Et le fil est solide chez les femmes. Comme je le disais tout à l'heure dans la sacristie, c'est dommage que le pilori ne soit plus en usage. Ouais, c'est vrai, parce que je l'y mettrais moi-même, ça, je le ferais. Et comme je le disais ici à Andy, il y a eu l'histoire du chien de Pete Gladwish. Ça, c'était une curieuse histoire, vous ne trouvez pas ? Hein, vous ne trouvez pas ?

Lorsque le silence se répandit à nouveau sur la pièce, le Grand Bill McGrath tourna lentement la tête vers le comptoir et dit calmement :

— Encore une tournée, Bessie, des petites.

— Bien, bien. C'est gentil à toi, Bill.

Ils remuèrent tous sur leurs sièges.

— Ouais, ouais, c'est vrai.

Après la distribution des quarts de bière parmi les hommes, la conversation tomba un peu, et, lorsque Burk Laudimer et Andy Fairweather se levèrent pour prendre congé, les trois McGrath en firent autant, disant qu'il était temps de se mettre en route, et ils sortirent tous ensemble, dans la nuit noire. Ils ne prirent pas, cependant, la direction de leurs demeures respectives, mais restèrent à parler devant l'auberge pendant un bon bout de temps.

CHAPITRE V

Le pasteur Ross n'avait que trente-cinq ans, mais ses épaules légèrement voûtées, son visage en lame de couteau et sa calvitie naissante lui donnaient l'air d'en avoir dix de plus. Il était grand et maigre et avait habituellement un teint jaunâtre, mais à cet instant, une rougeur mate se répandait sur sa peau, et ses lèvres charnues et droites étaient serrées et tremblaient légèrement. Il secouait la tête en regardant sa femme.

Ellen Ross, à vingt-six ans, était ce que l'on pouvait appeler menue. Elle atteignait à peine l'épaule de son mari. Ses cheveux étaient châtain clair, ses yeux étaient d'un étonnant bleu limpide; mais sa manière et son langage étaient vifs et, lorsqu'elle parlait, elle avait l'habitude de remuer les mains, chaque geste semblant ajouter de l'emphase à ses mots, comme c'était le cas à présent.

— Ils sont malveillants; ces hommes sont méchants. Je ne les ai jamais aimés depuis le début. Marguillier ou pas marguillier, M. Fossett est une vieille grand-mère. Quant au charron, eh bien !

Elle grimaça et étendit les bras de part et d'autre, comme pour repousser quelque chose de ses côtés.

George Ross ferma les yeux pendant un moment en disant avec une maîtrise patiente :

— Vous vous éloignez du sujet, Ellen. Est-ce vrai ou non que vous dansiez avec Tilly Trotter dans la sacristie ?

— Oui ! Oui ! Oui ! D'accord, si vous dites que nous dansions, nous dansions, mais comme je vous l'ai déjà dit, c'est la première fois que c'est arrivé là, et... cela n'a duré que quelques secondes. Et nous n'avons pas reculé les bancs; nous avons fait une fois le tour de la table.

Ellen regarda son mari qui fermait à nouveau les yeux. Elle baissa doucement la tête et, sa voix se faisant maintenant suppliante, elle chuchota :

— Oh ! George, George, je suis tellement désolée que ceci vous ait affligé, mais tout a commencé si innocemment. Un jour, dans la maison d'été, après que j'eus donné à Tilly sa leçon de lecture, je lui ai dit qu'il allait y avoir un bal près du village de Westoe et je lui ai demandé si elle irait et, tristement, c'était ça... George, c'est vrai, il y avait une telle tristesse dans sa voix quand elle m'a répondu qu'elle n'allait jamais au bal, qu'elle ne savait absolument pas danser, qu'elle n'avait jamais dansé... Eh bien, George, vous savez vous-même ce qui se produisait les jours d'anniversaires et de fêtes à la maison, quand maman jouait de l'épinette et Robert du violon, vous étiez là et vous vous amusiez, vous le savez. Notre salon était plus gai que n'importe quel bal de la cour; vous le disiez vous-même.

Le vicaire leva lentement la tête à présent et regarda sa femme avec une tristesse infinie, en disant doucement :

— C'était avant que nous soyons mariés, Ellen. Lorsque vous avez accepté de devenir ma femme, vous saviez qu'il y aurait des responsabilités et que celles-ci seraient fortement entachées de convenances. Nous avons parlé de tout ceci, n'est-ce pas ?

— Oui, George.

Sa voix était sans expression, ses mains, qu'elle tenait fermement serrées sur sa taille à présent, demeuraient immobiles.

— La première Mme Ross était...

— Oh non ! George ! Je vous en prie, ne me parlez pas encore des qualités de la première Mme Ross. Si vous le faites, je vais crier.

— Ellen ! Ellen ! Ellen ! Calmez-vous. Ma chérie ! Ma chérie ! Je n'étais sur le point de la mentionner que pour admettre qu'un excès de bienséance peut avoir ses inconvénients lorsqu'il empiète sur le bonheur.

— Oh ! Je suis navrée. Je suis navrée, George. (Elle fit un pas vers lui et, tendant les mains, attrapa celles du pasteur. Elle le regarda dans les yeux et lui dit doucement :) J'essaierai, George. Dans l'honnêteté et la fidélité, je vous promets, à partir de ce jour, de me transformer.

Le pasteur regarda longuement le visage qu'il aimait tant. Puis, son nez se retroussa, ses paupières clignèrent, il s'humecta les lèvres et, d'une voix douce à présent, il répondit :

— Oh ! Ellen, Ellen, je voudrais tellement vous voir heureuse, et... et, je tiens à ajouter, je veux que vous soyez libre de choisir la ligne de conduite que vous dicte votre esprit actif, mais... néanmoins, je suis gêné, ma situation elle-même nous gêne tous les deux.

— Je sais, je sais, mon chéri.

— Eh bien, maintenant, Ellen, je suis désolé d'avoir à dire ceci, mais il faut que vous cessiez de voir Tilly.

— Même pas lui apprendre à lire ?

— Pas même cela, ma chérie. Ils... les villageois, ils ont des idées étranges à propos de Tilly, des idées bizarres et stupides, mais qui pourraient les rendre dangereux.

— Quelles... quelles sortes d'idées ? demanda-t-elle en tournant vivement la tête vers lui.

— Eh bien... Elle a apparemment, comme ancêtre, une vieille dame... qui est enterrée dans le cimetière de l'église. Son nom est Cissy Clackett et elle était... bon, ils paraissent croire qu'elle avait des pouvoirs surnaturels.

— Une sorcière ?

— Oui, oui, je pense qu'à cette époque-là on l'aurait qualifiée de sorcière.

Les mains d'Ellen s'arrachèrent vivement de celles de son mari et tout son corps se hérissa d'indignation. Elle s'écria :

— Et ils racontent que Tilly est une sorcière ! Tilly Trotter, une sorcière !

— Ma chérie, vous avez dû vous rendre compte par vous-même que la plupart des villageois sont des gens ignorants, et les gens ignorants se repaissent de superstition...

— Mais Tilly, une sorcière, ha ! Je n'ai jamais entendu dire une chose aussi stupide de ma vie. C'est une fille douce, gentille et tout à fait innocente, et je ne l'ai jamais entendue dire un mot désagréable à propos de qui que ce soit, même pas à propos de cet horrible McGrath. Ont-ils l'intention de brûler Tilly Trotter, monsieur ?

— Ne soyez pas ridicule, Ellen !

— Je ne suis pas ridicule, ou tout au moins, pas plus ridicule que les villageois ou n'importe qui d'autre qui les écoute.

— Ellen !

Bien que sa voix contînt un sévère reproche, cela parut n'avoir aucun effet sur elle à présent, car, lui tournant le dos avec vivacité, elle alla jusqu'à l'autre bout de la pièce. Elle regarda un moment par la fenêtre, puis se retourna et, lui faisant face, à distance, s'écria :

— Et quelle sentence risqueraient-ils de m'appliquer s'ils découvraient que je suis assise, seule pendant une heure entière, dans la maison d'été, avec trois mineurs barbouillés de charbon ?

— Quoi ! Qu'avez-vous dit ?

— Je crois que vous avez entendu, George, ce que j'ai dit. Je passe au moins une heure par semaine, parfois deux, avec trois mineurs très sales et ignorants de la mine de M. Rosier.

Le long visage du vicaire parut s'allonger encore. Sa bouche se relâcha et s'ouvrit, ses sourcils remontèrent et il s'approcha d'elle, avec la démarche d'un homme qui aurait bu tôt dans la journée. A un mètre d'elle, il s'arrêta et sa tête esquissa un léger mouvement d'incrédulité :

— Non ! Non ! Ellen, vous n'avez pu, pas les hommes de M. Rosier. Avez-vous idée de ce que vous faites ?

— Oui, oui, je sais. Je les aide à s'exprimer; je les aide à sortir du carcan épais de l'ignorance, cette ignorance que vous dites vous-même être répandue à travers ce village. Mais ces hommes sont différents, ils en ont assez de l'ignorance, ils ont au moins compris quel pouvoir réside dans la plume, et dans le fait d'être capable de lire le mot écrit.

Le pasteur prit à présent une longue inspiration, et la rejeta, lentement, avant de dire d'un ton égal et vide de toute émotion :

— Et à quoi cela leur servira-t-il, puis-je vous demander, d'avoir cette connaissance, lorsqu'ils auront été renvoyés de leur travail, pas seulement renvoyés, mais plus probablement chassés de leurs cottages, eux et leurs familles ?

— Ils sont conscients du risque qu'ils courent et, comme l'a déjà dit l'un d'eux, à l'exception du froid à supporter l'hiver, il préférerait dormir sur la colline et, en fait, y élever sa famille, plutôt que de vivre dans les taudis que M. Rosier offre aux hommes qui sont à sa solde.

Le visage du pasteur avait maintenant pris un ton rouge profond, sur son front perlait la sueur, et il paraissait avoir des difficultés à s'exprimer.

— Ceci doit cesser et tout de suite. Vous avez été trop loin, Ellen. Vous êtes jeune, vous ne savez rien des privations de ces hommes et de ce qui risque de leur arriver lorsqu'ils sont sans travail. L'année dernière, un homme est mort de faim sur la route, tout près d'ici. On l'a retrouvé raide dans le fossé. C'était un des hommes de Rosier. Vous n'avez encore jamais vu les gens faisant la queue pendant des heures pour recevoir un bol de soupe aqueuse; vous n'avez encore jamais vu un enfant tétant un sein desséché ? Vous avez beaucoup à apprendre, Ellen. Maintenant, dites-moi, quand devez-vous revoir ces hommes ?

Elle mit un certain temps à lui répondre. Les mains ballantes, la tête penchée, elle semblait avoir essuyé une défaite, lorsqu'elle chuchota :

— Ils m'attendent actuellement, dans… dans la maison d'été.

— Mon dieu ! Mon dieu !

Ellen releva lentement la tête. Le fait que son mari ait prononcé le nom de Dieu en dehors du culte montrait à quel point il était troublé et, ainsi, elle était intérieurement déchirée entre l'espoir d'apporter aux pauvres la gloire de l'écriture et de la lecture, et l'amour profond et passionné qu'elle portait à cet homme.

Comprenant partiellement ses sentiments, il se radoucit. Il étendit la main et lui prit doucement le bras.

— Venez, nous allons régler la question tout de suite. Ils comprendront. Mettez votre manteau et votre bonnet.

A son dernier ordre, Ellen se raidit. Mettre son manteau et son bonnet pour aller dans la maison d'été ! Mais elle se radoucit à l'idée que, comme il le disait, elle était la femme du pasteur, et si elle sortait, sa tête devait, comme sa robe, être couverte.

Quelques minutes plus tard, ils marchaient côte à côte sur le dallage de la grande entrée; ils franchirent la lourde porte de chêne, traversèrent l'étroite terrasse et descendirent les six larges marches en pierre menant à l'allée de gravillons.

L'allée s'incurvait jusqu'aux grilles de fer donnant accès à la route, mais comme ils allaient au fond du jardin, ils empruntèrent le chemin qui longeait les trois fenêtres à meneaux; ils allaient passer sous une voûte d'arbres, menant au jardin floral, lorsqu'un bruit de pas rapides et une voix appelant « Pasteur ! Pasteur ! » les forcèrent à s'arrêter. Ils dirigèrent tous deux leurs regards vers l'endroit où Tom Pearson se pressait en haletant le long de l'allée pour les rejoindre.

Le peintre s'arrêta devant eux, incapable de parler, et le pasteur lui demanda avec une certaine inquiétude :

— Qu'est-ce qu'il y a, Tom ? Quelque chose ne va pas ?

— Je ne sais pas, pasteur, je ne peux pas en être sûr encore, mais je crains que quelque chose risque d'aller mal, et très mal.

— Ta famille ?

— Oh non ! Non, pas ma famille. C'est la jeune Tilly Trotter, je crains, m'dame.

— Tilly ! Que lui est-il arrivé ?

— Ne sais pas, m'dame, pas encore, mais ça pourrait…

— Explique-toi, Tom. Qu'est-ce qui peut arriver à Tilly ?

— Eh bien… C'est le pilori, le vieux pilori qui était autrefois sur la dalle, au centre du village, il y a des années; à c't'heure, il est dans la grange à Tillson. Je ne l'aurais jamais cru, je n'en aurais rien su si ce n'était par le jeune Steve McGrath. Je l'ai trouvé qui pleurait, pauvre petit diable, dans le bois, Hal venait de le battre comme plâtre; je crois qu'il lui a cassé le bras, au pauvre garçon. Je lui ai dit d'aller voir Sep Logan, il en connaît plus long sur les os que n'importe qui, mais le garçon y avait été et Sep était parti à la foire, comme tous les autres semble-t-il, à l'exception de Burk Laudimer, Andy Fairweather et Hal McGrath lui-même.

— Mais... mais, et Tilly ? Que lui arrive-t-il ?

— J'y arrive, m'dame. Ils ont remonté le pilori dans la vieille grange et Laudimer a envoyé son fils Frank avec une sorte de message; apparemment le jeune Steve était parti pour prévenir Tilly, mais Hal McGrath a senti ce qui se passait et il a rossé le pauvre gars; il n'y aura pas un centimètre de son corps qui ne soit tout bleu demain. Mais... je savais que cela ne servirait à rien que j'y aille tout seul, je ne pouvais pas faire face aux trois et... il leur faut une autorité — il regardait le vicaire —, des muscles ne suffiront pas à les arrêter, pasteur.

A nouveau Ellen entendit son mari murmurer :

— Mon dieu ! Mon dieu !

Puis, sans un mot de plus, ils se mirent à traverser le jardin d'un pas qui hésitait entre le trot et la course. Lorsqu'ils arrivèrent à une allée de traverse qui devait les conduire au jardin potager et ensuite dans la prairie au-delà, Ellen, jetant un regard sur la vaste pelouse menant aux marches de la maison d'été, s'arrêta net et s'écria :

— Les mineurs ! George. Je vais appeler les mineurs.

— Non ! Non ! (Il s'immobilisa un instant et répéta :) Non, non.

Il exprimait néanmoins un doute à présent et, le sentant, elle s'éloigna de lui en courant et en soulevant ses jupes. Elle arriva à la maison d'été comme une trombe, et les trois hommes crasseux se levèrent lentement du banc en lattes de bois, leurs casquettes sur la tête, et elle les surprit en criant :

— Venez ! Venez vite ! Vous pouvez nous aider. Mon... mon amie, je veux dire une jeune fille, elle est en difficulté avec des hommes. Le vicaire et moi-même serions reconnaissants si vous pouviez venir et... nous aider.

— C'est une bagarre, m'dame ?

Ils avaient franchi la porte à présent, la suivant de près dans sa course, et elle avait presque rejoint son mari et Tom Pearson quand elle leur répondit :

91

— Ça se pourrait bien.

Le pasteur ne donna aucune explication aux mineurs; au lieu de cela, après leur avoir jeté un regard consterné, il se contenta de dire :

— Pressons-nous.

Un mur séparait la limite du presbytère de la prairie. C'était un mur bas et les hommes l'eurent sauté en un clin d'œil. Le pasteur, sur le point d'en faire autant, se tourna vers sa femme et lui dit :

— Cours à la barrière, ma chérie.

Ellen lui provoqua un choc mais suscita en même temps un tressaillement d'admiration chez les hommes : elle s'assit sur le haut mur, fit une pause momentanée, comme par respect pour les sentiments de son mari, et tira ses jupes au-dessus de ses chevilles avant de lancer ses jambes de l'autre côté.

Ils couraient tous à présent.

— Où est-ce qu'on va, monsieur ? demanda un des mineurs d'une voix forte.

Et George Ross lui répondit en criant :

— La grange. La grange de Tillson. Elle est tout au bout de l'autre champ. Il faut... traverser la route.

Après avoir traversé la prairie, cette fois, ils franchirent une barrière, passèrent de l'autre côté de la route, sautèrent un fossé étroit, grimpèrent un talus, et se trouvèrent ensuite dans un grand champ. Il était sillonné, par-ci, par-là, d'affleurements de rochers qui le rendaient impropre à la culture, et les maigres touffes d'herbes entre les rochers suffisaient à peine à nourrir quelques moutons; néanmoins, à l'autre bout de ce champ, il y avait jadis eu une ferme. Mais de l'habitation, à présent, il ne restait que les fondations enfouies parmi de longues herbes embroussaillées : bien longtemps auparavant, un incendie avait détruit la maison et la plupart des dépendances, ne laissant que la grange dont la charpente avait résisté aux outrages de deux siècles et tenait toujours debout; cependant, le temps paraissait maintenant faire son œuvre, car le toit s'était effondré en plusieurs endroits, et le propriétaire de la grange, M. Tillson, qui cultivait maintenant à environ huit cents mètres de là, n'accordait plus le moindre intérêt à cet endroit. Si la grange avait une quelconque utilité, c'était parfois comme abri douteux pour les voyageurs empruntant la route et, à certaines saisons de l'année, comme lieu de rendez-vous des enfants du village, qui s'amusaient à y grimper.

L'agitation à l'intérieur de la grange leur devint à tous évidente, tandis qu'ils s'en approchaient et, lorsque le pasteur, avec l'aide des mineurs, entrouvrit à grand-peine un des battants de la porte, ils eurent tous un moment de silence stupéfait en voyant la scène qui se déroulait sous leurs yeux.

Leur arrivée figea également les trois hommes qui étaient sur le point de lancer ce qu'ils tenaient dans leurs poings serrés sur la silhouette dépenaillée et bâillonnée, prise par les bras, les jambes et la tête dans le pilori.

A nouveau, le pasteur s'exclama :« Oh ! mon dieu ! » Mais à présent, ce n'était plus qu'un chuchotement porté par un souffle long et doux. Les exclamations des trois hommes du carreau, par contre, n'avaient rien de doux. Leurs imprécations résonnaient dans la grange :

— Espèce de salaud, va au diable !

— Bougres de maniaques !

Enfin, au moment où ils parurent se précipiter comme un seul homme, le plus petit et le plus large des trois s'écria :

— Pilori ! Saloperie de pilori !

Il s'ensuivit une mêlée de coups, de jurons et de silhouettes glissant sur un cageot renversé qui contenait des pommes pourries.

Le pasteur criait maintenant d'une voix perçante qu'on ne lui avait jamais connue; il hurlait à l'adresse des hommes se battant :

— Arrêtez ! Cessez, j'ai dit ! Arrêtez immédiatement tous, arrêtez !

Mais personne ne faisait aucune attention à lui. Il glissa le long du mur de la grange, suivi de près par Tom Pearson. Ils se frayaient un chemin jusqu'à l'extrémité où était le pilori, mais avant de l'avoir atteint, ils furent projetés l'un contre l'autre par la force combinée des corps réunis d'Andy Fairweather et de l'un des mineurs.

Ellen Ross était restée debout devant la porte entrouverte, les mains fortement plaquées sur sa bouche, et se déplaçant d'un pied sur l'autre comme si elle défilait sur place, mais à présent, voyant que son mari ne parvenait pas à atteindre Tilly, elle courut vers lui, se glissant parmi les combattants, et atteignit le pilori. Tout en gémissant : « Oh Tilly ! Tilly ! » elle étendit la main et toucha les épaules courbées, comprimées contre le bois.

Ses yeux embrassant rapidement le dessus de l'appareil notèrent que la partie supérieure enserrant la tête de Tilly tenait en place à l'aide de longues chevilles de bois prises dans des douilles, de chaque côté. Elle saisit l'une d'elles et la tordit violemment en avant et en arrière, et, parvenant à la faire monter peu à peu, l'arracha si brusquement qu'elle tomba à la renverse. C'est à ce moment qu'elle vit, à portée de bras, son plus brillant élève sur le point de recevoir de Burk Laudimer un coup fatal. Laudimer brandissait le poing et son instinct lui disait que s'il atteignait son but, Sam Drew tomberait à terre; celui-ci ne tenait plus en position verticale que par la prise de Laudimer qui avait empoigné sa veste.

Ellen ne se souvint jamais avoir tourné la longue cheville et elle n'aurait jamais pensé que, même excitée par la colère, elle pourrait rassembler une force suffisante pour abattre un homme; néanmoins, lorsque, tenant à la main le bout étroit de la cheville, elle envoya son bras en avant et heurta le cou de Laudimer, celui-ci s'immobilisa complètement pendant ce qui parut une interminable seconde. Sa main gauche tenait encore Sam Drew par la veste, pendant que son bras droit, au poing serré, était tendu vers le ciel. Tant de choses se produisirent au cours de cette seconde — le sang jaillit d'un trou dans son cou, il poussa un cri perçant et sauvage, tout en relâchant sa prise sur Sam Drew et en se retournant pour faire face à la femme du pasteur.

Ellen se tenait toujours debout, le bras à demi tendu; sa main était maintenant desserrée mais tenait toujours la cheville, elle n'était pas tachée de sang.

Après le cri, le silence s'abattit sur la grange, puis le pasteur et Tom Pearson se précipitèrent vers le pilori; ils ne tentèrent pas de libérer Tilly, mais s'immobilisèrent. Leurs yeux allaient de la silhouette prostrée, recroquevillée sur le sol de la grange, à celle d'Ellen, semblable à une statue de pierre présentant en offrande une cheville de pilori.

— Qu'avez-vous... qu'avez-vous fait ?

Le pasteur s'était agenouillé à côté de Burk Laudimer, et, tirant un mouchoir de sa poche, il l'entortilla autour du cou du blessé. Puis il s'écria :

— Donnez-moi quelque chose vite ! Une écharpe, n'importe quoi, pour le panser.

Tom Pearson ne portait même pas d'écharpe, il était vêtu d'une veste à taille haute, boutonnée jusque sous le menton. Andy Fairweather n'était pas en état de lui apporter la moindre assistance, car il gisait, inerte, contre le mur du fond. Ce fut Hal McGrath qui s'élança vers lui en dénouant son foulard blanc. Au moment où il le donna au pasteur, celui-ci le regarda posément et d'une voix que personne dans cet endroit ne lui connaissait, lui dit :

— Tu portes une lourde responsabilité pour cette journée, Hal McGrath.

McGrath baissa les yeux sur le pasteur qui attachait à présent le foulard autour du cou de Burk Laudimer, tentant de faire tenir un pansement, et lui répondit :

— J'suis pas le seul à porter une lourde responsabilité; nous, on ne faisait que s'amuser un peu.

— Tu appelles ça s'amuser un peu ? répliqua alors Tom Pearson, en arrachant les chevilles de leurs douilles récemment fabriquées.

— De quoi rendre fou n'importe qui. Vous appelez ça s'amuser ? Vous devriez être pendus, tous tant que vous êtes.

Quand Tom Pearson, avec l'aide d'un des mineurs, eut finalement réussi à libérer Tilly, ils l'étendirent sur la terre battue. Les yeux fermés, le visage couleur de cendre, elle paraissait morte. Tom Pearson lui croisa les mains, puis lui tapota chaque joue, tour à tour, en disant :

— Allons, allons, Tilly. Réveille-toi. Réveille-toi.

— Est-ce qu'elle va mieux ? demanda une petite voix au-dessus de leurs têtes.

Tom et les hommes du carreau levèrent les yeux en même temps vers la femme du pasteur. Son visage lui aussi était blanc et toute sa désinvolture — Tom Pearson appelait ainsi sa vivacité — semblait l'avoir quittée.

— Tom ! (Le pasteur appelait à présent. Tom Pearson se releva, s'approcha de lui, et le trouva bizarre. Il croyait même déceler un certain effroi dans son regard, et sa voix avait perdu son autorité.) Je... je ne parviens pas à empêcher le sang de couler et... et je ne pense pas qu'il soit prudent de le déplacer au point où il en est. Veux... veux-tu aller chercher le médecin ?

— Mais cela me prendra une heure entière, pasteur, d'aller à Harton et de revenir.

— Cours au presbytère. Demande à Jimmy d'atteler la charrette.

Sa voix était toujours calme, dénuée d'expression, il avait l'air de dire « Dépêche-toi » tout en impliquant que la course serait inutile.

En se retournant pour quitter la grange, Tom Pearson jeta un regard aux mineurs demeurés à genoux aux côtés de Tilly. Il leur cria :

— Voulez-vous vous occuper d'elle, la ramener chez elle ?

— Ne t'inquiète pas; évidemment qu'on va l'accompagner, répondit l'un d'eux.

Au son de la voix du mineur, Tilly ouvrit les yeux et elle le dévisagea pendant une minute entière. Puis, peu à peu, ses lèvres se mirent à trembler, les souvenirs l'envahirent et les larmes jaillirent de ses yeux et ruisselèrent sur sa figure brune, souillée de pommes pourries.

— Allons, allons ! Ça va aller. Tu peux te tenir debout, mon petit chou ?

Elle ne répondit pas, et l'homme l'aida à se relever en tremblant sur ses jambes flageolantes. Sam Drew déclara :

— Venez, il faut sortir d'ici.

— Le plus vite sera le mieux, répondirent ses compagnons.

Prêt à sortir avec les autres, Sam Drew s'arrêta pour dire à Ellen qui observait en silence son mari toujours agenouillé :

— Merci, m'dame, vous m'avez sauvé la peau; il m'aurait achevé. Il l'aurait sûrement fait, s'il avait pu, je le voyais dans ses yeux. (Puis, les yeux tournés vers l'endroit où gisait son assaillant de tout à l'heure, il ajouta :) Ne vous inquiétez pas, m'dame, il s'en tirera; c'est seulement les bons qui meurent jeunes.

Et, sur ce, les trois hommes tournèrent les talons et sortirent de la grange en soutenant Tilly.

Ellen les suivit du regard. Tous ces événements lui paraissaient totalement irréels. Curieusement, elle avait l'impression de dire adieu à Tilly pour toujours.

— Dieu du Ciel ! Qu'est-ce qui nous arrive ? C'est cet argent. Tout a commencé avec lui. Cet argent est une plaie. Je l'ai toujours dit, une malédiction. Mais, ma petite fille ! Ma pauvre petite fille, te faire ça à toi, te mettre au pilori. Grand Dieu du Ciel ! Ça fait des années, de longues années qu'on ne l'a pas utilisé. Et y avoir aménagé en plus une place pour la tête. Oh ! mon dieu ! Oh ! mon enfant ! Mon enfant !

Elles étaient assises sur une caisse dans le bûcher et Annie tenait Tilly dans ses bras, lui entourant la tête et la berçant comme si elle avait véritablement été encore une enfant. Puis elle la lâcha et caressa doucement le visage souillé de Tilly.

— Va te laver. Descends au ruisseau, lave-toi et arrange tes vêtements. Mais, pour l'amour de Dieu, ne laisse pas ton grand-père soupçonner quoi que ce soit de tout ceci, ça l'achèverait. Il va mal, tu le sais : s'il avait une autre crise comme celle d'hier, ce serait la fin. Je... je lui dirai que le message que nous a envoyé la femme du pasteur... soi-disant de la femme du pasteur... Je lui dirai qu'elle avait besoin d'un coup de main avec ses élèves, par exemple, hein ?

Tilly ne répondit pas, elle se contenta d'aller jusqu'à la porte du bûcher où elle s'appuya contre l'huisserie, levant les yeux vers le ciel, haut et clair. Et ses pensées accompagnèrent son regard. Pourquoi, demanda-t-elle à Dieu, permettait-il que toutes ces choses lui arrivent ? Elle n'avait fait de mal à personne, ne souhaitait de mal à personne — sauf Hal McGrath, car, par-dessus tout, elle se souviendrait toujours de l'impression de ses mains sur son corps après qu'il lui eut fourré les jambes dans les trous du pilori...

L'idée lui vint alors qu'elle ne connaîtrait jamais le bonheur avant d'avoir quitté cet endroit... Elle ne pourrait cependant jamais s'en aller tant qu'y vivraient les deux personnes qui lui étaient les plus chères et qui avaient besoin d'elle. Elle était comme la linotte dans la cage chez l'épicier du village, qui chantait toute la journée pour ceux qu'elle ne pouvait voir : on lui avait crevé les yeux parce qu'il paraît que les linottes aveugles chantent mieux.

Elle descendit en traversant le jardin et le champ et, arrivée au ruisseau, elle s'étendit dans l'herbe et s'y lava en aspergeant son visage et sa tête à grandes giclées. Cela fait, elle sortit un chiffon de sa poche et le trempa dans le ruisseau, puis se cachant dans un buisson, elle releva sa jupe et se lava les cuisses; il lui fallait effacer la sensation des mains de Hal McGrath, ne fût-ce que sur sa peau, si ce ne pouvait être de son souvenir...

Rentrée à la maison, elle s'efforça de vaquer à ses occupations, comme d'habitude, mais William nota un changement en elle et en fit la remarque.

— Tu as l'air pâlotte, fillette, livide, en quelque sorte. Tu ne manges pas assez, c'est ça ?

— Je... je pense que oui, pépé.

— Dommage que tu n'aimes pas le chou, tu le cultives si bien. C'est très bon le chou.

— Oui, pépé.

— Tu te sens mal, ma petite ?

— Non, pépé.

— Tu es fatiguée, alors ?

— Oui, oui, je me sens un peu fatiguée.

— Elle grandit, déclara Annie, en train de poser la pâte à galette sur la plaque noire suspendue dans l'âtre.

— Ouais, elle grandit et devient une bien jolie jeune fille.

Sa voix s'évanouit et sa tête retomba sur l'oreiller, et Tilly et sa mémé échangèrent un regard...

Il faisait presque noir lorsqu'un coup retentit à la porte, et celle-ci s'ouvrit avant que ni Tilly ni sa grand-mère aient eu le temps de faire un geste. A leur surprise, elles reconnurent Simon. D'emblée, Annie lui demanda :

— Quelque chose ne va pas, Simon ?

Il ne fit d'abord aucune réponse, mais les regarda tour à tour à la lueur de la lampe; il tourna ensuite son regard vers le lit de William et Annie, devinant une difficulté, enchaîna rapidement.

— William ne va pas très bien, il... il a eu une crise hier.

— Oh ! Oh !

— Qu'est-ce... qu'est-ce qui ne va pas, Simon ?

— Rien du tout; je rentrais juste de la foire, et j'ai eu l'idée de jeter un œil, pour... pour voir ce que vous faisiez.

— Ah !

Ce fut l'unique commentaire de William avant qu'il ne ferme de nouveau les yeux.

— Tu vas bien ?

Simon interrogeait Tilly doucement en la regardant en face, et, après un silence, elle répondit :

— Oui, oui, ça va, Simon.

— Bon, c'est bien, c'est bien. J'avais simplement envie de passer vous voir.

Il jeta un nouveau regard vers le lit et, s'étant assuré que William avait bien les yeux fermés, d'un rapide geste de la main il indiqua à Annie et Tilly de le suivre jusqu'à la porte, qu'il ouvrit silencieusement, et ils sortirent tous trois.

Dans la profonde obscurité, elles lui firent face, intriguées, et c'était Tilly qu'il regardait.

— Tu as passé une rude journée ?

— Oui, Simon, dit-elle en détournant la tête.

— Ce sont des démons. Je finirai bien par le descendre, ce McGrath.

— Non, Simon, pas de ce genre de violence. Non, non.

— Pas de violence, Annie ? Pas de violence, dites-vous ! Eh bien, je ne suis pas seulement venu voir comment allait Tilly, je suis venu vous apporter des nouvelles, des nouvelles violentes, mauvaises.

Il regardait de nouveau Tilly.

— Tom Pearson a dit que tu étais tout étourdie et que tu n'avais peut-être pas compris ce qui était arrivé. Tu... te souviens de la bagarre qui a eu lieu ?

— Seulement vaguement, Simon. Je crois que j'ai dû m'évanouir, car tout est devenu noir.

— Eh bien, il faut que je te le raconte car ils vont venir t'interroger.

— Ils ? Qui, ils ?

La voix d'Annie était tranchante.

— La police, Annie. La police.

— Quoi !

Elles prononcèrent ce mot en même temps, Annie brusquement et Tilly en le chuchotant.

— Apparemment, trois mineurs à qui la femme du pasteur apprenait à lire les ont accompagnés, je veux dire le pasteur et sa femme, quand Tom Pearson leur a dit que Hal McGrath, Burk Laudimer et Andy Fairweather avaient mis Tilly au pilori dans la vieille grange; d'après ce que j'ai compris, il en est résulté une bagarre, et Laudimer était en train de taper comme un sourd sur un des mineurs, qui était au bout du rouleau, quand Mme Ross, qui avait ôté une des chevilles du pilori pour libérer Tilly, a vu ce petit gars que Laudimer allait achever et, Dieu sait pourquoi, car c'est une femme raffinée, elle lui a frappé la nuque avec la cheville. Mais, bien entendu, elle ne savait pas qu'il y avait un clou au bout; Je suppose qu'on avait dû le mettre là pour empêcher la cheville de glisser plus loin dans la douille. Bon, il s'est planté dans le cou de Laudimer. Il... il a saigné à en mourir.

— Non ! Non ! Non ! Mme Ross n'aurait jamais pu faire cela. Non ! Non ! Elle est petite, pas forte.

— Ça va, Tilly, ça va. Maintenant, cesse de trembler.

Simon et Annie la tenaient tous les deux à présent, mais son corps tremblait si violemment qu'ils en étaient également tout secoués.

— Emmène-la derrière la maison, Simon; William... Il ne faut pas déranger William...

Ils étaient revenus dans le bûcher et Tilly pleurait tout haut maintenant.

— Oh non ! Non ! Ils lui feront du mal, ils lui feront quelque chose. C'est une femme si gentille, si douce. Et tout cela à cause de moi, tout cela c'est de ma faute.

— Tiens-la bien fort, Simon. Je vais aller chercher une goutte du laudanum de William, sinon, elle va perdre la tête.

Dans le noir, il la tenait dans ses bras, et elle, se cramponnant à lui, pleurait interminablement.

— A cause de moi, c'est de ma faute. Il y a une malédiction sur moi. C'est sûr, c'est forcé, Simon. Je dois certainement être maudite.

— Chut ! Chut !

Et, d'un bras lui enserrant la taille et de l'autre lui entournant les épaules, il pensait : « Et sur moi aussi, il y a une malédiction aveugle. Pourquoi, au nom de dieu, n'ai-je pas été capable de comprendre pour qui battait mon cœur ? Oh ! Tilly ! Tilly ! Là, là, mon amour, mon amour ! »

CHAPITRE VI

— Qu'est-ce que tu attends pour aller habiter là-bas ?

— Ecoute, Mary...

— Ne me dis pas « Ecoute, Mary ». Hier tu es allé à l'enterrement du vieux bonhomme. On l'enterrait à dix heures du matin mais tu es rentré à peine avant la nuit. Tu crois que la ferme peut marcher toute seule ?

— Non, je ne crois pas que la ferme puisse marcher toute seule. J'y ai été élevé et, depuis dix ans, j'y travaille de l'aurore au crépuscule, et même tard dans la nuit. C'est moi qui en ai fait ce qu'elle est, alors n'essaie pas de me demander si je crois que la ferme peut marcher toute seule. Et, de plus, vidons notre sac une fois pour toutes, les Trotter sont mes amis, nos familles sont liées depuis des années...

— Ha ! un mineur et un fermier liés d'amitié ?

Elle avait à peine murmuré, mais il l'entendit et lui jeta :

— Oui, un mineur et un fermier; mais pas un mineur ignorant, William Trotter était un des hommes les plus avisés que j'aie jamais connus. Bon, maintenant, il n'est plus et il reste sa femme, vieille et malade, et Tilly, rien qu'une gamine, et elles sont seules...

— Une gamine !

Mary Bentwood se retourna dans un tel mouvement d'indignation que son épaisse jupe de laine se gonfla; puis, tout aussi rapidement, elle revint vers lui, et, d'une voix aussi forte que la sienne à présent, elle cria :

— Cette fille est une menace ! Depuis le jour où je me suis mariée, elle m'a toujours tapé sur les nerfs. C'est à elle que je dois ma nuit de noces et la semaine qui a suivi et ce malaise qui nous sépare depuis. Dans le pays ils disent que c'est une sorcière. pas une bonne, une mauvaise, une sorcière qui crée des histoires Un homme est mort, et ce n'est pas vraiment la femme du pasteur qui l'a abattu, cette pauvre femme n'aurait eu aucun besoin d'aller dans la grange ce jour-là, si ce n'avait été à cause de cette... cette créature.

— Ne parle pas d'elle ainsi. Elle n'est que la victime des

circonstances. Elle est trop jolie pour son propre bien, et les femmes, ouais, les femmes comme toi, Mary, le sentent. Oui, oui. Je te dis la vérité, et les hommes, même s'ils n'en sont peut-être pas conscients, ont envie d'elle. Il y a quelque chose en elle qu'ils désirent et, comme elle ne veut pas le donner, leurs sentiments se transforment en haine.

— Ah !

Le visage de Mary Bentwood arborait maintenant un sourire désagréable qui s'épanouit peu à peu en mépris; puis elle fixa son mari pendant un moment et lui demanda :

— S'agit-il de tes propres sentiments, Simon ?

— Oh ! mon dieu ! femme, tu me rendras fou avant d'en avoir terminé.

— Voilà cinq mois que nous sommes mariés, et maintenant je te rends fou. Très bien, je te rends fou. Eh bien, ce que je vais te dire à présent va peut-être y ajouter, et c'est simplement ceci, Simon Bentwood : quand tu quittes la ferme, je ne travaille pas, le lait peut tourner, les barattes moisir, mais je ne lève pas le petit doigt quand tu t'éloignes de cette maison, sauf les jours de marché. Maintenant, tu es fixé. Et je vais ajouter à cela : je n'ai pas promis d'être ta femme pour me transformer en esclave.

Il la regarda fixement pendant une minute entière, puis inclina la tête et reprit :

— Très bien, fais-en à ta guise. Tu ne travailles pas, alors je vais faire venir quelqu'un qui travaillera, et je lui confierai le carnet de comptes du ménage toutes les semaines. Tu pourras te reposer et te récurer les ongles, ou faire des coutures fines à tes robes, comme tu sembles l'avoir fait toute ta vie. De toute façon, à présent, nous savons à quoi nous en tenir. Je vais donner des ordres à mes hommes et ils veilleront à ce que la ferme, tout au moins à l'extérieur, n'aille pas à la ruine, jusqu'à mon retour de Newcastle.

Simon tourna alors le dos à sa femme et traversa la pièce, mais comme il ouvrait la porte donnant sur le hall, sa voix perçante sembla le projeter en avant car elle hurlait :

— Je te hais, Simon Bentwood ! Je te hais, toi, ta vieille ferme et tout ce qui vous concerne tous les deux.

Il ferma doucement la porte de la salle et demeura un instant immobile, les épaules voûtées; il plissa vigoureusement les yeux et se mordit la lèvre avant de se redresser, puis, rejetant les épaules en arrière, il passa dans le hall, traversa la cuisine et sortit dans la cour où l'attendait la charrette.

Simon adorait Newcastle. A sa première visite, il était allé à pied. Adolescent, âgé de treize ans, il avait parcouru les seize kilomètres pour assister à la cueillette du houblon sur la lande; mais, même ce jour-là, il avait été passionné à la vue des bâtiments d'une surprenante beauté. Il se souvenait d'avoir quitté la lande au début de l'après-midi et de s'être promené dans les avenues, les rues en arcs de cercles, les terrasses, doutant de leur réalité, car il ne pouvait imaginer que des hommes aient pu construire si haut et avec autant d'élégance, avec de gros blocs de pierre. Au village, il fallait aux maçons et aux charpentiers un temps infini pour édifier une maison à un étage. Il y avait bien tout autour du village les grandes maisons des hobereaux, mais à cet âge tendre, il ne pouvait imaginer qu'elles aient été construites par des hommes.

Depuis cette époque, il n'avait pas une fois été en ville sans se donner le temps de se promener, ne fût-ce qu'une demi-heure; et à présent, au cours des douze années écoulées, les changements intervenus étaient incroyables. Il trouvait les ponts fascinants, mais les rues davantage car c'était là que les gens vivaient véritablement.

Il y avait la nouvelle Jesmond Road et le Leazes Crescent avec ses pignons ronds, et la ravissante Leazes Terrace, haute de quatre fenêtres; quant à Eldon Square, il avait toujours imaginé que son architecte, M. Dobson, avait dû le concevoir au moment le plus heureux de sa vie. Et M. Grainger, qui avait construit le Square, eh bien, quelles pensées l'avaient occupé au moment où il avait mis au point les derniers détails des beaux balcons en fer forgé ?

C'était étrange, mais après chacune de ses visites à la ville, il ressentait un malaise pendant un jour ou deux. S'il était bien conscient, au fond de lui-même, d'avoir été destiné au travail de la terre, il se rendait compte qu'il y avait d'autres voies dans la vie capables de donner à l'homme une satisfaction intense, car une fois construite, une église, une rue, une terrasse demeurait. On pouvait ensuite passer à d'autres choses plus importantes, exprimer des rêves plus vastes, mais avec la terre, la vie ne couvrait qu'une année à la fois, vos longs efforts se terminaient avec un coup de faux ou le coup fatal porté à un animal pour lequel, sans aller jusqu'à l'amour, on avait, en quelque sorte, conçu de l'affection.

Mais aujourd'hui, à Newcastle, et pour la première fois, il ne foulerait pas les rues élégantes trahissant la richesse et le confort; il savait, néanmoins, qu'elles n'hébergeaient qu'une infime portion de la population, car à l'autre bout de la ville s'alignaient les corons où il n'aurait pas voulu loger ses cochons.

Tout en conduisant sa charrette vers le tribunal, son esprit était emporté par un tourbillon d'émotions personnelles. Son mariage avait tourné à l'aigre dès la première nuit. Il reconnaissait avoir commis une erreur en choisissant Mary comme compagne, mais il savait également qu'il lui faudrait en supporter les conséquences.

Son cheval s'immobilisa au milieu de la circulation. Il y avait des carrosses de gentilshommes, des camions de brasseurs, des charrettes plates de chiffonniers chargées de chiffons malodorants et tirées par des chevaux à la tête baissée, comme navrés de leur propre condition. Il y avait des charrettes de viande et des brouettes de légumes; on voyait des charrettes de poisson et des fourgons d'équarrisseurs, ces derniers annonçant leur profession en laissant dépasser les pattes des carcasses; les animaux étaient empilés comme s'ils avaient fait l'objet d'un massacre subit, ce que Simon souhaitait, car certains faisaient de l'abattage une lente besogne.

Le vacarme était indescriptible; Simon ne s'entendait même pas apaiser son propre cheval. Les pavés de chaque côté de la route étaient encombrés de piétons. Ceux-ci étaient en quelque sorte privilégiés car ils marchaient sur des dalles, acquisition récente de la municipalité, mais la rue où se bloquait la circulation était encore faite de boue et de pierres concassées.

Quand le mouvement reprit enfin et que Simon eut réussi à tourner la tête de son cheval vers une voie latérale, il trouva son passage de nouveau bloqué. Debout sur sa charrette, il voyait que l'hôtellerie où il laissait habituellement son attelage était encombrée de monde. A côté de lui, un homme dans une charrette semblable à la sienne s'écriait :

— Toute la ville est dehors, ça doit être à cause du procès de la femme du pasteur.

Mais Simon ne lui répondit pas. Il jeta un regard derrière lui. Personne n'était venu le bloquer par-derrière; il sauta à bas de la charrette, prit la tête du cheval et le fit doucement reculer jusqu'à la grand-route où il remonta en voiture et continua sa course.

Profondément agité, il tira sa montre de la poche de son gilet. Elle marquait onze heures moins le quart. Le procès devait être déjà commencé et Tilly, qui n'allait pas manquer de chercher du regard ne serait-ce qu'un seul ami, ne rencontrerait que le regard hostile des villageois. Et ceux-là allaient certainement s'en donner à cœur joie. Oh oui ! Ils ne s'en priveraient pas !

Il ne pensait pas à ce moment à ce qui risquait d'arriver à la femme du pasteur; elle était soutenue par des avocats et de grands hommes, sa famille était connue. De toute façon, elle n'était accusée que d'homicide, pas de meurtre, et quelle que fût la sentence, d'une manière ou d'une autre, elle aurait quitté le village après ce soir. Mais il n'en était pas de même pour Tilly, elle devait y vivre; tant que sa grand-mère vivrait, Tilly y resterait. Alors, que lui arriverait-il ? A part Tom Pearson et lui-même, ouais, et le jeune Steve, pas une âme qui vive au village n'avait un mot gentil pour elle. Après la mort de Laudimer, ils l'auraient bien tuée. Ça alors, c'était étrange, car ce n'était pas elle qui avait frappé le coup; mais ils avaient raisonné à l'envers; la femme du pasteur était dans le pétrin à cause de Tilly Trotter.

Mon dieu ! S'il pouvait seulement sortir de cet embarras.

Il lui fallut une bonne demi-heure avant de trouver une écurie où laisser son cheval et sa charrette, et, de là, il lui fallut courir au moins dix minutes pour arriver au tribunal. Et il courut bel et bien; mais lorsqu'il tenta d'entrer dans le bâtiment, l'auditoire lui bloquait le passage. Le hall extérieur n'était qu'une marée humaine étonnamment silencieuse, jusqu'au moment où il entreprit de se frayer un passage, soulevant des murmures de colère. Mais il les ignora. Certains s'écartèrent devant lui, le prenant pour une sorte d'officiel, et il arriva ainsi aux portes principales donnant accès à la salle du tribunal, gardées par un factionnaire.

— Où... où en sont-ils ?

— A environ la moitié, je dirais, monsieur.

— Les témoins principaux, ont-ils... ?

— Oui, je crois. La jeune fille est dans le box, en ce moment.

— S'il vous plaît, laissez-moi entrer. Je vous en prie, laissez-moi entrer. Vous... vous comprenez, je... je suis à peu près son seul ami.

Ils se regardèrent droit dans les yeux pendant un moment.

— Même si je le pouvais, monsieur, je ne pense pas que vous y arriveriez, c'est pareil à l'intérieur; c'est bourré.

— Laissez-moi essayer, je vous en prie. (Sa main sortit de sa poche, glissa discrètement devant lui et appuya quelque chose dans la main du factionnaire qui, sans quitter Simon des yeux, dit alors :)

— Eh bien, vous pouvez le tenter, monsieur.

Sur ce, il tourna la grande poignée d'une des doubles portes; au moment où il l'ouvrit, un certain nombre de personnes manquèrent de tomber à la renverse. Simon, se poussant en avant avec l'aide du gendarme, força son chemin dans la foule et la porte se referma lentement derrière lui; et voilà qu'il regardait Tilly se tenant sur une estrade, les yeux tournés vers la Cour et l'homme qui lui parlait...

— Vous avez entendu ce qu'ont dit les témoins dans ce procès. Dans leur esprit, vous êtes la cause de la présence ici aujourd'hui de Mme Ellen Ross et de son accusation d'homicide. L'un d'eux a absolument déclaré que vous aviez des... bon, enfin... (le regard du juge s'abaissa vers la Cour, puis glissa jusqu'à la tête du clerc, avant de revenir vers le box du témoin) des pouvoirs occultes. Vous comprenez ce que je veux dire par là ?

— No... on, no... on, monsieur.

— Bien, en d'autres termes, cela veut dire que vous vous mêlez de sorcellerie.

Tous les gens dans la salle avaient les yeux rivés sur Tilly, attendant sa réponse, mais elle n'en fit aucune, même pas un signe de tête, et Simon s'écria d'une voix blanche :

— Elle en sait autant de la sorcellerie que l'enfant qui vient de naître. Oh ! Tilly ! Tilly !

— Eh bien, vous mêlez-vous de sorcellerie ?

— Non, monsieur. Non ! Non ! Je... je n'ai... n'ai jamais, jamais. Je ne sais rien de la sorcellerie.

— Il a été déclaré que vous avez entraîné la femme du pasteur à danser en un lieu habituellement considéré comme sacré, c'est-à-dire la sacristie. Avez-vous fait cela ?

Pour la première fois, Tilly quitta des yeux les juges et regarda du côté d'Ellen Ross.

— Nous avons fait un pas ou deux, monsieur.

— Ce n'est pas vrai. Je lui ai appris à danser.

La voix d'Ellen Ross résonna à travers le tribunal et provoqua un bourdonnement général; et maintenant deux hommes s'étaient approchés d'elle pour lui parler.

Le juge réclama le silence et le tohu-bohu finalement apaisé, il se tourna à nouveau vers Tilly :

— Vous avez dansé dans la sacristie ?

Après un moment, Tilly répondit :

— Oui, monsieur.

— Qu'avez-vous fait d'autre dans la sacristie ?

— Rien, monsieur. Seulement quelques pas.

Regardant de nouveau la Cour, le juge marmonna dans sa barbe :

— Rien que quelques pas ? Vous sentez-vous responsable du fait que vous êtes ici aujourd'hui ? Vous sentez-vous responsable, d'une quelconque manière, de la mort de Burk Laudimer ?

— Non, monsieur. Non, monsieur.

— Mais vous avez entendu le procureur déclarer que vous êtes responsable dans la mesure où l'accusée, Mme Ellen Ross, ne serait jamais allée vous aider si vous n'aviez pas été mise au pilori, et vous n'y auriez jamais été mise si on ne vous avait pas prise à danser dans un lieu sacré. Alors, êtes-vous encore capable de dire à ce tribunal aujourd'hui que vous ne vous sentez pas au moins partiellement responsable de ce qui s'est produit ?

Voyant Tilly baisser la tête, Simon gémit intérieurement. Ces hommes, avec leurs raisonnements et leur astuce, ils étaient capables de prouver que le blanc était noir. Il baissa lui-même la tête, pendant une minute, ou peut-être deux ou trois, mais la releva vivement, en entendant le juge reprendre :

— Mesurez bien le poids de mes paroles, jeune femme. A présent vous pouvez disposer.

Il la regarda descendre les deux marches en trébuchant; on la mena au bout du premier rang, et, une fois assise, elle disparut à sa vue. Mais la salle frissonna de nouveau.

— Appelez Hal McGrath... Hal McGrath.

McGrath, vêtu de son costume du dimanche, cheveux brossés en remontant de son front étroit, un mouchoir propre et blanc noué sous sa pomme d'Adam, veste de flanelle grise bien ajustée, tenait sa casquette entre les mains; il avait l'allure d'un paisible campagnard.

— Vous êtes Hal McGrath ? On vous tient pour responsable d'avoir mis la jeune fille, Tilly Trotter, au pilori ?

Il y eut un silence puis McGrath répondit :

— Oui, monsieur c'était moi.

— Pourquoi avez-vous fait ça ?

— Simplement... simplement pour plaisanter, monsieur.

— Rien d'autre ?

— Eh bien, je voulais la fréquenter et elle m'a un peu, comme encouragé; puis elle m'a rejeté, alors, je pense, monsieur, que c'tait un peu par dépit.

— Vous êtes honnête, je peux dire cela en votre faveur.

A nouveau, Simon baissa la tête et manqua la prochaine question du juge, mais McGrath répondit :

— Oui, m'sieur, j'avais entendu parler des choses qu'elle avait faites et c'tait un peu curieux, mais je pensais, bon, qu'une fois mariés, je lui ferais oublier tout ça.

Cette réponse souleva de gros rires et amena le regard du juge sur tous ceux présents.

— Vous sentez-vous d'une quelconque manière responsable de la mort de Burk Laudimer ?

— Eh bien, non, monsieur. Non, monsieur, c'est pas moi qui l'ai frappé.

— Non, ce n'est pas vous qui l'avez frappé, mais si vous n'aviez pas mis cette fille au pilori, alors Mme Ross n'aurait eu aucun besoin de venir à son secours, ni d'appeler trois mineurs à l'aide, ni, pour défendre l'un d'eux, de frapper un coup qui par hasard a été la cause de la mort d'un homme. Voulez-vous toujours épouser cette fille ?

Une nouvelle pause intervint et Hal McGrath marmonna :

— Ouais, m'sieur.

— Alors, j'espère que cela se produira, et ce pourrait bien être une chance pour elle. Descendez.

Simon s'appuya contre la porte et ferma les yeux. Il rageait intérieurement. Epouser Hal McGrath et que ce soit une chance. Il lui ferait son affaire avant d'assister à ça.

— Appelez Mme Ross.

La femme du pasteur était à la barre. Après l'interrogatoire préliminaire du procureur, le juge s'adressa à elle et il était évident pour tous qu'il lui parlait sur un ton qu'il n'avait encore utilisé avec aucun des témoins ce jour-là.

— Vous vous intéressez beaucoup à l'enseignement, n'est-ce pas, madame Ross ?

— Oui, monsieur le juge. (La voix d'Ellen n'était qu'un léger chuchotement.)

— C'est votre souhait d'éduquer les classes laborieuses ?

Il y eut un nouveau silence et elle répéta :

— Oui, monsieur le juge.

— N'avez-vous pas enfin conclu que votre décision de vous en occuper était malvenue ?

— Non, monsieur le juge.

Sa voix s'était raffermie, son comportement était légèrement plus vif et, sans aucun doute, elle avait mis le juge dans l'embarras car il jeta un nouveau regard vers la Cour, puis le clerc, avant de continuer :

— Vous ne trouvez pas malheureux que, parce que vous avez souhaité apprendre à lire à trois mineurs, ils se trouvent maintenant sans emploi ?

Elle ne fit aucune réponse à ceci, et le juge attendit quelques minutes avant de poursuivre :

— Bon, maintenant, dites-moi, ne pensez-vous pas qu'il eût été plus sage d'éviter d'apprendre à lire à la fille Tilly Trotter, et de lui enseigner des raffinements bien au-dessus de sa condition, tels que danser la gavotte, par exemple ?

Toute la Cour dévisageait Ellen. Elle releva alors le menton.

— Les gens de la campagne dansent, monsieur le juge, les ouvriers agricoles et les autres, comme le font les gens des quartiers pauvres de cette ville.

Il devenait évident, d'après le ton du juge, que sa sympathie pour la femme du pasteur s'évanouissait progressivement, car sa voix était devenue plus froide lorsqu'il dit brièvement :

— Il y a danse et danse, comme vous le savez très bien; en fonction des classes sociales, les types de divertissements se différencient, et ceci, je le pense, a trouvé sa preuve dans le fait que nous jugeons ce cas aujourd'hui.

L'assemblée vit le juge retrousser ses lèvres puis désigner du doigt un objet posé à côté.

— Voici l'instrument qui a causé la mort d'un homme. Aviez-vous la moindre idée, en le ramassant, qu'il comportait un clou à son extrémité ?

Il la regardait à présent, et, d'une voix légèrement tremblante, elle répondit :

— Non, monsieur le juge, évidemment, non, non !

— Pourquoi avez-vous frappé l'homme qui est décédé ? Etait-ce parce qu'il était un des hommes qui avaient mis la fille au pilori, ou était-ce parce qu'il attaquait un des ouvriers que vous étiez venue à considérer comme un de vos protégés ?

Quelques secondes s'écoulèrent avant qu'Ellen donne sa réponse.

— Je ne sais pas, monsieur le juge. Mon intention était d'éloigner l'homme car je voyais M. Drew mal en point et... le coup suivant l'aurait abattu.

— Oui, oui. (Le juge posa de nouveau les yeux sur la Cour.

Celle-ci attendit; puis il leva la tête et dit brusquement :) Vous pouvez descendre.

Au moment où l'avocat de la défense s'avançait pour commencer sa plaidoirie, il se fit un mouvement au milieu de la foule autour d'une femme qui venait de s'évanouir, et, lorsqu'on emporta son corps inerte du côté des portes, Simon fut encore refoulé dans le hall; il tenta de retourner dans la salle d'audience et se trouva devant une porte close; quelqu'un, de toute évidence, avait pris sa place et s'appuyait contre la porte. Le factionnaire se souvenant du pourboire s'excusa.

— Désolé, monsieur, ainsi vont les choses. On ne rajouterait pas une épingle là-dedans.

Ayant compris que toute nouvelle tentative de persuasion serait inutile, Simon se retourna et, se frayant un passage à travers la cohue, se retrouva à l'air libre. Il ne pouvait rien faire d'autre qu'attendre la fin du procès...

Près d'une heure s'écoula, puis les portes de la salle d'audience s'ouvrirent et les gens surgirent dans le hall et dans la rue. Alors, Simon se força un passage parmi eux et retourna dans la salle d'audience. La Cour était sortie, mais il vit le pasteur tenant sa femme dans ses bras et, les entourant, un certain nombre d'hommes. Mais, toute seule tout au bout de la longue rangée de sièges, il vit Tilly; il se dirigea immédiatement vers elle et, sans préambule, lui prit la main :

— J'étais dehors, je n'ai pas entendu ce qui s'est passé.

Tilly le regarda et murmura lentement, comme si elle émergeait d'un rêve :

— Elle est libre, grâce au Ciel !

— Viens.

Comme il la faisait tourner sur elle-même et allait la conduire vers l'allée, il aperçut du coin de l'œil la femme du pasteur se libérant des bras de son mari pour les regarder.

Mais Tilly ne la remarqua pas, car elle baissait la tête, et elle demeura longtemps ainsi; ce n'est qu'à une bonne distance du tribunal, alors qu'ils marchaient dans une rue relativement calme qu'elle s'arrêta enfin et leva son regard vers Simon.

— C'était affreux, Simon, affreux, de me traiter de sorcière. Simon, qu'est-ce qui m'arrive ?

— Rien, rien, mon amie. Ne te tourmente pas.

— Mais cela me tourmente, Simon, cela me tourmente vraiment. Je... je n'ai jamais fait de mal à personne, je ne leur ai même jamais souhaité de mal, c'est-à-dire jusqu'à cette dernière histoire, et alors j'ai souhaité, j'ai même prié que Dieu frappe Hal McGrath, c'est vrai. Mais c'est l'unique et seule fois où j'aie jamais souhaité du mal à quelqu'un. Ils en sont même à dire que j'ai fait disparaître le chien de Pete Gladwish. Est-ce que tu peux comprendre ça, Simon ? De quoi est-ce qu'ils vont m'accuser ensuite ? J'ai peur, Simon.

— Allons ! allons ! dit-il en lui serrant fortement les mains. Personne ne te fera plus de mal; j'y veillerai.

— Non, non, ne fais pas ça. (Elle retira ses mains des siennes et se remit à marcher le long de la rue, et elle détournait le regard.) Mieux vaudrait que tu m'évites, ils disent des choses.

— Qui dit des choses ? demanda-t-il d'une voix sombre.

— Oh ! tous.

— Eh bien, que disent-ils ?

— Ils disent que c'est à cause de moi que ton mariage est raté. Il l'arrêta brusquement.

— Qui a dit que mon ménage ne marchait pas ?

— Oh ! ce n'est rien, je l'ai simplement entendu.

— Tu as dû l'entendre dire par quelqu'un. Qui l'a dit ?

— Randy Simmons prétend que vous vous battez tout le temps et c'est à cause de ce qui s'est produit la nuit de vos noces. Oh ! Simon, je suis désolée !

— Sacré fumier ! Je n'ai jamais entendu de telles idioties de ma vie. N'en crois pas un mot. Tu m'entends ! N'en crois pas un mot. Tu sais, c'est curieux. J'ai lu des histoires du même genre, racontant comment de temps à autre un village devient fou. Ils n'ont rien à faire à part leur train-train quotidien, rien d'intéressant en dehors, alors ils inventent quelque chose comme… (il avait failli dire « une chasse aux sorcières » mais substitua vivement :) un scandale et un lot de ragots.

Lentement, elle s'éloigna de lui et se remit à marcher; peu après, elle reprit à voix basse :

— S'il n'y avait pas ma grand-mère, je quitterais le village et m'en irais à des kilomètres. Je pourrais trouver du travail peut-être dans une grande maison, quelque part où on ne me connaîtrait pas.

— Tu ne peux pas partir, tu le sais, tu as ta mémé, et elle a besoin de toi, encore plus maintenant qu'avant, parce qu'elle a perdu William.

Ils continuèrent à marcher sans mot dire. Elle rompit enfin le silence :

111

— Mon grand-père me manque, Simon. Il était toujours gentil avec moi. De toute sa vie, il n'a jamais eu pour moi une parole méchante. Je... je suppose... à eux deux, ils m'ont gâtée. J'ai eu de la chance d'être élevée par eux. Ouais, de la chance.

Il lui jeta un regard. De la chance, disait-elle, et elle était là à marcher dans les rues de Newcastle, vêtue comme la plus pauvre des pauvresses de cette ville. Son manteau bleu trop court avait verdi; sa jupe de serge avait diverses reprises près de l'ourlet; son chapeau était plat et en paille sans garniture; ses bottes avaient connu des temps meilleurs, et avaient récemment été réparées grossièrement, au niveau d'un orteil. Il avait envie de l'emmener dans un restaurant et de lui offrir un repas, mais sa mise aurait risqué de faire croire qu'il l'avait trouvée dans la rue. Il aurait également aimé pouvoir l'emmener dans un des magasins de robes à la mode avec leurs immenses vitrines. Il dirait : « Habillez-la de pied en cap », mais serait incapable de régler la note. Il y avait une chose que le vieux couple ne savait pas. C'était que l'argent était épuisé depuis quelque temps car son père n'avait pas seulement dépensé sa propre part, mais avait également pioché dans la part de William; et ainsi, il s'était juré de leur donner le souverain mensuel tant qu'ils en auraient besoin. Jusqu'au moment de son mariage, cette résolution avait été facile à tenir, mais depuis, il avait découvert, entre autres choses, que sa femme avait du flair pour la comptabilité et il savait que dans l'avenir elle le pousserait durement dans ses retranchements, pour savoir à quoi il destinait ce paiement régulier.

Et alors, il proposa :

— Il y a une échoppe tout près d'ici, aimerais-tu des tartelettes et des petits pois ? Ils sont bons; j'en prends généralement une platée quand je viens en ville.

— Je n'ai pas faim, Simon.

— Allez, viens; tu auras faim après avoir goûté ceux-ci.

Il lui prit le bras et l'entraîna et, quelques minutes après, ils faisaient la queue parmi d'autres se servant de tartelettes et petits pois chauds; il lui sourit.

— C'est bon ?

— Oui, délicieux, Simon, délicieux, répondit-elle sans sourire.

Simon avalait sa dernière bouchée de tarte. Jetant un regard au-delà des clients vers la porte ouverte, il vit tomber des flocons blancs et s'exclama :

— Oh ! de la neige ! (Puis, regardant Tilly qui n'avait qu'à moitié terminé son plat, il ajouta :) Va falloir y aller, Tilly; regarde, il commence à neiger.

— Ouais; je n'en veux vraiment plus, Simon, dit-elle en posant son assiette.

— Es-tu sûre ?

— Oui; c'était très bon, mais je n'ai pas faim.

— Bon, alors, viens...

Un quart d'heure plus tard, ils traversaient le pont menant à Gateshead et presque une heure s'écoula encore avant qu'ils ne parviennent aux abords du village. La neige tombait toujours ici, mais pas aussi drue, bien que le sol en fût généreusement recouvert. Ils étaient arrivés à la fourche lorsque Tilly dit :

— Arrête-toi ici, Simon; je retrouverai mon chemin à travers champs.

— Tu ne feras rien de la sorte.

— Simon... (Elle se pencha en avant et s'agrippa à la main tenant les brides; sa voix n'était plus celle d'une jeune fille, mais plutôt celle d'une femme mûre. Elle insistait :) Tu sais ce qui arrivera si on te voit me conduisant à travers le village. Ils diront...

— Que diront-ils ? Eh bien, laisse-les dire, mais tu ne vas pas te retrouver raide au milieu d'un champ à cause de leurs sales langues, alors reste assise.

Elle resta assise, la tête baissée. En fait, elle s'accroupit sur le siège, espérant passer sans se faire reconnaître. A cause de la neige, il n'y avait personne dans les rues du village, mais cela ne voulait pas dire que le hennissement d'un cheval ou le bruit étouffé de ses pas n'attirait pas à leurs fenêtres au moins quelques-uns d'entre eux.

Lorsqu'ils atteignirent enfin la barrière du cottage, ils aperçurent le visage d'Annie collé à la vitre; en descendant de la charrette, Tilly proposa :

— Tu entres, Simon ?

— Non, il vaut mieux que je rentre chez moi pendant que la route est encore bonne. Mais écoute. (Elle était sur la route, la main posée sur la barre d'appui de la charrette et il se pencha pour lui recouvrir la main de la sienne.) Au plus léger signe de difficulté, précipite-toi à la ferme... Je vais en toucher un mot au jeune Steve, en douce; il me tiendra au courant.

— Non, non ! Ne demande plus rien à Steve, Simon. Le pauvre garçon, regarde dans quel état il était; et son bras ne sera plus jamais comme avant.

— Eh bien, en dépit de ça, il te défend toujours, à fond. C'est un bon gars, Steve. Comment il a pu être engendré par cette équipe, Dieu seul le sait. Bon, écoute, rentre, toi, voilà ta mémé à la porte, tu vas attraper la crève ici.

Elle leva encore longuement son regard sur lui; puis, tout en retirant sa main de dessous la sienne, elle laissa ses doigts reposer contre les siens, pendant un moment.

— Je ne sais pas ce que je... nous ferions sans toi, Simon; mais, je t'en prie, pour toi et... pour ta femme, garde tes distances.

— C'est moi que ça regarde. Vas-y, bonne nuit à toi.

— Bonne nuit, Simon.

Annie avait ouvert la porte et tout d'abord elle dit :

— Oh ! ma fille, je pensais que tu n'arriverais jamais ! C'était Simon; pourquoi n'est-il pas entré ?

— Il faut qu'il retourne chez lui, la neige épaissit.

— Tiens, donne-moi ce manteau, tu as l'air gelée. Viens, approche-toi du feu.

Tilly n'avait enlevé qu'une manche et déjà Annie tiraillait son bras et l'entraînait vers l'âtre où elle la fit tomber dans un fauteuil en déclarant :

— J'ai du bouillon sur le feu. Voilà deux heures qu'il mijote. Ah ! ma fille ! Je... je croyais qu'ils t'avaient fait quelque chose, qu'ils t'avaient gardée ou, je ne sais pas. Je pensais que tu n'arriverais jamais. Je... je ne savais pas comment j'aurais fait sans toi. Oh ! mon enfant !

— Ah ! mémé !

Cela en faisait trop, après tout ce qui était arrivé. Tilly se pencha en avant et posa la tête sur la poitrine d'Annie, la vieille femme la prit tendrement dans ses bras et elles pleurèrent toutes les deux. Puis Annie, se remettant la première, marmonna :

— Ceci ne te remplit pas de bouillon et tu es froide comme de la glaise.

Cette dernière remarque parut lui rappeler William car elle ajouta alors :

— Mon pauvre homme ! Mon cher bonhomme !

Annie remplit un bol de bouillon et Tilly se força à l'avaler; alors, Annie demanda :

— Comment cela s'est-il passé ?

— Elle s'en est tirée.

— Rendons grâces à Dieu.

— Ah ! mémé. C'était horrible, horrible. Tout était absolument horrible, mais... mais lorsque le juge m'a demandé si j'avais... j'avais pratiqué la sorcellerie...

— Quoi ?

— Ouais, mémé. Ils racontent au village que je suis une sorcière. Ce n'est plus seulement les McGrath, à présent, c'est tout le monde et ils m'accusent de tout.

— Ils sont fous, fous à lier.

— Et tu ne sais pas, mémé, le juge a demandé à McGrath s'il voulait m'épouser et il a dit ouais, et qu'il me ferait passer la sorcellerie, et le juge a dit que ce serait une bonne chose. Mémé ! j'ai cru mourir !

Annie regardait le visage chéri devant elle, et elle n'y voyait rien que de la pureté. Son enfant était jolie, mignonne; ouais, en réalité trop jolie, et à l'exception de sa silhouette qui ne méritait pas que l'on s'y attarde, elle avait un air, une qualité, quelque chose qu'elle ne pouvait définir. Mais... la sorcellerie ! Qu'inventeraient-ils ensuite ? Ceci était sérieux, même très grave, beaucoup plus que l'idée que se faisaient les McGrath d'une somme d'argent cachée ici. Oh ouais ! beaucoup plus. Sentant soudain venir une faiblesse, elle s'assit sur le banc à côté de Tilly et, après un moment, elle reprit :

— Remercions le Ciel, nous avons Simon. Tant qu'il vivra, il empêchera qu'il t'arrive du mal. (Et pour elle-même, elle ajouta : « Marié ou non. »)

On avait couvert le feu. Tilly était étendue dans le lit clos, à côté de sa grand-mère. Elle avait couché là chaque nuit, depuis qu'ils avaient mis William en bière et l'avaient déposé sur la table, au milieu de la salle, jusqu'au moment de l'emmener à sa dernière demeure.

Sa mémé était calme, elle ne savait pas si elle dormait ou non; mais pour elle le sommeil était encore loin, son esprit se remémorait les détails de la journée. Au moment où elle était descendue de l'arrière de la voiture publique, M. Fogget, le voiturier, lui avait indiqué du doigt le chemin vers le tribunal. Mais il l'avait fait sans la regarder et les autres passagers du village étaient restés assis dans la voiture et l'avaient laissée aller devant. Personne ne lui avait parlé au cours du trajet, et Mme Summers, dont le mari travaillait au jardin des Sopwith, avait resserré sa jupe lorsque Tilly s'était assise à côté d'elle.

L'envie de mourir avait souvent été présente à son esprit ces temps-ci, mais jamais aussi fortement qu'au moment où elle était entrée dans ce tribunal. On aurait dit que c'était elle la personne à juger, et elle savait qu'il en était ainsi pour la plupart des esprits.

Elle reposait, les yeux grands ouverts dans le silence. On n'entendait aucun des sons nocturnes, cette nuit, la neige les avait étouffés. Le feu ne craquait pas. Seule la respiration haletante, courte et douce, de sa mémé ponctuait le silence.

Tout d'un coup, elle fut assise dans le lit, la main appuyée fortement contre le mur de pierre à son côté. Quelqu'un remontait l'allée. Elle ne dormait pas. Non, elle ne dormait pas. On s'était arrêté devant la porte, et, à présent, son cœur semblait sauter dans sa poitrine au son des deux coups rapides frappés à la porte.

Elle fut immédiatement consciente que sa mémé ne s'était pas endormie car, maintenant, elle s'appuyait sur son coude et chuchotait :

— Au nom du Seigneur, qui ça peut-il être à cette heure ?

Comme Tilly cherchait à ramper par-dessus elle pour atteindre le bord du lit, Annie la retint, en disant :

— Non, non; reste où tu es.

— Tilly ! Tilly !

Les coups reprirent et un doux murmure les atteignit. Tilly tourna la tête pour regarder fixement sa grand-mère, et bien qu'elle ne pût voir son visage, elle savait que sa mémé la dévisageait. Elle chuchota :

— Je crois que c'est Mme Ross.

— Mme Ross, à cette heure de la nuit ! Mon dieu ! Mon dieu ! Et quoi encore ?

Annie marmonnait en sortant douloureusement ses jambes hors du lit. Pendant ce temps, Tilly avait atteint la porte et, enfilant son manteau par-dessus sa chemise de nuit, elle s'immobilisa un instant avant d'appeler :

— Qui est là ?

— C'est moi, Tilly, Ellen Ross.

Tilly tourna la clé dans la serrure, retira les deux verrous et entrouvrit la porte. Le monde dehors paraissait blanc et contre cette blancheur se profilait la sombre silhouette de la femme du pasteur.

— Entrez. Entrez.

Une fois la porte fermée, elles se retrouvèrent dans la pièce sombre et Tilly dit vivement :

116

— Restez où vous êtes, madame, restez où vous êtes en attendant que j'allume la lampe.

La lampe allumée laissait voir Ellen Ross appuyée contre la porte et Annie debout, se tenant au bord de la table.

Ellen Ross s'approcha également de la table, comme attirée par l'allongement de la flamme. Au moment où elle entra dans le halo de la lumière, Tilly lui lança un regard; puis, elle se détourna rapidement, attrapa le soufflet et activa les braises. Immédiatement, celles-ci s'enflammèrent, puis Tilly se retourna vers la table.

— Venez vous asseoir, m'dame, vous avez l'air gelée. Enlevez votre cape une minute.

Elle étendit les mains pour prendre la cape de fourrure recouvrant jusqu'à la taille le long manteau de toile grise. Mais Ellen Ross secoua la tête et, approchant sa main gantée de son col, le saisit en disant :

— Je... je ne peux pas rester, mais je voulais venir vous voir pour... pour vous dire adieu.

C'était Annie qui parlait maintenant :

— Eh bien, asseyez-vous un moment, m'dame.

Ellen inclina la tête vers la vieille femme, puis s'assit à côté du feu ravivé qu'elle regarda et, baissant la tête, elle dit d'une voix larmoyante :

— Je... je suis venue vous dire à quel point j'étais désolée, je suis... je suis désolée de tous les ennuis que je vous ai causés.

Tilly s'approcha lentement d'elle et posa son regard sur la tête baissée.

— Vous ne méritez aucun reproche, m'dame; il n'y a qu'une seule personne qui porte la responsabilité de tout ça et c'est McGrath.

— Oui, oui, je crois que c'est vrai, mais... mais mon intervention n'a rien apporté de bon; oh non ! cela n'a pas aidé ! J'ai ruiné la vie de George... mon mari; il ne peut plus suivre sa vocation, en tout cas pas dans ce pays. Il s'est déjà arrangé pour que nous partions à l'étranger; il sera missionnaire.

D'une voix brisée, Tilly murmura :

— Oh, m'dame !

Ellen regardait maintenant du côté d'Annie, assise sur le banc en face d'elle, et elle s'adressa à elle comme si elle était capable de comprendre ce qu'elle allait dire.

— Mes... ma famille veut que je retourne à la maison, mais... mais cela impliquerait que je me sépare de mon mari. Evidemment, j'aimerais beaucoup le faire parce que les membres de ma famille sont très compréhensifs, mais je trouve que je dois rester avec mon mari, car c'est le moins que je puisse faire en contrepartie de tous les ennuis que je lui ai causés. Où qu'il aille, j'irai; je dois aller.

— Et vous avez raison, m'dame, vous avez raison.

— Oui, oui, je crois que j'ai raison. Mais... mais la vie ne sera plus jamais la même maintenant. Je porterai le poids de la mort de cet homme jusqu'à ma tombe.

— Ce n'est pas de votre faute, m'dame; cette part de l'histoire est directement reliée à Hal McGrath.

— Oui, tu as probablement raison, Tilly. Mais... mais dis-moi, il n'aura jamais gain de cause, n'est-ce pas, Tilly ? Quoi qu'il arrive, tu ne pourrais...

— Oh non ! Non ! Jamais ! Jamais ! Je préférerais mourir.

— Et je préférerais la voir morte. Je le tuerai avant qu'il ne pose une main sur elle.

Le feu se mit soudain à flamber, la lampe vacilla, le vent tournoya plaintivement autour de la cheminée. Ellen Ross frissonna, puis se releva.

— Je... je dois rentrer.

— Cela a dû être risqué pour vous de venir, m'dame; les routes sont mauvaises et vous n'avez pas emporté de lampe.

Si Annie avait parlé des routes, ses paroles impliquaient également que le danger venait d'un autre côté, et à ceci Ellen répondit :

— J'ai une certaine sécurité dans le fait que peu de gens ont envie de s'aventurer cette nuit, et la neige a rendu tout très clair.

— Je vais me couvrir et vous raccompagner jusqu'au croisement.

A ces mots, les protestations vinrent à la fois d'Annie et d'Ellen Ross.

— Non ! Non !

Et Ellen ajouta :

— Je suis chaudement vêtue et je n'ai pas peur. Croyez-moi, je n'ai pas peur. Je ne crois pas qu'il y ait une seule chose dans la vie qui puisse réellement m'effrayer maintenant. Pendant ces dernières semaines, j'ai vécu avec la peur et je l'ai regardée en face, et maintenant je l'ai dominée. Bon, eh bien, c'est adieu, madame Trotter. A une époque, j'ai pensé qu'il serait agréable de vieillir par ici, mais cela ne devait pas se faire.

— Adieu, ma chère, et que Dieu vous accompagne.

118

Tilly était allée jusqu'à la porte... Ellen s'approcha d'elle, étendit soudain les bras et attira Tilly vigoureusement pour l'étreindre et, après avoir hésité un moment, Tilly lui rendit son étreinte avec une égale intensité. Puis, Ellen l'embrassa sur les deux joues et, le visage à nouveau baigné de larmes et d'une voix qui se brisait, elle dit :

— Promets-moi une chose, promets-moi que tu continueras ta lecture et ton écriture; quoi qu'il arrive, tu en feras un peu chaque jour. Promets-moi, Tilly.

Tilly n'avait pas de voix pour répondre à cette requête mais, avalant sa salive et serrant fortement les yeux, elle fit de la tête un profond signe d'acquiescement.

— Adieu, ma chère, je ne t'oublierai jamais. Je voudrais dire que je t'écrirai, mais je... je ne pourrai peut-être pas, parce que j'ai... j'ai prom...

Sa voix s'arrêta brusquement, elle se dirigea vers la porte et, l'ouvrant lentement, sortit dans la nuit, sans se retourner.

Tilly regarda la sombre silhouette qui paraissait glisser sur la neige; elle la vit franchir la barrière et la suivit du regard, jusqu'à ce qu'elle eût disparu dans la nuit; puis elle ferma la porte à clé, la verrouilla en haut et en bas, et y appuyant sa tête, dans le creux de son coude, elle sanglota de tout son cœur.

Une semaine s'écoula; puis un mois; puis deux, mais il ne se passa rien. Tilly n'allait jamais au village et, à l'exception de Tom Pearson et du jeune Steve, ne voyait les villageois que de loin... Un jour, elle trouva deux lapins dans le bûcher et en remercia Steve le dimanche après-midi; elle était allée au ruisseau et l'avait vu assis sur la berge. Le dimanche étant le seul jour où il ne travaillait pas à la mine, il avait pris l'habitude, elle le savait, de passer son après-midi près du ruisseau; et elle en était heureuse car cela faisait quelqu'un avec qui échanger quelques paroles, quelqu'un de jeune. Ce dimanche après-midi, quand elle l'avait remercié pour les lapins, il avait nié les avoir mis dans le bûcher mais pensait savoir qui l'avait fait; ce devait être Tom Pearson car il était réputé pour avoir la main habile au braconnage. Cela lui avait légèrement réchauffé le cœur ce jour-là de savoir qu'en dehors de Simon et Steve elle avait un autre ami, et qui de surcroît ne semblait pas avoir peur des villageois.

Au cours des dernières semaines, elle n'avait même pas aperçu Hal McGrath et elle se demandait si Simon ne l'avait pas neutralisé. Cependant, elle ne l'avait pas interrogé car il valait mieux enterrer le sujet, se disait-elle; et au fond de son cœur, elle souhaitait que Hal McGrath soit également enfoui.

Hier, Simon avait apporté un souverain. Son visage était tendu et crispé et une espèce de tristesse régnait sur lui. Mais peut-être cela venait-il du temps. Depuis quinze jours, la pluie s'était à peine interrompue et, même par un temps plus clément, les fermiers trouvaient toujours cette époque pénible. Il n'avait pas dit grand-chose, leur avait seulement demandé si tout allait bien et si personne n'était venu les ennuyer. Sur sa réponse négative, il avait répliqué :

— Eh bien, c'est comme ça que ça doit être.

Lorsqu'il était parti sans même boire une bière chaude au gingembre, sa mémé avait commenté :

— Il est plus soucieux que nous, il n'est pas heureux, cela se voit sur son visage.

Ce matin-là, la pluie avait cessé, mais le vent cinglait et pinçait, et au moment où elle enfila son manteau, Annie lui dit :

— Ne mets pas ton chapeau, il va s'envoler avant que tu ne sois arrivée à la barrière. Regarde, prends mon châle (elle le retira de ses épaules), mets-le sur ta tête, croise-le et je vais te l'attacher derrière, à la taille.

— Non, non, mémé, protesta-t-elle en tendant la main. Ça ira très bien comme ça. J'ai mon écharpe, je vais la mettre sur ma tête.

— Ne sois pas bêtasse, ma fille, ce bout de lainage n'éloignerait pas le vent, même d'une flûte. Tiens (elle arrangeait déjà le châle sur la tête de Tilly, puis, le croisant, elle la fit tourner et le noua sous ses omoplates), là au moins tu auras chaud.

— Et toi ?

— Je reste à la maison, n'est-ce pas, et il y a là un feu d'enfer et assez de bois pour me chauffer pendant huit jours; tu as six kilomètres à parcourir dans chaque sens.

— Cela ne m'ennuie pas de marcher, mémé.

Et c'était vrai. Marcher ne l'ennuyait pas. Elle ne prenait plus la voiture publique pour aller faire les emplettes à Shields, car elle était toujours bondée de villageois. Au lieu de cela, elle allait maintenant à Jarrow pour faire les commissions.

Jarrow était à peine un grand village et la qualité des aliments vendus dans les échoppes ne valait pas celle de ceux que l'on trouvait sur le marché de Shields. Cependant, elles se passaient bien de pain et préféraient le remplacer par de la galette de pommes de terre; Tilly ne tenait pas à endurer ce trajet avec les villageois ou même emprunter la route pour aller au village de Harton, uniquement pour aller acheter de la farine; car de ce côté, elle était certaine de rencontrer quelque connaissance et quelqu'un qui aurait préféré ne pas la connaître.

Prête à prendre la route, elle attendit que sa mémé aille chercher le souverain dans la boîte à thé, sur le manteau de la cheminée et le lui donne, en disant :

— Que ferions-nous sans Simon ? Même si j'ai souvent maudit cet argent, ces temps-ci, il m'a aidée à donner une sépulture correcte à ce pauvre William. Voilà autre chose qui a dû les mystifier : où avons-nous pu trouver de quoi payer le cercueil en chêne ? Eh bien, laissons-les s'interroger; il n'allait pas se rendre à sa dernière demeure dans une caisse à savon. Maintenant, va-t-en et sois rentrée bien avant la nuit, n'est-ce pas ?

— Oui, mémé. Et fais attention de ne pas sortir, sinon c'est toi qui attraperas du mal, pas moi. Reste bien au chaud près du feu. Ça ne me prendra pas si longtemps.

Elle se pencha en avant et toucha la joue de sa grand-mère, la lui caressant des doigts pendant un moment; et Annie leva la main et s'y agrippa fortement; les lèvres tremblantes, elle murmura comme d'ordinaire quand elle était troublée :

— Ah ! fillette ! Ah! ma fille !

Tilly se détourna rapidement et sortit, mais à peine avait-elle atteint le chemin que le vent s'engouffra dans sa jupe et la fit tourbillonner sous son manteau. Ayant atteint la barrière, elle se retourna en riant, et fit signe de la main à Annie à la fenêtre, lui montrant ce que le vent avait fait de sa jupe. Et Annie lui rendit son signe.

Le raccourci pour aller à Jarrow passait par le village de Rosier, mais elle l'évitait toujours; les nouvelles allaient vite, surtout les mauvaises, et qui sait si les villageois de Rosier ne la rendaient pas responsable du fait que les trois mineurs avaient perdu leurs places et leurs cottages. La mine Rosier était à environ un kilomètre et demi du village et elle l'évita également. Une fois ou deux, lorsqu'elle avait vu des hommes franchir les grilles après leur poste, elle avait sauté par-dessus un mur ou s'était cachée dans un taillis, pour éviter de les rencontrer.

Mais, ce matin, elle avançait sur un chemin étroit, la tête baissée contre la bourrasque; soudain, elle leva les yeux et vit un mineur solitaire venant vers elle. Ce n'était pas un homme mais un jeune garçon. Au moment de se croiser, ils s'arrêtèrent tous les deux et se saluèrent gaiement :

— Eh bien, salut, Steve.

— Salut, Tilly.

— Tu viens de terminer un poste ?

— Ouais, mais il y a déjà au moins une demi-heure. J'... j'avais quelque chose à voir et c'est pour ça que je suis en retard pour rentrer chez moi... Où tu vas ?

— A Jarrow pour acheter de l'épicerie.

— Oh ! ouais, ouais ! Combien de temps ça va te prendre ?

— Je devrais y être dans environ vingt minutes et je passe à peu près une demi-heure à faire les commissions. Ça me prend près de trois heures en tout.

— Tu voudrais que je t'accompagne ?

— Oh non ! Regarde-toi; tu es mort de fatigue. As-tu fait un double poste ?

— Non, non; seulement douze heures.

Quelque part son cerveau répétait : « Seulement douze heures. » Douze heures sous la terre !

— C'est bien long à passer là-dessous, et tu dois avoir faim et envie de te laver.

— Ouais, les deux. Tu n'as vu personne du côté de ta maison récemment, Tilly ?

Le visage sérieux, elle répondit, d'une voix grave :

— Non, personne.

— Tu n'as pas vu Hal, ou Mick, ou George ?

— Non, non, aucun de ceux-là. Pourquoi ? Vont-ils encore faire quelque chose ? (Elle le vit baisser la tête; elle posa les yeux sur sa casquette noire et grasse et réitéra, cette fois d'une voix tremblante :) Vont-ils faire quelque chose ?

Le vent emporta sa réponse. Elle se rapprocha.

— Qu'as-tu dit ?

Il leva la tête et le blanc de ses yeux parut s'élargir dans son visage charbonneux, et elle vit sa bouche s'ouvrir et se fermer deux fois, avant qu'il n'articule :

— Je crois qu'ils sont en train de préparer quelque chose, Tilly. Je ne sais pas quoi. Ils se méfient de moi, ne disent jamais rien devant moi. Et depuis que Hal m'a fait ça, il ne m'a pas touché à nouveau parce que ma mère l'a menacé. Mais... mais je crois que tu devrais te méfier, Tilly. Je... je crois que tu devrais prendre contact avec le fermier Bentwood et lui raconter ce que je viens de te dire.

Son estomac semblait faire des bonds dans son ventre, tout son corps tremblait; elle avait envie de vomir.

— Essaie de ne pas te faire de souci. Je... me fais peut-être des idées, mais je pensais qu'il valait mieux te prévenir. En tout cas, je me dépêcherais de rentrer avant la nuit.

— Ouais, ouais, Steve. Et... merci.

— Je t'en prie, Tilly. Je voudrais en faire plus, je voudrais... Prends soin de toi. Allez, vas-y et prends soin de toi.

Il tourna les talons et s'éloigna rapidement. Elle se retourna également et s'en fut sur la route mais sans hâte, car soudain ses jambes semblaient avoir perdu toute force.

Semblable à une enfant qui ne sait de quel côté se tourner, elle avait envie de s'asseoir au bord de la route et de pleurer en attendant que quelqu'un lui vienne en aide. Eh bien, il n'y avait qu'une seule personne capable de le faire et, sitôt rentrée, elle irait le trouver. Au risque d'importuner sa femme, elle irait le trouver.

Ses bras n'en pouvaient plus. Elle n'avait acheté que trois kilos de farine, une livre de déchets de bacon, une livre de viande, un os à moelle et quelques légumes secs, et, cependant, chaque kilomètre paraissait en augmenter le poids. Elle venait de dépasser le village de Rosier et n'avait plus qu'un kilomètre à parcourir lorsqu'elle sentit la fumée. Elle crut d'abord que le bûcheron de M. Sopwith devait brûler des arbustes; il aimait bien que ses terres soient entrenues, M. Sopwith. Evidemment, il n'avait plus, à présent, toute la main-d'œuvre qu'il aurait souhaitée sur sa propriété; par endroits, cela ressemblait à de la jungle et il paraissait content qu'elle entretienne le petit bois. Elle s'arrêta momentanément, prit les trois kilos de farine dans le creux de son bras gauche et ramassa le cabas de sa main droite. Mais, reprenant sa marche, elle rejeta la tête en arrière et renifla. L'odeur de brûlé était épaisse, différente de celle d'un feu de broussailles ou de feuilles mortes.

Elle avait parcouru encore trois cents mètres lorsqu'elle fit une halte; puis un instinct s'éveillant en elle, elle se précipita littéralement en avant et se mit à courir. Sautant et trébuchant, elle arriva au début de l'allée cavalière menant au cottage, et là, la tête renversée en arrière et la bouche ouverte, elle s'écria : « Oh ! Seigneur ! Seigneur ! » car un grand voile de fumée masquait la route et le ciel environnant.

Elle arriva en vue du cottage. Elle lâcha un cri aigu et laissa choir ses paquets, inconsciente sur le moment du sac de farine qui s'était répandu, et se précipita vers la chaumière embrasée. Un certain nombre de personnes se tenaient sur le chemin et l'une d'elles l'attrapa par le bras :

— C'est inutile. On a fait tout ce qui était possible. Mais c'est inutile.

Elle leva un regard égaré, douloureux, vers Mark Sopwith, puis vers les trois autres hommes à proximité. Vaguement, elle reconnut l'un d'eux comme étant le mineur qu'avait défendu Mme Ross et les deux autres avaient l'air d'être des hommes de M. Sopwith. Elle s'agrippa littéralement au manteau de Mark Sopwith en criant :

— Ma mémé ! Ma mémé !

— Elle va bien, elle est en sécurité. Ne t'inquiète pas. Viens, elle est derrière avec le fermier.

Il l'entraîna dans le jardin potager, en faisant largement le tour du cottage embrasé; elle s'arrêta momentanément et, regardant les flammes qui jaillissaient vers le ciel à travers l'ouverture qui avait été jadis le toit, elle gémit bruyamment. Mark Sopwith l'entraîna :

— Viens, viens.

Derrière la maison, elle regarda du côté du bûcher. Tout le bois avait été sorti mais elle réalisa que seulement la moitié en était éparpillée. La porte de l'étable était ouverte, mais elle n'y vit personne. Elle jeta encore un regard vers Mark Sopwith qui, de la tête, lui indiqua le bas du jardin où se trouvait une cabane à outils toute branlante, et à côté, un appentis tout aussi branlant dans lequel on avait jeté, au fil des années, les objets inutilisés ou usagés.

Elle s'arracha à Mark Sopwith et y courut. Haletante, elle s'agrippa aux deux montants de la porte. Etendue sur quelques sacs, elle vit sa mémé et, agenouillées à son côté et remplissant presque tout l'espace restant, il y avait deux personnes : Simon et une jeune fille qu'elle n'avait jamais vue.

Simon se leva immédiatement et la prit par le bras.

— Tout va bien. Tout va bien.

— Que... que lui ont-ils fait ?

Sa voix était aiguë et confinait au cri, mais il la tenait vigoureusement par les épaules, et criait :

— Tout va bien ! Ne t'inquiète pas ! Je te le dis.

— L'ont-ils... brûlée ?

— Non, non, nous l'avons trouvée ici. Elle... elle a eu une petite attaque.

— Oh ! mon dieu ! Oh ! mon dieu !

Elle se laissa tomber à genoux aux côtés de la figure inerte et, tendrement, elle prit le visage ridé dans les paumes de ses mains et gémit :

— Oh ! mémé ! mémé !

La fille agenouillée en face d'elle lui dit d'une voix épaisse et brusque :

— Ne t'affole pas; ça ne sert à rien de t'affoler. Elle est vivante. Ce n'est probablement qu'une attaque qu'elle a eue. Ma tante Hunisett, elle, a eu un choc lorsqu'on lui a dit que son homme s'était noyé et elle en a fait autant. Mais elle est vivante aujourd'hui et va aussi bien que possible. Allons. Allons.

La fille tendit la main et tapota l'épaule de Tilly, et celle-ci la regarda à travers ses larmes et sanglota :

— Ils sont cruels. Ils sont cruels.

— Ouais, c'est exactement ce qu'a dit mon frère Sam; de cruels salauds, tous tant qu'ils sont. C'est lui et moi qui avons vu le feu les premiers et la pauvre vieille bonne femme qui s'affolait dehors. Nous avons fait tout ce que nous avons pu avec les seaux de la citerne, mais c'était comme cracher contre le vent. Puis, la vieille bonne femme, là, elle a eu une attaque et elle est tombée à nos pieds. Ça ne servait à rien de la mettre dans vos dépendances, elles étaient trop près de la maison; elle ne pouvait être en sécurité qu'ici et je suis restée à côté d'elle pendant que Sam courait au Manoir. Et c'est une chance que M. Sopwith soit justement passé au galop en allant à la mine. Il ne pouvait rien faire, parce que toute la baraque brûlait d'un feu d'enfer. Mais il était affolé parce qu'il pensait que tu étais à l'intérieur et il est reparti au galop chez le fermier, d'après ce que m'a raconté Sam; puis, il est revenu ici, à toute allure, avec ses hommes et voilà toute l'histoire. Sauf pour le fermier, ici. (Elle indiquait l'entrée de la cabane.) Il a fallu l'empêcher d'entrer. Et je crois qu'il y serait allé; seulement un gars du village lui a dit que tu étais partie faire des emplettes, et alors, il s'est calmé. Allons, allons, je parle trop. Mais cela m'arrive toujours dans des cas comme celui-ci, des genres d'accidents. Quand mon père est mort dans la mine, il y a plus de deux ans, je ne me suis pas arrêtée de parler pendant une semaine.

Tilly regardait la fille. Elle n'avait pas l'air beaucoup plus âgée qu'elle-même, mais elle parlait comme une femme. Tilly l'interrogea alors, comme si elle pouvait lui donner la réponse :

— Où vais-je la mettre ? Elle ne peut pas rester ici; elle va mourir de froid.

La fille réfléchit un moment, puis répondit :

— Eh bien, nous sommes serrés comme des sardines depuis que nous avons été flanqués à la porte de chez Rosier et du cottage; mais nous avons eu la chance d'entrer dans le coron de M. Sopwith. Ils sont un peu plus propres, ses cottages, mais pas plus grands. Il y a du dallage dans une des pièces et c'est appréciable. Mais nous sommes tout de même neuf. Comme dit ma mère, si tu ne peux pas t'étendre pour dormir, accroche-toi au mur. On vous trouvera bien un coin; comme tu dis, la pauvre vieille ne peut pas rester dans ce froid.

— Tu veux dire... tu veux dire que ça n'ennuierait pas ta mère ?

— Non, ça ne l'ennuirait pas; elle prend la vie comme elle vient. Comme elle dit, il a bien fallu qu'elle nous accepte et nous étions loin d'être un don de Dieu.

Son sourire s'était épanoui et pendant un moment Tilly manqua d'oublier qu'elle vivait une tragédie. Voilà que quelqu'un de gentil, une étrangère, totalement étrangère, lui proposait tout naturellement de les recueillir.

Son attention s'éloigna de la jeune fille car Annie bougea et ouvrit lentement les yeux. Sa main se leva et saisit le bras de Tilly et sa bouche s'ouvrit et se referma mais n'émit aucun son.

— Tout va bien, mémé, tout va bien. Tout ira très bien. Je suis là, je suis là.

A nouveau la bouche d'Annie s'ouvrit et se referma mais aucun son n'en sortit et la fille de l'autre côté en fit la remarque :

— Ouais, elle a eu une attaque et je parie que c'est le côté gauche. (Elle souleva alors le bras gauche d'Annie et comme il retombait inerte sur sa jupe, elle dit à Tilly d'un air entendu :) Ouais, je le pensais bien; c'est généralement le côté gauche.

A ce moment, elle entendit la voix de Simon.

— Elles ne vont pas aller dans cette maison, ni l'une ni l'autre, je vais les emmener chez moi, disait-il à Mark Sopwith qui répondit :

— C'est bien de ta part, j'en suis content. C'était un couple honnête et ils ont bien élevé cette fille.

Lorsque Simon parut à nouveau dans la cabane, Tilly le regarda et ses yeux brillants de larmes exprimaient ce que ressentait son cœur.

— Ôte-toi du passage, une minute, lui dit-il. Il va falloir que vous sortiez toutes les deux pour me permettre de la soulever.

— Mais tu ne peux pas la porter tout du long.

— Je n'en ai pas l'intention. J'ai la charrette de la ferme dehors. J'étais sur la route du moulin quand j'ai rencontré M. Sopwith. La charrette est au bout de l'allée cavalière.

Il se baissa et prit doucement Annie dans ses bras et, courbé sous son poids, il se glissa par la porte de la cabane; puis, tenant son fardeau bien haut sur sa poitrine, il coupa à travers le jardin potager, contourna le cottage embrasé et, ayant franchi la barrière, il atteignit la route où se tenaient à présent un certain nombre de villageois. Au moment où il passa parmi eux, il entendit quelqu'un remarquer :

— Quel incendie, n'est-ce pas ?

Il s'arrêta alors et répondit à la cantonade :

— Oui, et quelqu'un est responsable de cet incendie et, par Dieu ! celui-là ou ceux-là en seront punis.

Certains, l'air honteux, évitèrent son regard tandis que d'autres continuaient à le dévisager; mais personne n'osa lui répondre. Et lorsque Mark Sopwith mena Tilly de l'autre côté de la clôture, ils eurent la bonne grâce de ne pas la regarder. Mais, soudain, elle parut se figer sur place. Puis elle se retourna pour leur faire face et s'écria :

— Vous m'avez donné un surnom, vous prétendez que j'ai le pouvoir de maudire, eh bien, si ma mémé meurt, je vous maudirai tous. Ne l'oubliez pas. Vous ne nous ferez plus de mal, à moi ou aux miens, sans le payer ! Non, par Dieu, c'est fini !

Les yeux cillèrent ici et là, une tête s'inclina, comme de peur, une ou deux personnes regardèrent ailleurs; puis, les balayant tous d'un regard chargé de mépris, elle se pressa, cette fois sans l'aide de Mark Sopwith et lui, se tournant vers les villageois, leur dit sévèrement :

— Elle a raison, quelqu'un paiera pour ceci.

A cet instant, un homme osa exprimer son point de vue :

— Le feu a tendance à prendre dans les toits de chaume, Monsieur.

Mais Mark Sopwith se retourna et lui répondit :

— Cet incendie a été allumé délibérément. Il y avait un feu d'enfer qui brûlait au milieu de cette pièce quand je l'ai vu au début. Ce feu a été préparé, et le bois éparpillé autour du bûcher en est la preuve. Maintenant, vous pouvez retourner au village et leur répéter mes paroles, quelqu'un paiera pour ceci, non seulement parce que c'est ma propriété, mais parce que l'on a fait du mal à deux personnes dont le seul crime est de se garder pour elles-mêmes. Maintenant, hors d'ici, tous, vous en avez assez vu... j'espère.

Sans un mot de plus, ils obtempérèrent et certains se hâtèrent le long de l'allée cavalière, mais lorsqu'ils se trouvèrent en présence de la charrette portant la figure inerte étendue de tout son long et de la jeune fille agenouillée à ses côtés, ils ralentirent le pas. M. Sopwith, c'était une chose, mais Simon Bentwood, c'en était une autre, car n'avait-il pas fait savoir que quiconque lèverait le petit doigt sur les deux là-bas, au cottage, aurait affaire à lui; et ils devinaient quelle serait sa réaction; ce serait le fouet, et il avait un bras musclé. Ils grimpèrent donc en haut des talus et s'en retournèrent au village, par des routes diverses.

Simon les mena tout droit à travers le village, en empruntant la rue principale où fourmillait autant de monde qu'un jour de foire, mais personne ne l'interpella : personne ne fit le moindre commentaire, mais tous leurs yeux remarquèrent la fille derrière lui, soutenant la tête de la vieille femme qui gisait comme morte...

— Qu'est-ce, au nom de...

Simon coupa net la voix de Mary Bentwood.

— Sors de là ! Ôte-toi du passage !

— Qu'est-ce que tu as dit ?

Il franchit en biais la porte de la cuisine avec Annie dans ses bras et n'était pas loin de hurler à présent :

— Tu as entendu. J'ai dit, ôte-toi du passage.

— Qu'est-ce que tu as l'intention de faire ?

Sa voix n'était plus à présent qu'un chuchotement rauque. Elle le suivit dans la longue cuisine carrelée, jusqu'à la porte à l'autre extrémité. Mais il ne dit rien. Il tourna simplement son dos contre la porte et d'un coup de rein l'ouvrit, traversa le hall en trébuchant et alla jusqu'à la salle, où il posa Annie sur le divan. Puis il se redressa, se tourna vers sa femme en furie et lui dit, d'une voix légèrement plus calme :

— Ils ont mis le feu chez elles.

— Ils ont mis le feu ?

— Oui, c'est ce que j'ai dit, jusqu'au sol. C'est un miracle qu'ils l'aient épargnée, ajouta-t-il en baissant les yeux sur la forme inerte d'Annie.

— Et l'autre ?

D'un coup de tête, Mary Bentwood indiqua la porte et Simon, insistant sur le prénom, reprit :

— Tilly ? Tilly était partie faire des emplettes à Jarrow et elle est rentrée pour trouver une maison en flammes.

— Eh bien, j'espère que sa conscience la tourmente.

— Oh ! femme ! Il faut appeler un docteur.

— Ecoute, mettons les choses au point, Simon Bentwood. Qu'est-ce que tu as l'intention de faire de ces deux-là ?

— Qu'est-ce que tu crois ? Elle vont rester ici pour le moment.

— Oh non ! Certainement pas. Une femme malade comme ça et elle, cette fille !

— Mary. Je te l'ai déjà dit, elles sont mes amies depuis toujours. En attendant de leur trouver un endroit où s'abriter, elles vont rester ici.

Mary Bentwood pressait ses deux mains contre la porte et, sa grosse poitrine haletant, elle dit :

— Je ne veux pas de cette fille dans ma maison.

— Eh bien, c'est là où nous différons. Je veux d'elle dans *la mienne*, Mary. Et si je ne me trompe, cela fait des semaines que tu te plains de n'être pas assez aidée dans la maison, alors elle pourra t'assister de cette manière.

— Je... je m'en irai, je rentrerai chez moi.

— Ah bon ! eh bien, c'est comme tu veux. Maintenant ôte-toi de mon passage.

Il la prit par l'épaule et la poussa sur le côté, manquant de lui faire perdre l'équilibre, et la laissa dans l'embrasure de la porte tandis qu'elle le foudroyait du regard alors qu'il traversait vivement le hall; son visage était rouge, ses yeux hagards de colère, confinant à la fureur.

Dans la cuisine, Tilly était restée près du dressoir. Son visage était exsangue, ses yeux démesurément ouverts.

— Je peux aller la retrouver ?

— Dans une minute, Tilly. Je vais envoyer Randy chercher le docteur. Enlève ton manteau et assieds-toi près du feu. Donne-lui quelque chose à boire, Peggy.

La femme à l'autre bout de la cuisine, occupée à éplucher des pommes de terre, tourna la tête avec nonchalance et dit :

— Ouais, mon maître, ouais.

Comme Tilly, d'un pas hésitant, se dirigeait du côté de l'âtre, il la prit par le bras, et lui dit tout bas :

— Ça va s'arranger, tu vas voir. Je... vais tout t'expliquer dans une minute.

Pui, il la quitta. Elle était debout, près du feu, les yeux baissés sur la grosse marmite noire mijotant dans la cheminée, lorsque la porte du fond s'ouvrit et Mary Bentwood entra lentement dans la pièce. Elle passa devant Tilly, comme si celle-ci n'existait pas, et s'adressa à sa servante :

— Laisse ça et occupe-toi de la baratte dans la laiterie.

— Mais, je viens d'y aller, m'dame, protesta Peggy Fullbright.

— Eh bien, retournes-y.

— Ouais, m'dame.

Dès que la femme eut quitté la cuisine, Mary Bentwood s'avança vers la cheminée et, se plantant devant Tilly qui l'attendait, elle lui assena, d'entre ses dents puissantes et serrées :

— Tu ne vas pas rester dans ma maison, ma fille ! Comprends-tu ! Ta mémé peut rester en attendant d'être transportable, mais toi, tu vas trouver un autre gîte où aller dormir.

— Ouais, c'est ça, et ce sera là-haut, pour le moment.

Toutes les deux se retournèrent vivement, pour regarder vers la porte où se tenait Simon. Il s'approcha de la table et, fixant sa femme, lui dit d'une voix dure et profonde :

— N'en parlons plus. Elle reste; elles restent toutes les deux jusqu'à ce que je puisse les installer dans un endroit à elles. Je te concéderai au moins ceci. Je vais m'en occuper immédiatement.

Il n'avait pas regardé Tilly, mais il se tourna à présent vers elle.

— Va voir ta mémé, elle est dans la salle.

Le regard de Tilly alla de l'un à l'autre, puis elle tourna les talons et, tête baissée, quitta hâtivement la cuisine. Mais la porte s'était à peine refermée sur elle, que Mary Bentwood s'écria :

— Au nom de dieu ! Je te ferai payer cette journée. Tu verras. Oh ! tu verras si je ne te la fais pas payer !

Ses dernières paroles étaient lentes et chargées de menace et il répondit avec un long soupir :

— Tout dans la vie se paie et je n'ai encore jamais été endetté, alors il n'y a aucun doute, ma chère, que tu me le fasses payer et avec intérêt.

Il se détourna et quitta lui aussi la cuisine, se dirigeant vers la salle.

DEUXIÈME PARTIE

LA VIE NOUVELLE

CHAPITRE I

Quatre jours plus tard, Annie succomba. Elle mourut sans avoir rien dit, si ce n'est le chagrin et la tendresse exprimés par ses yeux, chaque fois qu'elle regardait Tilly; on l'enterra trois jours après. Cela avait été rapide, comme disaient les hommes au cimetière, mais plus vite s'en allait la vieille, plus vite partirait la jeune, et les choses reprendraient leur cours normal.

En plus du révérend Portman, le nouveau pasteur, George Knight le fossoyeur, le fermier et cette Tilly Trotter, il y avait une personne dont la présence les étonnait, autant que celle de Tilly — en ce qui concerne cette dernière, tout le monde savait qu'il n'était simplement pas convenable pour une femme d'assister à un enterrement, spécialement celui d'un parent. Mais l'apparition de Mark Sopwith dans le cimetière au moment où, avec l'aide de Tom Pearson et du planteur de haies, ils déchargeaient le cercueil de la charrette, en fit sourciller plus d'un. Il était venu à cheval jusqu'à la clôture, avait mis pied à terre, puis avait rejoint le petit cortège se dirigeant vers la tombe.

Lorsqu'elle entendit la première motte tomber sur le cercueil Tilly ferma les yeux très fort, et son cerveau se mit à bredouiller :

— Oh ! mémé ! mémé ! Qu'est-ce que je vais faire sans toi ? Oh ! mémé !

Elle ne se rendit pas bien compte que quelqu'un l'éloignait de la tombe. Puis elle se retrouva à nouveau près de la charrette de la ferme et, à travers ses yeux ruisselants de larmes, elle vit Simon et M. Sopwith parlant ensemble, un peu à l'écart.

Finalement, M. Sopwith alla reprendre son cheval et Simon revint vers elle. Au moment où il lui dit : « Allez, viens, lève-toi, » ses larmes cessèrent de couler. Elle sortit son mouchoir et essuya lentement son visage; puis, le regardant, elle parla comme quelqu'un qui aurait soudain pris des années et se serait métamorphosé en adulte.

— Je... je ne pourrai jamais te remercier, Simon, pour tout ce que tu as fait pour ma mémé et moi. Et aussi mon pépé. Mais c'est

135

fini à présent. A partir de maintenant, il va falloir que je me débrouille toute seule.

— Qu'est-ce que tu racontes ? Allez, viens ! Il fait froid ici. Lève-toi.

— Non, Simon, non. Je ne vais pas retourner chez toi.

— Quoi !... Ne sois pas idiote; où penses-tu aller ?

— Je vais... je vais au cottage. J'y suis allée, hier. Le bûcher et l'étable sont très utilisables, ils sont secs.

— Ne sois pas folle ! Tu ne peux pas vivre là-bas.

— Je peux y vivre un peu, en tout cas; et puis... je me placerai ou quelque chose comme ça.

— Bon, mais en attendant d'être placée, tu vas revenir...

— Non, Simon.

Il la dévisagea, stupéfait de l'autorité qu'exprimait sa voix. Elle n'avait plus l'aspect ni la voix de la jeune Tilly. Il savait qu'aucune parole, aucun regard désapprobateur, pas la moindre insinuation ne lui avaient échappé au cours de ces dernières journées. Depuis le début, elle avait été conscience des sentiments de Mary à son égard, et ils avaient dû l'atteindre profondément pour qu'elle refuse à présent l'abri de sa maison; et par un temps pareil surtout, car le printemps avait apparemment oublié d'apparaître. Instinctivement, il remonta le col de son manteau très haut autour de son cou; puis demanda faiblement :

— Mais où dormiras-tu ?

— Il y a tout ce qu'il faut comme paille sèche, et ils ont laissé suffisamment de bois pour que je fasse un nouveau feu. Il y a un poêle dans le coin du bûcher; je m'en sortirai, ne t'inquiète pas. Et, de toute façon, cela ne durera pas longtemps.

Simon baissa la tête. Toute sa droiture instinctive lui dictait de la fourrer dans la charrette et de la ramener chez lui; cependant, il savait que, si elle revenait, il y aurait des bagarres constantes. Mary avait conçu une haine profonde à son égard; elle avait le pouvoir de regarder au-delà des yeux, cette Mary, elle devinait les sentiments cachés, comme un terrier sent un rat... Mais, que cette fille retourne là-bas, dans les ruines calcinées de ce cottage et habite dans le bûcher... Eh bien, en y réfléchissant, elle y serait en sécurité, au moins pendant un temps, car si certains de ces maniaques du village s'y remettaient, Dieu sait ce qui pourrait lui arriver. Il y avait une chose qu'il lui faudrait découvrir, c'était qui avait allumé l'incendie... qui l'avait volontairement allumé. Apparemment, ce n'était pas Hal McGrath car il avait prouvé qu'il n'était pas au village ce jour-là. Il s'était lavé immédiatement après son poste, c'est ce qu'il avait dit, et était allé à la fonderie de Cookson, à Shields, pour acheter des pièces en fer pour son père, et Billy Fogget avait juré qu'il l'avait transporté dans sa charrette tôt le matin. Sa visite chez Cookson avait également été attestée par le contremaître qui l'avait servi.

Eh bien, celui qui avait perpétré l'action entraînant la fin d'Annie lâcherait le morceau, un jour ou l'autre, il n'en avait aucun doute, et jusque-là, il attendrait. Dans un sens, il était content que ce ne soit pas McGrath, car cela lui éviterait de faire couler du sang.

— Salut ! Simon. Ne t'inquiète pas pour moi, je me débrouillerai.

— Attends ! (Il la retint d'une main par son manteau, tout en fourrant l'autre dans la poche de son pantalon; puis, pressant quelque chose dans la paume de sa main, il ajouta :) Ceci te dépannera.

Elle regarda les deux souverains et était sur le point de les refuser, lorsqu'une pensée la traversa : Eh bien, c'est l'argent de mon grand-père. Mais tout en pensant ainsi, elle demanda :

— Combien d'argent reste-t-il... à mon pépé, je veux dire ?

Elle le vit rougir et passer la langue sur ses lèvres, avant de dire :

— Oh ! un peu.

— Il n'y en a plus, n'est-ce pas ?

Il soupira et répondit :

— Non, mais s'abstint d'ajouter : Il devrait y en avoir.

— Depuis quand n'y en a-t-il plus ?

— Oh ! je ne me souviens pas. Pas longtemps.

Elle ouvrit deux fois la bouche avant de poursuivre :

— Eh bien, je te remercie pour eux; et pour moi aussi. Mais maintenant, je ne peux pas prendre ceci.

Elle lui tendait les deux souverains. Mais il repoussa fortement sa main.

— Ne sois pas folle, Tilly. De quoi vas-tu vivre ?

Elle baissa les yeux sur ses bottes qui dépassaient de dessous sa jupe; puis, ses doigts se refermant sur les pièces, elle dit :

— Merci, Simon.

Et après l'avoir regardé une dernière fois, elle le quitta lentement. Mais elle n'avait pas fait deux pas qu'elle l'entendit dire :

— Je passerai voir comment tu vas. Je t'apporterai une ou deux couvertures.

— Non, Simon.

De nouveau, elle lui faisait face et, tout en le dévisageant à distance, elle secoua la tête.

— Je t'en prie, je t'en prie, ne t'approche pas de moi.

— Ne sois pas idiote, enfin !

— Je ne suis pas idiote. Ils vont observer, parler et attendre.

— Qui, ils ?

C'était une question stupide et il savait qu'elle le pensait également quand, pour toute réponse, elle fit un lent mouvement de la tête avant de tourner les talons et de s'éloigner.

CHAPITRE II

Cela faisait deux jours qu'elle vivait dans le bûcher. Elle commença par le débarrasser, balayer l'étroite cheminée et allumer le feu; elle rapporta de l'étable de quoi se faire une paillasse sèche et ratissa les cendres du cottage pour y retrouver la poêle à frire, la marmite pour la soupe au chou et quelques autres ustensiles de cuisine. A un endroit son pied avait déplacé du bois détrempé, révélant des braises encore rougeoyantes. Pendant toute la durée de ce travail, le moindre son inhabituel lui faisait lever la tête. Elle avait encore peur, mais c'était une peur mêlée de colère.

La première nuit, étendue dans la paille sur le sol en pierre, elle était restée éveillée et s'était imaginée invectivant les villageois tremblants derrière leurs rideaux. Plus tard, ses rêves avaient prolongé ses altercations; elle était dans une autre partie du village, face à la maison McGrath, et elle hurlait : « Tu as assassiné ma mémé et, en quelque sorte, tu as tué le pasteur et Mme Ross car ils ne connaîtront plus jamais un véritable bonheur. Et tu as essayé de me déshonorer. Mais tu n'y arriveras pas ! Tu n'y arriveras pas ! Hal McGrath, ni personne d'autre. Gare à celui qui essaie de s'approcher à nouveau de moi, il verra ce qui lui arrivera ! »

Le reste de son rêve l'avait aidée à tenir la tête haute lorsque, tôt ce matin-là, elle avait parcouru le long chemin pour se rendre à Jarrow mais au retour, cette fois-ci, ses bras n'étaient pas douloureux car ses emplettes avaient été maigres. Elle avait décidé que si elle réussissait à tenir jusqu'à la foire, elle irait à l'embauche à Newcastle pour trouver une place dans une maison, n'importe laquelle, fût-elle très humble; une seule chose comptait à présent, elle voulait à tout prix s'éloigner de cette région.

En arrivant aux ruines du cottage, elle s'arrêta à l'intérieur de la barrière détruite, sentant une présence. Le mur extérieur, encore debout, lui bloquait la vue de la cour, mais elle savait que quelqu'un était là; elle s'était mise à reculer à nouveau vers la route, lorsque du côté du mur calciné, elle vit le jeune Steve McGrath, et elle respira profondément avant de s'avancer vers lui.

— Bonjour, Tilly. Je t'ai apporté deux couvertures, et il y a du bacon et des petits restes emballés dedans.

— Oh ! C'est gentil à toi, Steve. Mais... mais où as-tu pris les couvertures et le reste ?

— Ils ne viennent pas de moi; le fermier Bentwood m'a demandé de passer les prendre en douce et, hier soir, il les a discrètement glissés sur la route et je les ai cachés dans un fourré près du ruisseau, car je ne voulais pas venir ici dans le noir et t'effrayer. Elles sont un peu humides, les couvertures. C'est normal, après être restées comme ça dans un fourré, tu ne trouves pas ?

— Merci, Steve.

— Comment ça va ?

— Oh ! pas mal, Steve.

— Je les ai mises dans l'étable, je ne pouvais pas entrer dans le bûcher.

— Non, je l'ai fermé à clé.

— Tu as raison, tu as bien raison de le faire.

Il lui tourna le dos et regarda par le trou béant qui, auparavant, avait été la fenêtre de la souillarde.

— Méchant... mauvais. Il est mauvais, pourri. Il est né pourri, il mourra pourri, puant. Ouais, puant.

— Qui ?

Même si elle savait de qui il parlait, elle ne savait toujours pas pourquoi il rattachait son frère à l'incendie, mais quand il ajouta : « Hal, mon frangin », elle fit un pas vers lui et protesta :

— Mais... mais il était parti, il était à Shields quand c'est arrivé.

— Ouais, mais il l'avait prévu, il avait tout préparé.

— Ah non ! Non !

— Ouais, ouais, Tilly. Et je trouve que tu dois le savoir, rien que pour éveiller ta prudence, mais garde ça pour toi. Je te le dis pour le cas où tu serais tentée de relâcher ta méfiance à son égard, parce qu'il peut avoir la langue douce quand il veut, ouais, comme le diable. Et, comme le diable, il a bien entraîné les deux autres, Mick et George. Ils t'ont vue quitter la maison ce matin-là, puis ils sont entrés et ils ont fait sortir ta mémé. Ensuite, ils ont tout mis à sac pour chercher l'argent, et ont attaqué les poutres à la hache. Il leur avait mâché le travail. Ils ont même arraché les briques de l'âtre, pensant qu'il pourrait y en avoir une de descellée, mais ils n'ont rien trouvé. Mais ils se sont arrangés pour ne pas partir les mains vides, ils ont emporté des petites choses, comme les pièces d'étain de ta mémé et la boîte à thé, et les grosses pincettes en cuivre, et d'autres objets.

Elle s'appuyait contre le mur à présent, le cabas à ses pieds, une main fortement pressée sur sa bouche, et il poursuivit :

— Il a l'intention de te posséder, Tilly. C'est... c'est pourquoi je te le dis, simplement... simplement pour te prévenir. Je crois... la meilleure solution pour toi serait de décamper, ficher le camp quelque part parce que... parce que s'il te forçait à l'épouser, ta vie serait...

— L'épouser ! (Elle s'était éloignée du mur et le foudroyait littéralement du regard. Elle cria :) Épouser Hal ! Oh ! Steve ! Tu sais ce que je ferais avant ? Je me trancherais la gorge. Oui, je le ferais, je te le jure, je me trancherais la gorge avant que Hal pose encore un doigt sur moi. Et... et s'il s'approche de moi et que j'ai les mains libres, et par Dieu ! je veillerai à ce qu'elles le soient, cette fois-ci, je laisserai ma marque sur lui. Je le ferai ! Steve, je le ferai ! J'en ai supporté assez. C'est... c'est un assassin. Il a tué ma mémé et c'est à cause de lui qu'est mort Burk Laudimer. Comme tu dis, c'est un démon.

— Je t'ai seulement dit ça pour te prévenir. Tu ne le diras pas au fermier Bentwood ? Parce que je crois que Hal aurait des ennuis, de gros ennuis s'il savait.

Sans mot dire, elle lui tourna le dos et disparut derrière le mur; elle sortit une grande clé de la poche de sa jupe, ouvrit la porte du bûcher et il la suivit à l'intérieur. Contemplant l'espace chaleureux, tout autour de lui, il dit d'une voix remplie d'admiration :

— Hé ! Hé ! tu es confortable, Tilly. Ça ne m'ennuierait pas d'habiter là moi-même.

Quand elle le regarda, son demi-sourire s'évanouit et, gêné, il bégaya :

— Je... je voulais seulement dire...

— Oui, oui, je sais. (Elle posa la main sur son épaule.) Tu es un bon ami, Steve. Je n'en ai pas beaucoup et je te suis reconnaissante de tout ce que tu as fait pour moi et de tout ce que tu voudrais faire, mais... mais je ne vais pas vivre dans ce trou toute ma vie. Comme tu le disais, il vaudrait mieux que je m'en aille; j'ai déjà décidé de faire exactement ça, trouver une place. Tu vois, j'ai bien dépassé mes seize ans et je n'ai pas de métier. Je me rends compte que j'ai eu la vie trop facile.

— Non, pas toi, pas toi, Tilly. Tu as fait le travail d'un homme ici, et tu t'es occupée du vieux ménage pendant des années.

— C'était un travail heureux. Ouais, un travail heureux. Ça ne reviendra jamais.

— Je voudrais être plus âgé.

— Quoi ?

Il regarda du côté du poêle, dans le coin de la cabane. Le feu donnait une agréable chaleur. Steve se mit à croupetons et étendit les mains vers la porte en fer retenant les braises et répéta :

— Je voudrais être plus âgé.

— Tu seras bientôt adulte.

— C'est maintenant que je voudrais prendre de l'âge. Si... si j'étais plus vieux, je m'occuperais de toi.

— Oh ! Steve !

Elle tendit à nouveau la main vers lui et fut sur le point de la poser sur sa casquette, mais elle hésita et la retira. Elle n'avait nul besoin d'explications pour comprendre ce qu'il voulait dire par s'occuper d'elle, et à cet instant-là, elle souhaita qu'il fût plus âgé, aussi âgé que son frère Hal, aussi grand, aussi fort, et même plus fort, capable de lui répondre et de lui faire peur. Mais, pensait-elle, il n'y avait rien ni personne sur cette bon dieu de terre capable de faire peur à Hal McGrath; seule, la distance lui accorderait la paix et la débarrasserait des complications dont la vie l'accablait et qui impliquaient Simon et sa femme, et Steve, ici. Oui, Steve, car elle se rendait compte que ses sentiments pour elle pouvaient le mettre en danger; il avait déjà le bras plus ou moins estropié, car il ne parviendrait plus jamais à le redresser. Alors, sa voix se durcit et elle lui dit :

— Si tu vois le fermier Bentwood, remercie-le pour les couvertures et... et la nourriture.

— Ouais, ouais, je lui dirai.

Il avait quitté la cabane et fait quelques pas le long du mur; puis il se retourna et, par-dessus son épaule, il l'avertit :

— Garde les yeux ouverts et ta porte verrouillée.

Elle ne répondit rien. Elle demeura immobile, le suivant du regard. Et maintenant, le crépuscule était venu et elle avait une autre longue nuit devant elle. Il y avait suffisamment de petit bois pour passer la nuit. Elle s'était forcée à manger du porc qu'elle avait grillé devant le feu, et deux pommes de terre cuites dans le poêle; mais elle n'avait eu aucun mal à boire deux bocks de thé noir — elle avait envie de continuer à boire.

Elle venait de se décider à verrouiller sa porte, lorsqu'elle entendit le son étouffé des sabots d'un cheval s'approchant le long de l'allée cavalière. En un clin d'œil, elle se rendit à l'ancien emplacement de la porte arrière du cottage. Ceci lui donnait une bonne vue à travers l'ancienne salle et la trouée qui avait constitué la porte de devant Plissant les paupières, elle reconnut M. Sopwith.

Pendant qu'il descendait de cheval, elle avança lentement jusqu'au bout du mur, mais ne s'approcha pas davantage.

Pendant un moment, il ralentit le pas et la regarda avec bonté, avant de la saluer :

— Comment vas-tu, Tilly ?

— Bien, Monsieur.

— Il paraît que tu habites ici ?

— Oui, si cela ne vous ennuie pas, Monsieur, seulement pour quelque temps.

— Mais si, cela m'ennuie.

Il passa devant elle et se dirigea vers la porte ouverte du bûcher; ayant jeté un coup d'œil à l'intérieur, il eut la surprise de remarquer son aspect à la fois chaleureux et bien rangé, et, supposa-t-il, bien plus propre que certains de ses cottages, bien qu'il n'en eût visité aucun depuis pas mal d'années. Il se tourna vers elle.

— Tu ne peux pas rester ici... Je veux dire, pour ton propre bien. Cela te plairait-il de te placer ?

— Me placer, Monsieur ? Je... J'aimerais beaucoup ça, Monsieur.

— Ah oui ! bien, c'est le premier point, tu veux bien. Mais ayant été élevée seule, tu n'es pas habituée aux enfants, n'est-ce pas ?

— Non, Monsieur.

— As-tu le désir d'apprendre ?

— Oui, Monsieur. Oh oui ! Monsieur.

— Eh bien, je crois que la bonne qui s'occupe de mes enfants est partie précipitamment, en larmes, si j'ai bien compris. (Il souriait à présent.) Tu vois, mes quatre petits sont un peu sauvages. Je vais en expédier deux en pension très prochainement, mais en attendant, ils ont tous besoin que l'on s'occupe d'eux. Veux-tu t'en charger ?

A nouveau, il lui souriait.

Quatre enfants ! Comme il le disait, et à juste titre, elle n'avait aucune habitude de ce genre de travail. Elle ne se souvenait pas avoir jamais joué avec des enfants, car ceux du village venaient

143

rarement si loin; parfois, les jours de fête, elle les voyait s'égayer le long du ruisseau, mais sa timidité l'avait toujours retenue de se joindre à eux. Plus d'une fois, elle était restée cachée derrière les buissons, et avait observé leurs jeux, surtout les enfants de mineurs car eux aussi travaillaient au fond de la mine. Ils venaient donc généralement en groupes, les dimanches d'été, ils nageaient comme des poissons dans l'eau et criaient et luttaient entre eux. Ils aimaient toujours s'amuser dans l'eau, les enfants de mineurs.

— T'ai-je dissuadée ?

— Je vous demande pardon ?

— T'ai-je découragée d'accepter le poste ?

— Oh non ! Monsieur ! Non, Monsieur. Je le prends et avec joie et... et je ferai de mon mieux.

— Eh bien, tu ne peux pas en faire plus. Mais je dois te prévenir, tu auras peut-être du mal.

— J'ai l'habitude d'avoir du mal, Monsieur.

Son visage était sérieux, sa voix grave, et il la dévisagea pendant un temps en pensant, oui, oui, effectivement, tu es habituée aux temps difficiles; et, vraisemblablement, avec son air, elle en aurait encore pas mal devant elle. Il y avait quelque chose en elle — peut-être étaient-ce les yeux, ils semblaient vous attirer. Ce quelque chose avait probablement effrayé les villageois, mais exerçait néanmoins une attirance sur les hommes, comme sur cet individu, McGrath, en particulier.

Il y avait eu des McGrath dans le village depuis qu'il y avait des Sopwith au Manoir, et étrangement, l'histoire notait que chaque génération de McGrath produisait son espèce particulière de dévoyé : bandits de grand chemin, voleurs de moutons, ravisseurs d'épouses.

Ravisseurs d'épouses. Ce mot mit un terme à sa rêverie, lui rappelant, si besoin en était, qu'il y avait un dîner ce soir, avec les Myton. Agnès prenait un malin plaisir à cocufier le vieux bonhomme, et il pensait que Lord Billy ne devait pas en être inconscient, ce qui lui faisait penser que peut-être il n'était pas ignorant de son propre rôle dans sa dernière escapade. Il reconnaissait qu'il n'était qu'un maillon dans une longue chaîne de prétendants illicites, et il regrettait de s'être laissé entraîner dans cette liaison, mais Agnès avait une certaine attirance en elle. Comme cette fille ici, seulement une attirance différente. Et cependant, pas tellement, car cette fille mince, avec son comportement encore enfantin, avait certainement éveillé un tumulte chez ce McGrath.

144

— Peux-tu venir à la maison ce soir ? Tu n'as pas envie de coucher ici plus longtemps qu'il n'est nécessaire... n'est-ce pas ?

— Non, Monsieur. Je veux dire oui, oui, je veux bien venir ce soir.

— As-tu des affaires personnelles ?

— Rien que ce que j'ai sur le dos, Monsieur, et quelques casseroles là-bas derrière, dit-elle en indiquant le bûcher.

— Eh bien, tu n'auras pas besoin des... casseroles. Sois là dans une heure. Demande Mme Lucas, c'est la gouvernante, je lui annoncerai ta venue... D'accord ?

— Très bien, Monsieur. Et merci.

— Tu devrais réserver tes remerciements, mes enfants sont une équipe de démons, ils t'en feront probablement baver. Mais, je t'autorise à avoir la main ferme. Fais tout ce que tu penseras nécessaire pour dompter leur entrain.

— Oui, Monsieur.

En le regardant partir, son esprit était pris dans un tourbillon; d'une part, elle remerciait Dieu car elle avait une place, mais d'autre part, différentes choses l'effrayaient : elle allait entrer dans une maison où il y avait du service. Ces gens seraient-ils comme les villageois ? Et puis, il y avait les enfants. Des terreurs, avait-il dit. Comment s'en sortirait-elle ? Soudain, elle se sourit à elle-même, un petit sourire timide, en pensant : « Eh bien, je n'ai qu'à les traiter comme me traitait mémé : une fessée quand je n'étais pas sage, et un berlingot quand je l'étais. »

La nuit était déjà bien installée lorsqu'elle atteignit les grilles du Manoir. Elle les franchit craintivement, passa devant la loge d'où personne ne l'interpella, puis remonta l'allée presque à tâtons, sur huit cents mètres, jusqu'à l'endroit où elle s'agrandissait pour faire face, au-delà d'une pelouse, à une grande maison; quelques fenêtres étaient éclairées, les autres ressemblaient à de grands yeux noirs.

Elle contourna la pelouse, longea le côté de la maison et découvrit une cour éclairée par une lanterne suspendue à une potence. Elle continua son chemin et arriva de l'autre côté de la cour, d'où venait un son de voix étouffées. Il y avait quatre portes dans ce mur, mais elle ne s'arrêta qu'à la dernière, partiellement ouverte. Les voix se faisaient plus claires, à présent, mêlées de rires. Elle se pencha en avant, frappa et attendit une minute entière

145

avant de frapper à nouveau, plus fort. Le bavardage cessa brusquement, et bientôt, la porte s'ouvrit devant une fille d'environ son âge qui la scrutait, puis dit :

— Oh ! c'est toi, du cottage, n'est-ce pas ?

— Ouais, oui.

— Bon, eh bien, il vaut mieux que tu entres.

La fille au visage sérieux fit un pas de côté pour permettre à Tilly de passer devant elle, puis elle ferma la porte. Elles étaient, à présent, dans une petite pièce qui, elle le voyait, devait plus ou moins servir de vestiaire car, accrochés à des patères, il y avait des manteaux et des châles, et le long d'un des murs, une rangée de chaussures allant des grosses bottes cloutées aux pantoufles. La pièce était également éclairée par une lanterne suspendue à une potence et Tilly manqua de s'y cogner la tête en suivant la fille vers la cuisine.

Un peu avant l'embrasure de la porte de la longue pièce dallée, elle s'arrêta et considéra la scène s'offrant à elle. Assises autour d'une table devant une grande cheminée ouverte, se trouvaient un certain nombre de personnes, trois hommes et quatre femmes; et ils avaient tous la tête tournée vers elle. Personne ne parlait. Puis, la fille qui lui avait montré le chemin annonça :

— Elle est là.

— J'ai mes yeux pour voir, non ?

Ceci venait d'une femme petite mais d'un embonpoint excessif, assise au bout de la table. Elle se tourna et regarda l'homme assis à l'autre extrémité de la table.

— Tu ferais mieux d'aller prévenir Mme Lucas, tu ne crois pas ?

— Ça peut attendre. De toute façon, elle ne me remerciera pas si j'interromps leur repas.

— Assieds-toi, ma fille.

L'un des deux hommes, du bout de la table, lui parlait à présent, ce qui lui attira un regard ombrageux de la part de la cuisinière et du laquais, et, comme pour répondre à un reproche inexprimé, il se pencha en avant et fit aller son regard d'un bout à l'autre de la table, en disant :

— Eh bien, c'est le Maître qui l'a choisie, et ça ferait du bien à certains d'entre nous de ne pas l'oublier.

Cette réflexion parut affecter toute la table car tous ceux qui étaient assis autour remuèrent d'un air gêné sur les bancs; puis, Jane Brackett, la cuisinière, prenant le contrôle de la situation avant que Robert Simes ne lui ravît la place comme chef de file, leva son bras court et épais et, indiquant un tabouret près du feu, dit :

— Assieds-toi; on va s'occuper de toi dans une minute.

Tilly s'assit. Son cœur tambourinait dans sa poitrine, sa bouche était desséchée, elle sentait ses yeux tirés comme quand elle était inquiète ou troublée. Pendant un moment, elle eut l'impression de comparaître de nouveau au tribunal, tellement elle se sentait entourée d'une profonde hostilité. Puis un rai de lumière apparut, une jeune femme se leva et se dirigea vers une étagère, saisit promptement un bock et retourna vers la table. Elle emplit le bock avec la grosse théière posée sur son piédestal, entre le laquais et la cuisinière. Celle-ci, déconcertée par ce geste effronté, en perdit la parole pendant quelques instants; puis elle demanda :

— Et que penses-tu que tu es en train de faire, Phyllis Coates ?

— Vous voyez bien ce que je fais, n'est-ce pas, madame Brackett ? (La réponse avait un ton désinvolte et s'accompagnait d'un sourire.) Je sers une tasse de thé. (Elle donnait à présent un coup de coude à la cuisinière.) Vivez et laissez vivre. Nous allons voir comment les choses se passent. De toute façon...

Elle se pencha tout près de l'oreille de la cuisinière et chuchota quelque chose qui suscita la réplique de Jane Brackett :

— Je n'ai pas peur des charmes ou de toute autre sacrée idiotie de ce genre.

Néanmoins, sa voix assourdie manquait de conviction.

Phyllis Coates tenait le rang de première femme de chambre au Manoir. Elle avait trente ans et avait débuté vingt ans auparavant, comme fille de cuisine. Mince et de taille moyenne, elle avait un visage agréable et une nature heureuse. Elle considérait son poste comme une faveur du sort, d'autant plus que, dans un an ou deux, elle allait épouser Fred Leyburn, le cocher. Elle s'était alignée sur Fred. Il avait eu de la bonté pour la fille, en lui disant de s'asseoir, et elle en ferait autant; elle n'avait rien à y perdre.

Se penchant alors vers Tilly, elle lui proposa :

— Voudrais-tu manger un morceau ?

— Non; non, merci.

— Allons, dis, tu dois avoir faim.

Elle retourna à sa place et, au milieu du silence, prit sur sa propre assiette une grande tranche de pain frais et, y ayant posé la moitié du jambon qui lui restait, elle le porta à Tilly.

— Là. Avale ça. (Puis, elle lui sourit en ajoutant :) Les gens n'ont jamais l'air si méchant quand on a le ventre plein.

Si Tilly avait pu sourire elle l'aurait fait à cet instant, mais une faiblesse gagna ses yeux et il lui prit une envie de pleurer; et il s'en fallut de peu qu'elle y succombe, lorsque la main de la fille lui tapota délicatement l'épaule.

Phyllis regagna sa place dans le silence général; puis, ils parurent tous se mettre à parler en même temps. Au bout d'un moment, la voix haute et stridente de la cuisinière émergea :

— Finis de dîner, Ada Tennant, sinon ton derrière va rester collé sur ce banc.

C'était la fille qui lui avait ouvert la porte; Tilly la vit avaler d'un trait le contenu de son bock, puis se lever rapidement et se diriger tout au bout de la cuisine, vers l'évier qui disparaissait sous de grandes piles de vaisselle.

— Et toi, Maggie Short, va vite voir si Mme Lucas et cette bande, là-bas, ont terminé.

— Oui, m'dame.

La fille se leva précipitamment de la table et, s'essuyant la bouche du revers de la main, traversa la cuisine jusqu'à la porte du fond, poursuivie par la voix de la cuisinière :

— Redresse ton bonnet et tire sur ton tablier, sinon tu vas en entendre parler si elle te voit comme ça. Et... et dis-lui que... comment as-tu dit que tu t'appelles ?

— Tilly, Tilly Trotter.

On entendit distinctement un ricanement venant de la table, mais la cuisinière ne protesta pas; en revanche, elle poursuivit, les yeux rivés sur la fille de cuisine :

— Dis-lui qu'elle est arrivée, la fille Trotter.

— Inutile de faire une chose pareille. (Robert Simes, le laquais, s'était levé.) Je vais m'occuper de cette affaire. Viens, toi.

Sa tête esquissa un geste sec. C'était un geste avec lequel on aurait pu faire lever un chien étendu devant la cheminée, et Tilly se leva du tabouret et le suivit.

Au moment de franchir la porte matelassée à l'autre bout de la cuisine, il ne l'attendit pas et la porte se referma sans bruit devant son nez. Après une pause imperceptible, elle la poussa et se retrouva dans un large couloir sur lequel des portes donnaient de chaque côté; elle fit une nouvelle halte, mais fut secouée par la voix de Simes :

— Allez, viens ! Grouille-toi.

Il n'avait même pas tourné la tête pour l'appeler. Il se tenait maintenant devant une porte, l'avant-dernière du couloir. Elle le vit frapper et l'avait rejoint lorsqu'elle entendit une voix à l'intérieur qui répondait :

— Entrez.

Il ouvrit la porte mais ne franchit pas le seuil, et d'une voix contenue de soumission polie, il annonça :

— C'est la fille, madame Lucas, elle est arrivée.

— Oh !

On entendit un murmure à l'intérieur de la pièce, et peu après, une femme de taille moyenne, portant une robe d'alpaga gris dont le corsage semblait moulé sur son buste étroit parut devant le laquais, qui avait maintenant reculé d'un pas dans le couloir.

Les yeux rivés sur les lèvres serrées et le nez aigu de la gouvernante, Tilly ressentit un nouveau frémissement d'appréhension tandis que les yeux noirs et ronds la détaillaient. Elle aurait compris, même si l'ambiance ne l'avait pas avertie, que son histoire l'avait précédée; déjà, elle avait l'impression d'être projetée de nouveau au milieu du village.

Le maître d'hôtel s'était maintenant joint à elle. M. Pike atteignait soixante-dix ans. Il avait un long visage fatigué, des épaules légèrement voûtées, et ses yeux, posés sur elle, n'exprimaient rien, son regard était neutre.

— Bon, eh bien, débarrassons-nous de la corvée. Viens, ma fille, dit la gouvernante.

— Tient-elle à la voir ce soir ?

La gouvernante tourna la tête vers le maître d'hôtel.

— L'ordre que m'a donné Mlle Price est de la faire monter dès son arrivée.

— Je ne crois pas que la Maîtresse apprécie que vous la fassiez monter à cette heure de la nuit.

— Qu'est-ce que la Maîtresse a à voir avec celle-ci ? Allez, viens, toi.

A nouveau, on aurait dit que l'on donnait un ordre à un chien.

Tilly suivit la gouvernante et la part d'elle-même qui demeurait libre de crainte et d'appréhension remarqua que la femme ne paraissait pas faire des pas en marchant, sa tête ne rebondissait pas, ses bras ne se balançaient pas, c'était comme si ses pieds avaient été attachés à des roues sous l'ourlet de de la large jupe en alpaga. Cela lui rappela un jeu qu'elle avait autrefois appelé « Jean-qui-rit et Jean-qui-grogne » : suivant l'ambiance, les figurines se glissaient, entrant et sortant par de minuscules portes pratiquées dans une boîte peinte à l'image d'une maison.

149

Elles gravirent un étroit escalier pour arriver à un petit palier, puis montèrent une courte volée de quatre marches et franchirent une autre porte matelassée; et, à présent, Tilly traversait la pièce la plus grande qu'elle eût jamais vue. Elle remarqua à peine la grille l'entourant partiellement et le large escalier menant de son centre au rez-de-chaussée, car la gouvernante avait maintenant tourné et se coulait rapidement le long d'un couloir, encore plus large et plus long que celui d'en bas. Sa longueur se définissait par les trois lampes de couleur posées à intervalles sur des consoles. Tout ce qui l'entourait paraissait baigner dans une douce lueur rouge; la moquette était cramoisie, le papier peint également; de profondes lueurs écarlates se reflétaient de certains des tableaux suspendus entre les portes. Elle fut ébahie par une telle merveille, même momentanément transportée hors d'elle-même; jusqu'au moment où la gouvernante s'immobilisa et, d'une voix semblable à un sifflement étouffé, lui dit :

— Ne parle que si on s'adresse à toi. Et baisse la tête tant qu'on ne t'aura pas dit de la lever. Tu as entendu ce que j'ai dit ?

Ces dernières paroles n'étaient plus qu'un chuchotement presque inaudible, et pour toute réponse, Tilly hocha la tête une fois.

— Et quand je te parle, réponds : « Oui, madame Lucas. »

La tête déjà penchée en avant, Tilly regarda la gouvernante par en dessous et dit avec soumission :

— Oui, madame Lucas.

La gouvernante lui lança un regard furieux. Pourquoi la Maîtresse voulait-elle voir cette fille ? Ce n'était pas son rôle d'engager du personnel. Elle agissait comme l'aurait fait la maîtresse d'une toute petite maison; engager du personnel était le rôle de la gouvernante. Il y avait quelque chose de bizarre ici. Encore une des tactiques de Mlle Price, elle était prête à le parier.

En réponse au coup frappé à la porte par la gouvernante, Mabel Price l'ouvrit et, après les avoir regardées toutes deux, elle tourna la tête et dit calmement :

— C'est la fille, Madame.

— Oh ! je vais la voir tout de suite.

Comme la gouvernante cherchait à tirer Tilly en avant, Mlle Price dit :

— C'est très bien, madame Lucas, nous n'aurons plus besoin de vous.

Les deux femmes échangèrent des regards qu'elles seules

150

auraient pu interpréter. Mlle Price, touchant l'épaule de Tilly du bout de son doigt, lui fit signe d'entrer et ferma presque immédiatement la porte sur la gouvernante; puis, les doigts toujours posés sur l'épaule de Tilly, elle la poussa en avant, jusqu'à environ un mètre du divan où reposait une dame. Tilly ne pouvait voir que le bas de son corps, car, obéissant aux ordres, elle tenait sa tête baissée et ses yeux dirigés vers le sol.

— Regarde-moi, ma fille.

Lentement, Tilly leva la tête et regarda la dame; et elle pensa que celle-ci était ravissante, maladive, mais très belle.

— Mon mari t'a recommandée à moi comme bonne d'enfants pour nos enfants, mais me dit que tu n'as aucune expérience. Est-ce vrai ?

— Oui, Madame.

— Aimes-tu les enfants ?

Il y eut un silence :

— Oui, Madame.

— Quel âge as-tu ?

— Plus de seize ans, Madame.

— Tu as vécu sur la propriété depuis ton enfance, si j'ai bien compris ?

— Oui, Madame.

— Ton grand-père et ta grand-mère sont morts, n'est-ce pas ?

— Oui, Madame.

— Et puis, il y a eu la regrettable histoire de l'incendie de votre cottage, ou plutôt l'incendie du cottage de mon mari.

Encore une pause.

— Oui, Madame.

— Eh bien, Trotter, j'espère que tu te rends compte que tu as beaucoup de chance que l'on te donne cette place, alors que tu n'as aucune expérience.

— Oui, Madame.

— Tu trouveras que mes enfants ont beaucoup de personnalité. Je... je compte sur toi pour les dompter, jusqu'à un certain point.

— Oui, Madame.

— La durée de ton séjour à mon service sera fonction de leur réaction envers toi, comprends-tu ?

— Oui, Madame.

— Tu peux disposer, maintenant, et Mlle Price t'instruira de tes tâches.

— Oui, Madame.

151

Sur le point de se retourner, elle entendit un nouveau sifflement. Différent de celui de la gouvernante, il avait un timbre aigu, fluet et raffiné.

— Remercie la Maîtresse, disait-il.

Sa gorge se serra; puis, la tête baissée et les yeux rivés sur l'épais tapis gris, elle articula :

— Merci, Madame.

Quelques minutes plus tard, Mabel Price menait la nouvelle bonne d'enfants non pas dans le couloir, mais à travers un boudoir et dans ce que Tilly prit pour un cabinet de toilette, car il contenait deux cuvettes sur des supports, flanquées de part et d'autre de grands brocs en cuivre. Dans le coin était disposé un siège de bois comportant un trou et, par-dessus, un couvercle en porcelaine peinte; dessous, un seau en porcelaine décoré de ravissantes peintures. Une poignée carrée entourée de paille pendait le long du côté. Mabel Price regarda Tilly avec un profond intérêt. Elle savait tout d'elle, son histoire avec la femme du pasteur, le meurtre de cet homme, le procès à Newcastle, l'incendie du cottage dû à sa réputation de sorcière, et tout en la dévisageant, elle se demandait pourquoi le Maître avait insisté pour l'engager. Une chose était certaine. Si la Maîtresse avait eu vent de cette affaire de sorcellerie, Mlle Tilly Trotter n'aurait jamais franchi la porte de service de cette maison. C'était pour cela qu'il l'avait avertie. Et de quelle manière ! Il l'avait presque menacée.

— Vous dites un mot à propos de cette fille à la Maîtresse, Price, avait-il dit, et vous vous retrouverez de l'autre côté de ces grilles, avant d'avoir eu le temps de dire ouf. Et la Maîtresse aura beau supplier, je ne changerai pas d'avis. Est-ce clair ?

Oh oui ! c'était tout à fait clair. Elle avait compris que parfois ce n'était pas un gentilhomme et si elle ne l'avait pas su profondément pris aux rets de cette créature Myton, elle aurait peut-être été tentée de conclure que deux et deux font quatre. Mais cette fille, devant elle, n'était que cela, une fille : elle avait seize ans, mais elle n'en avait pas l'aspect, n'agissait pas comme si elle avait été si jeune. L'incendie du cottage l'avait rendu fou, furieux en fait, et le responsable, s'il avait pu le découvrir, en aurait sûrement pris pour son grade. Il devait simplement la plaindre, cette fille. Quant à cette accusation de sorcellerie, Tilly lui paraissait ressembler à peu près autant à une sorcière que la Vierge Marie. Curieux, qu'elle fasse ce rapprochement avec la Vierge Marie. Elle se dit que cela venait du fait que l'on avait déjà fait le rapprochement avec l'église à travers la femme du pasteur. Eh bien, de toute façon, rien qu'à la regarder, on pouvait supposer qu'elle ne régnerait pas longtemps là-haut, car cette marmaille n'en ferait sûrement qu'une bouchée. On verrait avec le temps, et elle estimait que très prochainement Tilly Trotter repartirait en trottinant le long de l'allée. Tilly Trotter, quel nom !

Mais pourquoi la Maîtresse avait-elle insisté pour la voir elle-même ? Le soupçonnait-elle de manigancer quelque chose avec elle ? Eh bien, si cela était le cas, voilà un souci qu'elle ne lui confierait pas. Elle en était certaine.

— Avant de monter, il vaut mieux que tu saches où tu en es (Tilly fut surprise de constater que si cette femme paraissait raffinée en conversant avec sa maîtresse, le vocabulaire dont elle faisait usage était commun), les coins et recoins de ta place. Tu auras cinq livres de gages par an. S'il t'arrive de mal te conduire, d'une manière ou d'une autre, tu pourras être renvoyée sans préavis. Si tu décides de partir sans donner un préavis d'un mois entier, tu seras tenue de rembourser une certaine somme par jour, trois pence ou trois pence farthing. On te donnera un uniforme qui ne sera à toi que tant que tu resteras placée ici. Tu auras le temps d'aller à l'église le dimanche et tu auras un jour entier de sortie par mois. Si tu casses quelque chose par inattention, cela te sera compté. Comprends-tu ?

— Oui, oui, M...

— Appelle-moi Mademoiselle.

— Oui, Mademoiselle.

— Bon, alors viens.

De nouveau, elle était dans le large couloir. Elles en empruntèrent alors un autre, plus étroit, se terminant par un escalier raide. Il était obscur et rien ne les guidait à part une étroite main courante et le son des pas de Mabel Price sur les marches nues, mais en débouchant en haut, Tilly découvrit un palier carré éclairé par deux lampes. Un certain nombre de portes y donnaient, et Mabel Price s'emparant d'une des lampes qu'elle brandit au-dessus de sa tête, s'avança vers la première et l'ouvrit énergiquement.

— Voici la salle de classe et de séjour des enfants, dit-elle.

Pendant le court moment qu'elle eut pour prendre connaissance de la pièce, Tilly vit un grand cheval à bascule, une maison de poupée, et d'autres jouets éparpillés. Elle remarqua qu'on avait fait du feu dans la grille, maintenant protégée par un grand paravent de fil de fer noir.

153

La pièce suivante était une petite chambre dont le mobilier principal se composait de deux lits en fer. Dans le premier, un petit enfant dormait profondément, roulé en boule.

— C'est John, dit Mabel Price; c'est le bébé.

Dans l'autre lit, était assise une petite fille, entourant ses genoux de ses bras, et lorsque Mabel Price lui ordonna : « Couche-toi, Jessie Ann, et dors », la fillette ne fit pas le moindre mouvement, mais continua de dévisager Tilly; et elle l'interrogea d'une voix espiègle :

— Alors, c'est toi la nouvelle ?

Tilly ne répondit rien, mais Mabel Price alla vers l'enfant et, la repoussant avec brusquerie, remonta les couvertures presque au point de l'étouffer, en lui disant :

— Dors. Et si tu ne dors pas d'ici cinq minutes, je préviendrai ta maman.

Pour toute réponse, l'enfant rétorqua simplement :

— Huh ! Huh !

Comme si elle avait essuyé une défaite, Mabel Price sortit sans rien dire à Tilly; mais celle-ci la suivit néanmoins, et ferma doucement la porte derrière elle.

Elles étaient maintenant dans la chambre suivante; un peu plus grande, mais meublée avec autant de sobriété. L'aîné des garçons était assis au bout de son lit; sa longue chemise de nuit rayée bleue et ses cheveux blonds et frisés entourant son visage rond lui donnaient l'air d'un angelot. Son frère était enfoui dans ses couvertures, mais les yeux des deux garçons brillaient de curiosité.

Mabel Price commença sans le moindre préambule.

— Voici Matthew, là (elle indiqua le chérubin), il a dix ans. Et voici Luke, qui a huit ans.

Elle se tenait près du lit; la lampe maintenue au-dessus du garçon n'éclairait que ses cheveux bruns et ses yeux brillants. Puis, les regardant tour à tour, elle ajouta, sans pour autant désigner Tilly d'aucune manière :

— Voici la nouvelle bonne d'enfants. A la moindre incartade de votre part, je dois en informer votre père. Ce sont ses propres paroles, et souvenez-vous-en ! Maintenant, couchez-vous.

Elle fixait Matthew mais celui-ci, au lieu de lui obéir, se contenta de lui rendre son regard et elle sortit comme si elle venait d'essuyer une nouvelle défaite.

Sur le palier, elle ouvrit une autre porte, mais n'entra pas. L'indiquant simplement du doigt, elle dit :

— Voici le cabinet de toilette. Tu veilleras à ce qu'ils se lavent bien tous les matins. Il faudra les surveiller, et cela ne suffira pas de leur faire confiance. On les réveille à sept heures et demie. Tu commences à six heures précises. Tu nettoies la salle de classe, le cabinet de toilette et ta propre chambre. (Elle ouvrit alors une autre porte et, entrant dans la pièce, indiqua une vieille commode sur laquelle se trouvait une bougie à moitié brûlée dans un bougeoir.) Allume la bougie avec la lampe, dit-elle.

Tilly avança la bougie et, la tenant au-dessus du long verre de lampe, elle attendit de l'avoir allumée, persuadée en même temps que cette femme allait lui reprocher la cire qui tombait sur la mèche enflammée. Mais Mabel Price parut négliger cela et dit :

— Voici ta chambre, mais tu n'y passeras pas beaucoup de temps. Revenons-en à tes tâches matinales. Tu allumes le feu dans la salle de classe; puis, après l'avoir nettoyée et rangée, tu prépares la table pour le petit déjeuner des enfants. Tu trouveras la vaisselle dans le placard ici. A sept heures et demie, tu les réveilles et tu surveilles leur toilette, comme je te l'ai dit. On leur apporte leur petit déjeuner à huit heures. Une fois qu'ils ont commencé à manger, tu descends prendre ton propre déjeuner, à la cuisine. Tu as une demi-heure pour ton repas. Ada Tennant, la fille de cuisine, te remplace ici pendant ton absence. A neuf heures, Mme Lucas, la gouvernante, fait sa tournée d'inspection. A neuf heures et quart, s'il fait beau, tu emmènes les enfants faire une rapide promenade dans le jardin. Ils commencent leurs leçons avec M. Burgess, leur précepteur, à dix heures. Pendant ce temps-là, tu vides tous les seaux hygiéniques, et veille à bien les nettoyer. Puis, tu t'occupes de leurs vêtements et effectues les reprises nécessaires. C'est tout pour maintenant. As-tu bien tout compris ?

Tilly regarda fixement la femme pendant presque dix secondes, avant de parvenir à émettre une réponse.

— Oui, Mademoiselle.

— Eh bien, je saurai demain si tu as compris ou non. De toute manière, si tu as un doute, viens me trouver. Ma chambre est la quatrième après celle de la Maîtresse, dans le couloir; c'est la dernière porte. C'est moi qui commande ici, pas Mme Lucas, comprends-tu cela ?

— Oui, Mademoiselle.

— Eh bien, tu devrais te coucher. Évidemment, tu ne te coucheras pas généralement à cette heure de la nuit, mais tu as beaucoup de choses à assimiler, alors cela te donnera le temps de réfléchir à mes instructions.

Seule, à présent, Tilly inspecta la chambre. Même la lumière douce de la bougie n'y ajoutait aucune chaleur et la couette en « patchwork » posée sur le lit ne contribuait pas à l'éclaircir. Le mobilier, rudimentaire, comportait le lit, la commode, un tabouret, et une table branlante sur laquelle étaient posés un broc et une cuvette ébréchés. Deux crochets derrière la porte constituaient les seules possibilités de penderie.

Là-haut, sous le toit du cottage, le sol avait été recouvert de tapis coquets, mais ici le plancher était nu. Les boutons bien astiqués de son lit en cuivre brillaient, les rideaux de sa fenêtre, bien que passés, avaient été frais et propres, mais la fenêtre de cette chambre-ci n'avait besoin d'aucun rideau car elle était prise en partie dans le toit.

Elle se laissa tomber sur le rebord du lit. Son cerveau bouillonnait; elle avait rencontré tant de monde depuis une heure, mais à l'exception de deux d'entre eux, tous lui avaient été hostiles. Cependant, ils ne l'étaient pas uniquement envers elle, car ils se détestaient les uns les autres. Elle l'avait senti dès son entrée dans la maison; chacun tentait en quelque sorte de prendre le pas sur l'autre. Et ces enfants, que fallait-il en penser ? Elle verrait bien, de ce côté-là, elle en était certaine. Mais le personnel, c'était un tout autre problème. Il allait falloir y aller prudemment; si elle plaisait à l'un, elle offenserait l'autre, et il lui faudrait découvrir à qui elle voulait plaire, et qui elle choisirait d'offenser. Sa mémé disait toujours : « Dis la vérité et oublie le diable », mais elle savait déjà que cette maison n'était pas de celles où il serait sage de dire la vérité... Et la Maîtresse de tout cela ? Elle ne savait pas que penser d'elle. Une grande dame, sans aucun doute, mais froide; en quelque sorte, sans vie. Non, non; ce n'était pas exactement cela. Oh ! qu'importe, il fallait faire face à la journée du lendemain. Six heures du matin... précises, ce qui impliquait de se lever avant. Mais comment saurait-elle qu'il était l'heure de se lever ? Elle aurait dû lui demander, à cette Mlle Price. Bon, elle ne pouvait plus penser à rien, elle était fatiguée et lasse dans son corps comme dans son esprit... Cela paraissait bon d'être morte, de se coucher simplement et ne plus avoir de soucis.

Elle se reprocha cette pensée. Elle avait un emploi, n'était-ce pas ce qu'elle avait souhaité ? Un emploi, et il allait falloir apprendre à y faire face et vite, sinon... Ouais, sinon...

CHAPITRE III

Une brusque secousse à l'épaule et une voix disant brièvement :
« Debout ! » lui apprirent dès le lendemain à reconnaître l'heure
du lever.

Elle émergea brutalement du sommeil pour scruter Ada
Tennant, et comme la fille criait à nouveau : « Debout ! », elle la
surprit en répondant durement : « Bon ! Bon ! Ça va ! » La fille
de cuisine fit trois pas à reculons, faisant couler la cire de sa bougie
sur le plancher, puis se retourna vers la porte, et Tilly connut un
moment de victoire. A nouveau, un des adages de sa grand-mère
lui revint : « Donne ce que tu reçois. Une douce parole n'a jamais
repoussé la méchanceté. »

Son cerveau était clair. Elle se rappelait étonnamment bien
presque toutes les instructions que Mlle Price lui avait données la
veille au soir et s'en acquitta avec habileté; jusqu'au moment où
elle entreprit de réveiller les enfants. Lorsqu'elle secoua doucement l'épaule de Matthew, le poing du garçon apparut et lui frappa
le bras. Apparemment, il guettait sa venue. Elle demeura immobile
un moment, le corps à moitié penché au-dessus du lit, s'agrippant
à l'endroit où le poing du garçon l'avait frappée; son bras lui faisait
mal, car il n'y avait pas été de main morte. Puis elle fut stupéfaite
de sa propre réaction car, ses mains sur les épaules du garçon, elle
le cloua sur le lit. Elle approcha son visage du sien et chuchota :

— Prends garde de ne jamais recommencer car, quoi que tu me
fasses, je te le rendrai en double.

Il y eut un silence et leurs regards demeurèrent rivés l'un à
l'autre, à la lueur de la lampe; pendant un instant elle imagina
qu'elle tenait Hal McGrath cloué là, puis elle lui demanda :

— M'as-tu comprise ?

De toute évidence, il était tellement interloqué par sa réaction
que, pendant quelque temps, elle crut l'avoir assommé, et pas
seulement lui, car Luke, assis sur son lit, cessa de se frotter les
yeux et la regarda bouche bée. Elle se tourna de son côté et lui dit :

— C'est l'heure de se lever.

157

Après un moment d'hésitation, il repoussa les draps, mais au moment où il allait poser le pied par terre, son frère lui cria :

— Reste où tu es. On a tout le temps.

Tilly lança un regard farouche au garçon puis se dirigea vers l'autre lit. Là, elle termina ce que Luke avait commencé : tirant les draps jusqu'au pied du lit, elle posa doucement sa main sur le coude de l'enfant et l'aida à se mettre debout; puis, son regard allant de l'un à l'autre, elle dit :

— Soyez dans le cabinet de toilette dans cinq minutes.

Ce ne fut qu'arrivée sur le palier qu'elle se rendit compte que ses jambes tremblaient, et elle se demanda : qu'est-ce qui m'a fait agir ainsi ? Eh bien, il faut partir du bon pied. On aurait cru que sa mémé était à ses côtés, lui soufflant des conseils.

Dans la pièce suivante, elle n'eut aucun mal avec Jessie Ann, mais le petit John, quatre ans, semblait bien de la race de son frère aîné et, lorsqu'elle tenta de le soulever hors de son lit, il donna des coups de pied en répétant : « Veux pas »; et comme il le redisait sans cesse, elle pensa qu'il ne parlait pas mieux qu'un enfant du village.

Le premier signe de guerre de la nursery eut lieu dans le cabinet de toilette, lorsque Matthew renversa volontairement un seau hygiénique. Le contenu se répandait sur le sol, les enfants hurlaient de joie et sautaient pour l'éviter, mais Tilly se tenait au milieu et, en regardant les excréments qui flottaient autour de ses pieds, elle sentit son estomac se soulever. Mais sa grand-mère était là de nouveau et semblait lui crier, à présent : « Ce n'est pas le moment d'avoir l'estomac fragile, rentre-lui dans le lard, sinon tu ne feras pas long feu ici. » Ainsi, écoutant son instinct, elle attrapa le bras du garçon et l'attira vers elle, bien qu'il fût en pantoufles. Pendant un moment, il fut trop déconcerté pour résister; même lorsqu'il tenta de le faire, elle lui tint les bras le long du corps et sa poigne était étonnamment forte. Elle n'avait pas manié la hache ou utilisé la scie pendant toutes ses jeunes années inutilement et la force de ses mains dut l'impressionner car le petit tyran qu'il était se mit à pleurnicher.

— C'est un accident. Je me suis pris le pied dedans, c'est vrai. N'est-ce pas que je me suis pris le pied, Luke ?

Le regardant droit dans les yeux, Tilly répondit :

— Tu ne t'es pas pris le pied, tu l'as fait exprès (sa voix s'était calmée), mais je te dis ceci, si tu recommences, je te forcerai à le nettoyer, jusqu'à la dernière goutte. Ton père m'a confié la place pour m'occuper de toi, et je le ferai avec plaisir, mais encore une sottise comme celle-là et j'irai tout droit le trouver et lui dirai de s'occuper lui-même de toi.

Le garçon était vraiment suffoqué; les bonnes ne réagissaient pas ainsi, elles pleuraient, elles gémissaient, elles suppliaient, elles lui apportaient des petites friandises et des gourmandises de la cuisine pour l'amadouer.

Mais la surprise du garçon n'était rien en comparaison de celle de Tilly. Elle avait l'impression de naître à nouveau. Comme les petits lézards qui muent, Tilly Trotter, l'effrayée, la craintive, la quittait peu à peu. Si elle parvenait à avoir le dessus avec ce bonhomme, elle savait qu'elle perdrait sa peur des autres, de tous les autres... Non, pas tous; il y avait un homme qu'elle craindrait toujours. Mais il était à des kilomètres au-delà des murs de cette maison, où était enchâssé un autre univers. Il n'avait aucune chance de l'atteindre ici, et elle veillerait à ne pas le rencontrer à l'occasion de son jour de sortie. Ouais; ça, elle y veillerait.

— Allez, maintenant, habillez-vous, dit-elle aux deux aînés, puis, regardant Jessie Ann, elle ajouta : Emmène John (elle n'était même pas sûre de leurs noms) et je vais venir vous habiller dans quelques minutes. Allez, maintenant. Mais avant de sortir, essuyez vos pantoufles sur le tapis.

Ils essuyèrent leurs pantoufles et s'en allèrent, tous, sans un mot mais en regardant par-dessus leur épaule. Ils ne comprenaient rien à celle-ci; elle l'avait emporté sur Matthew et c'était la première fois que cela se produisait.

Une fois la porte refermée sur eux, elle regarda la saleté répandue autour de ses pieds et, de nouveau, elle eut envie de vomir. Mais, écœurée ou non, il fallait nettoyer et donc elle serra les dents et se mit à l'ouvrage.

Elle ne se rendit pas compte que ce premier petit déjeuner était inhabituellement calme. Pas de cuillerées de porridge étalées sur la table; pas de tartines beurrées écrasées côté beurre; aussi, quand Ada Tennant entra dans la pièce, elle resta un moment immobile, dévisageant les quatre enfants qui prenaient sagement leur repas. Puis, se tournant vers Tilly, elle était sur le point de faire une remarque mais changea d'avis. Ses yeux s'agrandirent juste un peu et elle articula, cette fois très poliment :

— Ton petit déjeuner est servi.

— Je te remercie.

Les yeux d'Ada Tennant se dilatèrent encore. Elle devait être vraie, cette rumeur, certainement. Et comme elle parlait ! Elle l'avait remerciée comme quelqu'un d'instruit. Et regardez cette marmaille assise là, tous doux comme des agneaux. Mais combien de temps cela allait-il durer ? Puis, la rumeur se transforma pour elle en certitude lorsque Tilly se retourna dans l'embrasure de la porte et, regardant les enfants, leur dit :

— Tenez-vous bien, n'est-ce pas ?

Quand Tilly eut refermé la porte, Ada Tennant continua de contempler celle-ci. Elle avait l'air d'avoir compris que dès qu'elle aurait tourné le dos, ils se mettraient à chahuter, et elle leur avait donné un avertissement.

Quant à elle, elle avait commencé à travailler ici à l'âge de huit ans, et en avait maintenant quatorze. Elle avait vu cette équipe grandir et, depuis trois ans, les surveiller au petit déjeuner avait été sa tâche matinale, jusqu'à ce jour quotidiennement appréhendée. Elle se tourna vers les enfants et, profitant de l'autorité de la nouvelle, leur dit :

— Vous avez entendu ce qu'elle a dit, alors obéissez.

Et ils se remirent à manger.

Le petit déjeuner était presque terminé lorsque Tilly pénétra dans la cuisine et il lui parut à présent qu'ayant quitté l'étage supérieur elle y avait également laissé son courage naissant. Deux hommes sortaient par la porte du fond et les seules personnes encore attablées étaient la cuisinière et Phyllis Coates, la première femme de chambre. Amy Stiles, la seconde femme de chambre, était occupée à remplir des brocs de cuivre d'eau chaude provenant de la chaudière installée sur une seconde cheminée, dans la cuisine. Tilly ne l'avait pas remarquée la veille au soir. Il s'agissait d'un feu clos chauffant une chaudière d'un côté et un fourneau de l'autre, et comme elle se tournait pour le regarder, la cuisinière lui demanda :

— Es-tu thé ou bière ?

— Excusez-moi. Quoi ?

— J'ai dit : es-tu thé ou bière ?

— J'aimerais... j'aimerais du thé, s'il vous plaît.

— Eh bien, sers-toi.

La cuisinière, d'un geste brusque de la tête, indiqua le fourneau. Tilly hésita quelques instants puis s'y dirigea. Simultanément, Phyllis Coates se leva de table, sourit à Tilly, lui indiqua le vaisselier en disant :

— Apporte un bock et une assiette. (Et quand Tilly revint avec son bock, Phyllis murmura tout bas :) Tu te sers à la théière. (Elle lui désigna une importante théière brune posée dans l'âtre près d'un énorme tas de cendres chaudes.) Mais, d'abord, viens remplir ton assiette, il n'y a plus de porridge.

Et sur ce, elle fit le tour de la pièce et se dirigea vers le fourneau rond. Tilly la suivit et la regarda ouvrir les portes, révélant un grand plat en fer blanc où grésillaient quelques tranches de bacon.

— Il reste surtout du gras, dit Phyllis, mais sers-toi si tu en veux.

Tilly se servit une étroite tranche de bacon, puis, ayant reposé son assiette sur la table, elle remplit son bock de thé noir à la théière et, une fois attablée, Phyllis Coates poussa vers elle un morceau de pain croustillant.

Tout en mangeant le pain et le bacon, et en buvant le thé amer, Tilly remarqua un sucrier rempli près de la cuisinière; également un plat contenant une grosse motte de beurre et un pot de faïence brune de toute évidence rempli de confiture. Mais elle était heureuse d'avoir le bacon, le pain et le thé, et lorsqu'elle eut terminé, la cuisinière était toujours assise à table, sans lui avoir adressé la moindre parole; en fait, elle avait à peine posé les yeux sur elle.

Il ne lui avait pas fallu plus de dix minutes pour manger son repas et comme elle s'apprêtait à quitter la table, Phyllis Coates se leva en même temps qu'elle. La cuisinière s'adressa à la première femme de chambre.

— Alors, tu te mets à l'œuvre de bonne heure ce matin ?

— Ça va m'occuper, avec le vieux dragon qui arrive dans une quinzaine ! Elle va avoir les yeux dans tous les recoins.

— Eh bien, elle ne trouvera pas de coins crasseux dans ma cuisine.

— Elle en trouverait au ciel, celle-là.

Cette dernière réplique vint au moment où Phyllis Coates suivait Tilly qui franchissait la porte du large couloir. Elle marcha aux côtés de Tilly jusqu'à l'endroit où il tournait vers l'escalier de service, mais juste après le tournant, elle l'arrêta et lui dit hâtivement, à voix basse :

— Ne te laisse pas impressionner par la mère Brackett. Elle ne commande qu'à la cuisine, et n'a rien à dire ailleurs dans la maison. Celle dont il faut te méfier, c'est Mlle Price. C'est elle qui commande ici. Pas la gouvernante, Mme Lucas; elle croit qu'elle commande, mais ce n'est vrai qu'en principe, c'est Mlle Price qui commande. Et méfie-toi de Simes. C'est le laquais, tu sais. C'est un lécheur de bottes, il échangerait sa propre mère contre un shilling, celui-là. M. Pike, le maître d'hôtel, le vieux, il est brave, lui. Amy Stiles, elle me seconde; elle est brave aussi. Pas grand-chose dans la tête, mais elle est gentille. Et ne t'occupe pas de Maggie Short. Elle est bête comme un goret, celle-là, et Ada Tennant, la fille de cuisine, celle qui est actuellement là-haut, dans la nursery, il lui manque une case. Dehors, il y a trois jardiniers et mon Fred. C'est Fred Leyburn. Lui, il est cocher. Nous allons partir. Nous devrions bientôt nous marier.

Pour la première fois depuis des semaines, Tilly sourit chaleureusement en disant :

— Je vous souhaite d'être heureux.

— Merci. C'est un homme généreux. Il a déjà été marié, sa femme est morte, mais il est bon. C'est lui qui m'a dit hier soir quand nous avons eu une minute à nous : « Explique-lui — c'est-à-dire à toi — comment on est organisés, qui fait quoi, et tout ça. » (Elle observa Tilly pendant un moment. Puis, secouant la tête, elle ajouta :) Je dois admettre que toi, tu es tout à fait différente de Nancy... Nancy Dewhurst, c'est celle que tu remplaces. Elle était plus âgée que toi, mais elle n'avait pas le quart de ta maturité; elle pleurait comme une madeleine tous les jours. Evidemment, il y a des chances pour qu'ils te fassent pleurer avant longtemps, je veux dire cette bande de sauvages dans la nursery. Ce sont de vrais petits diables partis pour l'enfer, Monsieur Matthew, en particulier. Oh ! celui-là, il ne lui manque qu'une chose, les pieds fourchus ! Bon, eh bien, je dois y aller. Tu vois, la mère de la Maîtresse arrive dans une quinzaine de jours, elle vient deux fois par an, lorsque les routes sont carrossables. Elle habite Scarborough. Et elle sait se faire remarquer. Tout le monde s'arrache les cheveux pendant un mois. Et tu sais que nous ne sommes pas assez nombreux, et de loin. Autrefois, il y avait le double de personnel dans cette maison, à l'époque où les ailes étaient en service. Au début, à mon arrivée, il y avait plus de trente serviteurs dehors et dedans, et maintenant il n'en reste qu'environ la moitié. Mais il attendent de nous que la maison soit tenue comme auparavant. Ouais. Enfin, si tu as besoin d'un renseignement, je serai au rez-de-chaussée jusqu'à midi.

— Merci. Merci beaucoup.

— Je t'en prie.

162

Au moment où Tilly la quittait, elle l'appela doucement.

— Utilise bien à fond ta demi-heure de petit déjeuner, sinon tu le regretteras avant la fin de la journée.

Pour toute réponse, Tilly hocha la tête, puis se dirigea vers l'escalier. Elle commençait à reprendre confiance, et un nouveau courage s'éveillait en elle. Elle avait une amie; en fait, elle avait deux amis, la femme de chambre et le cocher. Eh bien, ce n'était pas un mauvais début, n'est-ce pas ? Non, c'était très bien. Elle monta les marches en courant jusqu'à l'étage de la nursery.

A neuf heures vingt, elle était dans la salle de classe et les protestations fusaient tout autour d'elle. Ils ne voulaient pas aller se promener car il faisait froid; ils voulaient rester dans la maison et jouer. Matthew avait quelques bêtes à bon dieu dans une boîte et ils allaient organiser une course. Elle les laissa protester pendant quelques minutes, puis, levant la main, elle dit :

— Très bien. Je vais descendre pour avertir votre mère que vous ne voulez pas sortir. J'irais bien trouver votre père, mais je l'ai vu partir pour la mine tout à l'heure.

Aller le dire à leur mère ! Ils regardèrent cette nouvelle créature et l'imaginèrent tout à fait capable de s'exécuter, en particulier Matthew. S'ils dérangeaient leur mère, leur père en serait informé et on évoquerait à nouveau la question de les envoyer en pension. Il n'avait vraiment pas envie d'y aller, il aimait sa vie ici. Il était suffisamment malin pour savoir qu'il ne pourrait dominer personne en pension; en fait, il comprenait que la situation serait renversée et qu'il serait contraint d'obéir. Il n'aimait pas obéir. Mais pour une raison étrange, il savait qu'il avait intérêt à se soumettre à cette fille maigre et d'apparence faible, à la poigne de fer et déjà habituée à lui faire baisser les yeux. Il se tourna vers son frère et déclara :

— Bon, allez, on y va.

Et Luke et Jessie Ann répétèrent immédiatement :

— Oui, allons-y.

John demeurait immobile; elle lui tendit la main en disant :

— Viens.

Mais il leva les yeux vers elle et répondit :

— J'ai... fait dans ma culotte.

A ces mots, les autres hurlèrent de rire et, comme si leur petit frère avait gagné la partie pour eux, ils s'écrièrent tous en chœur :

— Il fait toujours dans sa culotte.

Elle baissa les yeux vers le garçon et, la voix et le visage inflexibles, elle dit :

— Tu es trop grand pour cela, tu devrais aller aux cabinets.

Jessie Ann, ouvrant grands ses yeux gris pleins de malice, secoua ses boucles et s'écria :

— Il continuera à faire dans sa culotte tant qu'on ne l'aura pas mis en pantalon, et cela n'arrivera pas avant qu'il ait cinq ans. Luke a fait dans sa culotte jusqu'à cinq ans, n'est-ce pas, Luke ?

Tilly regarda pensivement le petit garçon qui avait toutes les apparences d'une fille, affublé d'une robe de velours côtelé bleu, agrémentée d'un volant au cou, son épaisse chevelure brune tombant sur ses épaules. Il ressemblait plus à une fille que Jessie Ann. Elle avait envie de le prendre et de le serrer dans ses bras, tout mouillé qu'il était; mais il s'agissait ici d'enfants qui, supposait-elle, au moindre signe de faiblesse de sa part, lui rendraient la vie insupportable et la feraient pleurer, elle aussi, tous les jours. Eh bien, elle refusait de pleurer tous les jours, elle en avait fini de pleurer et il lui fallait réussir dans cette place. Donc, guettée par les trois autres, elle se pencha vers le petit garçon, et lui dit :

— Bon, je veux bien te changer cette fois-ci, John, mais si tu recommences, tu garderas ta culotte mouillée jusqu'à ce qu'elle sèche sur toi. Et cela ne te plaira pas, n'est-ce pas ?

— N... non.

— Et tu ne dois pas te mouiller juste au moment où nous sommes sur le point d'aller au jardin, ou sinon nous te laisserons derrière, car je n'aurai pas de temps à perdre pour te changer.

Où avait-elle appris à parler ainsi à ces enfants ? Elle qui ne parlait que peu, sauf avec sa grand-mère et son grand-père, et, évidemment, Mme Ross, cette chère Mme Ross. Curieux — elle se redressa et son regard erra momentanément au-dessus des têtes des enfants — n'était-ce pas curieux, mais elle avait l'impression d'agir d'une manière très semblable à celle qu'employait Mme Ross; en fait, elle parlait à ces enfants comme Mme Ross avait parlé à son école du dimanche. Elle sourit pour elle et, lorsque ses yeux revinrent sur les enfants, sa voix avait un ton vif et heureux, et, regardant Jessie Ann, elle lui dit :

— Apporte-moi une culotte propre de l'armoire.

— Quoi ?

Jessie Ann avait l'air aussi surprise que si on lui avait demandé de sauter par la fenêtre. Tilly se pencha vers le visage rond et blond et reprit lentement et distinctement :

— Tu m'as entendue, Jessie Ann. Apporte-moi une des culottes de John dans l'armoire.

Après une courte hésitation, Jessie Ann obtempéra, elle apporta une petite culotte et la donna à Tilly...

L'aire de jeux était constituée d'une étendue de pelouse bordée par le jardin potager d'un côté, et le bois de l'autre. Tilly regardait les enfants jouer sans conviction avec un ballon. Soudain, Matthew visa vers elle, non pas pour lui envoyer le ballon, mais avec l'intention de la frapper; elle rattrapa cependant le ballon, le retint un instant, puis le lança à Luke; le ballon passa à Jessie, puis de nouveau à Tilly et enfin à John, qui s'enfuit avec, les entraînant tous à sa poursuite, y compris Tilly. Le petit garçon tomba alors, les autres enfants roulèrent sur lui et il se mit à pleurer. Et ce fut à ce moment-là qu'elle le prit dans ses bras, et, lui tenant la tête serrée contre son épaule, le consola :

— Allons. Allons. Tout va bien, tu n'es pas mort, disait-elle tandis que les autres la regardaient bouche bée.

Puis ils reprirent leurs jeux.

En remontant à la nursery, ils y trouvèrent un homme âgé. Il se leva de son fauteuil devant le feu et, tout en enlevant son manteau, elle le salua.

— Bonjour, monsieur,

— Bonjour. Vous vous appelez...

— Trotter. Tilly Trotter, monsieur.

— Tilly Trotter. Trotter Tilly. Tilly Trotter.

Matthew avait rejeté la tête en arrière et chantait son nom, sous le regard désapprobateur de M. Burgess.

— Ne sois pas bêta, Matthew. C'est un joli nom, un nom chantant; un nom que l'on peut associer à l'allitération... Ah ! voilà un mot que nous pouvons utiliser ce matin, Matthew. Tu vas apprendre ce que veut dire allitération et me donner quelques exemples, n'est-ce pas, dans le genre de Mlle Tilly Trotter ?

Il sourit à Tilly qui lui sourit en retour. Elle le regardait faire asseoir les enfants autour de la table. Cet homme pourrait devenir un troisième ami. Il avait l'air bon et parlait avec douceur. De nouveau, elle pensa à Mme Ross. Cet homme connaissait des mots comme ceux qu'elle utilisait. Puis elle esquissa un mouvement de surprise, lorsqu'il l'interrogea :

— Vous... vous connaissez Mme Ross ?

Un long moment s'écoula avant sa réponse.

— Oui, monsieur.

— Ils... ils étaient mes amis.

Il penchait la tête vers elle, et elle eut envie de s'excuser :

— Je suis désolée, monsieur.

Elle était navrée qu'il ait perdu ses amis, comme elle l'était d'avoir perdu Mme Ross.

— Mme Ross vous a appris à lire et à écrire, n'est-ce pas ?

— Oui, monsieur.

Ils continuèrent à se regarder et elle comprit qu'il savait tout d'elle. Cependant, il était aimable et gentil; il ne lui en voulait pas de ce qui était arrivé à ses amis.

— Le monde vous appartient si vous savez lire et écrire.

De nouveau, elle répliqua :

— Oui, monsieur.

Puis il s'adressa aux enfants :

— Bon, qu'attendez-vous ? Commençons ! car il n'y a pas de temps à perdre, la vie est courte; même la vie la plus longue est trop courte.

Elle remarqua, non sans surprise, que les enfants lui obéissaient, même Matthew. Ils sortirent leurs ardoises et leurs crayons de l'armoire, et prirent place autour de l'austère table en bois.

Discrètement à présent, elle sortit de la pièce et traversa le palier jusqu'à sa propre chambre. Là, elle pendit son manteau et accrocha son chapeau, et, se laissant tomber sur le bord du lit, elle se dit : « Voilà ! Le pire est passé, je suis prête. »

Heureusement, elle ne se rendait pas compte à cet instant que sa lutte, sa vraie lutte pour la vie, n'était pas encore commencée.

A onze heures, elle apporta un plateau de lait chaud et de biscuits dans la salle de classe. Mais dans l'embrasure de la porte, elle s'immobilisa. Le précepteur parlait et donnait à ses paroles une sorte de rythme, comme une musique :

— Le garçon vit que la terre était verte, comme au commencement, et l'eau coulait, comme au commencement, et aussi belle et mystérieuse, comme au commencement; et il sut que c'étaient les saisons qui en étaient la cause, car sans les saisons, qu'y aurait-il eu... ? Le chaos ! (Il demanda alors d'où les saisons recevaient leurs instructions ? Et la réponse vint : du soleil...) Ah ! à présent, parlons du soleil, voulez-vous ?

Il s'arrêta et regarda Tilly, toujours debout, portant le plateau à la main avec les bocks fumant.

— Eh bien, maintenant, le soleil peut attendre, dit-il; voici Mlle Trotter avec des boissons.

Il l'avait appelée Mlle Trotter. C'était la première fois de sa vie qu'on l'appelait Mlle Trotter. Cela lui plaisait, en quelque sorte.

Elle donna les bocks aux enfants, et posa devant le précepteur le plus grand, rempli de thé avec du lait et du sucre, puis après avoir laissé l'assiette de biscuits au milieu de la table, elle se retira.

Les enfants n'avaient rien dit. M. Burgess, pensa-t-elle, était un homme merveilleux, tellement... tellement comme Mme Ross. Les enfants de l'école du dimanche ne parlaient pas non plus lorsque Mme Ross enseignait.

Elle trouva le dîner bon et remarqua qu'on lui donnait une part égale à celle des autres; mais personne ne lui parla, sauf Phyllis Coates et le cocher. En fait, cela lui était égal. Lorsque Mme Lucas avait fait sa tournée d'inspection de l'étage de la nursery, elle lui avait à peine dit deux mots, même si pendant tout le temps qu'avait duré sa tournée, elle avait marmonné continuellement : « Hm ! Hm ! » Cependant, dans l'après-midi, Mlle Price avait été plus loquace, beaucoup plus.

— Tu ne dois pas dire « tu » aux enfants; tu dois t'adresser à eux de la manière suivante : Monsieur Matthew, Monsieur Luke, Monsieur John et Mademoiselle Jessie Ann. Comprends-tu ?

Oui, elle avait compris.

— Et descends immédiatement et dis à Mme Lucas de te donner un uniforme convenable.

Mme Lucas n'avait pas paru contente du tout, elle avait murmuré quelque chose dans sa barbe qui ressemblait à putain. Mais cela n'était absolument pas possible — une femme comme Mme Lucas ne pouvait pas traiter une personne comme Mlle Price de putain.

Vers la fin de la journée, elle eut une agréable surprise. Le Maître monta à la nursery et, après avoir parlé avec les enfants, il l'appela sur le palier, et lui demanda :

— Alors, comment cela s'est-il passé ?

— Très bien, Monsieur, avait-elle répondu.

— Penses-tu que tu puisses les dompter ?

— Je suis en train de faire un essai, Monsieur.

— Ils ne t'ont pas encore joué de tours ?

— Pas encore, Monsieur.

— Ils ont bien le temps de le faire. (Il lui avait souri.) Méfie-toi de Matthew; c'est un garnement, celui-là, comme je te l'ai déjà signalé.

— Je m'en méfierai, Monsieur.

— C'est bien. Bonsoir, Trotter.

Comme il s'éloignait, elle dit :

— Monsieur !

Et il la regarda de nouveau :

— Oui ?

— Je voulais simplement vous remercier de... de m'avoir donné le poste, Monsieur.

— Ce n'est rien. Ce n'est rien.

Il secoua la tête, lui sourit de nouveau, puis quitta rapidement le palier; et elle écouta s'estomper le son de ses pieds qui descendaient l'escalier en courant, étouffé dans le tapis de l'étage inférieur...

Elle les avait couchés, avait rangé la salle de classe, descendu les derniers seaux hygiéniques, les avait lavés, puis, à la lueur de la bougie, elle avait rétréci la taille de la robe imprimée qu'elle devait porter le lendemain, et resserré les boutons du corsage et des poignets. Il était dix heures et elle tombait de sommeil. Elle enleva sa robe, ses bas et ses chaussures et garda son corsage et son jupon pour dormir, puis, soulevant la couverture, elle se mit au lit, enfonça ses pieds, puis, juste à temps, parvint à réprimer un cri perçant pendant que la chose sautait autour de ses jambes.

En une seconde, elle s'était relevée. La gorge serrée, elle chercha à tâtons la bougie, puis alla jusqu'au palier éclairé et l'alluma à la lampe. De retour dans sa chambre, elle la tint au-dessus du lit d'une main tremblante; et, assise là, aussi étonnée qu'elle-même, elle vit une grosse grenouille.

Un petit gloussement lui vint à la gorge et lui calma la main. Le petit démon ! C'était un démon. Ce n'était pas simplement un lutin comme certains jeunes gamins, c'était un vrai démon. Ça se voyait dans ses yeux et elle allait avoir des ennuis avec lui si elle ne réagissait pas immédiatement. Ce genre de farce pouvait vous glacer de peur et si elle le laissait en faire à sa guise au début, ça ne ferait qu'empirer. Que devait-elle faire ? Elle se pencha en avant et ramassa la grenouille au moment où celle-ci s'apprêtait à sauter de nouveau. Elle avait souvent manié ces petites bêtes car elle avait évité à un certain nombre d'entre elles de se faire couper les pattes alors qu'elles s'étaient réfugiées sous des pièces de bois destinées à sa hache.

Elle se tourna et regarda du côté de la porte. Ils devaient probablement être là, les deux aînés en tout cas, espérant l'entendre crier...

« Fais aux autres ce que tu voudrais qu'ils te fassent. » Sa mémé était à nouveau avec elle, mais Tilly embrouillait un peu à présent avec le commentaire humoristique de son grand-père à propos de la parabole de sa femme : « Attaque les autres avant qu'ils ne t'attaquent. » Enfin, elle allait appliquer la loi du talion à Monsieur Matthew, et on verrait bien.

Sans bruit, elle se glissa hors de sa chambre et dans celle des garçons. Ils étaient tous les deux bien enfouis sous leurs couvertures, mais instinctivement, elle sut que Matthew était tout à fait réveillé et venait à l'instant de se recoucher. Posant la bougie sur la table de nuit à côté de son lit, elle souleva doucement les draps qui recouvraient à moitié le visage de l'enfant, et tout aussi doucement écarta le col de sa chemise de nuit où, d'un mouvement rapide, sa main plongea, posant la grenouille sur sa poitrine.

Le résultat de son geste l'effraya plus que lorsque la grenouille avait sauté autour de ses jambes nues, car, au moment où la peau moite de l'animal reposa mollement sur la poitrine du garçon, il lâcha un hurlement perçant, puis un autre, puis sauta hors de son lit et secoua frénétiquement sa chemise de nuit.

La grenouille sauta sur ses pieds nus avant de s'échapper sous le lit, mais Tilly la négligea, secoua le garçon par les épaules et s'écria :

— Pssit ! Pssit !

Une fois qu'il se fut calmé, elle se pencha vers son visage haletant et dit :

— Œil pour œil. Je t'avais prévenu, n'est-ce pas ?

Elle tourna vivement la tête vers la porte en entendant des pas rapides dans l'escalier, et elle venait de repousser l'enfant dans son lit quand la porte s'ouvrit brusquement et Mark Sopwith jaillit dans la chambre.

— Qu'y a-t-il ? Que se passe-t-il ?

Le garçon était assis sur son lit et bégaya :

— Pè... Père, Pè...re.

Mark l'empoigna, puis lui dit :

— Qu'y a-t-il ? Avez-vous fait un mauvais rêve ?

Le regard du garçon glissa à présent de son père à Tilly et c'était à elle de bredouiller :

— Oui... oui... oui... Oui, il a fait un mauvais rêve, un... un cauchemar.

— Qu'y a-t-il ? Que se passe-t-il ? La Maîtresse est inquiète !

Tous les yeux se tournèrent vers Mabel Price qui était arrivée précipitamment et se tenait au pied du lit, vêtue d'une robe d'intérieur bleue, sa chevelure retenue le long de son dos en deux nattes. Mark répondit :

— Il a fait un cauchemar. Il a probablement trop dîné. Ça va aller maintenant. Vous pouvez rassurer votre maîtresse. Je vais descendre dans un instant.

Son ton était bref et impliquait un congédiement, et après un dernier regard, elle quitta la pièce.

— Calmez-vous à présent, vous allez dormir.

Il repoussa son fils sur les oreillers et lorsque l'enfant reprit : « Père », celui-ci répondit : « Qu'y a-t-il ? »

Un long moment s'écoula, puis Matthew murmura :

— Rien, rien.

— Bon, maintenant, il faut dormir.

Il borda les couvertures autour des épaules du garçon; puis, d'un hochement de tête, fit signe à Tilly de sortir de la chambre.

Sur le palier, il la regarda; elle était debout dans son jupon et son corsage. Il n'avait pas réalisé avant cet instant qu'elle n'était que partiellement déshabillée. Elle avait dû, imagina-t-il, être sur le point de se coucher. Malgré sa taille — elle était presque aussi grande que lui —, elle paraissait une très jeune fille, car son visage avait un aspect enfantin.

— A-t-il beaucoup mangé ce soir ? demanda-t-il.

— Non, Monsieur... et (elle baissa la tête)... et ce n'était pas un cauchemar.

— Ah bon ?

— Eh bien, vous voyez, lorsque je me suis couchée, j'ai été surprise car j'ai trouvé... Bon, il a mis une grenouille dans mon lit, et... et j'ai pensé que le seul moyen pour moi de le mater, c'était de lui rendre la pareille, œil pour œil. Il... il devait être là à attendre mes cris et... je me suis juste retenue à temps, mais... mais je ne pensais pas lui faire si peur en lui mettant la grenouille sous sa chemise.

170

— Tu lui as mis la grenouille sous sa chemise ?

— Oui, Monsieur.

Sa tête tomba encore plus bas. Elle ne savait pas pourquoi elle disait la vérité à cet homme, elle se dit qu'elle devait être folle, il avait le pouvoir de la renvoyer sur-le-champ pour avoir traité ainsi ses enfants. Les enfants des nobles avaient le droit, en particulier à l'égard des domestiques, de faire des choses interdites aux autres. Elle n'aurait jamais dû penser à rendre œil pour œil, pas dans cette maison.

Mark regardait sa tête baissée. Son visage exprimait sûrement son caractère car elle était encore une enfant. Son geste n'avait eu aucune signification vindicative, et peut-être cela servirait-il de leçon à Matthew. Il avait bien besoin d'une leçon, et il avait probablement compris, car sinon il l'aurait dénoncée. Cependant, Mark savait que la réticence de son fils, dans ce cas précis, n'avait pas eu pour but de sauver la bonne d'enfants, mais d'éviter son propre mécontentement qui aurait rapproché la menace de la pension. Eh bien, il n'en savait peut-être rien, mais la menace était là, comme une épée de Damoclès. Il reprit alors :

— Je comprends ta motivation... mais tu as dû lui faire très peur.

— Je crains que oui, Monsieur, et... et j'en suis désolée.

— Bon, dit-il avec un sourire grimaçant, mais n'en sois pas trop désolée. Evidemment, il vaudrait mieux à l'avenir éviter de prendre des mesures aussi extrêmes. Néanmoins, pour le peu de temps qu'il aura encore à passer avec toi, je crois que tu parviendras à le tenir.

Ses yeux s'agrandirent et elle chuchota :

— Vous... vous ne me congédiez pas, Monsieur ?

— Non, non. (Il secoua la tête.) Je les envoie, lui et son frère, en pension. Ils n'en savent rien pour l'instant. En fait, leur mère ne le sait pas encore, alors...

Il tapota ses lèvres avec son index, et elle sourit en lui répondant :

— Ouais, Monsieur, pas un mot.

— Bon, eh bien, maintenant, va te coucher, et j'irai dire à la Maîtresse que tu n'as pas essayé de l'ensorceler.

C'était une phrase maladroite et ils en avaient tous deux conscience.

— Bonsoir, Trotter.

— Bonsoir, Monsieur.

Quelle fille étrange, étonnante. Cette pensée lui traversait l'esprit tandis que lentement, cette fois, il descendait les marches nues. Et Tilly se recoucha en réfléchissant. Il n'avait pas pensé à mal; c'était un homme gentil, très gentil. Il lui rappelait son grand-père, en un peu plus jeune.

CHAPITRE IV

Le jour du départ des garçons pour la pension fut rempli de larmes, de gémissements et de reproches et livra à Tilly les secrets de la direction d'une maison.

A dix heures du matin, elle avait conduit tous les enfants à la chambre de leur mère. Ils étaient tous en pleurs, surtout Jessie Ann, et lorsque leur mère joignit ses larmes aux leurs, Tilly eut du mal à ne pas en faire autant. L'attitude du jeune tyran à son égard, à peine une heure plus tôt, l'avait profondément touchée. Comme elle l'aidait à mettre ses vêtements neufs, il avait baissé la tête en s'appuyant contre sa taille et murmuré :

— Je n'ai pas envie d'y aller, Trotter ; je... je serai sage si je peux rester.

Pour la première fois depuis qu'elle le connaissait, elle l'entoura de ses bras et répondit :

— Cela ne durera pas toujours, Monsieur Matthew. Il y a les vacances, elles sont longues. Vous serez rentré pour Noël et pensez à toutes les réjouissances qu'il y aura.

Il avait levé la tête, la regardant dans les yeux et elle avait découvert l'enfant peureux perçant sous la brute.

— Ça va être si différent, je ne vais pas savoir quoi faire ; et ce seront des grands.

— Vous leur tiendrez tête, Monsieur Matthew. Ne craignez rien, vous leur tiendrez tête. Vous ne partez pas au bout du monde, juste à côté de Newcastle. Et quand vous reviendrez à Noël, nous aurons une grande fête pareille à celle de la semaine dernière. Vous avez prétendu ne pas vous amuser lorsque nous avons joué à la chandelle et aux quatre coins, mais je sais que cela n'est pas vrai. (Elle s'était accroupie pour mettre son visage au niveau du sien.) Je vous laisserai mettre une autre grenouille dans mon lit, et je vous promets de ne pas vous la mettre dans votre chemise de nuit.

Mais sa réponse avait été celle d'un adulte, car il n'avait pu articuler que :

— Oh ! Trotter !

A présent, elle les emmenait hors de la chambre et Mabel Price disait :

— Allons. Allons. Assez de larmes, les grands garçons ne doivent pas pleurer.

Le Maître se penchait sur la Maîtresse pour la consoler. Mais elle était de toute évidence désespérée et sa voix plus aiguë que d'habitude s'entendait du palier :

— Je ne vous pardonnerai jamais, Mark, jamais !

Puis, avec la plupart du personnel, Tilly demeura sur les marches pour voir Fred Leyburn qui conduisait le Maître et les garçons.

C'était un événement, et pour beaucoup de serviteurs un événement heureux, que cette paire de petits garnements les quitte, au moins pour un temps, et Tilly aurait dû être la plus heureuse d'entre tous mais, étrangement, elle ne l'était pas. C'était bizarre, très bizarre, mais il allait lui manquer beaucoup plus que Luke.

— Venez, remettez-vous au travail, tous, tant que vous êtes !

Mme Lucas remontait majestueusement l'escalier à présent, et en l'entendant, ils se dispersèrent.

Tandis qu'elle montait, M. Burgess, qui venait d'arriver, la rattrapa.

— Eh bien, dit-il, j'ai manqué le départ, j'ai vu la voiture franchir les grilles. C'est la meilleure chose qui puisse arriver à ces deux-là, de loin la meilleure.

— Mais vous les avez bien instruits, monsieur Burgess.

— L'instruction ne suffit pas, Trotter, si elle n'est pas liée à des rapports avec nos semblables. La connaissance n'a d'utilité que si elle aide les gens à vivre les uns avec les autres, à se supporter, et dans cet environnement étroit, ce que j'aurais pu enseigner à ce garçon ne pouvait lui servir à rien.

Elle était stupéfaite de penser qu'il considérait cette maison comme un environnement étroit et cependant elle comprenait vaguement ce qu'il voulait dire.

Il lui dit à voix basse :

— Avez-vous lu le livre que je vous ai prêté ?

— Oui. Mais... mais je ne le comprends pas.

— Vous le comprendrez si vous le relisez.

— Il paraît rempli de contradictions, et il n'y a pas de récit.

— Eh bien, je ne dirais pas cela si vite; Voltaire vous parle de la vie. Lorsque je vous ai donné le livre, je croyais que peut-être j'entreprenais de vous initier à la littérature en commençant par le sommet, au lieu du bas, mais à partir de maintenant, lorsque vous lirez des œuvres moins évoluées cela vous aidera à mieux les comprendre d'avoir commencé par des ouvrages plus compliqués. Me suivez-vous ?

Non, elle ne le suivait pas. En tout cas, pas tout à fait. Cependant, cela lui plaisait de l'écouter parler et elle avait énormément appris à son contact. Il lui avait donné deux livres : pas seulement prêtés, il les lui avait donnés; cependant sa seule possibilité d'en profiter était de lire le soir, à la lueur de la bougie, et alors, elle avait rapidement manqué de bougie car elle n'avait droit qu'à deux par semaine. Elle avait récemment conçu l'idée de récupérer les coulures et de les mouler en passant une mèche au travers. Elle n'osait pas regarder ses livres pendant la journée, de peur que Mlle Price ne les trouve, mais elle pouvait aisément, et sans éveiller de soupçons, observer le travail des enfants et de temps à autre écouter l'enseignement que M. Burgess leur donnait...

La Maîtresse demeura très affligée toute la journée; Tilly le savait à cause de l'activité régnant en bas. Elle avait quitté son divan de jour et s'était remise au lit, et à huit heures ce soir-là, le Maître n'était pas encore rentré. Puis, au dîner, elle découvrit un autre aspect du caractère du Maître, qui l'étonna et l'attrista. Cela vint d'une déclaration d'Amy Stiles :

— Ça ne prend pas toute la journée de faire l'aller et retour à Newcastle; on aurait pu croire qu'il serait rentré directement, sachant dans quel état était la Maîtresse.

— Quelle maîtresse ?

Ceci avait suscité un ricanement et Frank Summers, le jardinier en chef, avait répété :

— Ouais, tu l'as dit, quelle maîtresse ? C'est une putain, celle-là; sa place est sur le port de Shields.

— Elle est toute en airs et en grâces, reprit Amy Stiles. Comment ose-t-elle venir dans cette maison et rendre visite à la Maîtresse, Dieu seul le sait. Elle est cynique, voilà ce qu'elle est, cynique. On dit qu'elle les traite tous là-haut à Dean's House comme des chiens. Et on dit autre chose, le vieux bonhomme est au courant.

— Comment sais-tu ça ? demanda Phyllis Coates.

— Comment je le sais ? Eh bien, c'est parce que notre Willy connaît la bonne de la distillerie, Peggy Frost. Elle croit que le vieux est piqué, mais piqué-malin, vous savez. A table, il lui dit ma chérie, mon amour, et elle passe son temps à l'embrasser sur le crâne. Elle dit des choses amusantes pour le faire rire. Et il rit d'un gros rire gras.

— Eh bien ! eh bien ! tu es bien renseignée.

— Tu peux rire, mais je sais ça. On dit qu'elle en fait marcher plus d'un et que le Maître pourrait bien jouer les seconds violons.

— On dit ! On dit ! Les choses qu'on entend, Amy, tu sais... Elle devrait écrire un roman, elle regorge d'imagination !

Et les rires fusaient à présent, mais retombèrent lorsque la cuisinière dit :

— Eh bien ! assez. Laissons-les s'occuper de leurs affaires là-haut, et nous nous occuperons des nôtres. On est samedi et c'est la fin du mois, il faut s'y mettre.

Puis, comme si elle avait dit quelque chose de trop, elle jeta un regard vif du côté de Tilly et ajouta :

— Tu as fini ?

— Oui, madame Brackett.

— Eh bien, tu peux t'en aller.

— Pourquoi est-ce qu'elle s'en irait ?

Ils regardèrent tous Phyllis Coates.

— Cela fait deux mois qu'elle est ici, elle est des nôtres, elle doit avoir sa part selon sa place.

Un silence prolongé suivit cette remarque, puis la cuisinière marmonna :

— Rien que de la petite monnaie, alors.

— Eh bien, on ne crache pas sur la petite monnaie.

Phyllis Coates se tourna vers Tilly en souriant et comme celle-ci se levait pour quitter la table, elle lui dit :

— Assieds-toi.

Ce qui suivit parut totalement irréel à Tilly. La cuisinière apporta sur la table une boîte contenant des pièces d'argent et de cuivre et, après l'avoir renversée, elle les éparpilla sur la table; puis, sortant un carnet de la large poche de son tablier blanc, elle lécha son doigt et feuilleta le carnet avant de commencer à lire :

— L'épicerie et la boucherie ont rapporté un total de vingt-cinq shillings; le poissonnier et le marchand de volailles, dix-huit shillings et neuf pence; le meunier, deux livres, sept shillings et quatre pence. (Elle leva les yeux et regarda autour d'elle.) Ça, c'est en comptant un penny pour la pierre et le reste, au lieu des trois farthings du mois dernier; je ne vois pas pourquoi Mme Lucas devrait avoir les prunes.

— Je suis d'accord avec vous, dit Robert Simes. Elle et M. Pike s'en sortent très bien de leur côté, merci bien. Oh ! je sais ce que je sais. Seulement neuf bouteilles à la douzaine !

— Tu n'as pas besoin de me le dire, je ne suis ni aveugle ni folle, et ne suis pas née de la dernière pluie. Maintenant, les œufs et les fruits et légumes qu'on a vendus au marché; ce mois-ci a été bon avec les groseilles et le reste, huit livres deux shillings et six pence. (Toutes les têtes autour de la table hochèrent avec approbation. Mouillant son crayon à ses lèvres, la cuisinière commença à additionner, puis après un long silence, elle déclara :) J'arrive à douze livres, treize shillings et sept pence.

— C'est tout ?

La cuisinière regarda Robert Simes et hocha la tête, disant avec insistance :

— C'est tout.

— Seigneur ! Le vieux Pike en gagnait presque autant avec la note des vins à une époque.

— Ouais, à une époque, on s'en sortait tous bien, mais cette maison n'est plus ce qu'elle était, et nous le savons tous, n'est-ce pas ?

Le double menton de la cuisinière battait mollement le col amidonné de sa robe imprimée et on entendit murmurer :

— Ouais, ouais.

— Bon, maintenant partageons. (La cuisinière mit à présent la main parmi les pièces d'argent et de cuivre, et, les répartissant, elle dit :) Bon, maintenant, trois et cinq pour toi, Robert. (Elle avança trois livres et cinq shillings vers le laquais.) Autant pour moi. (Elle retira le même nombre de pièces.) Deux livres pour toi, Phyllis, et deux livres pour Fred. Tu peux prendre les siennes. (Elle poussa quatre souverains vers le bout de la table). Une pour toi, Amy. (Elle donna un souverain à la seconde femme de chambre.) Quatorze shillings pour toi, Maggie, bien que tu ne les aies pas mérités. (La fille ricana en ramassant les quatre demi-couronnes et les quatre shillings sur la table.) Bon, alors cela laisse... Qu'est-ce qui reste ?

Tous savaient que la cuisinière était parfaitement consciente de ce qui restait, elle avait tout calculé avant de renverser la boîte, et elle dit maintenant :

— Neuf shillings et sept pence, alors qu'est-ce que nous allons en faire ?

— Eh bien, c'est à moi, dit Ada Tennant en agitant la tête.

— Nous avons dit que Trotter devait avoir sa part, n'est-ce pas ?

Phyllis Coates défaisait la cuisinière qui marmonna :

— Eh bien, il vaut mieux partager en deux.

— Ce n'est pas juste et vous le savez, madame Brackett. Trotter est au-dessus de moi et d'Amy, de son plein droit.

— Pas demain la veille. (La cuisinière lança un regard extrêmement véhément à Tilly et au moment où celle-ci allait dire « Je ne veux rien », elle déclara péremptoirement :) La moitié ou rien.

Voyant arriver devant elle les quatre shillings et neuf pence et demi, Tilly hésita à les ramasser; puis son regard croisa celui de Phyllis Coates dont les sourcils lui envoyèrent un signal en s'agitant vivement de bas en haut.

En ramassant les pièces, Tilly eut le sentiment momentané qu'ils lui brûlaient les doigts, c'était comme de l'argent volé. Et, d'une certaine façon, il était volé, car ils en privaient le Maître et trouvaient cela normal; néanmoins, même Phyllis paraissait l'accepter comme son dû.

Quelques minutes plus tard, après avoir quitté la table, Phyllis la rattrapa au pied de l'escalier du grenier et lui chuchota :

— Ne t'inquiète pas, tu auras ta part complète le mois prochain, Fred y veillera.

— Je n'en veux pas. Je veux dire... eh bien... (Debout sur la première marche de l'escalier, elle baissait les yeux vers Phyllis, et tout en sachant qu'elle risquait de s'aliéner une amie, elle ne put s'empêcher de s'expliquer :) En quelque sorte, ça me donne l'impression de voler.

Phyllis ne se sentit aucunement insultée par cette remarque, cela lui prouvait tout simplement à quel point cette fille était naïve en ce qui concernait les habitudes d'une maison telle que celle-ci, et elle donna donc une bourrade amicale à Tilly en lui disant :

— Ne sois pas idiote. Comment crois-tu que nous parvenons à réunir ce dont nous avons besoin, nous qui allons nous marier ? ou ceux qui ont à faire face à la vieillesse ? Car, tu peux me croire, les patrons ne font rien pour nous. Je touche douze livres par an et ils sont persuadés qu'ils me donnent de la poudre d'or. Et Fred en touche vingt-cinq et son uniforme. Nous ne pourrons pas nous offrir un très grand train de maison avec ça. Non, prends tout ce que tu peux, ma fille, et réclames-en encore. C'est la seule façon de survivre dans cette vie. Et que l'idée du vol ne t'inquiète pas, mon dieu ! non, car ils te prendraient jusqu'à ta dernière goutte de sang, les patrons. Et le Maître ne vaut pas mieux que les autres, même si de temps à autre, quand ça lui chante, il fait une bonne action, comme de laisser les gens dans des cottages. Mais, s'il se fâche, tu es fichue. Quant à la Maîtresse, eh bien, elle a renvoyé tout le personnel de la laverie, toutes les quatre, car ses jupons de linon avaient été lavés avec les couleurs. C'est pourquoi nous n'avons que deux journalières. Ecoute bien ce que je te dis, ma fille. Et maintenant, va, et n'aie pas l'air si triste; tu t'es débarrassée de cette espèce de petit garnement, n'est-ce pas ? Et c'est tout ce qu'il était, un sacré voyou.

Tilly baissa la tête, se mordant les lèvres pour s'empêcher de rire. Oui, tout ce que Phyllis venait de dire, à propos du petit voyou en particulier, devait être vrai. Cependant, cela lui paraissait drôle, venant d'elle, car elle ne l'avait encore jamais entendue jurer. Elle se pencha et lui dit d'une voix douce :

— Je suis heureuse que tu sois mon amie, Phyllis.

Phyllis, contente et gênée, lui donna une telle bourrade qu'elle faillit en perdre l'équilibre dans l'escalier et répondit :

— Allez, va-t'en ! Va vite te coucher.

Et sur ce, elle tourna les talons, courut le long du couloir et retourna à la cuisine, et Tilly se coucha plus riche de quatre shillings et neuf pence et demi.

C'était son troisième dimanche de sortie. L'été était à son zénith, le ciel était dégagé et le soleil chaud, si chaud qu'il pénétrait dans la calotte de son chapeau de paille et lui réchauffait la tête. Elle était heureuse de la robe légère que Phyllis lui avait donnée. Elle avait dû la rallonger et reprendre la taille. Sa taille et ses hanches étaient si étroites qu'elle devait faire des pinces à tout ce qu'elle portait.

Elle se dirigeait comme d'habitude vers le cottage pour la bonne raison qu'elle n'avait pas d'autre endroit où aller. Si elle avait eu même une demi-journée un samedi, elle aurait pu se rendre à Shields pour voir le marché, mais elle n'avait pas le courage de demander à Mme Lucas ou à Mlle Price de changer son jour. Somme toute, elle était satisfaite. La vie s'écoulait calmement, elle était placée depuis trois mois et les deux enfants qui restaient lui paraissaient faciles à manier; elle s'instruisait au contact de M. Burgess; elle avait Phyllis et Fred comme amis et également Katie Drew. Oui, elle pouvait compter Katie Drew comme amie car les deux dimanches précédents, elle était allée revoir le cottage en ruine et avait rencontré Katie et son frère Sam, quelque part le long de la route. En fait, elle se plaisait à l'idée de les retrouver à présent, elle s'y attendait.

Lors de son premier dimanche de sortie, elle avait quasiment éliminé l'idée de se rendre au cottage tellement elle craignait de rencontrer Hal McGrath, mais lorsqu'elle avait croisé Sam et Katie Drew, ils lui avaient donné un sentiment de sécurité; et à l'occasion de sa prochaine sortie, ils y étaient retournés, et voilà qu'ils s'avançaient vers elle. Elle avait envie de courir à leur rencontre, et lorsque Katie quitta son frère en courant, elle aussi se mit à courir; puis elles s'immobilisèrent simultanément et se saluèrent.

— Comment vas-tu, Tilly ?

— Très bien, Katie. Et toi, tu vas bien ?

— Ouais... C'est une merveilleuse journée, tu ne trouves pas ?

— Oui, très belle... Je transpire.

— Tu n'es pas la seule. Sam vient de dire que son pantalon lui colle à la peau.

Tilly et Sam se regardèrent. Il était vêtu de son habit du dimanche, et portait un foulard propre. Elle voyait qu'il avait consciencieusement lavé son visage, cependant les marques de la mine demeuraient, en particulier autour des yeux. Ses cils paraissaient tachés de poussière de charbon et il portait les stigmates du mineur, des traits bleus sur son front.

— Bonjour, dit-il.

— Bonjour, Sam... comme il fait chaud !

— Il ne fait jamais trop chaud pour moi.

— Tu as dit que tes vêtements collaient à ta peau.

— Ouais, c'est vrai, mais j'aime ça. J'y penserai demain toute la journée.

— Moi aussi, dit Katie, hochant la tête.

En pensant au lendemain et à la profondeur du puits, Tilly était stupéfaite que cette jeune fille de quinze ans, en paraissant au moins vingt, puisse encore sourire. En revanche, puisqu'ils passaient tous les deux la plus grande partie de leur vie dans les entrailles de la terre, ils semblaient savourer encore plus qu'elle la lumière du jour. Leur jouissance du soleil éclatait. Ils marchaient, leurs visages tournés vers le ciel. Curieux, cela, pensait-elle, elle qui avait l'habitude de marcher tête baissée, regardant la terre.

— Nous avons été du côté du cottage; quelqu'un a couché dans l'étable.

— Eh bien, il a dû y être à l'abri.

— Ouais, c'est certain. Ça doit être l'enfer d'être sur la route, de ne pas avoir un toit au-dessus de sa tête. Et il y en a beaucoup comme ça, actuellement. Mais ça ne continuera pas éternellement. Non, ça ne pourra pas durer. Nous prenons conscience du fait que nous sommes des êtres humains, et pas des animaux, et que nous avons les droits d'êtres humains. Les choses évoluent. Les patrons vont avoir à se méfier avant longtemps, tu verras. Ils n'auront pas toujours le dessus, nous aurons notre chance, un jour. Je ne vivrai peut-être pas assez longtemps pour le voir, mais ce sera bientôt notre tour, et alors, que Dieu vienne à leur aide !

— Ils ne sont pas tous pareils, Sopwith n'est pas un mauvais bougre.

— Ils se ressemblent tous, comme des gouttes d'eau.

Il se pencha devant Tilly et lança un regard furieux à sa sœur. Mais elle se moqua de lui.

— Ah ! n'enfourche pas tes grands chevaux, bonhomme, c'est dimanche. Et de toute façon, imagine où nous serions à c'te heure si Sopwith ne nous avait pas donné le cottage.

— Il ne nous aurait pas engagés s'il n'avait pas eu besoin d'hommes, il ne l'a pas fait par charité. Personne de son espèce ne fait rien par charité; ils vous font tous payer des intérêts sous forme de sueur, tous tant qu'ils sont. Et le cottage, qu'est-ce que c'est, après tout, deux pièces.

— Ah ! écoute, Sam, rends-lui justice. Qu'avions-nous avant ? Des sols en terre battue. Le sol est en pierre dans celui-ci. Et le purin du tas de fumier d'à côté ne suinte pas au travers. Alors, sois honnête.

— Ecoutez-la ! Tu n'as pas besoin de demander qui elle défend. Elle travaille pour lui autant qu'un homme et il la paie moitié moins, et en plus elle prend son parti. Ah... les femmes !

— Ouais, les femmes ! Où seriez-vous sans nous ? Je sais où tu serais, tu serais encore à l'état de désir dans le ventre de mon père.

— Eh bien, nous voici revenus une nouvelle fois.

Ils regardèrent Tilly enjamber la clôture. Elle les attira dans le chemin, puis comme d'habitude, eut envie de détourner les yeux

181

des ruines calcinées de sa maison. L'effet attristant que ce spectacle produisait sur elle ne semblait pas s'amenuiser et, lorsqu'elle eut contourné le mur de côté et atteint la cour, elle demeura immobile, contemplant encore l'étable; puis, avec une secousse de la tête, elle se retourna brusquement et rebroussa chemin jusqu'à la barrière.

Le frère et la sœur se regardèrent, puis la suivirent en silence. Sur l'allée cavalière, Katie demanda :

— A quelle heure dois-tu être rentrée aujourd'hui ?

— Il me reste encore du temps : six heures et demie, aujourd'hui.

— Eh bien, écoute... Est-ce que ça te ferait plaisir de venir chez nous pour un thé-souper ?

Tilly sourit à Katie, à ce visage rond et ingrat qui ne connaîtrait jamais la beauté, mais dont les yeux rayonnaient d'une telle générosité qu'à cet instant elle le trouva presque joli.

— Oh oui ! merci beaucoup, cela me ferait plaisir. Ouais, très plaisir.

— Eh bien, qu'est-ce qu'on attend ?

Sam les laissa et se mit à marcher à grandes enjambées; et, tout en le suivant, elles se mirent toutes les deux à rire, sans savoir pourquoi, sauf peut-être parce qu'elles se rendaient compte qu'elles avaient quelques heures de liberté; peut-être parce que c'était une merveilleuse journée estivale, au soleil radieux; mais davantage peut-être parce qu'elles prenaient conscience de leur jeunesse et de cette bouffée de joie.

Le cottage des Drew était à deux kilomètres. Situé au nord de la propriété, on l'atteignait par un embranchement partant de la route carrossable. Les cottages étaient situés exactement sur la limite de la propriété Sopwith et à huit cents mètres de la mine. Il y en avait seize, disposés sur deux rangées. Celui des Drew était le dernier et, lorsque Tilly y pénétra ce dimanche après-midi étouffant, il lui fit l'effet d'une petite boîte étriquée, après les grands espaces du Manoir. De plus, il s'en dégageait une odeur complexe lui rappelant celle que répandent la suie et la mousse de savon, celle qui demeure après la lessive d'une journée, une odeur aigre de sueur. La petite pièce paraissait bourrée de monde et Tilly se tint sans bouger dans l'embrasure de la porte pendant que Katie la présentait, s'adressant d'abord à une grande femme dont la charpente osseuse paraissait dépouillée de chair.

— Maman, je te présente Tilly, la fille dont je t'ai parlé.

La femme cessa momentanément de couper en tranches une

182

grosse miche de pain posée au bout de la table, sur une nappe étonnamment blanche; elle accueillit Tilly en souriant.

— Eh bien, entre, ma fille, entre. C'est-à-dire, si tu y arrives. Mais on dit : Ne te plains jamais d'être serré si tu peux fermer la porte. Sois la bienvenue. Assieds-toi. Soulève ton derrière de ce tabouret, Arthur, pour qu'elle se repose.

Arthur, un garçonnet souriant de douze ans, se laissa glisser du tabouret bas, puis s'adossa au mur blanchi à la chaux près de la petite cheminée; Tilly eut envie de protester que cela ne la gênait pas de rester debout, mais se sentant soudain gauche, elle s'assit sur le tabouret bas et regarda timidement la marée des yeux fixés sur elle. Certains l'observaient sans en avoir l'air, d'autres la fixaient. Elle se demandait pourquoi ils étaient tous entassés dans cette pièce par cette rare et tellement belle journée, et comme si elle avait posé la question, la réponse lui fut donnée.

Tout en continuant de couper le pain, Mme Drew expliqua :

— Le dimanche, nous nous réunissons pour le thé dominical. Qu'il pleuve, qu'il grêle, qu'il fasse soleil ou qu'il neige, c'est le moment de la semaine où je suis entourée de tous mes soucis.

— Ah, m'man !

De tous les coins de la pièce fusèrent les mêmes protestations.

— Tu aimes travailler dans la grande maison ?

— Oui; oui, merci.

Tilly hochait la tête vers Mme Drew et la grande femme, ramassant par poignées les tranches de pain pour les poser sur un grand plat de couleur, reprit :

— Eh bien, il y a une chose, on vous apprend à être rapide dans les grandes maisons, pas comme cette équipe ici.

Elle montrait une grande jeune femme et une plus petite, qui descendaient des récipients d'un vaisselier gallois ancien en bois noir; le dos du meuble, remarqua Tilly avec une certaine surprise, formait une sorte de haut dossier pour un grand lit en fer sur le bord duquel étaient assis deux jeunes garçons et un adolescent.

— Oh ! m'man, m'man ! protestaient-ils tous gaiement.

— Est-ce que ces galettes sont terminées ?

Mme Drew regardait à présent une enfant rondouillette agenouillée devant l'âtre; elle faisait tourner des petites boules de pâte posées sur une plaque en fer, elle-même posée sur un tas aplati de cendres chaudes.

Se penchant sur sa sœur, Sam Drew répondit à sa place :

— Elle est en train de les manger, m'man.

La petite fille, au visage rougi par la chaleur du foyer, s'assit sur ses talons en pleurant et, donnant des tapes à son frère, s'exclama :

— Oh ! Sam ! Je n'en ai pas touché une seule !

Espiègle, il fit semblant de lui rendre ses coups, puis dit à Tilly :

— Tu dois avoir l'impression d'être arrivée dans une ménagerie.

Elle sourit mais ne trouva rien à lui répondre. Il avait raison, on aurait cru une ménagerie.

— Bon, eh bien, si j'arrive à me souvenir, je vais te les présenter en commençant par le plus vieux. Celui-là, là-bas (Sam indiquait un homme petit et épais, assis au bord de la table), c'est mon grand frère, Henry, il a vingt-quatre ans, il est marié, et tout le tremblement, tu sais.

Négligeant le poing serré de son frère, de son pouce, il indiquait sa poitrine.

— Ensuite, il y a moi. Puis vient Peg, celle-là qui est si lente avec la vaisselle. Et puis Bill. Il a dix-sept ans, c'est lui, assis sur le lit, celui qui a l'air idiot.

— Ce sera toi l'idiot, Sam, si tu ne fais pas attention.

— Je me méfie, alors on continue. Et ses deux imbéciles de voisins, Arthur à gauche, il a douze ans, et Georgie, celui qui ressemble à un âne sur le point de braire, il a dix ans.

— Oh ! Sam !

Les exclamations fusaient de divers endroits de la pièce à présent.

— Puis, voici notre Katie, qui n'est pas bien dans sa tête...

— Oh ! attends un peu, Sam !

— Le meilleur de la bande, c'est Jimmy, ici. C'est un épouvantail naturel, n'est-ce pas, Jimmy ? Un penny par jour, tu peux gagner, en te tenant au milieu des champs.

— Oh ! Sam ! Sam !

— Et puis, voici ma petite Fanny. (Il se pencha et passa ses doigts à travers l'épaisse chevelure brune de l'enfant agenouillée.) Elle a sept ans, n'est-ce pas, Fanny ? Et elle va descendre dans la mine l'année prochaine, hein, Fanny ?

— Maintenant, tais-toi, Sam ! dit sa mère en tournant vers lui un visage sévère. Ne plaisante pas à propos de sa descente dans la mine. Elle n'en verra ni le haut ni le fond, pas tant que je vivrai.

— Je plaisantais seulement, m'man.

— Eh bien, ne joue pas avec ça; le trou vous a tous pris, mais ils n'auront pas celle-là. Ni Jimmy ici. Il y en a deux parmi vous à qui j'ai l'intention d'offrir le jour.

— Ouais, m'man; ouais, tu as raison. Il n'y a pas de quoi rire.

Mme Drew avait cessé de servir des bocks de thé et elle se tourna vers Tilly; mais elle ne dit rien pendant quelques secondes. Lorsqu'elle parla enfin, sa voix, dont le timbre était grave, résonnait d'une profonde amertume.

— Le trou m'a pris quatre des miens en sept ans, mon bonhomme y compris, alors tu peux comprendre pourquoi je défends au moins ces deux-là, hein ?

— Oui, oui, madame Drew.

— Eh bien, maintenant que nous avons dit ça, on se met à table.

C'était, pensait Tilly, comme si la grande femme maigre avait soudain tourné un bouton quelque part en elle-même et éteint les souvenirs amers, car à présent sa voix était de nouveau joviale et elle cria à sa fille :

— Peg, apporte la tasse en porcelaine, nous avons une invitée.

Lorsque Peg eut donné à sa mère la fragile tasse de porcelaine, Mme Drew prit la soucoupe entre son index et son pouce et la posa délicatement sur la table; puis, elle demanda à Tilly :

— Tu aimes ton thé avec du lait, ma fille ?

— Oh oui ! s'il vous plaît.

— Et tu peux prendre du sucre, si tu veux.

Ceci venait du visage relevé de Fanny. Ils éclatèrent tous de rire et reprirent en chœur, à l'imitation de la petite fille :

— Et tu peux prendre du sucre, si tu veux.

— Ah ! vous, vous êtes toujours à vous moquer de moi ! s'écria-t-elle.

— Et maintenant que nous sommes tous là, nous allons commencer. J'ai dit, nous sommes tous là, sauf mon Alec. Il fait un double poste à cause de toute cette eau en bas; il sera crevé quand il remontera. Ça ne devrait pas être permis, vingt-quatre heures d'affilée là-dessous ! Et il n'est encore qu'un jeune garçon !

— Il a dix-huit ans, il est plus vieux que moi, et moi j'ai déjà fait un double poste.

— Oh ! écoutez ! dit Sam. Bill, le héros, a fait un double poste. Ouais, mais tu n'avais pas de l'eau jusqu'au cou. Il faut faire quelque chose. Par dieu ! Il faut faire quelque chose.

— Allons ! Allons ! dit la mère, c'est dimanche, et on a une invitée. On ne parle plus de la mine.

Puisqu'il ne tenait que neuf personnes assises autour de la table, deux des plus jeunes garçons restèrent sur le lit; leur mère leur dit de s'approcher pour prendre leurs épaisses tartines garnies de morceaux de fromage; elle les contempla tour à tour et leur dit :

— Vous n'en méritez pas, ni l'un ni l'autre; c'est un miracle que vous ne soyez pas en prison.

— Pourquoi, qu'est-ce qu'ils ont fait ? demanda Henry, le fils marié. Qu'est-ce que c'est ? Qu'est-ce que vous avez encore fait, tous les deux ?

Comme ils ne répondaient pas, il regarda sa mère et celle-ci, tentant, de toute évidence, de réprimer un sourire, prit une voix plus dure que d'habitude et expliqua :

— Ce qu'ils ont fait ? Ils ont simplement essayé de mettre le feu à la maison des Myton, c'est tout.

— Quoi ?

Tout le monde autour de la table s'exclama. Certains s'étouffèrent, tant et si bien qu'il fallut taper sur le dos de Katie avant que la mère puisse continuer.

— Ils étaient en train de faucher des pommes et l'un des jardiniers les a attrapés, et comme il était gentil, au lieu de les emmener à la maison et ensuite d'appeler la police, il leur a donné une bonne rossée, puis botté les fesses et les a envoyés coucher. Et qu'est-ce que vous pensez qu'ils ont fait hier soir ?

— Eh bien, quoi, j'attends ? demanda Henry.

De nouveau, toute la table fut pliée en deux de rire, et Sam à présent raconta :

— Ils ont rempli une demi-douzaine de tuyaux d'évacuation avec de la paille, tu connais le vieux système, et ils y ont mis le feu.

— Non !

— Ouais.

— A la maison des Myton. Oh ! mon dieu ! Ce que j'aurais aimé voir ça. Ha ! espèce de petits bougres !

Il se tourna et regarda du côté du lit où étaient assis les deux garçons, l'air honteux, mais les épaules secouées de rire.

— Et non satisfaits de ça, ils sont retournés au verger et se sont servis de pommes, pas les tombées, cette fois-ci, mais celles des arbres. Mon dieu ! Quand ils m'ont raconté ça, j'en ai été malade. Y retourner une seconde fois ! Dieu ! Ils ont eu de la chance qu'on ne les attrape pas. Enfin, ils en ont rapporté une bonne vingtaine de kilos. Comme ils disaient, ils auraient pu en emporter une pleine charrette, car tout le monde était occupé à retirer la paille des tuyaux.

— Ils finiront en Australie ces deux-là.

C'était au tour de Sam de les regarder.

— Ils ne vivront jamais assez longtemps pour arriver en Australie.

Sous le regard de Tilly, la tête de Mme Drew se mit à s'agiter lentement et une bouffée d'hilarité comme elle n'en avait jamais connue auparavant s'éleva en elle, et pour terminer, elle annonça :

— Ils se balanceront, tous les deux, au carrefour et nous aurons tous une fête, et le rire jaillit de sa gorge.

Cela surprit non seulement elle-même, mais également tous les convives autour de la table, car ils n'avaient jamais entendu personne rire ainsi. C'était un son aigu et ululant qui grossissait de plus en plus, et se tenant la taille, elle se détourna de la table en se balançant. Elle riait à en pleurer; elle ne parvenait pas à s'arrêter de rire, même lorsque Katie, elle-même pliée en deux d'hilarité, l'entoura de son bras et la supplia : « Arrête. Arrête. » Ni même quand Sam lui souleva le menton et cria, la bouche grande ouverte : « Ça suffit. Ça suffit. » Et il continua à le répéter et se rendit compte soudain que son visage se décomposait et que les larmes qui le ravinaient n'étaient plus causées par le rire. Alors, se redressant, il regarda autour de la table et leva la main.

— Assez, en voilà assez.

Le calme revint progressivement dans la pièce et Tilly se tourna à nouveau vers la table et, tête baissée, murmura :

— Je suis désolée.

— Désolée, ma fille ? Tu n'as aucune raison d'être désolée. Nous n'avons pas ri si librement dans cette pièce depuis bien longtemps. C'est bon de rire. C'est un baume pour les blessures. Ouais, un baume pour les plaies. Bois ton thé, ma fille.

Remplie de reconnaissance, Tilly but son thé. Puis, elle regarda ces visages qui l'entouraient, des visages chaleureux, attentifs, et il lui sembla n'avoir jamais rencontré un attachement aussi solide que celui liant les divers membres de cette famille. Ils passaient presque tous leur vie sous terre, même les filles; mais il y avait ici un bonheur qu'elle leur enviait, un bonheur qu'elle aurait aimé partager. Elle regarda Mme Drew par-dessus la table redevenue silencieuse:

— Votre thé est merveilleux, vraiment merveilleux.

CHAPITRE V

C'était la fête de Guy Fawkes, et par la suite ce jour-là devait demeurer lié, dans la mémoire de Mark Sopwith, à l'origine de la catastrophe.

Cela débuta mal. Eileen Sopwith était encore toute larmoyante à cause d'une lettre de Matthew, se plaignant de détester la pension et demandant à rentrer à la maison; à cela s'ajoutait une contrariété : Harry, le fils du premier mariage de Mark, actuellement en seconde année de droit à Cambridge, avait décidé — sans lui demander la permission — de se joindre à eux pour les congés de Noël. Elle n'avait jamais aimé Harry, même si depuis son mariage avec son père, elle ne l'avait vu qu'au cours des congés scolaires. Mais, même enfant, son comportement l'avait agacée. Il avait un air lointain qui la déconcertait et lorsqu'elle le regardait, elle reconnaissait en lui sa mère, et était ainsi amenée à se souvenir de son rang d'épouse en second, dans la vie de son mari.

Son caractère extrêmement jaloux, Mark l'avait découvert après la naissance de Matthew, car elle lui reprochait son affection pour l'enfant, persuadée d'être lésée d'une part de son amour pour elle. Même après avoir décidé de se comporter en invalide, à la suite de la naissance de John, sa jalousie n'avait pas diminué. Sa possessivité pour les enfants, il le comprenait bien, avait pour but de lui aliéner leur affection et de l'obliger à se tourner vers elle, non pas pour recevoir de l'amour, mais pour le prodiguer sous forme de caresses et d'attentions.

Elle aimait bien sentir ses doigts dans ses cheveux, cela lui faisait plaisir qu'il lui caresse les mains, et même la peau claire de ses bras à l'intérieur de ses coudes; mais elle ne permettait jamais à ses mains d'approcher ses seins, elle était une invalide maintenant et ne devait pas être soumise à pareille fatigue. Ne lui avait-elle pas offert quatre enfants ? N'était-il pas satisfait ? Il avait quarante-trois ans et elle, trente-huit. A cet âge, les gens bien-pensants devraient avoir dépassé ce genre de chose qui accompagnait la procréation et Mark ne savait que trop qu'elle n'avait pas l'intention d'aller plus loin dans ce domaine.

Mais, ce jour-là, il n'était pas question d'elle en particulier. Il prenait toujours son petit déjeuner seul. La petite salle à manger était pour lui la pièce la plus chaleureuse de la maison. C'était dans cette pièce qu'il avait savouré son premier repas en bas, mais cela ne lui était arrivé qu'à douze ans, alors qu'il était déjà pensionnaire depuis quatre ans.

Son petit déjeuner était léger, il ne mangeait jamais plus d'un seul œuf, une tranche de bacon et un rognon. Il n'avait jamais pu digérer le poisson au petit déjeuner. Il était adossé à sa chaise, s'essuyant la bouche avec une serviette, mais son esprit était à cinq kilomètres... non, sept, dans la mine, à l'endroit où se trouvait le point faible. Il allait y emmener Rice ce matin et regarder cet endroit lui-même. La pompe avait fort à faire pour évacuer l'eau. Une des femmes avait failli se noyer la semaine dernière; et il préférait éviter que cela se reproduise, cela donnait mauvaise réputation à la mine. Voilà trois ans qu'aucun accident ne s'était produit, et même à cette époque-là, ça n'avait pas été très grave, il n'y avait eu que deux morts; pas comme chez Jarrow, une centaine d'un coup. Vingt-deux mineurs étaient morts dans la mine de Rosier l'année dernière. Il aurait tant voulu ne pas avoir besoin de la mine; les soucis qu'elle lui occasionnait commençaient à produire leurs méfaits : ses cheveux grisonnaient sur ses tempes et son visage se ridait. Agnès le lui avait maladroitement fait remarquer l'autre jour.

Agnès. C'était un autre souci; cela faisait trois semaines qu'il ne l'avait vue. Ils s'étaient quittés sur des mots désagréables. Ne pas la revoir pendant encore trois semaines, ou trois mois, ou jamais, le laissait complètement indifférent, mais il doutait qu'elle lui rende sa liberté aussi aisément. Elle ressemblait à une sangsue, cette fille... cette femme, car ce n'était pas une fille, mais une femme assoiffée, ardente, dévorante. Il avait connu intimement un certain nombre de femmes dans sa vie, mais jamais aucune comme elle. Le dicton selon lequel on ne peut se lasser même d'une bonne chose s'appliquait bien à tout. Peut-être avait-il connu une époque où il en aurait douté, mais elle était révolue.

Il chiffonna sa serviette, la jeta sur la table et, au moment où il se levait, la porte s'ouvrit et Simes apparut.

— Il y a un gentilhomme qui désire vous voir, Monsieur.

— Un gentilhomme ! A cette heure ! Qui est-ce ?

— M. Rosier, Monsieur.

189

Mark ne répéta pas le nom de Rosier, mais fronça les sourcils et marqua une longue pause avant de demander :

— Où l'as-tu fait entrer ?

— Dans la bibliothèque, Monsieur.

— J'y serai dans une minute.

— Très bien, Monsieur.

Une fois que l'homme eut fermé la porte, Mark se frotta pensivement le menton avec deux doigts. Rosier à cette heure de la matinée ! Que voulait-il donc ? Deux choses seulement intéressaient Rosier : sa mine et son argent. Et laquelle des deux avait bien pu l'amener ici ? Mark le croyait encore à l'étranger, promenant sa grande femme solennelle et ambitieuse à travers l'Amérique. Il remua discrètement la tête, réajusta sa cravate et lissa les poches de sa veste longue; puis il quitta la pièce, traversa le hall et pénétra dans la bibliothèque.

George Daniel Rosier contemplait le portrait suspendu au-dessus de la cheminée sans feu et se tourna brusquement lorsque la porte s'ouvrit. C'était un homme petit au teint basané, à la chevelure clairsemée, avec juste un peu de gris par-ci, par-là. Son nez proéminent constituait l'élément le plus important de son visage. Il avait un aspect ordinaire; trois générations auparavant, sa famille avait travaillé en usine. Les stigmates de cette condition ne l'avaient pas quitté et il les combattait par une attitude bravache. Comment une femme de la noblesse terrienne avait-elle pu jeter son dévolu sur lui, voilà qui intriguait tout le monde. Eh bien, peut-être pas tout le monde, et certainement pas Agnès Rosier, car elle avait de loin dépassé l'âge du choix lorsqu'il l'avait épousée, et elle était lasse de la pauvreté dans le raffinement. Un an après leur mariage, elle lui avait donné un fils, qui avait à présent quatre ans. Elle avait presque triplé le nombre de ses serviteurs et avait manqué le rendre fou, non pas par sa volonté de recevoir des membres de la haute société, mais à cause du coût de telles réceptions.

Il tirait de sa mine un rendement convenable, mais le tyran qu'il était écrasait ses contremaîtres qui, à leur tour, pressuraient les hommes et les femmes sous leurs ordres. A plusieurs reprises, il avait menacé de faire venir des Irlandais, mais jusqu'à présent il avait eu suffisamment de bon sens pour s'en abstenir. Cependant, devant le désir de s'instruire qui se répandait parmi le « rebut de la société », il repensait à son idée. Son souhait, néanmoins, d'éviter les ennuis et le coût d'une telle opération expliquaient sa présence ici ce matin.

— Bonjour.

Mark le salua, mais Rosier lui répondit brièvement :

— 'jour.

— Que se passe-t-il, est-il arrivé quelque chose chez toi ?

— Non, pas encore; et chez toi non plus pour l'instant; mais continue à débaucher mes mineurs et tu verras.

— De quoi parles-tu ? demanda Mark d'une voix neutre.

— Bon ! Bon !

Rosier détourna la tête et regarda du côté de la fenêtre; puis, ramenant brusquement son menton, il lança un regard furieux à Mark.

— Les trois gars que tu as pris récemment, ceux que mon contremaître avait renvoyés.

— Et alors ? je les ai pris car j'avais besoin d'hommes. Ton contremaître a rompu son contrat, pas eux. Apparemment, il n'avait pas envie de les garder.

— Tu sais aussi bien que moi pourquoi ils ont été renvoyés. Ecoute, Sopwith, d'homme à homme. Laisse ces gars apprendre à lire et à écrire, et tu sais aussi bien que moi que ce sera le début de la fin.

— Je ne suis pas d'accord avec toi.

— Ah ! ne sois pas un sacré naïf, bonhomme !

— Je ne suis pas un sacré naïf et je te remercierai de ne pas sous-entendre que je le suis. Tu as établi comme règle que tes hommes ne doivent pas apprendre à lire ou à écrire. Eh bien, je n'ai aucune règle de la sorte dans ma mine et si j'ai besoin d'hommes, j'embaucherai ceux qui cherchent du travail, qu'ils sachent ou non lire et écrire.

— Ah bon ! tu les embaucheras ?

— Oui, je le ferai !

— Eh bien, dit Rosier avec un petit rire cassé, d'après ce que j'ai entendu, les choses ne vont pas trop bien pour toi. Tu avais de l'eau au fond avant que je ne parte, mais à présent, il paraît qu'ils en ont jusqu'au cou. Tu as dû fermer une galerie, combien t'en reste-t-il d'ouvertes ?

— Autant que toi.

— Jamais ! Jamais ! Il suffit que ta pompe tombe en panne et tes hommes et tes chevaux sortiront en nageant à travers la couche.

Mark regardait fixement le petit homme. Il rageait intérieurement, mais s'appliquait à ne pas manifester sa colère. Il demanda donc d'une voix volontairement impassible :

191

— Pour quelle raison précisément es-tu venu ici ce matin ?

— Je te l'ai dit, simplement pour te prévenir que tu es un imbécile si tu leur laisses la bride sur le cou avec cette histoire d'apprendre à lire et à écrire. Mais il y a encore une chose... Eh bien, comme je vois que tu as la guigne, et que tu es dans la difficulté... Oh ! Oh ! Oh ! Les rumeurs ont atteint même l'Amérique. Enfin, je suis venu en toute amitié et je te le propose maintenant : si tu as besoin d'argent, je veux bien t'en avancer.

— Tu veux bien ?

— Oui. J'ai dit que je veux bien, et je le ferai.

— Puis-je demander quelle garantie tu souhaiterais ?

— Eh bien, nous pourrions en parler.

— Non, non, non; parlons affaires tout de suite. Je suppose que tu me demanderais une participation dans la mine, n'est-ce pas ? La moitié, par exemple ?

Les sourcils de Rosier se froncèrent, son nez s'étira, ses lèvres se retroussèrent à nouveau, ses épaules une fois encore tentèrent de recouvrir son menton et d'un air nonchalant, il marmonna :

— Eh bien, oui, quelque chose dans ce genre-là.

Mark dévisagea l'homme pendant un moment; puis, se détournant lentement, il alla jusqu'à la porte et l'ouvrit en disant :

— Au revoir, Rosier. Lorsque j'aurai besoin de ton aide, je ferai appel à toi, et à une heure respectable.

— Bon, prends-le comme ça si tu veux, mais je vais te dire quelque chose. Je te parie un shilling que tu te rétracteras avant longtemps. Tu verras. Tu verras.

Rosier traversa lourdement le hall; Robert Simes était devant la porte.

Mark attendit, immobile, que la porte se referme sur son visiteur et que s'évanouisse le son de la voiture s'éloignant le long de l'allée gravillonnée; puis, il se retourna et se dirigea vers la cheminée de marbre qu'il frappa violemment avec le poing.

— Au diable, qu'il aille au diable ! répéta-t-il.

Il n'avait jamais aimé Rosier; son père n'avait jamais aimé le père Rosier, en fait son père n'avait jamais reconnu cet homme, le considérant comme un parvenu. Mais tout ce qu'avait dit George Rosier était vrai. Il était dans l'impasse, il avait un besoin urgent d'argent, et si ses pompes venaient à lâcher, ce serait la fin de la mine.

A cette pensée, il se retourna subitement et, comme si sa simple présence à la mine devait suffire à retenir les eaux et ainsi éviter le désastre fatal, il quitta précipitamment la pièce, ordonnant à Simes de lui faire préparer immédiatement ses chevaux, et sans rendre l'habituelle visite matinale à sa femme, il se dirigea vers un placard au bout du hall, mit son manteau et son chapeau et se hâta de sortir.

Jane Forefoot-Meadows possédait ses propres quartiers de noblesse lorsqu'elle avait épousé John Forefoot-Meadows. Lui aussi était né dans la classe dirigeante et y avait été élevé, et c'est pourquoi lorsque leur fille unique, Eileen, avait annoncé son désir d'épouser M. Mark Sopwith, bien qu'ils n'aient pas véritablement exprimé leur déplaisir, leur désapprobation était manifeste. Il venait, il est vrai, d'une ancienne famille de bonne réputation, mais il était veuf et avait un jeune fils; qu'il fût propriétaire d'une mine n'ajoutait pas grand-chose à son actif car, d'après ce qu'ils avaient compris, il s'agissait d'une mine de couche employant au maximum cinquante hommes et trente femmes et enfants. Il y avait toutes sortes de propriétaires de mine, à ne pas confondre entre eux. De plus, M. Mark Sopwith habitait au nord de Durham, tellement loin qu'ils ne verraient presque jamais leur chère fille pendant l'hiver, les routes étant dans l'état que l'on savait, et eux-mêmes prenant de l'âge.

Jane Forefoot-Meadows était une mère possessive; sans aucun doute, elle aurait eu du mal à accueillir un gendre, quel qu'il fût, mais dès le début, elle avait éprouvé de l'aversion pour Mark Sopwith et ne s'était jamais donné la peine de le lui cacher. A chacune de leurs rencontres, elle s'arrangeait pour lui faire comprendre combien elle plaignait sa fille de son existence à Highfield Manor, dans une maison où le personnel était insuffisant, et où les enfants étaient élevés sans nurses ou précepteurs compétents. Mais, contrairement à sa fille, elle n'avait pas trouvé stupéfiant que Mark envoie ses fils en pension; ils pourraient au moins, supposait-elle, y acquérir des bases convenables. Elle s'avouait en toute honnêteté n'avoir aucune affection pour aucun de ses petits-enfants; elle ne les tolérait que parce que sa fille leur avait donné le jour.

Après la naissance de John, lorsque sa fille avait adopté le divan, elle avait eu un entretien avec le Dr Fellows; en fait, elle était intervenue pour que le Dr Kemp fasse appel au Dr Fellows. D'après les réponses prudentes de ce dernier, elle avait compris que sa fille n'avait rien de grave, et qu'elle utilisait tout simplement l'arme classique d'un grand nombre de femmes dans sa situation. Elle opposait son déclin à l'appétit sensuel de son mari, et sa mère la soutenait dans l'édification d'une telle barrière. Elle-même n'avait jamais eu à recourir à de tels subterfuges car son mari n'était pas un homme émotif, ce dont elle remerciait le Ciel. En fait, elle s'était souvent demandé comment elle avait réussi à simplement concevoir un enfant. Elle ne serait pas allée jusqu'à appliquer à son mari le terme d'impuissant; elle pensait simplement qu'il n'avait aucune disposition pour ces choses, et cela lui convenait.

En revanche, son gendre avait des dispositions, si toutes ces rumeurs étaient fondées, et la rumeur qui l'avait amenée précipitamment au Manoir ce matin-là n'était pas qu'une rumeur. Oh non ! Sa colère avait été tellement déchaînée par ce qu'elle avait entendu qu'elle avait même eu envie de se mettre en route la veille au soir; seule, sa peur de la nuit l'avait retenue, mais la voiture avait été commandée pour les premières lueurs du matin, et voilà qu'elle arrivait, prenant toute la maison par surprise, et même sa fille, car lorsqu'elle fit son entrée fracassante dans la chambre, Eileen faillit sauter du divan et s'écria :

— Maman ! Maman ! Que faites-vous ici ?

— J'ai mes raisons. Mais ne vous inquiétez pas. (Elle leva la main.) Tenez, Price, prenez mon bonnet et ma cape !

Puis elle tourna le dos et Mabel Price, partageant l'étonnement de sa maîtresse, se précipita vers l'imposant personnage qu'elle soulagea de sa cape et de son bonnet, avant, de sa main libre, d'approcher une chaise du divan. Sans le moindre regard de remerciement, Mme Meadows prit le siège; puis elle tendit les bras et en entoura sa fille, proférant simultanément une sorte de doux gémissement.

— Quelque chose est-il arrivé à papa ?

— Non ! Non ! Pas plus que d'habitude. Sa goutte a empiré, bien entendu, et il tousse un peu plus fort chaque jour; néanmoins, il se maintient. Non, non, il ne lui est rien arrivé.

— Alors... alors, qu'est-ce qui vous amène ? Etes-vous souffrante ?

— Ai-je l'air souffrante, ma chérie ? demanda Jane Forefoot-Meadows en levant très haut ses sourcils épilés et en posant ses doigts légers sur ses joues maquillées de rouge.

— Non, non, maman, vous avez l'air d'aller très bien, et cela me fait tant plaisir.

— Eh bien, je voudrais pouvoir en dire autant de vous, ma

chérie, car je crains que les nouvelles que je vous apporte...

Elle tourna la tête, pour la première fois regarda Mabel Price, et d'une voix qui semblait sortir du haut de son nez, ordonna brièvement :

— Laissez-nous.

Mabel Price n'hésita qu'un instant avant de tourner les talons d'un air boudeur et de quitter la chambre.

— Maintenant, ma chérie, comment allez-vous ? demanda avec douceur Jane Forefoot-Meadows en tapotant la main de sa fille qu'elle tenait toujours entre les siennes.

— Comme d'habitude, maman. Le moindre effort me fatigue et les garçons me manquent beaucoup. Ce n'est pas que je les voyais tellement, il est vrai, mais je les savais là-haut. Et j'entendais parfois leur rires; cela me faisait du bien. A présent, il ne vient aucun son d'en haut et Matthew déteste la pension. Mais Mark est opiniâtre. Sur ce point, il est intraitable. Je l'ai supplié, maman, je l'ai supplié...

— Mark ! Mark ! Connaissez-vous une personne qui s'appelle Lady Agnès Myton ?

— Oh oui ! c'est une voisine. Elle nous rend parfois visite.

— Elle quoi ? (Mme Forefoot-Meadows s'arracha du divan, piquée au vif par cette dernière nouvelle, et elle répéta d'un timbre encore plus aigu :) Elle quoi ?

— Comme je vous le dis, maman, c'est une voisine, elle nous rend visite... Lord Myton a repris Dean House. Vous connaissez, Dean House, eh bien, il s'y est installé l'année dernière.

— Oui, je connais Dean House et j'ai un peu entendu parler de Lord Myton. J'ai également beaucoup entendu parler de sa femme, et qu'elle ose venir vous rendre visite... Eh bien ! ma chérie !

Eileen Sopwith s'enfonça alors dans les coussins en satin de sa chaise longue et, le visage impassible et les lèvres à demi closes, dit :

— Que voulez-vous insinuer, maman ?

— Eh bien ! Dois-je m'expliquer davantage ?

— Oui, je crains qu'il le faille, maman.

— Quelle bêtise ! Le fait de ma présence ici devrait être suffisamment explicite. Vous ne pouvez être au courant, je suppose, qu'elle et Mark sont amants. Et ce n'est pas nouveau; cela de toute évidence a débuté très peu de temps après son installation dans la maison. Elle est sa maîtresse et ne s'en cache pas.

Eileen Sopwith avait maintenant les mains sur sa gorge et son visage avait pris une nuance encore plus pâle que d'habitude. Elle essayait de parler mais demeurait sans voix, et donc, les yeux rivés sur sa mère qui s'était de nouveau assise, elle l'écouta raconter dans un chuchotement excité :

— Vous vous souvenez de Betty Carville, la fille de Nancy Stilwell qui a épousé Sir James ? Eh bien, apparemment, elle et Agnès Myton ont fréquenté le même pensionnat et Agnès Myton étant allée là-bas en visite la semaine dernière, et étant la traînée qu'elle est, a régalé Betty Carville du récit de ses amours. Et non satisfaite de votre mari, elle a, de surcroît, apparemment jeté son dévolu sur quelqu'un d'autre, une sorte d'ouvrier. Est-ce croyable ? Un ouvrier agricole. Je n'ai pas pu comprendre tout ce que disait Nancy Stilwell, tellement les propos concernant Mark me choquaient. Nancy racontait qu'Agnès Myton prétendait s'amuser comme une folle; que c'était beaucoup plus divertissant que Londres... et vous savez ce qui s'était produit à Londres. Bon... non, non; il vaut mieux que vous ne le sachiez pas. Une honte, c'était une honte. Myton est un imbécile, sinon il ne le supporterait pas. Cependant, je me suis laissé dire, mais je ne sais pas si cela est vrai, qu'il avait provoqué un de ses soupirants. Il était sur le point de le transpercer de son épée, ou lui tirer dessus, ou quelque chose de la sorte. Alors , lorsqu'il découvrira ceci, s'il n'est pas déjà au courant... Oh ! ma chérie ! ma chérie ! Ne soyez pas bouleversée... J'ai pensé à tout. Vous allez revenir avec moi, vous ne pouvez absolument pas rester ici, et vous allez emmener les enfants. Non ! Non ! ne protestez pas. Je sais que je ne raffole pas des galipettes des gamins, mais votre bonheur passe avant tout. Oh ! ma chérie ! ma chérie ! que cela puisse vous arriver, à vous. Ne saviez-vous pas ce qui se passait ?

Relâchant son étreinte, elle dévisagea sa fille; mais celle-ci, à sa grande surprise, la repoussa fermement; puis elle replia lentement ses jambes, et s'assit sur le bord du divan. Et alors, elle se leva, se dirigea d'un pas chancelant vers la fenêtre et contempla le paysage.

Avait-elle su que ceci se tramait ? N'avait-elle nourri aucun soupçon dès le début ? Peut-être; mais ses soupçons s'étaient calmés car elle n'avait observé chez lui aucun changement, aucune exaltation... aucun abattement. Son comportement envers elle était demeuré égal, sauf lorsqu'ils s'étaient querellés à propos de l'inscription des enfants en pension, et là, il s'était mis à hurler.

Mais de penser que lui et cette femme... pendant tous ces mois ! Depuis combien de temps habitait-elle Dean House ? Plus d'un an. Tout le pays devait être au courant.

C'était comme si sa mère avait repris sa pensée car sa voix poursuivit, stridente, de l'autre côté de la pièce :

— On ne parle que de cela, ça lui a même fermé des portes. N'aviez-vous aucun soupçon ?

Elle se tourna enfin vers sa mère et s'exprima pour la première fois.

— Non, maman, je n'avais aucun soupçon. Que puis-je savoir de ce qui se passe dans le monde, enfermée dans cette pièce comme je le suis ? En fait, je ne sais même pas ce qui se passe dans ma propre maison.

— Eh bien, c'est de votre faute, ma chérie.

— Maman !

— Oh ! ma chérie ! ne me regardez pas ainsi... Et ne prenez pas cet air hautain; nous savons toutes les deux pourquoi vous avez adopté le divan. Il y avait d'autres moyens de vous libérer de ce lit : faire des visites, ou partir à l'étranger, ou venir me voir. Oui, oui, vous auriez pu venir à moi. Combien de fois vous l'ai-je demandé ? Mais non, vous avez choisi de vous enfermer et, c'est le mot qui convient, ma chérie, emprisonner dans ce tombeau capitonné, et vous avez refusé d'être dérangée. Vous le savez très bien. Oui, vous le savez parfaitement. Mais, ma chérie, toute ma vie, je n'ai jamais souhaité autre chose que votre bonheur, votre bien-être. Revenez à la maison avec moi. Vous reprendrez progressivement les forces que vous avez perdues en restant étendue sur cette chose parce que, vous le savez, encore quelques années, et vous ne parviendriez plus du tout à utiliser vos jambes. C'est arrivé à Sylvia Harrington. Eh oui, ça lui est arrivé. Et Sarah Court en a perdu la raison.

— Oh ! maman, maman, taisez-vous !

Eileen passa devant sa mère en trébuchant et, saisissant le bras de la chaise longue, elle s'y laissa tomber.

— Eh bien, qu'allez-vous faire ? lui demanda sa mère, debout devant elle, en levant des yeux suppliants.

— Oh ! maman, ne comprenez-vous pas que ceci m'a profondément choquée ? Donnez-moi... donnez-moi simplement un peu de temps.

— Tout le temps que vous voulez, ma chérie. Prenez tout votre temps. A quelle heure doit-il rentrer ?

— Il se peut qu'il... ne rentre que ce soir.

— Je n'attendrai pas si longtemps.

A nouveau, elles se dévisageaient.

— Est-il à la mine ?

— Oui, je crois.

— Eh bien, je le ferai appeler, ma chérie.

— Oh ! maman !

— Eh bien, posez-vous simplement la question suivante : avez-vous envie de continuer à vivre dans cette maison en sachant qu'il prend son plaisir quotidien avec une autre femme, et en sachant également, ma chérie — il faut voir les choses en face — que vous êtes clouée ici pour le reste de vos jours, clouée à cette chaise longue, ce qui a toutes les chances de vous arriver si vous insistez pour y prolonger votre séjour ? Bon, alors, est-ce cela que vous voulez ? Ou préférez-vous vous retrouver à la maison, vous refaire une santé et reprendre goût à la vie ? Scarborough est un endroit merveilleux pendant la saison d'hiver. Vous le savez, il fut un temps où vous vous y amusiez beaucoup.

— Je ne m'y suis jamais plu, maman.

— Si, lorsque vous étiez jeune. Vous avez cessé de vous y plaire uniquement lorsque vous avez cru ne pas vous marier; puis, vous avez sauté sur le premier homme qui vous a proposé de l'épouser.

— Ce n'est pas juste, maman, dit Eileen en relevant la tête. Il n'était pas le premier homme à me demander en mariage, mais vous désapprouviez les autres.

— Et à juste titre; ils n'étaient pas dignes de devenir votre mari.

— Mais vous avez trouvé que Mark l'était.

— Non, nous avions nos doutes, mais vous y teniez tellement ! De toute manière, je dois aller me rafraîchir dans le cabinet de toilette. Puis, je mangerai quelque chose et nous en reparlerons. Mais si vous suivez mon conseil, vous le ferez appeler, et tout de suite.

Eileen regarda sa mère quitter la chambre; puis, une fois encore, elle se leva et se dirigea vers la fenêtre. Là, elle se tint agrippée aux rideaux et regarda en bas, vers les jardins.

Une amertume profonde l'emplissait, mais une amertume à base de vanité blessée, plutôt que d'amour perdu. Elle savait qu'elle n'avait jamais véritablement aimé Mark Sopwith. Au début, elle avait voulu l'avoir, ou plutôt, elle avait voulu être une épouse. Mais l'état d'épouse s'était avéré décevant pour elle. Le mariage avait été rempli d'incertitudes, d'hésitations pénibles ne paraissant pas concerner son mari. N'ayant jamais été mariée auparavant, et n'ayant jamais connu l'intimité d'un autre homme, elle n'avait personne à qui le comparer, et était donc incapable de le juger par rapport à la moyenne des maris. Elle se savait seulement possessive, comme sa mère; mais l'amour n'avait rien à voir avec cela. On n'aimait pas une maison ou un cheval, ce n'était que des possessions, des accessoires de la vie. Elle étendit la main et attrapa une sonnette en argent sur la table; quelques secondes plus tard, Price était dans la chambre.

— Oui, Madame ?

Son comportement était soumis, mais ses yeux et son visage tout entier exprimaient sa curiosité; elle avait entendu des bribes de ce qui s'était dit et savait ce qui se tramait, sans pouvoir préjuger du dénouement. Elle espérait seulement que sa maîtresse n'écouterait pas sa mère et ne partirait pas. Elle l'emmènerait vraisemblablement avec elle, mais la vie dans la maison Forefoot-Meadows ne serait pas comme elle était ici. Elle y avait séjourné une seule fois, dans le passé, et la hiérarchie parmi les serviteurs était plus rigide qu'ici. Dans cette maison-ci, elle pouvait faire du volume, elle avait un certain pouvoir, mais quelle serait sa position à Waterford Place ? Elle se situerait quelque part entre la première femme de chambre et le laquais. Oh ! mon dieu ! pourvu qu'on n'en vienne pas à ça !

— Demandez à M. Pike de faire dire à Monsieur à la mine que je lui demande de rentrer; on a besoin de lui ici.

— Oui, oui, Madame.

Quelques minutes plus tard, ayant reçu le message, Pike lui demanda :

— Que se passe-t-il ? Qu'est-ce qui a amené la vieille ?

— Vous le saurez bien assez vite.

Deux bonnes heures plus tard, Mark pénétra dans la maison. On lui avait fait parvenir le message alors qu'il était loin sous terre, en train d'examiner une galerie submergée par près d'un mètre d'eau, et les conditions étaient telles qu'il ne pouvait pas s'absenter sans tenter de trouver une solution à une situation désespérée car, si les pompes ne parvenaient pas à maintenir l'eau en dessous de ce niveau, alors elle monterait, et si elle devait atteindre la galerie principale, ce serait la fin.

Il comprit soudain que sa belle-mère était dans la maison, lorsqu'il interrogea le maître d'hôtel qui l'attendait près de la porte :

— Que se passe-t-il ? Qu'est-ce qui ne va pas ?

— Rien, à ma connaissance, Monsieur, sauf que Mme Forefoot-Meadows est arrivée.

Mark grimaça en regardant le vieil homme. On le faisait venir parce que sa belle-mère était arrivée ? Son beau-père était-il décédé ? Etait-ce la raison de sa venue ? Sûrement pas, elle ne serait pas ici si tel était le cas. Elle n'était repartie de chez lui que depuis peu, et son départ l'avait rempli de joie. Alors, que faisait-elle là aujourd'hui ? Sûrement quelque chose d'important.

Il gravit l'escalier en courant, traversa la galerie, emprunta le couloir et, tout en frappant à la porte de sa femme, l'ouvrit brusquement et fut surpris de la voir assise dans un fauteuil près de la fenêtre. Cela devait faire au moins deux ans ou plus qu'il ne l'avait vue assise dans cette position.

La seule autre personne dans la pièce était Price et il se tourna vers elle en la fixant. Comprenant son ordre muet, elle quitta la chambre. Il alla vers Eileen et se tint devant elle, la contemplant. Son visage était crispé, ses yeux impassibles. Sa bouche n'avait jamais eu une jolie forme, mais à présent elle était réduite à une simple fente. Il parla le premier.

— J'ai cru comprendre que votre mère était arrivée, y a-t-il quelque chose qui ne va pas ?

— Eh bien, tout dépend de la manière dont on considère les choses. Elle est venue m'apporter des nouvelles que certains pourraient ne pas considérer comme mauvaises, ils les trouveraient plutôt distrayantes, alors que d'autres pourraient en être choqués. En ce qui me concerne, je ne suis pas seulement choquée et stupéfiée, mais également blessée et humiliée.

Elle n'avait pas besoin d'ajouter un mot de plus; il avait compris ce qui allait suivre et ses propres traits se figèrent. Sans sourciller, il la regarda et attendit.

Lorsqu'elle parla, ses mots étaient précis et allaient droit au but, et sa voix n'était plus celle de la malade qu'il avait appris à connaître, mais était maintenant dure et cassante.

— J'apprends que je suis la dernière personne dans le comté à savoir que vous avez une maîtresse. J'ai conscience que certains hommes prennent des maîtresses, mais ils le font généralement avec discrétion, les gentilshommes en tout cas. Alors que non seulement *votre* liaison avec cette femme Myton est la risée de tout le comté, mais votre catin en a fait un sujet de divertissement à

200

Scarborough. En plus, elle vous met en concurrence avec des ouvriers qui répondent également à ses exigences.

Sa tête bourdonnait. Il tenta de parler mais il était incapable d'exprimer le fait que depuis des mois il tentait de toutes ses forces de rompre cette liaison et que, de toute façon, cela n'avait été qu'une histoire sans importance. La description était également juste car, la plupart du temps, leurs amours avaient eu comme cadre un ravin dans un coin du bois au-dessus de Billings Flat. Et, par conséquent, comment la nouvelle avait-elle pu s'en répandre autrement que par le récit qu'en avait fait cette putain vorace à ses amies.

Il fut lui-même surpris des paroles qu'il employait à présent lorsqu'il répondit d'un ton calme et las :

— Je n'ai pas une telle importance que Scarborough doive se donner la peine de se distraire de mes agissements, fussent-ils bons ou mauvais, et ma renommée a pourtant atteint Scarborough.

— Vous avouez, alors ?

Elle s'était péniblement relevée et se tenait debout, agrippée au dossier d'une chaise. Il se tourna vers elle en disant :

— Qu'attendez-vous de moi ? Votre mère vous a donné sa version, et vous ne m'avez pas demandé la moindre explication.

— Comme s'il pouvait en exister une !

— Eh si. Eh si, Eileen, il pourrait en exister une. (Il avait soudain élevé la voix, ses yeux brillaient de colère et il protestait en agitant la tête.) Depuis combien de temps avons-nous fait l'amour ensemble ? Depuis combien de temps m'avez-vous seulement permis de vous toucher ? Des années. Je suis un homme, j'ai des exigences physiques, cela n'a rien à voir avec l'affection ou l'amour ou la tendresse pour ma famille, ce sont des exigences, comme celles de manger ou de boire. Si on ne mange pas, on meurt de faim, et si on ne boit pas, on se déshydrate. Si un homme ne fait pas l'amour, alors il se détruit également mentalement; il peut en devenir fou. Si j'avais pris une des soubrettes dans la cuisine, auriez-vous trouvé ça mieux, parce que c'est l'habitude ? J'aurais pu prendre Price, votre chère Price. Oh oui ! oui ! ses appels se lisaient dans ses yeux depuis que vous avez adopté ce divan. Qu'en auriez-vous pensé, hein ?

— Comment osez-vous dire une chose pareille ! Price !

— Oh ! Eileen, pour l'amour du ciel, ne soyez pas si naïve ! Mais vous n'êtes pas naïve; non, pas vraiment, vous êtes aveugle, vous vous êtes rendue aveugle comme vous avez choisi de devenir invalide.

Vous ne m'avez pas complètement trompé, ce divan vous a servi d'échappatoire. Je le savais et votre mère le savait, alors ne m'en veuillez pas trop pour ce que j'ai fait et pour ce que...

Il s'arrêta à temps avant d'ajouter : Je compte faire encore. Et il avait l'intention de continuer ainsi, mais pas avec Agnès Myton.

Il lui tourna brusquement le dos et marcha de long en large dans la chambre. Elle le regardait encore fixement lorsqu'il lui demanda :

— Bon, alors, quelles sont vos intentions ?

Elle attendit une minute entière avant de lui répondre.

— Je vais retourner chez ma mère.

Eh bien, cela ne l'étonnait pas non plus. Il savait que la vieille ne lui aurait pas donné d'autre conseil. Cependant, après un mois ou un peu plus à Waterford Place, elle serait bien contente — il en était persuadé — de revenir, quelles que soient les conditions. Mais ensuite elle le surprit, en fait elle lui donna un choc, en poursuivant :

— Et je n'ai pas l'intention de jamais revenir ici. J'emmènerai les enfants avec moi, évidemment.

— Vous quoi ?...

— Vous avez entendu ce que j'ai dit, Mark. J'emmène les enfants avec moi.

— Vous ne les emmènerez pas.

— Oh si ! je le ferai, Mark. Si vous ne me laissez pas les emmener sans faire d'histoires, alors je les emmènerai avec l'aide de la loi. Je vous ferai un procès.

Ses yeux grimacèrent et se plissèrent en minces fentes. Cette femme lui était inconnue. Il la dévisagea, et elle lui rendit son regard avec des yeux gris qui venaient d'acquérir une profondeur d'ardoise; pendant qu'il la fixait, il sonda son propre cerveau qui lui révéla, comme si on avait brusquement ouvert une porte, qu'elle utilisait son indiscrétion comme prétexte, et qu'une fois libérée de cette maison et de lui, elle quitterait également sa condition d'invalide. Il comprit que sa volonté, qui l'avait maintenue rivée à son divan, allait se transformer à présent en énergie axée sur son retour à un mode de vie normal. Pendant un instant, il se vit à travers ses yeux comme un geôlier inculte, maintenant une captive enchaînée à un mur et ignorant cependant la raison pour laquelle il la retenait captive. Il comprit également, à ce moment-là, qu'il la laisserait partir sans la moindre opposition; mais quant aux enfants, c'était une autre affaire. Et pourtant, que pourrait-il faire des enfants ici, tout seuls. Ils ne seraient évidemment pas laissés à l'abandon, il y avait bien Trotter là-haut. Mais il n'y aurait pas de maîtresse pour diriger Trotter et les autres.

Elle le confondit davantage par sa froideur lorsque sa voix fit intrusion dans ses pensées.

— Si vous n'élevez pas d'obstacles, je m'arrangerai pour que les enfants viennent vous rendre visite de temps en temps. Si vous deviez créer des difficultés à présent, alors mon père remettrait mon dossier entre les mains de notre conseiller juridique, M. Weldon, et la question serait réglée selon la loi.

Mon dieu ! Il prit sa tête entre ses mains et s'éloigna d'elle, pour arpenter de nouveau la pièce. Il ne parvenait pas à y croire. C'était sa femme délicate et maladive qui parlait. Quel dommage, pensa-t-il à présent avec ironie, de n'avoir pas manifesté ouvertement son infidélité tout au début, lorsqu'elle lui avait refusé sa couche. Oh ! se dit-il en raillant, il fallait lui rendre justice, elle ne lui avait pas refusé son lit elle-même, elle avait obtenu du Dr Kemp de lui préparer le terrain. Mais pourtant, si dès le début elle avait connu l'existence d'une rivale en puissance, qui sait si cela n'aurait pas hâté sa guérison ?

Mais, qu'importe, il était fatigué. Il était las de tant de choses, de sa mine, de sa maison qui n'était qu'à moitié dirigée, des écuries presque dépeuplées de pur-sang, de Lady Agnès, ça oui, de Lady Agnès, et d'Eileen. Oui, il se tourna vers elle pour la contempler; cela faisait longtemps qu'il en était fatigué. La laisser partir. Mais les enfants... Eh bien — il baissa la tête — que pouvait-il faire ? La vie était un fardeau; on choisissait de le porter ou bien il fallait jeter son sac, prendre son fusil et s'enfoncer dans les bois, puis poser le canon sur la tempe palpitante, actionner simplement l'index, puis trouver la paix; rien, rien que la paix. Il tourna les talons et quitta la pièce.

CHAPITRE VI

Tilly avait envie de pleurer. Non seulement l'avenir était incertain, mais elle allait également perdre Jessie Ann et John; en effet, depuis le départ en pension de Matthew et de Luke, la vie dans la nursery était devenue une sorte de fête. Et puis, il y avait M. Burgess. Qu'allait-il devenir ? Il l'avait rassurée, lui avait dit de ne pas s'inquiéter, il y avait toujours des enfants à instruire, et sa maison lui appartenait. Son cottage de trois pièces, en longueur et mansardé, était un palais, lui avait-il dit.

Elle l'avait vu, son palais, et elle n'en pensait pas grand-chose de bon, en tout cas de son contenu. Il était à peine meublé avec une chaise, une petite table, un buffet et dans la chambre un simple lit rustique, mais l'absence de mobilier était compensée par des livres, car il y en avait de toutes sortes, de toutes tailles et de toutes formes, alignés sur de grossières étagères, le long des murs. Le seul confort apparent ici était la cheminée; pas un ornement ou un tableau dans le cottage ou une seule pièce de porcelaine acceptable. Oui, il possédait sa maison, mais il ne pouvait pas avoir fait d'économies car chaque mois, après la paie, il s'en allait toujours, marchait péniblement jusqu'à Newcastle et achetait encore des livres. Elle le considérait comme plus pauvre, en quelque sorte, que n'importe quel membre du personnel, ou même que les mineurs. Oh oui ! beaucoup plus pauvre !

La maison entière était en émoi. Toute la journée, Tilly avait empaqueté les vêtements des enfants. Les serviteurs étaient tous affolés, ne sachant pas quel sort leur était réservé. La seule chose positive, à leur point de vue, résultant de toute la situation, était qu'ils allaient se débarrasser de Price, car elle partait avec la Maîtresse.

Tilly n'avait pas vraiment eu le temps de réfléchir à son propre avenir, elle savait seulement qu'une fois les enfants partis de la maison, on n'aurait plus besoin d'elle et qu'en un clin d'œil Mme Lucas la congédierait. Mme Lucas ne l'aimait pas, pas plus que la cuisinière. Ils étaient, en quelque sorte, comme les villageois; ils ne la considéraient qu'avec soupçon.

204

Jessie Ann était debout à côté d'elle.

— Ne mets pas mon dou-dou dans la malle, Trotter, je l'aime, mon dou-dou.

Elle retira la poupée négresse aux cheveux en tire-bouchon et la serra dans ses bras; puis, regardant Tilly, elle demanda :

— Pourquoi tu ne viens pas avec moi, Trotter ?

— Eh bien, Mademoiselle Jessie Ann, c'est... parce que c'est très loin et... et de toute façon, vous aurez une autre bonne d'enfants dans l'autre maison.

— J'en veux pas une autre.

C'était au tour de John de parler et Tilly baissa tendrement les yeux sur lui. Malgré les efforts de M. Burgess, il parlait toujours, pensait-elle, comme un enfant du village. M. Burgess prétendait que cela venait d'une anomalie de la langue qui s'arrangerait avec le temps.

En se baissant pour le prendre dans ses bras, elle lui arrangea sa robe, disant sur un ton voisin des larmes :

— Tu vas porter des knickerbockers maintenant.

— Z'veux pas de bockers.

Jessie Ann rit, Tilly sourit et serra l'enfant contre elle pendant un moment. A cet instant, Phyllis Coates se glissa doucement du côté de la porte de la nursery, en chuchotant :

— Tilly !

— Ouais, qu'y a-t-il ?

— Il y a... il y a un jeune homme à la porte de service, il dit qu'il veut te parler. C'est un gars de la mine, d'après ce que je peux voir. La cuisinière l'a envoyé coucher, ou du moins a essayé, mais il ne s'est pas laissé démonter et a dit qu'il voulait te voir personnellement, une minute. Cela se sait peut-être, toute l'histoire, tu sais (elle secouait son menton), il croit peut-être que tu t'en vas avec les petits.

— Comment s'appelle-t-il ? A quoi ressemble-t-il ? Est-ce... est-ce un homme ? Tu as dit un jeune homme, mais tu voulais dire un homme ?

— Non, non, ce n'est pas un homme, un jeune garçon d'environ quinze ans.

Tilly respira profondément. Pendant un instant, elle avait cru que Hal McGrath avait osé se présenter au Manoir. Cela ne l'aurait pas étonnée. La nuit dernière, étendue dans son lit, elle s'était demandé où elle irait en partant d'ici. En tout cas, elle s'éloignerait du village, car s'il apprenait qu'elle ne jouissait plus de la protection de la maison, elle était persuadée qu'il se remettrait à la poursuivre. Enfin, d'après la description que lui donnait Phyllis, le visiteur ne pouvait être autre que Steve. Mais, pour quelle raison venait-il ici ?

— Dis-lui... dis-lui que je ne suis pas libre, pas avant demain, lorsqu'ils seront partis, dit-elle.

Phyllis lui prit l'enfant des bras.

— Vas-y, glisse-toi par-derrière, tu n'as pas besoin de passer par la cuisine. Traverse la distillerie et sors par cette porte-là; tu peux l'appeler en sifflant dans la cour.

Comme elle hésitait, Phyllis la poussa et lui dit :

— Vas-y, tu sais, ils ne peuvent pas te faire grand-chose de plus, tu seras partie demain, de toute façon.

Oui, Phyllis avait raison, une escapade de ce genre en d'autres temps aurait pu la faire congédier, mais elle était sur le point d'être mise à la porte, alors, qu'importait ?

En atteignant un coin de la cour, elle vit Steve debout, regardant par-dessus la demi-porte d'un box de cheval et elle siffla. Il se retourna brusquement, puis vint la retrouver en courant. Ses yeux riaient au milieu d'un visage rayonnant. Il commença immédiatement :

— Il fallait que je te voie; j'ai de bonnes nouvelles. Hal est parti en mer, il est marin.

Ses yeux s'élargirent, et la bouche grande ouverte, elle répéta :

— Il est parti en mer ?

— Ouais; lui et Mick. George était avec eux. Ils étaient sur le quai à Newcastle. Ils se sont battus, George m'a raconté, avec trois autres gars, des vrais marins, parce qu'ils se moquaient d'eux. Hal et Mick les ont provoqués en disant qu'ils ne savaient même pas ramer et les marins leur ont sauté dessus. George s'est enfui et s'est caché derrière un hangar et il a vu deux gars sortir d'un grand navire et parler avec les marins; puis, ensemble, ils ont pris Hal et Mick et les ont traînés le long de la passerelle et la dernière fois que George les a vus, les marins avaient l'air de les faire descendre dans la cale.

Steve baissa la tête et se mit à rire; puis il leva son regard vers Tilly.

— J'ai ri davantage depuis hier que toute ma vie auparavant, je crois, car George avait peur de rentrer et de dire à mes parents ce qui était arrivé à leurs deux larrons. Tu comprends, une heure environ après qu'on les eut emmenés sur le bateau, ils ont levé l'ancre et quand George a demandé à un type sur le quai où ils allaient, il a parlé de quelque chose comme les Indes... Ah ! Tilly ! Imagine-les à leur réveil. Hal a toujours détesté l'eau, il refusait d'aller nager dans le ruisseau avec les autres garçons. Le grand caïd détestait l'eau.

Il rejeta alors sa tête en arrière et laissa résonner son rire. Mais, Tilly, dont le visage se plissait en sourires, lui dit :

— Chut ! Chut ! Nous allons avoir toute la cuisine après nous.

Puis, elle l'entraîna de l'autre côté de la maison, sous une voûte d'où un chemin étroit menait aux tas de fumier, et là, elle lui dit tout bas :

— Oh ! Steve ! C'est la meilleure nouvelle que j'aie entendue de ma vie, je crois. J'en étais malade. Tu comprends, il y a de fortes chances pour que je sois congédiée demain.

— Pourquoi ? Ils vont te virer ?

— Non, non. Pas exactement, mais la Maîtresse rentre chez sa mère. Il y a eu des histoires entre elle et Monsieur et elle emmène les enfants.

— Ah ! On ne peut pas recevoir une bonne nouvelle sans qu'elle soit suivie d'une mauvaise, hein ?

— Ça m'est égal, maintenant, enfin, presque. Mais j'étais bien là-bas et l'idée de rencontrer votre Hal de nouveau me glaçait de terreur.

— Bon, tu vas avoir la paix pendant un an, peut-être deux ou trois. Mon père a dit que si ce navire était parti pour les Indes, ce serait pour faire du commerce et qu'il ne reverrait peut-être pas nos côtes avant des années. Ah ! ce qu'il a pu crier, il a failli devenir fou ! Mais pas ma mère, elle a simplement dit : « Sacrés crétins. » Et tu sais, si tout ce que j'ai lu et entendu à propos des marins et des navires est vrai, il n'a pas fini d'en voir. C'était mon anniversaire hier, Tilly, j'ai eu seize ans.

— Oh ! c'est vrai, Steve ? Je suis si contente. Je t'offre tous mes vœux.

— Merci, Tilly. Je voudrais avoir dix-huit ans.

— Cela t'arrivera bientôt.

— Est-ce que tu m'aimes, Tilly ?

— T'aimer ? Mais oui, évidemment, Steve. Tu le sais bien, tu es *mon* ami. Il... il faut que je m'en aille, une des bonnes m'a remplacée, nous aurons des ennuis si elle se fait prendre.

— Ouais, ouais. Mais attends une minute.

Comme elle s'éloignait, il étendit son bras pour la retenir.

— Où est-ce que tu vas habiter ? Je veux savoir.

— Je n'y ai pas vraiment réfléchi. Je pourrais retourner au bûcher du cottage, mais j'irai peut-être voir Mme Drew. Elle est si bonne. Tu sais, tu as vu Katie ce jour-là, et son frère Sam. Mme Drew me dira quoi faire, et ils me permettront de passer une nuit chez eux, jusqu'à ce que je retombe sur mes pieds.

— Je peux aller te voir là-bas ?

Elle mit un instant à répondre :

— Mais oui, Steve, bien entendu. Mais je dois vraiment te quitter. Merci. Merci de ta bonne nouvelle, Steve. Oh oui ! merci.

— Ce n'est rien, Tilly. Ce... ce que je fais pour toi ne m'ennuie pas.

Elle fit quelques pas à reculons, puis lui demanda en souriant :

— Tu vas savoir trouver la sortie ?

— Ouais, j'ai bien trouvé l'entrée, je trouverai la sortie.

Sur ce, elle fit demi-tour et repassa en courant sous la voûte et dans la cour; mais après avoir passé la distillerie, elle s'arrêta un moment et ferma les yeux. C'était une bonne place, pensait-elle. Steve n'avait que seize ans, sinon il aurait risqué de lui causer des ennuis. Non, non, ce n'était pas le mot qui convenait à propos de Steve, elle lui devait beaucoup, pas des ennuis. Eh bien, se dit-elle en elle-même, je me comprends. Puis, en faisant un minimum de bruit, elle se hâta de sortir de la pièce, emprunta le couloir, puis s'arrêta net car, devant elle, lui tournant le dos, étaient la gouvernante et le maître d'hôtel; et la première disait tout bas :

— Demain, je prends le pouvoir, et je vais faire le tri. Il va y avoir des changements ici, et je vais commencer par la cuisinière. Je vais immédiatement mettre fin à ses bricolages en douce. A l'avenir, c'est moi qui serai dans la cuisine pour recevoir les commerçants du haut en bas de l'échelle. De toute façon, il y aura moins de bénéfices à partir de maintenant, avec six personnes en moins.

— Six en moins ?

Le maître d'hôtel interrogeait calmement, et elle lui répondit :

— Oui, six. La maîtresse et les enfants et Mlle Price; puis le vieux Burgess et cette sinistre sorcière de fille qui m'exaspère chaque fois que je la regarde. En voilà une que je serai heureuse de voir de dos, et une fois la maîtresse partie, elle sera la première à prendre son sac, tu verras.

Et Tilly comprit. A midi, le lendemain, à peine une demi-heure après le départ de la voiture emmenant la Maîtresse, sa mère et les enfants, elle cheminait le long de l'allée de service avec son balluchon.

Seule Phyllis lui avait dit au revoir et souhaité bonne chance; le reste du personnel ne lui avait accordé aucune attention, tant il était préoccupé par la guerre se déroulant entre la gouvernante et la cuisinière. Ils savaient évidemment tous qu'à cause de son ancienneté Mme Lucas l'emporterait; cependant, ils étaient intéressés par la lutte, même s'ils devaient tous y perdre au moment du dénouement inévitable.

Tilly n'avait entendu aucun d'eux, pas même Phyllis, dire qu'ils regrettaient le départ de la Maîtresse, ni demander comment ferait le Maître à présent qu'il allait vivre seul. Curieusement, elle n'avait pas vu le Maître depuis que cette histoire était arrivée, trois jours auparavant, et, à sa connaissance, il n'avait pas vu les enfants. Il n'était certainement pas monté à la nursery, à moins qu'il ne l'ait fait pendant son sommeil. Elle le plaignait. Evidemment, il n'avait pas agi correctement vis-à-vis de sa femme, mais, comme ils avaient tous dit à de nombreuses reprises autour de la table, la Maîtresse ne lui donnait rien de ce qu'une épouse doit apporter, et par conséquent il n'était pas entièrement blâmable. Elle l'aimait bien, malgré tout, et considérait tout de même qu'il était un homme bon. En tout cas, il avait eu de la bonté à son égard.

En atteignant les grilles du bas, elle fit une halte devant la loge désaffectée et regarda les fenêtres aveugles. Personne n'avait vécu là depuis des années, disait-on. Le bâtiment était presque dévoré par les hautes herbes, comme l'étaient les grilles que l'on ne fermait plus jamais. Cette partie de la propriété était tombée dans un triste abandon. Elle aurait aimé avoir une petite maison comme celle-là. Ce serait merveilleux, comme de vivre à nouveau dans le cottage.

Elle demeura à la contempler pendant un moment en pensant : si Mme Drew ne peut pas me prendre, je reviendrai ici et j'y dormirai cette nuit. Le Maître n'y verrait pas d'inconvénient, j'en suis sûre. Et sur cette pensée elle dirigea ses pas à travers les hautes herbes jusqu'à la fenêtre. De l'extérieur, la pièce lui paraissait sombre et elle ne parvenait pas à y discerner quoi que ce soit. Elle longea le mur et contourna la loge vers l'arrière, et là, elle eut la surprise de découvrir un chemin tracé depuis la porte de derrière, à travers les hautes herbes, jusqu'au fourré du bois. Quelqu'un venait donc par ici.

Elle passait devant l'étroite fenêtre de la souillarde lorsqu'elle entendit un bruissement de pas s'approchant à travers les herbes ·sèches; elle fit demi-tour et plongea précipitamment dans un fourré derrière elle.

Les pas paraissaient s'être arrêtés tout près de sa tête. Puis, elle ouvrit lentement la bouche et étouffa une exclamation en voyant une main descendre à travers les herbes, retourner une petite pierre et prendre quelque chose dessous. Ensuite, elle entendit une clef grincer dans le verrou de la porte et avant qu'elle ait eu le temps de refermer la bouche, la clef grinça de nouveau; puis, la main repassa dans l'herbe et remit la clef dans son logement.

Lorsque les pas se furent éloignés, elle posa son visage dans l'herbe et respira profondément plusieurs fois de suite. Pourquoi, se demanda-t-elle, avait-elle si peur d'être vue rôdant autour de la loge. Eh bien, fut sa réponse, on risquerait d'en tirer des conclusions et de penser qu'elle allait dormir là, et alors Mme Lucas ne manquerait pas de lui tomber dessus.

Elle étendit alors la main, déterra la clef et se demanda qui avait bien pu entrer et sortir de là si vite, et pourquoi ? Elle se releva et regarda en direction du bois. Quelle que soit la personne, elle était venue de la maison, et elle n'en était pas à sa première incursion, et de loin.

Tilly atteignit rapidement la porte et enfonça la clef; alors, elle pénétra dans l'ancienne souillarde et la raison de la visite clandestine lui sauta aux yeux. Sur un banc, à moins d'un mètre d'elle, était un panier contenant au moins trois douzaines d'œufs et, à côté, était posé un cochon de lait entier qui devait avoir été récemment égorgé; au sol, sous le banc, se trouvaient deux autres paniers, l'un rempli de prunes et l'autre contenant de grosses grappes de raisins savoureux.

Voilà ce qui se passait ! Tout ceci volé aux menues provisions. Elle secouait la tête. Le Manoir ne possédait pas de ferme, mais il y avait environ une centaine de poules dans le champ du bas, et trois porcheries bien peuplées. M. Pilby, en plus de l'aide qu'il apportait au jardin, s'occupait du bétail, mais M. Summers était le chef à l'extérieur, chargé des serres. Un tremblement accompagnait sa pensée. Ils s'y mettaient tous, dehors et dedans. M. Summers et M. Pilby étaient tous deux aussi méprisables qu'un tas de fumier; elle le savait d'expérience : elle s'était trouvée une fois dans le jardin avec les enfants, elle avait pris une pomme sur un pommier et M. Summers l'avait attrapée. Et voilà qu'ils agissaient ainsi, en permanence. Ils volaient le Maître. En étaient-ils conscients ?

Elle aurait admis qu'ils offrent une aumône occasionnelle à quelqu'un de l'extérieur qui aurait été sans travail ou qui n'aurait jamais vu un raisin ou même une pomme, mais ériger un commerce ainsi organisé ! La colère l'envahit et elle sortit brusquement. Après avoir verrouillé la porte, elle replaça la clef, contourna la loge et reprit sa route.

Une chose paraissait claire. Si Mme Drew ne pouvait l'héberger, il lui serait impossible de revenir ici pour y dormir, il ne lui resterait plus qu'à retrouver le chemin du bûcher derrière le cottage... Mais si elle trouvait un clochard ?

A cette idée, son corps tout entier tressaillit; elle s'attaquerait à ce problème en son temps. Elle devait voir Mme Drew d'abord...

Biddy Drew la salua chaleureusement, mais avec une certaine surprise :

— Qu'est-ce qui t'amène à cette heure de la journée, ma fille ?

— J'ai... j'ai perdu mon emploi, madame Drew.

— Ils t'ont mise à la porte ?

— Non, ce n'est pas ça. La Maîtresse... eh bien, il y a eu des ennuis; elle est retournée chez sa mère et a emmené les enfants avec elle, alors on n'a plus besoin de moi.

— Hum ! Je l'ai toujours dit, il n'y a pas que les pauvres qui ont des problèmes. Eh bien, entre, ma fille, c'est-à-dire, si tu y arrives. Comme tu le vois, je suis dans la lessive jusqu'au cou; deux fois par semaine, je dois m'y mettre. Je choisis mon jour car j'aime bien étendre le linge dehors; sinon, il mettrait un temps infini pour sécher dans la pièce. Ecoute, pousse ce tas là-bas (elle indiquait un gros tas de vêtements de mineurs posé sur le banc) et assieds-toi. Je vais faire bouillir de l'eau; je vais avoir besoin de boire un coup moi-même, j'ai la gorge sèche.

Tilly ne s'assit pas mais posa son balluchon sur le banc.

— Je peux vous aider ?

— M'aider ? Ah oui ! tu le pourrais. Mais commence par enlever ton manteau et ton chapeau, hein, ma fille. On va d'abord prendre ce thé-souper, et ensuite on s'y mettra.

Tilly enleva son manteau et son chapeau et les accrocha au clou, sur la porte menant dans l'autre pièce, et ce faisant, elle demanda :

— Où sont-ils tous aujourd'hui ?

— Peg, Katie et Sam sont dessous, Bill et Arthur ont terminé leur poste, ils dorment là-dedans.

211

Elle indiquait l'autre pièce, et comme Tilly resserrait les lèvres et disait sans bruit : « Oh ! » Biddy répondit :

— Tu n'as pas besoin de baisser la voix, ma fille, la milice pourrait défiler ici que ça ne les gênerait pas; une fois qu'ils ont posé leur tête... Fanny et Jimmy travaillent aux champs à la ferme Richardson. C'est dur pour une enfant de sept ans, mais elle est à l'air et à la lumière, et c'est déjà beaucoup.

Elles étaient assises sur le banc, tenant à la main des bocks fumants de thé léger, lorsqu'on entendit un cri aigu venant de derrière le mur de la cheminée. Tilly se retourna brusquement pour regarder derrière elle et Biddy rit :

— Oh ! c'est Annie Waters. Elle est sourde comme un pot : il doit y en avoir qui se sont couchés sans se laver et elle les vire. Elle en a sept, et tous des gars. Ils travaillent tous en dessous, et c'est une bande de malpropres. Poussière de charbon ou pas, ils sont tous sales comme des cochons. Eh bien, ma fille, allons, raconte-moi tes aventures.

Tilly lui raconta, et une fois terminé, Biddy pencha la tête et lui dit doucement :

— Eh bien, il n'est ni pire ni meilleur que les autres. Les nobles ont toujours été ainsi. Comme disait ma mère, si on ne peut se contenter d'une femme, dix ne suffiront pas. Mais par ailleurs, il y en a certaines qui sont pires que les hommes et lorsqu'une femme est ainsi faite, eh bien, il n'y a rien qui puisse l'arrêter, sauf lorsqu'elle doit se coucher tous les ans avec un moutard. Mais, à propos de ta Lady Myton, eh bien, cette femme-là est en train de se faire une réputation, ça, je peux te le dire. Ce n'est pas la première fois que j'entends parler d'elle. Et c'est une grande dame, du genre haute et puissante, tu sais; les serviteurs sont de la boue sous ses pieds. Il y a deux sortes de noblesse, ma fille, et certains d'entre eux t'utiliseraient bien comme du bétail. Les McCann au bout du coron, leur Peggy a été renvoyée de sa place près de Newcastle. Dans cette maison, on faisait monter les filles de la cuisine dans une pièce spéciale en haut, où le sale vieux cochon en usait à sa guise. Et on accusait toujours un des palefreniers. A propos...

Elle se pencha en avant et posa à Tilly une question indiscrète; Tilly rougit en baissant les yeux et répondit :

— Oui, ma mémé m'a dit, madame Drew, quand j'ai commencé à l'âge de treize ans.

— Ah bon ! alors tu sais tout. Mais, néanmoins, fais bien

attention, garde les yeux ouverts et ta jupe baissée et tu t'en tireras.

— Oui, madame Drew.

Biddy termina son thé ; puis, elle se leva :

— Bien entendu, il y a du bon et du mauvais dans toutes les classes ; ce n'est pas seulement la noblesse, car il y a aussi le gardien à la mine, Dave Rice, il te mettrait sur le dos avant que tu ne puisses dire ouf, s'il avait son mot à dire. Même moi, j'ai été obligée de me débattre une fois. Ce vieux salaud ! La dernière fois qu'il s'est jeté sur moi, je l'ai menacé de mettre le manche de ma pioche là où il n'avait jamais été, s'il ne me laissait pas.

— Vous avez travaillé dans la mine, madame Drew ?

— Quinze ans, ma fille, quinze ans. Ce n'était pas si pénible lorsque j'ai grandi, mais je n'étais qu'un petit bout quand j'ai commencé à descendre. Mon dieu ! j'avais une peur bleue de ramper à genoux, à quatre pattes, jour après jour, les genoux et les mains en sang. Je n'y comprenais rien. Un enfant ne peut rien y comprendre, tu sais ; c'est pourquoi je ne suis pas d'accord pour laisser Fanny et Jimmy y descendre. C'était nécessaire que les autres y aillent pour que nous puissions subsister, mais nous ne nous en sortons pas si mal, à présent, et ils me soutiennent tous pour éviter aux deux derniers d'être pris par ce sacré trou noir. Bon, allons à la lessiveuse. Si tu dois m'aider, prends ce tas, là, et passe-le dans l'essoreuse. Elle est dehors, derrière, sous l'auvent, tu sais où. Puis, étends le linge sur la corde.

— Oui, madame Drew.

Avant de ramasser la bassine en zinc remplie de linge mouillé, Tilly s'immobilisa un instant :

— A propos de ce soir, madame Drew, vous pensez... vous pensez que je peux coucher ici jusqu'à demain, lorsque j'aurai trouvé un gîte ?

— Mais où voudrais-tu aller, hein ? Tu seras peut-être sur le tapis devant le feu, à moins qu'il faille t'accrocher au mur. Allons, allons, il y aura toujours ici un endroit où poser ta tête.

Réconfortée, et presque au bord des larmes, comme toujours lorsqu'on lui témoignait de la bonté, elle sortit et se dirigea vers l'auvent et l'essoreuse en fer, dont les rouleaux en bois étaient usés en leur centre. Elle était du même type que celle qu'elle avait eu l'habitude d'utiliser dans le cottage et elle n'eut aucun mal à essorer le linge, mais quand il fallut l'étendre, ce qui impliquait d'aller dans l'allée bordée des tas de fumier, l'odeur lui souleva le cœur.

Elle se le reprocha aussitôt, car qu'importait l'odeur puisqu'elle était accueillie avec une si grande bonté ?

En allant de l'essoreuse à la corde à linge, l'idée lui vint qu'au lieu d'aller à Shields le lendemain pour chercher une place, elle pourrait peut-être trouver du travail dans la mine avec Katie et rester dans cette famille, cette merveilleuse famille où rayonnaient l'amour et la tendresse. Oh ! elle aimerait bien cela. Eh oui. Elle ferait n'importe quoi pour rester dans cette famille.

CHAPITRE VII

— Toi, descendre au fond ? avait répondu Katie. Tu es folle !
Tu ne durerais pas cinq minutes dans le trou, pas toi.

Il y avait trois jours de cela; depuis elle avait piétiné
quotidiennement, dans toute la ville de Shields, uniquement pour
s'apercevoir que pour tous les postes respectables on exigeait une
recommandation et parfois non seulement une mais trois. Elle
avait songé à retourner pour en demander une au Maître, mais cela
l'aurait obligée à se présenter encore une fois devant le personnel
de la maison. Elle avait pensé aussi à Simon; il aurait sûrement dit
beaucoup de bien d'elle, c'était certain, mais elle ne pouvait pas se
décider à se présenter à la ferme car elle avait toutes les chances de
rencontrer sa femme.

A présent, il pouvait se passer des journées entières sans qu'elle
pense à Simon, mais, dès que son nom lui venait à l'esprit, la
douleur refluait dans son cœur. Cependant, elle arrivait maintenant à se dire que le temps parviendrait à effacer ce sentiment. Il le
fallait, car elle ne se voyait pas passant une existence solitaire; elle
avait besoin de quelqu'un, quelqu'un à aimer et qui l'aimerait.
Cependant, ce dont elle avait véritablement besoin, ce n'était pas
tellement un homme qui l'aimerait mais qui lui témoignerait de la
bonté; par-dessus tout, elle était assoiffée de bonté .

Et ainsi, étendue dans le lit, face à Katie, qui avait la jeune Fanny
roulée en boule dans son dos, elle avait renouvelé sa suggestion.
Cette fois, la voix de Katie vint comme un sifflement :

— Tu n'as aucune idée de ce que ça peut être en dessous. J'y
suis habituée, mais je donnerais n'importe quoi pour avoir du
travail à la surface. Et pourtant, en même temps, je suis
reconnaissante à Dieu d'avoir un emploi, que nous en ayons tous,
car qu'est-ce que nous ferions d'autre par ici ? Non, Tilly; je ne
peux pas t'imaginer là-dessous, jamais. Et Sam ne veut pas non
plus en entendre parler... Tu trouveras du travail, et qui te
convienne, comme ce que tu faisais avant.

— Je n'en trouverai pas, Katie; comme je te l'ai dit, je n'ai aucune recommandation et aujourd'hui, on ne m'a proposé qu'un travail dans un pub, sur le port. J'en ai entendu parler par la femme qui place les gens. J'ai dû d'abord payer six pence et ensuite elle m'a donné deux adresses, et, comme je te l'ai dit, l'une d'elles était le pub. Il y avait des femmes là-dedans, Katie... oh ! tu ne l'aurais jamais cru !

— Je le crois, je le crois pour l'avoir vu. Il suffit d'aller sur la route carrossable jusqu'au Cock and Bull. Poste-toi là un samedi soir d'été, et tu verras des choses que tu n'as jamais vues avant, surtout lorsqu'ils se mettent à les jeter dehors. Et l'autre place ?

— C'était... c'était une sorte de pension, et elle a dit que je devrais... y habiter. J'ai failli accepter jusqu'au moment où elle a ajouté que cela ne l'ennuyait pas que je sois sans référence — il y avait un je ne sais quoi dans l'air. Je suis partie aussi vite que possible et elle m'a poursuivie jusqu'à la porte.

— Tu as eu de la chance, dit Katie secouée de rire. Tu aurais pu te retrouver dans un lit avec un Suédois.

— Oh ! Katie !

Elles se donnèrent quelques coups amicaux et Fanny s'écria :

— Arrête de donner des coups de pied, Katie !

Et une voix masculine à l'autre bout de la pièce ajouta :

— Taisez-vous là-bas, je voudrais dormir.

— Tais-toi toi-même ! siffla Katie. Tu ne devrais pas écouter aux portes.

— Je n'écoutais pas aux portes et je ne veux plus t'entendre sinon je vous jetterai hors du lit.

— Nous ne tomberons pas de bien haut, n'est-ce pas ?

Katie riait de plus belle, et Tilly gloussait avec elle, car leur lit n'était rien d'autre qu'une toile à sac remplie de paille et posée à même le sol. Mais, cependant, elle y était bien au chaud et, lorsqu'une demi-heure plus tôt, elle s'y était laissée tomber, il lui avait paru aussi doux qu'un divan de plumes car ses jambes étaient douloureuses et ses pieds pleins d'ampoules, après avoir marché toute la journée.

Katie l'entoura de ses bras et elle, timidement, en fit autant, et peu après, leurs têtes l'une contre l'autre, elles s'endormirent.

A quatre heures du matin, Biddy secoua doucement Katie. Elle dormait sur le dos et protesta faiblement, puis clignant les paupières pour en secouer le sommeil, elle enjamba silencieusement Tilly. Elle enfila ses vêtements de travail qui gisaient au sol à côté de la paillasse et trébucha jusqu'à la cuisine, éblouie par la lumière de la lampe.

216

Peg, qui dormait avec sa mère dans la cuisine, était déjà habillée et, comme Sam, elle avalait du porridge chaud. Personne ne rompit le silence, ni même lorsque tous trois passèrent la porte que Biddy referma; le sommeil pesait encore sur eux, le matin était glacial, ils avaient une journée de travail devant eux, que pouvaient-ils avoir à dire ?

Trois matins plus tard, ils étaient quatre. Tilly était avec eux et, brisant la règle, Biddy lui tapa sur l'épaule et dit :

— Que le Bon Dieu soit avec toi, ma fille.

En fermant la porte sur le noir et le froid pinçant elle ajouta pour elle-même :

— Tu auras besoin de Lui.

Le cœur de Tilly tambourinait entre ses côtes; elle suivit Katie autour d'une file de wagonnets, puis manqua de se heurter à un cheval que l'on menait vers un groupe de bâtiments installés le long d'une pente qui disparaissait dans la terre.

Des lampes à bougies suspendues éclairaient la scène, des bougies maintenues en place dans de grossières boîtes en fer-blanc.

— Reste tout près si tu ne veux pas te faire piétiner, dit Katie en tirant Tilly vers elle.

Elles se faufilaient maintenant au milieu d'un groupe de chevaux à peine visibles dans l'ombre profonde.

— Viens par ici, et pense à ce que je t'ai dit, n'aie pas peur de lui répondre, et s'il te demande si tu es d'accord pour t'engager, tu lui dis : « Evidemment... quoi d'autre ? »

Tilly ne fit aucune réponse mais, comme le lui avait demandé Katie, elle resta tout près d'elle. Elles arrivèrent enfin au guichet d'une baraque en bois et un homme les regardait. Tilly ne parvenait pas à distinguer son visage car il se tenait à contre-jour, elle vit seulement qu'il était petit et maigre. Mais cela n'avait rien d'original, tous les hommes qui descendaient dans les mines étaient petits et maigres. C'était sa voix qui le différenciait des autres, elle était profonde et rigoleuse, et il paraissait chanter ses mots :

— Ah bon ! te voilà, Katie Drew, et déjà une demi-journée de passée !

— Arrêtez de plaisanter, monsieur Rice, il est trop tôt ce matin. Je l'ai amenée.

— Ouais, je ne suis pas aveugle, je ne l'ai pas prise pour ton ombre. Bien, ma fille, je suppose qu'elle t'a appris tout ce qu'il y a à connaître. Tu veux savoir quelque chose ? Elle croit en savoir plus sur ce sacré trou que moi. Acceptes-tu de t'engager ?

— Oui... ouais.

— Bon, eh bien dans ce cas, tu sais à quoi t'en tenir et je peux te dire que tu as de la chance. Si Katie ne m'avait pas parlé de toi, tu n'aurais jamais eu la place; on fait la queue d'ici à Jarrow pour un pareil boulot.

— Cessez vos plaisanteries, monsieur Rice; vous savez très bien qu'il faut vraiment être au bout du rouleau pour descendre dans ce sacré trou. Enfin, je vais la faire entrer.

— Ouais, quand elle aura signé. Venez ici une minute.

Katie poussa Tilly devant elle dans la baraque jusqu'à un bureau élevé sur lequel on voyait deux registres. Dave Rice en ouvrit un :

— Tu me donnes ton nom en entier, puis tu pourras tracer ta croix.

Tilly regarda Katie en biais et le léger tremblement de la tête de son amie lui conseilla la prudence, alors elle répondit :

— Tilly Trotter.

— Mariée ?

Son visage ricanait et il l'avançait vers elle.

— Non.

— Alors, c'est Tilly Trotter, célibataire.

Après avoir inscrit son nom dans le registre, il nota la date à côté; puis, dirigeant la plume vers le papier, il lui dit : « Mets-la là », et elle marqua sa croix à côté de son nom. Puis, d'un air sérieux, il reprit :

— Tu connais le tarif, douze shillings par quinzaine. Mais ça dépend évidemment de la quantité qu'ils sortent. Tu travailleras en équipe avec Katie et Florrie Connor, n'est-ce pas ?

Il se tourna et jeta un regard à Katie qui lui répondit :

— Vous le savez aussi bien que moi.

— Quel petit singe impertinent ! Il serait temps qu'on te donne une fessée. Il faudra que je m'en occupe.

— Quand les poules auront des dents. Allez, viens. (Elle prit Tilly par le bras et, dès qu'elles furent hors de la baraque, elle lui dit :) Vilain salaud, celui-là. Méfie-toi de lui si tu n'es pas avec moi. Maintenant, arrête-toi, un instant. (Elle arrêta Tilly et, soulevant sa lanterne, elle la regarda à la lueur vacillante et lui dit :) Maintenant, je t'ai prévenue, tu vas avoir un choc quand tu vas y entrer, parce que je vais te dire quelque chose tout de suite, Mademoiselle la Bonne d'Enfants du Château : d'ici un ou deux jours, tu vas te rendre compte que ce qu'il y a de plus propre, à tous points de vue, en bas, ce sont les chevaux. Et au moment de la halte, regarde droit devant toi et ne t'occupe pas de ce qui se passe sur le limon.

— Le quoi ?

— Le limon, le sol, tu sais, au niveau du filon ça s'appelle comme ça, le limon. Comme je te l'ai dit, regarde droit devant toi car il se passe des choses dans les coins qui te feront dresser les cheveux sur la tête. Je pense que Sam disait vrai hier soir, tu aurais dû continuer à chercher une place convenable. Enfin, te voilà ici, tu as signé et tu ne peux pas t'en sortir à moins de t'en aller mourir comme Florrie Thompson, dont tu as pris la place. Mais ce n'est pas le charbon qui l'a tuée, c'est la phtisie... Bon ! allons-y, voici l'équipe. Je pensais qu'on arriverait au front de taille avant leur descente, je voulais te montrer les choses tranquillement. Non qu'il y ait la moindre tranquillité en dessous, mais avec toute cette troupe autour de nous... Ah, allez, allez, dépêche-toi.

Abasourdie, ses entrailles lui donnant l'impression d'avoir débordé de son estomac, Tilly se pressait à présent pour suivre le trot de Katie. Elle éprouvait une peur qu'elle aurait été incapable d'imaginer auparavant, de nature différente. La peur associée à Hal McGrath lui venait par bouffées, de temps à autre, mais cette espèce particulière de peur allait l'habiter en permanence. Elle entrait dans un monde qui n'appartenait à aucune espèce de vie qu'elle ait jamais pu concevoir. Elle suivait ce qui ressemblait à un tunnel avec des rails en fer au centre, et elle voulut marcher au milieu pour faciliter son cheminement, mais Katie lui cria si fort qu'elle crut en perdre la tête :

— Est-ce que tu veux te faire écraser avant de commencer ? Ne sois pas si sacrément bouchée, c'est le trolley. Regarde.

Elle indiquait un jeune garçon qui venait à leur rencontre en menant un cheval, et à son approche Tilly vit trois wagonnets remplis de charbon qui ferraillaient derrière le cheval.

Il lui semblait avoir marché et trébuché pendant un temps infini, lorsque le tunnel s'élargit et se transforma en une voie qui, comparée au tunnel, était bien éclairée par des lanternes suspendues à des clous fichés dans deux piliers carrés soutenant le toit. La ligne de trolley en rencontrait d'autres débouchant de diverses galeries et sur lesquelles d'autres chevaux traînaient d'autres wagonnets.

Pendant un instant elle demeura figée à la vue d'un homme

accroupi dans un coin, faisant ses besoins. Son pantalon de moleskine pendait au niveau de ses genoux et le reste de son corps était nu.

— Comment ça va, Katie ?

— Comment ça va, Danny ?

Katie évita le regard de l'homme accroupi en lui répondant, mais sa pose parut la laisser indifférente.

— Par ici.

Katie tirait à nouveau Tilly par le bras et, à présent, elles descendaient un plan incliné. Il lui était impossible d'imaginer qu'elles puissent s'enfoncer davantage dans la mine, mais ceci devint pourtant évident lorsque la galerie sur laquelle elles trébuchaient s'inclina fortement. De plus, elle était beaucoup plus étroite que la galerie principale et le plafond en paraissait considérablement plus bas, car après s'être cogné la tête contre une poutre de bois soutenue par deux poteaux de mine, elle ne reçut pas d'autre témoignage de sympathie de Katie en réponse à son cri de douleur que :

— Tu apprendras !

Qu'elle était en train d'apprendre devint évident lorsque, au son des sabots d'un cheval et du ferraillage des wagonnets, elle se coula dans une ouverture apparemment évidée dans le mur entre les poteaux pour laisser passer le cheval et son attelage.

Elle remarqua que le cheval était mené par un jeune garçon, et qu'il ne ressemblait pas à ceux de la première partie de la mine ; c'était un poney de Galloway. Elle s'était toujours demandé pourquoi, lorsque ces poneys étaient lâchés dans les champs, ils ruaient et paraissaient devenir temporairement fous, mais à présent, elle en comprenait la raison. Oh oui ! elle comprenait.

Quelques minutes plus tard, elle étouffa un cri à la vue d'un rat gros comme un petit chat qui lui frôla les pieds; Katie s'arrêta un moment et, après avoir ri, la rassura calmement.

— N'aie pas peur d'eux parce qu'il va falloir t'y habituer. En fait, il y en a un ici que nous appelons Charlie, et c'est un coquin de petit bougre, ce Charlie.

Tilly sentit sa gorge se serrer mais ne dit rien, tout en s'étonnant de la manière dont Katie jurait constamment ici, alors qu'elle ne l'avait jamais entendue jurer à la maison... Allait-elle devenir comme Katie ?

— Nous y sommes presque... Regarde ! Attention à cette flaque. On dirait juste une petite flaque, mais tu en auras jusqu'aux

220

genoux si tu y rentres. Ils vont la combler bientôt. Ne marche jamais sur une couche lisse de poussière de charbon, suis mon conseil, sinon tu te retrouveras en train de nager. Et cela risque de t'arriver un de ces jours, si cela ne tient pas. (Son doigt indiqua le plafond peu élevé.) La veine là-haut est inondée et il se produit des infiltrations. (Elle leva sa lanterne et montra un endroit où l'eau suintait à travers une fissure, puis ajouta pour la rassurer :) Ne t'inquiète pas, ça tiendra pour aujourd'hui. Et pour longtemps, j'espère.

Une fois encore la galerie s'élargit et, soudain, elles se trouvèrent au milieu d'une ruche. Si Tilly n'avait pas su le contraire, elle aurait pu imaginer que les petites figures se précipitant de-ci, de-là, étaient un groupe d'enfants à leurs jeux, mais leurs voix étaient rauques et leur vocabulaire composé en grande partie de jurons. Ils ressemblaient à des lutins car seuls le blanc de leurs yeux et le gris de leurs bouches ouvertes laissaient soupçonner un peu de couleur.

Debout, là, les yeux exorbités, elle sentit grandir en elle un sentiment : la stupéfaction se confondait avec la compassion et s'exprimait en horreur. Puis sa bouche s'agrandit et son menton tomba au moment où elle vit apparaître à quatre pattes un petit personnage venant d'une galerie transversale. Au début, rien ne permettait de discerner si c'était un garçon ou une fille, mais il n'avait pas l'air plus grand que Monsieur John. C'était un garçon et il était harnaché, mais le harnais le prenait autour de la taille et lui passait entre les jambes, et ce n'était pas du cuir, mais une chaîne, et la chaîne était attachée à un panier peu profond, chargé à ras bord de charbon.

Elle regarda un homme détacher le harnais et, lentement, l'enfant se leva et vacilla, puis, de ses poings noirs, il se frotta les yeux, comme s'il s'éveillait.

Elle n'avait pas conscience de s'être agrippée au bras de Katie et celle-ci, devinant ses sentiments, cria par-dessus le vacarme :

— Oh ! il est plus vieux qu'il ne paraît; c'est Billy Snaith, il a dix ans. Salut, Billy !

Quelques secondes s'écoulèrent avant que ne vienne sa réponse.

— Ohé, Katie !

— Fatigué ?

— Ouais, je suis crevé. Comment c'est là-haut ?

— Froid, mais sec.

Sa réponse, s'il en donna une, se confondit avec le cri rauque qui domina la mêlée :

— Venez, vous tous, si vous voulez partir ! Bon, très bien, si vous voulez rester, ça ne me gêne pas de vous faire faire un autre poste.

En réponse, les nouveaux arrivants se répandirent en murmures et grognements. Mais une chose surprenait Tilly plus que tout, l'apparente acceptation de ce mode de vie, et également l'humour qui la sous-tendait. Cependant, on ne décelait aucune manifestation d'humour au sein de la file désordonnée d'enfants remontant le plan incliné vers le monde extérieur.

— C'est l'équipe de la couche mince. La galerie là-dedans est trop basse pour y faire passer un Galloway.

— Pourquoi ne l'agrandissent-ils pas ?

La question de Tilly comportait une note de ce qui aurait pu s'apparenter à de la colère et Katie répondit en riant :

— Ne me demande pas. Je suppose qu'ils le feraient s'ils le pouvaient; ça a quelque chose à voir avec les couches. Ça les obligerait à couper là-dedans et il y a des endroits où on ne peut pas passer, et d'autres où ce serait dangereux d'essayer car il faut tenir compte de l'eau. Regarde cette pompe, là. Elle marche sans arrêt, vingt-quatre heures sur vingt-quatre. C'est comme si on essayait d'assécher le Tyne. Enfin, nous avons de la chance de pouvoir marcher jusqu'à notre lieu de travail, et crois-moi, je me considère comme veinarde, car j'ai passé trois ans au poste où est Billy et je t'assure que j'ai trouvé ça long. Le jour où je suis passée à la quatrième galerie, je n'aurais pas appelé la reine ma tante. Cependant, j'ai passé ma nuit à pleurer de soulagement, je crois.

Tilly ne répondit pas; son cerveau se débattait dans un tourbillon d'horreur.

Elles étaient maintenant au milieu d'un petit groupe; il y avait des gens devant elles et d'autres derrière, mais personne ne parla jusqu'au moment où elles atteignirent un wagonnet isolé, tiré par un garçon, aidé des faibles efforts d'un autre, sur le côté, qui poussait l'engin en fer chargé de charbon. Puis, un cri s'éleva :

— Tu ferais mieux d'avancer, Robbie, sinon, tu vas en prendre pour ton grade.

Le garçon en tête s'arrêta, tourna lentement la tête et considéra l'homme; puis, il parut remonter ses épaules au-dessus de sa tête, et recommença à tirer.

— Ne traîne pas. Si tu t'arrêtes chaque fois que tu vois ça, tu ne feras pas long feu ici en dessous, mais je te le dis, si tu as l'intention de travailler, et tu vas y être obligée parce que tu t'es engagée, il va falloir que tu t'endurcisses.

Elles atteignirent alors ce que Tilly prit pour une impasse, car cela avait l'aspect d'un long mur aveugle que des hommes attaquaient à coups de pioche. Elles y étaient à peine arrivées qu'un des hommes se retourna et leur lança :

— Vous avez pris votre temps; nous allons en avoir jusqu'à nos sacrés cous si vous ne vous y mettez pas !

Comme réponse, il reçut une bordée d'injures de la part d'une femme du groupe et on entendit perler les rires et un remue-ménage et Katie chuchota :

— Ça, c'est la grosse Meggie. Elle les maintient à leur place. Elle est formidable sur plus d'un plan. Reste à sa droite. A présent, voici ce que tu dois faire. Ton appât ? Où est ton appât ?... Oh ! mon dieu ! (Elle étendit le bras, arracha l'appât de Tilly d'une niche dans le rocher et dit en riant :) Tu es vraiment inexpérimentée, il ne durerait pas deux minutes à cet endroit. C'est ça, je ne lui donnerais pas deux minutes avant que Charlie ne l'attrape. Regarde, tu vois le nœud dans la ficelle, tu l'attaches là, comme ceci. (Elle en fit la démonstration en suspendant le petit morceau de nourriture à un clou sur une poutre et le laissant ainsi pendiller.) Là ! Il n'a pas encore appris à grimper à la corde mais je parie qu'il y arrivera un jour; c'est un malin, Charlie.

— Pourquoi... pourquoi ne le tuez-vous pas, je veux dire lui, le rat ?

— Oh ! nous en tuons, mais pas Charlie. Les types sont superstitieux avec Charlie. Tant qu'ils voient sa bouille, ils pensent être en sécurité. Ils prétendent qu'il est capable de sentir le grisou mieux que n'importe quelle invention moderne, et je suis persuadée que c'est vrai, comme je crois que les lampes de sécurité sont dangereuses. Nos gars ne veulent pas les utiliser, ils se sont battus contre leur utilisation. Ça a été la guerre au début, mais ils ont tenu bon et nous n'avons presque pas perdu d'hommes depuis vingt ans, enfin, un très petit nombre; rien comparé aux autres. Il y a eu des centaines de tués dans les mines par ici. Ma mère se souvient de Heaton Colliery. Soixante-quinze tués dans une inondation... Regarde, ne reste pas debout comme une bûche, fais comme moi, prends cette pelle et remplis ce panier, comme ça.

Elle lança sa pelle dans un tas de charbon et en quelques minutes avait rempli le panier. Tilly prit la pelle et se mit à remplir un panier. Pelleter ne lui était pas pénible, ses muscles étaient habitués à scier; elle était surtout gênée par la poussière de charbon dans ses yeux rendant floue sa vision déjà limitée à la faible lueur, et le bruit, le remue-ménage; et puis... soulever le panier pour le mettre sur les épaules des enfants.

Certains tombaient à genoux sous son poids avant qu'on ne l'ajuste et les enfants n'empruntaient pas la galerie par laquelle elle était arrivée avec les autres, à cause des rails du trolley posés au milieu; ils passaient par une étroite dérivation qui s'évanouissait dans les ténèbres, comme s'ils pénétraient dans la gueule de l'enfer. Elle avait à peine travaillé une heure, mais associait déjà tout cet environnement à l'enfer et ses horreurs.

Après un temps impossible à définir, on annonça une halte et, laissant tomber sa pelle, elle alla s'appuyer contre le mur et glissa lentement au sol; Katie vint la rejoindre. Elle avait apporté avec elle un bidon et, en retirant le couvercle, elle le tendit à Tilly :

— Tiens, rince ta bouche et crache la première gorgée.

Tilly prit une gorgée de l'eau tiède et lui trouva une saveur de vin; et elle en avala la moitié avant d'essayer de la cracher.

— Tu t'es bien défendue pour une débutante.

Tilly ne répondit pas.

— Tu t'y habitueras au bout d'un certain temps. Tu es courbatue à présent, mais dans un jour ou deux tu ne seras plus consciente de tes bras ou de tes jambes ou de ton dos, car ils travailleront tous ensemble; il n'y aura plus que ta gorge qui te gênera.

Un homme vint s'asseoir de l'autre côté de Tilly. A l'exception d'un caleçon en loques, il était nu.

— Comment va, fillette ? demanda-t-il.

Tilly ne savait pas quoi lui répondre; elle était incapable de lui dire : « Très bien. » Katie dut répondre à sa place.

— Elle est un peu essoufflée, Micky; mais, comme je le lui disais, dans environ une semaine, il n'y aura plus que la poussière qui la gênera. J'ai raison, hein, Micky ?

— Ouais, ma fille, ouais, tu as raison. La plaie, c'est la poussière. Ça vous prend, la poussière. (Il avala une rasade à son bidon; puis, s'essuyant les lèvres du dos de sa main noire, il ajouta :) Et finalement au bout du compte, ouais, c'est comme tu le dis, Katie, la poussière. Enfin, elle ne va peut-être pas te gêner beaucoup plus longtemps. Vous savez ce que j'ai entendu lorsque j'étais à Shields, l'autre dimanche ? Un bonhomme dégoisait et racontait qu'il y a un ou deux types à Londres qui essaient de faire passer une loi interdisant aux enfants et aux filles de travailler dans les mines, et dans les usines, c'est-à-dire en dessous d'un certain âge. Mais, en fait, il vise à éliminer complètement les femmes et les enfants des mines.

— C'est vrai, Micky ?

— Oui, je l'ai entendu des lèvres mêmes du type. Et de plus, je l'ai vu se faire emmener. Il y avait une énorme foule autour de lui, des promeneurs du dimanche, vous savez, et la police l'a emmené pour avoir troublé l'ordre public.

Katie marqua un silence, puis elle répondit :

— J'allais dire sacrée bande de bas-bleus stupides là-bas, qui essaient de nous ôter le pain de la bouche, mais je ne sais pas, ce serait peut-être la meilleure chose qui puisse arriver, c'est-à-dire s'ils nous donnent d'autres emplois.

— Ouais, c'est ça, ma fille, s'ils nous donnent d'autres emplois, mais qu'est-ce qu'il y a comme emplois pour les filles et les femmes, à part le service domestique et le travail agricole. Vous avez le choix, mais quel qu'il soit, vous êtes soumises à un salaud de patron, hein ? Eh bien, il y a une chose, ma fille (il empoigna le genou de Tilly), tu n'as pas besoin de t'habiller pour cette fête, hein ? Tu peux venir avec rien sur le dos, si tu veux. Ouais, rien. Qu'est-ce que tu en penses, Katie ?

Il se pencha par-dessus Tilly et regarda Katie pendant qu'elle le repoussait en riant :

— Allez, va-t'en ! Tu es un coquin de farceur, Micky !

— Bon, allons-y ! Où est la grosse Meggie ? Comme si je ne savais pas ? Cette fille devrait être dans l'enclos du taureau.

Une voix de l'autre côté de la galerie lui cria :

— Qu'est-ce que tu crois qu'elle a comme secret, Micky ? Vingt-deux ans, et elle n'a jamais encore été engrossée; elle aurait dû en avoir des portées entières, avec sa manière de flirter.

Il y eut un rire étouffé et les diverses silhouettes se relevèrent et le processus du pelletage redémarra. Enfoncer la pelle, soulever, jeter. Enfoncer la pelle, soulever, jeter. Lorsque le rythme cessait, un dos enfantin attendait d'être chargé du produit de vos efforts.

Enfoncer la pelle, soulever, jeter. Enfoncer la pelle, soulever, jeter. Dieu du Ciel ! elle ne pourrait jamais supporter ceci. Cette place de serveuse de bar à Shields lui semblait idéale, lui rappelait le paradis maintenant; même le boulot dans la pension lui paraissait attrayant. Il faudrait le dire à Katie quand elles sortiraient d'ici. Ce travail cesserait-il jamais ?

A un moment de la journée, il cessa pendant une demi-heure et à nouveau il y eut une pause pour s'asseoir le long du mur et boire au bidon.

A trois heures de l'après-midi, on annonça la halte finale. Elle avait perdu la notion du temps. Elle était devenue sourde aux paroles de Katie. Plus tard, il lui fut impossible de se souvenir du trajet du front de taille vers l'extérieur. Elle se rappelait seulement que certains des enfants ne les avaient pas accompagnées. Plus tard, Katie lui expliqua que quelques-uns d'entre eux faisaient des postes de douze heures ; deux heures supplémentaires, avait-elle dit, qu'ils le veuillent ou non ; ils devaient nettoyer le front de taille pour le poste suivant.

A un endroit de la galerie, en sortant, elle avait pris conscience de marcher dans l'eau et certains des hommes s'étaient arrêtés, en avaient discuté et avaient conclu que cela devait déborder au niveau de l'amorce de la galerie.

Puis, elle se souvenait de s'être tenue à l'entrée de la mine parmi les chevaux en sueur et les hommes noircis et d'avoir levé les yeux vers le ciel radieux. Le soleil brillait, deux rossignols rivalisaient en un duo étourdissant et, au moment où elle regarda en l'air, le vent souleva une mèche de son front. Elle serait bien restée ainsi debout pour toujours, pensait-elle, mais Katie, éternellement réaliste, lui dit :

— Tu pourras le savourer tout le long du chemin. Viens, ma fille.

Lorsqu'elles arrivèrent à la maison, Biddy fit pour elle ce qu'elle n'avait jamais fait pour ses propres enfants. Dans l'espace étroit de la souillarde, elle l'aida à se mettre dans une baignoire en fer-blanc et, doucement, lava la poussière de son corps, ses cheveux et le reste . Puis, après l'avoir aidée à se sécher, elle lui passa une chemise de nuit empesée en calico et la mena jusqu'à la paillasse et elle la laissa dormir pendant quatre heures avant de la réveiller et de lui donner son repas. C'était un bol de bouillon de mouton et des boulettes, et elle l'apporta jusqu'au lit dans un plat posé sur un plateau en fer-blanc, et Tilly s'assit sur le lit et le mangea tout ensommeillée, tandis que Katie reposait à côté d'elle en ronflant. Et après qu'elle eut terminé de manger, Biddy lui prit le bol des mains et lui dit doucement :

— Allez, te voilà repartie, pose ta tête, fillette ; ta première journée est terminée. Jamais de ta vie, ça ne te paraîtra aussi dur.

CHAPITRE VIII

Les jours se transformèrent en semaines et les semaines en mois, et Tilly apprit ce que signifiait travailler avec de l'eau jusqu'aux genoux. Elle apprit à ne pas s'évanouir en contemplant un homme blessé par un éboulement de pierres ou de charbon ou en voyant un ouvrier piégé dans une galerie dont il était en train de retirer les étais pour baisser un toit. Elle apprit à faire ses propres bougies avec des mèches de coton et du suif de bœuf parce que ça lui revenait moins cher que de les acheter au contremaître. Et elle apprit à faire confiance à Charlie. Cela se produisit le jour où les hommes aperçurent le rat debout sur ses pattes arrière, reniflant avant de se sauver au galop dans la galerie, et crièrent : « Sauve qui peut ! »

Une cloison en bois destinée à favoriser les courants d'air avait, sans que l'on sache pourquoi, bloqué la circulation d'air et un petit enfant posté pour surveiller la porte d'aérage s'était endormi. Cette fois l'accumulation de gaz était légère, mais cependant, elle aurait pu déterminer une explosion si une bougie allumée en avait été approchée. Le lendemain, on fêta le retour de Charlie et on lui mit des morceaux d'appât dans la niche. Charlie, juraient les hommes, était un meilleur détecteur de gaz que n'importe quel canari.

Tilly apprit également que la plupart des gens se ressemble sous une pellicule de poussière de charbon, car deux fois elle était passée tout près du Maître et il ne s'était pas retourné sur son passage. S'il avait remarqué son nom sur les registres, l'aurait-il recherchée et lui aurait-il parlé ? Mais alors, se dit-elle, il ne voyait jamais les noms de ses ouvriers. On confiait cela au contremaître.

Elle était certaine d'une chose, elle haïssait chaque jour qui l'entraînait dans les profondeurs de la terre et s'il s'était présenté la moindre occasion de faire un autre travail elle aurait sûrement sauté dessus, même s'il s'était agi d'aller aux champs. Mais on faisait la queue pour ces places-là, et les directeurs agricoles choisissaient leurs propres équipes. En tout cas, pendant l'hiver, il n'y avait pas de travail pour eux.

Sam lui était une autre source d'inquiétude. Elle lisait trop clairement les indices. Il avait ri lors de la première visite de Steve pour lui demander de ses nouvelles, mais lorsque le jeune homme était revenu les deux dimanches suivants, il n'avait pas participé aux rires et aux taquineries des autres. Elle avait eu envie de lui dire : « Steve est comme un frère pour moi, rien de plus, rien de moins », mais cela lui aurait laissé le champ libre, alors elle ne dit rien et leur laissa supposer ce qu'ils voulaient à propos d'elle et de Steve.

Puis, il se produisit un événement obligeant Sam à abattre son jeu. C'était un dimanche, à la fin de sa quatrième semaine dans la mine. La famille était réunie, comme d'habitude, et les enfants étaient allés jouer sur la route; le jeune Jimmy se précipita soudain en bredouillant :

— Tilly ! Tilly ! Il y a un monsieur à cheval qui te demande.

Tilly s'était levée. Elle connaissait deux personnes qui montaient à cheval, le Maître et Simon, et elle savait que le Maître ne pouvait pas être venu la chercher. Elle se sentit rougir et, promenant les yeux autour d'elle sur la compagnie silencieuse, elle se glissa du banc en disant :

— Je vais... je vais revenir dans une minute.

— Sais-tu qui ça peut être ? demanda Biddy.

— Oui, je crois, madame Drew. Ça doit probablement être Si... le fermier Bentwood. Il... Il est l'ami dont je vous ai parlé qui s'occupait de mon grand-père et de ma mémé.

— Oh ! ouais, ma fille, ouais. Eh bien, propose-lui d'entrer. Il sera serré, mais propose-lui de venir.

A cela, elle ne répondit ni oui ni non, mais remercia simplement Mme Drew. Elle ne voulait pas que Simon voie cette pièce bondée; il ne comprendrait pas qu'elle vive dans de telles conditions, ni la chaleur et le bonheur qu'elles engendraient.

Il se tenait près de la tête de son cheval, sur la route boueuse. Plusieurs portes étaient ouvertes le long du coron et certains avaient sorti la tête pour le regarder. Elle était gênée par cette situation, connaissant leurs pensées; pourquoi une fille comme elle recevait-elle la visite d'un homme à cheval et habillé comme il était ? Car on pouvait le prendre pour un gentilhomme.

— Bonjour, Tilly.

— Bonjour, Simon.

— Je... je n'ai appris que l'autre jour où... où tu étais.

— Oh ! ça fait déjà quelques semaines que je suis ici.

— Mon dieu ! Ecoute, nous ne pouvons pas rester ici, marchons un peu.

Elle regarda derrière elle vers la porte entrouverte et murmura :

— Je vais chercher mon manteau et mon chapeau.

Revenue dans la pièce, elle passa parmi eux et s'adressa à Biddy :

— Je... vais simplement faire une petite promenade à pied, ce ne sera pas long; je vais chercher mon manteau et mon chapeau.

Lorsqu'elle reparut, en enfilant son manteau, il y eut un nouveau silence et Sam lui demanda :

— Pourquoi est-ce que tu ne proposes pas à ton visiteur d'entrer ?

Elle lui jeta un regard :

— Il... il n'a pas beaucoup de temps.

De nouveau sur la route et marchant les yeux baissés aux côtés de Simon, elle se rendit compte qu'elle n'avait pas marché ainsi depuis pas mal de temps et elle en éprouva un sentiment de honte. Pendant ces dernières semaines, elle avait marché la tête haute; peut-être le faisait-elle pour regarder le ciel et se remplir les poumons.

— Pourquoi n'es-tu pas venue me trouver après avoir quitté le Manoir ?

Ses paroles venaient comme un murmure, car ils étaient encore dans le coron. Elle répondit tout bas :

— Tu devrais savoir pourquoi.

Ils avaient dépassé le bout du coron et se trouvèrent en pleine campagne avant qu'il ne parle de nouveau.

— J'aurais pu au moins m'occuper de te loger correctement.

Elle se tourna alors vers lui et dit d'une voix aiguë :

— Je suis correctement logée. Je suis plus heureuse avec eux que je n'ai jamais été de toute ma vie, avec n'importe qui... enfin sauf mon grand-père et ma grand-mère. Mais ils étaient vieux. Là-bas, les Drew, eh bien, ils sont tous plutôt jeunes et la maison est peut-être laide, mais elle est propre et ils sont bons, et cela peut t'étonner, Simon, mais ils sont heureux.

Il immobilisa le cheval et la regarda.

— Et toi, es-tu heureuse, à travailler dans la mine, car il me semble bien que tu y travailles ?

Elle ravala sa salive et regarda de côté :

— Non, je ne peux pas dire que je sois heureuse de travailler à la mine, mais... mais après, je peux rentrer chez eux.

— Ecoute, je te donnerai de quoi prendre une chambre

convenable à Shields en attendant d'avoir trouvé une place de domestique ou quelque chose d'approchant, mais... mais je ne peux pas supporter l'idée que tu travailles là-dessous et il s'y passe de telles choses ! J'en ai entendu parler. Ils se tiennent comme des bêtes.

— Non, ce n'est pas vrai. Enfin, ça l'est peut-être, pour certains, tu ne peux pas les juger en bloc. Quant à se tenir comme des bêtes, il y en a pas mal à la surface et tu dois le savoir. Je viens d'échapper à l'un d'eux du fait de son départ en mer.

— Je sais, je sais, dit-il plus calmement. Et cependant, Tilly, je me sens en quelque sorte responsable de toi...

— Eh bien, c'est inutile, je suis responsable de moi-même et je gagne ma vie; je me débrouille toute seule, et de plus, je ne suis plus harcelée. Même là-bas, ils m'auraient volontiers brûlée vive, ouais, je ne plaisante pas. Il y a quelques années, ils l'auraient fait. Ils étaient comme les villageois, sauf un ou deux et le précepteur.

Il la dévisagea en silence, pendant un instant, puis dit :

— Sait-il que tu travailles dans sa mine... Sopwith ?

— Je n'en sais rien, et cela n'aurait aucune importance s'il le savait. Mais je sais ceci; s'il m'avait offert de me garder avec un poste au sous-sol, je l'aurais refusé et pourtant j'avais un rude besoin d'un toit par-dessus ma tête à l'époque. Ils avaient tellement d'hostilité contre moi que je te le dis, je l'aurais refusé parce que tous, c'est une bande de voleurs et de chapardeurs. Ils sont indignes d'essuyer les bottes du plus petit des Drew. Ils carottent le Maître, à tour de bras. Tu n'as jamais rien vu de pareil.

— Ils carottent ? Enfin, tout le monde sait que ça arrive.

— Ouais, ça se peut, un peu par-ci, par-là, mais pas au point où ces gens-là le pratiquent. Tu ne sais rien, Simon. Si tes hommes te volaient comme ce personnel vole M. Sopwith, tu ferais faillite en quelques semaines, je te le dis.

— Bon, c'est son problème. Il a une gouvernante, n'est-ce pas ?

— Heu ! gouvernante. Enfin, c'est terminé. Je suis ici et je vais y rester jusqu'à ce que quelque chose de mieux se présente. Mais, de toute façon, je vais habiter avec les Drew tant qu'ils voudront bien de moi.

— Alors, je n'aurais pas dû m'inquiéter ?

Elle le regardait à présent bien en face et dit doucement :

— Non, tu n'aurais pas dû t'inquiéter, Simon.

A nouveau, un long silence s'ensuivit; et lorsqu'il reprit enfin la parole, sa voix était douce et lourde de sens.

— Je me ferai toujours du souci pour toi, Tilly, quoi qu'il m'arrive dans la vie ; et quels que soient les changements qui pourront se produire chez moi, mes sentiments pour toi seront toujours ceux qu'ils ont été.

Elle le regarda fixement pendant quelques secondes avant de dire doucement :

— Bien, comme ils étaient lorsque j'étais une petite fille.

Ses yeux ne cillaient pas, et il ferma les siens pendant un moment puis se mordit la lèvre avant de la regarder à nouveau et de murmurer :

— Comme tu veux, Tilly ; comme ils étaient quand tu étais une petite fille.

Son regard brûlant démentait ses paroles et elle détourna la tête en disant lentement :

— Je vais peut-être commencer à fréquenter bientôt.

Comme il ne répondait rien, elle le regarda de nouveau :

— Sam, c'est l'aîné, il veut m'épouser ; c'est un brave garçon.

— Et toi ? Tu veux l'épouser ?

Elle se força à le regarder droit dans les yeux en lui répondant :

— Oui, parce que je ne vois pas comment je pourrais faire mieux, et puis j'aurai une maison à moi, et...

— Ah ! Une maison à toi ! dit-il en l'interrompant d'une voix vibrante. Ne sois pas idiote, une maison à toi ! Je n'utiliserais aucune baraque de ce coron, même pour en faire une porcherie.

— Non, pas toi. Mais, en fait, tu as eu beaucoup de chance, Simon. Tu en as toujours eu ; en fait, tu ne sais même pas à quel point. Maintenant, il faut que je rentre, Mme Drew aime bien que nous soyons tous là pour le thé, le dimanche... dans la porcherie.

— Je... suis désolé.

— Oui, moi aussi... Au revoir, Simon.

Sa voix était douce, mais il ne répondit rien et elle fit demi-tour. Remontant son col autour de son cou, elle baissa la tête et rentra en courant.

Simon la suivit du regard jusqu'à ce que la porte fût fermée, puis, se tournant vers le cheval, il posa ses deux mains sur la selle et baissa la tête en murmurant :

— Eh bien, j'ai essayé, alors, advienne que pourra. Que les choses suivent leur cours !

CHAPITRE IX

Mark Sopwith ressentait une profonde solitude qui lui donnait une impression de vide. La maison semblait déserte et, même lorsqu'il se produisait un mouvement cela paraissait se faire au ralenti. Mme Lucas avait tenté de le rassurer à propos de la maison, elle promettait de veiller à ce que tout se déroule aussi harmonieusement qu'auparavant.

Pike avait pour tâche de lui présenter les comptes du mois. Les dépenses, remarqua-t-il, avaient à peine diminué et, cependant, il y avait six personnes de moins à nourrir. Mais il décida de ne rien dire, au moins provisoirement; il avait des soucis plus graves. Ce matin-là, il devait procéder à une inspection détaillée de la mine avec son agent. L'avant-veille, il avait réparé le clapet de la pompe du quatrième niveau et l'eau y avait considérablement baissé. Ils avaient également fixé un nouveau godet, d'un type plus robuste, qui améliorait bien la descente du cylindre. Et pourtant, les choses n'étaient pas encore revenues à leur état normal; du niveau supérieur s'infiltrait de l'eau qui devait vraisemblablement provenir d'une source proche du ruisseau qui aurait été détournée. Les sources étaient terribles à localiser; elles causaient plus d'ennuis que la rivière car la rivière, on en connaissait le cours.

Puis, sa situation personnelle; une lettre polie d'Eileen lui avait appris que les enfants allaient bien et étaient heureux et qu'au moment des vacances de Noël, si le temps le permettait, elle les autoriserait à venir passer vingt-quatre heures avec lui.

Il avait serré les dents en lisant cela — elle les autorisait à venir passer vingt-quatre heures ! Son avenir allait-il se dérouler suivant ce modèle, ses enfants venant passer quelques heures de temps en temps ? Non, il ne l'accepterait pas. Très bien, qu'elle obtienne une séparation légale, puis, selon la loi, il ferait appel, et ainsi, il obtiendrait d'avoir ses enfants pendant un certain nombre de mois, bon enfin de semaines, dans l'année.

Il avait pris son petit déjeuner à la même heure que d'habitude mais, ce matin-là, il ne se leva pas de table immédiatement après avoir terminé. Il demeura assis, à contempler le feu rayonnant et dansant à sa droite; et il se demanda de nouveau si sa vie allait se dérouler ainsi. Se remarier lui était interdit, à moins qu'elle ne demande le divorce. Et s'il prenait une maîtresse, cela voudrait dire qu'il ne la verrait que de temps à autre; en fait, en ce moment, il avait plutôt besoin d'une compagne que d'une maîtresse, une compagne tendre, quelqu'un qui s'assiérait en face de lui, lui sourirait, l'écouterait, lui caresserait la main — il n'avait pas envie de se rouler dans un lit avec elle... Bon, si cela venait de surcroît, ce serait un supplément, mais il éprouvait simplement la nécessité d'avoir à ses côtés une femme proche et tendre. Il avait des amis, ou plutôt, il avait eu des amis avant que cette histoire n'éclate à la connaissance de tous. Depuis le départ d'Eileen, il avait vu Albert Cragg une seule fois, et ce jour-là, Bernice ne s'était pas manifestée. Albert était venu seul et il avait eu le toupet de lui faire comprendre habilement qu'étant donné l'amitié de Bernice pour Eileen... bon, il devait comprendre, n'est-ce pas ?... Oui, oui, il comprenait.

John Tolman lui avait également rendu visite, mais en célibataire et sans se faire accompagner de Joan. Seuls Olive et Stanley Fieldman étaient venus en ménage et Stan, avec sa manière chaleureuse, lui avait tapé dans le dos en disant :

— Tu surmonteras la tempête, mon petit gars. N'aie pas peur, ne t'inquiète pas.

C'était sa seule référence au scandale dont il était devenu le personnage principal. Mais que disait-on d'Agnès ? Olive Fieldman avait paru moins réticente que son mari et il conclut, d'après ses insinuations, que les aventures d'Agnès avaient acquis une telle notoriété qu'elle s'était fermé toutes les portes respectables. Mais, comme l'avait remarqué Olive, cela ne paraissait pas la gêner le moins du monde; c'était une personne tout à fait étonnante.

Oui, Agnès était vraiment quelqu'un d'extraordinaire. Ce n'était pas réellement une femme, simplement une collection assoiffée d'instincts primitifs, doublée d'un mépris impitoyable pour tout ce qui ne rentrait pas dans son jeu. Le fait de violer ouvertement les lois de la société dans laquelle elle évoluait ne paraissait pas l'émouvoir le moins du monde.

Il se leva et alla jusqu'à la cheminée et, tendant ses mains aux flammes, il leur demanda : « Que vais-je faire ? » et la réponse vint, laconique : « Mets-toi au travail. Robinson t'attend. »

Il devait être environ onze heures. Tilly venait de charger un plein panier sur le dos de Betty Pringle. Betty avait onze ans, son corps était maigre et ses épaules définitivement affaissées; son visage, une fois lavé, donnait l'impression d'être vieux, même si elle riait, car ses yeux ne connaissaient pas la joie.

Betty ne se plaignait jamais; même lorsque le panier était rempli au point que le charbon débordait dans son cou, elle ne disait rien. Trois ans auparavant, son père avait été tué dans cette mine, et elle et son frère de douze ans étaient les seuls soutiens de leur mère qui dépérissait de « la maladie ».

Au début, Tilly avait à peine rempli le panier de l'enfant, mais ceci avait attiré sur elle les foudres du responsable des wagonnets qui était venu la trouver en tempêtant; il avait menacé de les dénoncer toutes les deux au surveillant et de leur faire confisquer leur argent si les paniers n'étaient pas remplis correctement, car cela lui prenait deux fois plus de temps de remplir ses wagonnets et, par conséquent, il prenait du retard dans la sortie de ses chargements. A partir de ce moment-là, Tilly avait rempli les paniers jusqu'au niveau requis, et crachait la poussière de charbon, non seulement pour se dégager la gorge, mais symboliquement pour manifester ainsi son mépris du responsable des wagonnets.

Effectivement, Tilly apprenait, et rapidement.

Aujourd'hui, le travail était insupportable. Elle se redressa et alla avec empressement vers l'étagère où Katie rangeait la boîte en fer-blanc contenant les bougies. Pour atteindre l'étagère, elle devait patauger dans l'eau jusqu'aux mollets. Cela ne la gênait pas; l'eau était chaude et pendant un moment lavait le grès de ses sabots.

Tout le monde était de mauvaise humeur le long du front de taille; les piqueurs juraient après les pousseurs de wagonnets qui eux-même juraient après les femmes et les enfants car ces derniers n'atteignaient pas une cadence suffisante dans le transport du charbon du front de taille au palier intermédiaire; tout alentour était détrempé; tout le monde travaillait dans l'eau. Telle était l'ambiance lorsqu'un des pousseurs de wagonnets revint en courant de la galerie centrale, annonçant que le patron, le Maître, le vérificateur de pesée et l'agent se dirigeaient tous vers le front de taille numéro quatre.

— Eh bien, qu'ils viennent, les bougres, entendit-on de partout. Oh oui ! et lui en particulier. Qu'il voie les véritables conditions dans sa foutue mine. Encore trente centimètres et nous serons arrêtés. Ouais, qu'il vienne. Qu'ils viennent tous.

Une demi-heure plus tard, ils arrivèrent, en file indienne; le vérificateur de pesée en tête, puis Mark, suivi de l'agent; tous portaient des cuissardes.

Ils s'arrêtèrent presque en face du lieu de travail de Tilly et Katie. Personne n'avait cessé sa besogne et personne ne parlait. Le silence sans voix était sinistre, on n'entendait que le choc des piques et le grattement des pelles. Puis le vérificateur de pesée dit :

— Elle a monté depuis une heure. Dix centimètres, ajouta-t-il après avoir enfoncé une perche dans le sol.

— Eh bien, cela ne peut pas venir entièrement du filon numéro trois; vous l'avez vérifié, n'est-ce pas ? La pompe fonctionne.

Mark s'était tourné vers le vérificateur de pesée qui répondit :

— Oui, Monsieur, nous nous en sommes occupés. Mais je crains que les ennuis ne viennent de plus haut. C'est comme s'il y avait une fuite de la rivière et qu'elle trouve son issue par ici, car on atteint le niveau de la rivière, à cet endroit.

L'agent prit la parole pour la première fois :

— Et c'est très possible. Cependant, nous avons vérifié les fissures, il y a peu de temps.

A ce moment, un bruit étrange alerta tout le monde. Les hommes du front de taille s'arrêtèrent, leurs piques en l'air et, à la vue d'un gros rat qui sautait du haut d'une étagère où il était perché et se précipitait le long de la galerie dans l'obscurité, un cri sinistre résonna dans l'espace clos. Il galvanisa tout le monde. Hommes, femmes et enfants culbutant et hurlant se ruaient vers la galerie et la voix du vérificateur de pesée couvrant toutes les autres à présent, s'apparentait à un hurlement :

— Courez ! Courez, Monsieur !

Mais, au moment où l'homme brandissait son bras pour attraper Mark, une vague les balaya tous comme des allumettes.

Tilly s'entendit hurler en perdant l'équilibre et en tombant dans l'eau. Elle savait un peu nager, ayant appris toute seule dans le ruisseau, mais à présent, ses bras battant de tous côtés étaient gênés par des corps et des mains qui s'agrippaient, et des visages aux bouches grandes ouvertes lui faisant face un instant, puis immédiatement emportés loin d'elle. Le cauchemar terrifiant était éclairé par des lanternes éparses sur des étagères que l'eau n'avait pas encore atteintes.

Elle avalait l'eau dégoûtante par grandes lampées, elle savait qu'elle allait mourir et qu'il était inutile de se débattre, mais elle se débattait. Elle étendit le bras et découvrit le barreau d'une échelle;

elle s'y accrocha, comprenant que l'échelle menait à un ancien chantier dont, pas plus tard que la semaine dernière, on avait baissé le toit, et que si elle parvenait à s'y réfugier, elle trouverait la sécurité.

Comme elle tentait de se hisser vers le haut, une main surgit et agrippa son épaule, les ongles se plantèrent dans sa chair, et au moment où elle se sentit tirée vers le haut, ses genoux, dénudés par l'eau qui faisait flotter sa jupe, raclèrent la pierre brute, mais sa douleur se transforma en soulagement lorsqu'elle sentit ses pieds nus reposer sur la terre ferme.

Il n'y avait pas de lumière, à présent, et dans les ténèbres profondes, elle tenait la main serrée. Haletante, elle entendit une plainte venant de son côté, et elle étendit l'autre main. Elle toucha une petite tête qui sortait tout juste de l'eau et, le souffle coupé, elle demanda :

— Qui est-ce ?

— Betty. Moi, Betty Pringle.

— Oh ! Betty, Dieu merci, tu es sauvée, en tout cas pour l'instant. Et... et qui êtes-vous ? (Sa main quitta Betty à présent pour toucher son sauveteur, et en sentant le tissu trempé d'un manteau, elle se rendit compte que ce devait être l'un des trois hommes, le peseur, l'agent ou... le Maître. Tant qu'il ne parlerait pas, elle ne saurait pas. Mais il ne parlait pas. Et alors, elle bégaya :) Ceci... est l'ancien chantier. Ils... ils étaient en train d'en baisser le toit, mais ce doit probablement être sec plus loin à l'intérieur.

La main tenait toujours la sienne, mais l'homme ne disait rien, et elle pensa : « Il est étourdi ; quel qu'il soit, le choc l'a étourdi. »

— Ne me lâchez pas.

Elle s'adressait à la fois à l'homme et à Betty. L'homme lui tenait toujours la main, et après avoir senti l'enfant attraper sa jupe, elle avança et l'homme la suivit.

La configuration du terrain lui indiquait qu'ils montaient, mais ils n'avaient pas fait plus d'une douzaine de pas, que la terre sous eux, le toit au-dessus de leurs têtes, tremblèrent violemment. Il semblait à Tilly que toute la terre était secouée ; de nouveau, elle se mit à hurler et Betty en fit autant.

Elle ne sut pas si c'était l'homme ou le soulèvement de la terre qui l'avait projetée en avant, mais il lui sembla voler à travers l'espace avant de venir heurter quelque chose avec sa tête. Puis, le vide descendit sur elle.

Quand elle reprit ses esprits, la terre était de nouveau stable, mais elle avait la bouche pleine de poussière. Il n'y avait pas d'eau ici. Lentement, elle se souleva, mais comme elle essayait de se lever, elle fut gênée par quelque chose qui lui barrait les jambes. Elle tâtonna et se rendit compte qu'il s'agissait de deux poteaux, et lorsqu'elle sentit les rochers par-dessus, elle comprit qu'ils lui avaient peut-être évité d'avoir les tibias cassés.

Elle essaya d'appeler, mais les mots restèrent coincés dans sa gorge. Elle écouta. Elle n'entendait aucun son, rien que le vacarme à l'intérieur d'elle-même et la terreur qui se précipitait dans sa gorge, cherchant à se libérer.

Lorsqu'elle retrouva enfin sa voix, elle était faible, elle parvenait à peine à l'entendre.

— Y a-t-il quelqu'un ?

Pas de réponse. Elle s'arracha aux poteaux et se mit à ramper à quatre pattes. Elle marmonnait pour elle-même : « Il y a eu un éboulement, c'est un effondrement, l'entrée de l'ancien chantier a dû s'écrouler. C'est à cause de l'eau, elle ne pouvait pas y résister... Y a-t-il quelqu'un ? Betty ! Betty ! » Sa voix reprenait de la force et maintenant elle criait :

— Monsieur ! Monsieur !

Elle avait grimpé par-dessus des débris de pierres et de poteaux et soudain elle dut s'arrêter car pierres et poteaux avaient pris la forme d'un mur.

« Oh ! mon dieu ! Oh ! mon dieu ! Ils doivent être dessous, l'homme et Betty. »

Elle recommença à crier :

— Monsieur ! Monsieur ! Betty !

Elle se releva en tâtant les pierres et, comme une démente, se mit à les arracher et les jeter derrière elle.

Quand son pied heurta quelque chose de mou, elle se laissa tomber sur les genoux et posa les mains dessus, puis poussa un cri de soulagement. C'était l'homme. Comme elle, il avait été assommé. Mais alors, ses doigt délimitèrent son corps et son soulagement se mua en consternation; il était couché sur le dos, les jambes soulevées au-dessus de lui et celles-ci étaient coincées. Ses doigts suivirent une jambe de pantalon jusqu'à l'endroit où aurait dû se trouver le genou, mais elle ne put sentir qu'un bloc de pierre. L'autre jambe pendait vers le bas et seul le pied était pris au-dessus de la cheville, coincé par un poteau lui-même comprimé par le mur de pierre.

Puis elle passa les mains sur son visage, et déboutonna sa veste et son gilet. Lorsque ses doigts touchèrent sa chemise, ses mains s'immobilisèrent car son toucher en reconnaissait la texture; c'était une flanelle fine, une étoffe si mince qu'on aurait dit de la soie. Les enfants avaient eu des chemises comme cela. Oh! mon dieu! le Maître. Ses doigts atteignirent sa peau et elle tourna la tête comme pour écouter, et lorsque les battements de son cœur palpitèrent sous sa main, ils semblèrent remonter le long de son bras et la ramener violemment à la vie, car à présent, relevant la tête, elle s'écria :

— Monsieur ! Monsieur ! Réveillez-vous !

Elle n'obtint aucune réponse. Elle se glissa en avant et, mi-assise, mi-penchée parmi les débris, elle réussit à soutenir sa tête contre sa cuisse; puis, elle commença à lui tapoter le visage comme une mère essayant de ramener un enfant à la vie, en bredouillant sans cesse :

— Allons. Allons. Je vous en prie, réveillez-vous. Oh ! Monsieur ! je vous en prie, oui, réveillez-vous.

Elle avait momentanément oublié Betty; puis tournant la tête de part et d'autre dans les ténèbres, elle appela :

— Betty ! Es-tu là, Betty ? M'entends-tu, Betty ?

Et, comme elle appelait de nouveau, la tête reposant sur elle remua et Mark émit un long gémissement d'agonie.

— C'est ça, Monsieur, réveillez-vous. Réveillez-vous.

— Quoi ? Quoi ?

Elle continuait à lui tapoter le visage.

— Allez, réveillez-vous. Réveillez-vous correctement. Oh ! je vous en prie !

— Qu'y a-t-il ? Que se passe-t-il ?

— Il y a eu un effondrement, Monsieur. Vous... vous m'avez sortie de l'eau et... nous sommes entrés dans le filon, puis il y a eu un effondrement.

— Un effondrement ?

— Oui, Monsieur.

— Je ne peux pas bouger.

— Non, Monsieur, vos pieds sont pris, mais... mais tout ira bien, ils vont venir; ils viennent toujours pour sortir les gens, ce ne sera pas long.

— Qui... qui es-tu ? Je... je te connais, n'est-ce pas ?

— Je suis Trotter, Monsieur, j'étais la bonne d'enfants chez vous.

238

— Ah ! Trotter ! Trotter !

Sa voix s'évanouit et de nouveau elle lui tapota le visage.

— Allons. Oh ! allons ! Monsieur, réveillez-vous correctement. Je vous en prie, réveillez-vous. Ecoutez, ils vont nous tirer d'ici, il y a des hommes spécialisés dans le sauvetage des gens. Sam est un de ceux-là, le frère de Katie. Allons, Monsieur. Vous m'entendez, Monsieur ?

Lorsqu'il gémit, elle lui dit :

— Voilà, c'est ça, restez éveillé. C'est ce qu'on dit qu'il faut faire, rester éveillé. Vous n'avez pas besoin de bouger, simplement restez éveillé.

— Je ne peux pas bouger.

— Non, mais vous bougerez bientôt. Vous souffrez, Monsieur ?

— Si je souffre ? Non, je ne souffre pas, Trotter. Je... je ne sens rien. Si, si, mon cou est raide, je suis... plutôt tordu.

Elle changea de position parmi les pierres éparpillées sur le sol, et des bords coupants lui entaillèrent la chair; puis elle lui souleva la tête avec douceur et l'amena entre ses seins, en lui demandant gentiment :

— Est-ce mieux comme ça ?

— Oui, oui. Merci.

A nouveau, sa voix s'évanouit et le silence l'enveloppa, aussi terrifiant que l'obscurité. Cette obscurité ne ressemblait à aucune qu'elle ait jamais connue auparavant. Quelle qu'ait été la longueur d'une galerie dans la mine, il y avait toujours eu une faible lueur à un endroit ou un autre; mais ces ténèbres l'enchâssaient comme un linceul. Elle aurait pu être dans sa tombe, ensevelie vivante !

Son corps trembla violemment et elle toussa, secouant la tête du maître sur son sein. Il poussa un gémissement.

— Oo..h ! Oo..h ! Y a-t-il longtemps que c'est arrivé ? J'ai... j'ai dû dormir.

— Pas longtemps, Monsieur; environ une demi-heure, je pense.

— C'est tout ?

Sa voix exprimait la surprise. Puis ses paroles vinrent, espacées :

— Je...voudrais...Je...voudrais... bouger.

Elle ne répondit pas, et à nouveau, il demanda lentement :

— Crois-tu qu'il te serait possible d'enlever les pierres de sur mes pieds, Trotter ?

Quelques secondes s'écoulèrent puis elle murmura :

— Il vaudrait mieux que je ne le fasse pas, Monsieur; vous êtes étendu dans une position telle... que je risquerais de faire tomber tout le reste sur vous.

— Oui, oui, évidemment.

— Ils ne seront pas longs à venir, Monsieur, certainement.

— La... la petite fille ?

Elle ne dit rien et il murmura :

— Mon dieu, mon dieu !

Elle était assise, immobile à présent, silencieuse. Elle ne savait pas s'il s'était rendormi mais cela n'avait pas d'importance, son corps était douloureux, elle se sentait lasse, plutôt mal, malade. Son cerveau imaginait la lumière. Elle se voyait en train de marcher dans la campagne, rentrant de Jarrow au cottage, et elle se rendit compte que le temps s'écoulait d'une manière différente quand on était à la lumière. On ne pensait pas réellement au temps dans la journée, sauf si on était pressé de se rendre quelque part. Tant de choses apparaissaient dans la lumière et prenaient du temps, comme le ciel et l'herbe, et les vaches dans un pré, et le ruisseau. Elle aimait le ruisseau. Parfois, lorsqu'il n'était pas très plein et que l'eau s'écoulait simplement par-dessus les pierres, il paraissait parler, bavarder. Et puis, il y avait les rossignols. Ils vous faisaient oublier le temps. On mettait la tête en arrière et on essayait de suivre leur vol, mais même lorsqu'on ne pouvait plus les voir, on les entendait encore...

Le cri qui lui transperça la tête parut se confondre avec le chant du rossignol et elle se redressa en s'écriant :

— Qu'est-ce que c'est ? Qu'est-ce que c'est ?

Elle sentit ses bras battre l'air et elle comprit qu'elle avait dû glisser en s'assoupissant car en tâtonnant elle retrouva la tête de l'homme reposant sur une pierre. Elle vint à côté de lui. Elle mit ses bras autour de ses épaules et tenta de le remonter et, lorsque son cri se mua en un frémissement d'horreur, elle sentit son visage s'appuyer violemment contre son épaule et elle bégaya :

— Vous... vous souffrez ?

Sa bouche remuait contre son cou; elle sentit sa langue et il avala plusieurs fois avant de répondre :

— Oui.

— C'est violent ?

— Oui.

Sa réponse semblait avoir nécessité un effort et elle sentait ses poumons se vider, ses épaules se creuser.

Elle voulut s'excuser :

— J'ai... j'ai dû m'assoupir et vous avez glissé. Regardez.

Elle étendit une main et sentit la surface irrégulière des pierres à leurs côtés et, parvenant à une fissure, elle y plaça sa main et tira doucement, puis un peu plus fort. Lorsqu'elle sentit que la pierre **résistait**, elle dit à nouveau :

— Regardez, si vous pouviez mettre votre main là-dedans et vous accrocher pendant quelques minutes, je... je pourrais réunir quelques pierres et poteaux et vous construire un tas sur lequel vous pourriez vous reposer. C'est à cause de la position dans laquelle vous êtes étendu que vous avez mal. Pouvez-vous y arriver ?

Il tordit son corps; Tilly, de sa main, guida la sienne vers la petite fissure et il marmonna à présent :

— Oui, oui, vas-y.

Comme une taupe maintenant, elle se pressait de-ci, de-là, et traînait les débris épars vers lui. Une fois, elle se perdit et lorsque palpant le mur de nouveau, ses mains ne trouvèrent pas les siennes, elle cria :

— Où êtes-vous ?

— Je... je suis là.

Sa voix venait de tout près, même pas une longueur de bras; elle soupira de soulagement et trébucha vers lui, traînant deux étais brisés.

Peu à peu, elle édifia un tas et le remonta progressivement en demandant : « Est-ce mieux ? », et tant qu'il ne lui avait pas donné de réponse, elle savait que l'angle des pierres n'était pas le bon.

Ce ne fut que lorsqu'elle eut élevé le tas jusqu'à la hauteur de sa taille qu'il dit :

— Oui, c'est mieux, merci, merci.

— Est-ce que cela soulage un peu la douleur ?

— Oui, oui, c'est supportable à présent. C'est surtout du côté droit; je ne sens pas grand-chose dans la jambe gauche.

— Eh bien, la droite est simplement prise un peu au niveau de la cheville.

— C'est... probablement une crampe.

— Oui, ce pourrait être une crampe, Monsieur.

Elle s'affala, épuisée, à côté de la pile et bientôt il dit :

— Où es-tu, Trotter ?

— Je suis là, Monsieur.

— Voudrais... voudrais-tu me donner la main, Trotter ?

— Oui, Monsieur.

Elle tendit sa main à tâtons vers lui, mais au contact de ses doigts s'enlaçant avec les siens, elle se sentit changer de couleur, même dans le noir. Elle l'avait tenu dans ses bras, son visage avait été appuyé contre son cou, et sa tête avait reposé entre ses seins, mais ce contact-ci était différent. Il avait demandé à lui tenir la main.

— Les mains sont des choses réconfortantes, ne penses-tu pas, Trotter ?

— Nous... nous aurions du mal à nous en passer, Monsieur.

Elle sentit qu'elle avait dit quelque chose de drôle et elle sourit dans les ténèbres et, comme s'il répondait à son sourire invisible, il reprit :

— C'est certain, Trotter. Quel âge as-tu, Trotter ?

— Bientôt dix-huit ans, Monsieur.

— Je ne savais pas que tu étais à la mine. En fait, si j'avais su que telle était ton intention, je me serais employé à t'en faire sortir.

— Il... il fallait que je travaille, Monsieur.

— Oui, je comprends bien, mais ce travail est le plus pénible qui soit pour une femme et je ne pense pas qu'il te convienne.

— On me dit que je réussis plutôt bien, Monsieur.

— Depuis combien de temps es-tu ici ?

— Trois jours après avoir quitté le Manoir, Monsieur.

Il ne parla pas pendant plusieurs minutes, puis continua :

— J'aurais dû me préoccuper de ton sort, mais... mais, comme tu le sais, la maison était bouleversée.

— Oui, Monsieur. Oh ! je comprends bien, Monsieur.

— Pourquoi n'es-tu pas allée à la ferme de ton ami Bentwood ? C'était bien un ami, n'est-ce pas ?

— Oui, Monsieur.

— Tu t'étais réfugiée chez lui, après l'incendie, n'est-ce pas ?

— Seulement quelques jours, Monsieur. Je... suis partie le jour de l'enterrement de ma grand-mère. Je suis retournée au cottage. C'est... à ce moment que vous m'avez trouvée et m'avez offert la place.

— Mais... mais pourquoi ne pouvais-tu rester à la ferme ? Je suis certain qu'il aurait réussi à te trouver quelque chose à faire. J'y ai pensé à l'époque. Pourquoi ne l'as-tu pas fait ?

Elle ne répondait rien.

— Je... je suis navré; je dois être indiscret.

Il tenait ses doigts tellement serrés, à présent, qu'elle avait envie de crier et lorsque le noir se remplit d'un long gémissement tremblant, elle se releva et se mit à genoux; puis, étendant l'autre bras, elle en entoura ses épaules et le tint contre elle en l'apaisant :

— Allons, allons.

— Oh ! mon dieu !

Il relâcha son étreinte et elle posa sa main sur son visage. Il était couvert de sueur. Les larmes aux yeux, à présent, elle dit :

— Si seulement je pouvais faire quelque chose pour vous.

Un long moment s'écoula avant sa réponse :

— Tu es en train de m'aider, Trotter, tu es ici. Voilà... voilà, c'est parti. Je ne sens plus rien du tout maintenant. Ça vient ainsi par spasmes. Je suppose que je ne suis simplement pas habitué à la douleur. En y réfléchissant, je crois que je n'ai jamais été malade de ma vie. Des rages de dents, oui. On m'a une fois arraché deux dents, et je me souviens avoir fait un foin... Qu'y a-t-il ? Qu'as-tu ? Oh ! je t'en prie, ne pleure pas. Allons, allons, ne pleure pas ainsi. Ecoute (sa main reposait sur sa joue et sa voix était douce), que vais-je faire si tu me lâches ? Je ne pensais pas que tu étais le genre de femme à avoir des vapeurs, Trotter ?

— N... non, Monsieur, je n'aurai jamais de vapeurs.

— Bon; je n'y avais pas vraiment cru. Assieds-toi à mes côtés et repose-toi. Tu sais, je... je ne crois pas que nous devrions parler, on dit que ça consomme l'oxygène. Mais... mais l'air paraît plutôt frais. Qu'en penses-tu ?

Elle renifla et dit :

— Oui, oui, Monsieur, c'est vrai, depuis que la poussière est retombée. Est-ce qu'il y aurait un endroit par lequel de l'air frais pourrait entrer, Monsieur ?

Il réfléchit un moment avant de répondre :

— Non, je ne le crois pas, Trotter, pas de l'intérieur, en tout cas. Si cet éboulement n'est pas trop important, et s'il n'a pas affecté la galerie principale, il y a peut-être une chance pour qu'il y ait une fissure parmi les pierres. Cependant (sa voix s'amenuisa progressivement), je crois que ce serait trop beau pour être vrai.

L'étreinte de ses doigts faiblit une fois de plus et elle se rendit compte qu'il s'était de nouveau endormi, mais à présent elle ne fit aucun effort pour le réveiller, car elle aussi se sentait fatiguée et elle se dit qu'elle allait faire un petit somme, cela lui ferait du bien, et cela ferait également passer le temps, en attendant d'entendre cogner, car c'est ainsi que faisaient les sauveteurs, ils cognaient sur les pierres et on répondait.

Combien de fois avait-il dit qu'il avait soif au cours de ces heures, ou étaient-ce des jours ? Ce devait être des jours. Son cerveau était embrumé et elle avait sommeil. Cela faisait déjà quelque temps qu'il avait dit :

— L'air se raréfie, Trotter, recommence à frapper.

Elle avait frappé pendant un court moment, mais ses bras n'avaient plus de force à présent, ils ne paraissaient pas lui appartenir, elle avait simplement envie de dormir. Mais dès qu'elle s'endormait ses gémissements la réveillaient. Il ne criait plus à présent, il ne faisait que gémir, et quand cela durait trop longtemps, elle se forçait à s'agenouiller à son côté et à le tenir.

Elle le tenait maintenant et il suffoquait. Elle ne disait plus : « Souffrez-vous ? » ou « Ils vont bientôt venir, Monsieur. » Il prononça d'une voix lente et douce, comme écrasé par l'atmosphère :

— Je... je crois que la fin n'est pas loin, Trotter.

Elle ne le contredit pas, car elle savait par elle-même qu'il en était ainsi. Cependant, étrangement, elle n'avait pas peur; elle aurait chaud quand elle serait morte. Elle en était certaine, elle aurait chaud tout le temps. Elle ne serait pas comme à présent, alternativement brûlante, puis gelée, elle aurait simplement chaud et se sentirait bien.

— C'est bien. Assieds-toi, tu es fatiguée. Donne-moi simplement ta main.

Elle s'affaissa de nouveau, tout en lui tenant la main.

— Crois-tu en Dieu, Trotter ?

— Je ne sais pas, Monsieur. Parfois oui et parfois non. Ma... mémé croyait en Lui et grand-père également.

— Ils formaient un bon couple et c'étaient de braves gens.

— Oui, oui.

— Trotter ?

— Oui ?

Elle se rendait compte qu'elle n'ajoutait pas « Monsieur » si souvent à présent en lui répondant, mais quelle importance ?

— Je vais te dire quelque chose. Je... souffrais de la solitude, ce matin. Ou était-ce hier, ou un autre jour ? Mais je me souviens que je me sentais très esseulé et ce sentiment m'a quitté à présent. C'est étonnant, mais c'est vrai.

— C'est bien, dit-elle avec lassitude.

Elle aurait voulu qu'il cesse de parler pour ne pas avoir à répondre. Elle se sentait un peu malade, plus qu'un peu malade, elle se sentait très mal, vraiment mal.

Comme en réponse à son souhait, il ne dit rien et, après un temps, elle s'efforça de se mettre à genoux et posa son oreille sur sa bouche pour écouter s'il respirait encore. Et lorsqu'elle s'affaissa de nouveau, elle réfléchit à l'idée que la déférence qu'elle avait manifestée à son égard lorsqu'elle vivait au Manoir, l'avait quittée. Il aurait pu être le peseur ou l'agent ou Sam... Sam avait voulu l'épouser, il le lui avait dit, et contrairement à ce qu'elle avait dit à Simon, sa réponse avait été non, et un non sans appel, même si elle le lui avait dit gentiment, lui expliquant qu'elle ne voulait pas se marier du tout pour l'instant, mais qu'elle avait de l'affection pour lui. Et, en réponse à une autre question qu'il lui avait posée, elle avait dit non, elle n'avait personne en vue. Sam allait être très triste de sa disparition. Et Simon ? Oui, oh oui ! Simon aurait du chagrin. Et il s'en voudrait. De toute façon, à quoi bon y penser. Elle se remettait à claquer des dents. Pourquoi avait-elle froid ? Il ne faisait pas froid, ici, bien au contraire. Elle changea légèrement de position pour rendre sa pose moins inconfortable sur les pierres car il lui tenait la main de telle façon que son bras était comprimé contre l'arête vive d'une pierre. Puis une chose étrange se produisit; le mur de pierre juste en dessous de l'endroit où devaient être les pieds du Maître s'ouvrit pour laisser passer sa mémé et son pépé, et ils vinrent s'asseoir de chaque côté d'elle et elle éprouva un bonheur qu'elle n'avait jamais connu auparavant. Et cela n'avait pas d'importance s'ils ne parlaient pas ou ne répondaient pas à ses questions, ils étaient là.

Les sauveteurs mirent trois jours et demi avant de les atteindre, et ils ne franchirent pas l'éboulement. Ceci aurait été impossible car la galerie principale était également bloquée. Ils passèrent par le côté de la veine, à trente centimètres du lieu où le dernier étai avait été arraché.

Dès qu'ils les eurent trouvés, ils comprirent qu'il serait impossible de sortir Mark Sopwith sans l'amputer des deux pieds, en fait, une jambe, juste sous le genou. Quant à la fille, elle respirait encore au moment où on la sortit, mais ils pensèrent qu'elle avait peu de chances de vivre. Ils la portèrent au milieu d'une foule bordant le talus; les curieux étaient venus de villes aussi éloignées que Newcastle et Gateshead car cela n'arrivait pas tous les jours que le propriétaire d'une mine partage le sort de ses hommes. Voilà ce que l'on ressentait.

Au moment où ils étendirent Tilly dans une charrette couverte, Biddy se fraya un chemin à travers la foule et demanda :

— Où l'emmenez-vous ?

— A l'hôpital, l'hospice de Shields.

Elle se retourna vers Sam; puis ils regardèrent fermer la charrette.

— A-t-elle une chance de s'en tirer ? interrogea Katie.

— Difficile à deviner, ma fille, mais j'en doute. La seule chose que l'on peut dire, c'est qu'elle est entière, contrairement au patron qui a perdu ses pieds.

— Mon dieu !

La nouvelle murmurée se répandit à travers la foule. Une demi-heure plus tard apparut la silhouette enveloppée de Mark. Une litière de fortune avait été préparée, au moyen de planches sur lesquelles était disposé un matelas. Ainsi, un homme guidant les chevaux par la bride, deux autres soutenant le brancard improvisé sur lequel Mark reposait, ils le ramenèrent lentement au Manoir.

TROISIÈME PARTIE

LES AGISSEMENTS
DE LA SORCIÈRE

CHAPITRE PREMIER

Pendant une semaine entière, il vécut dans un cauchemar où il imaginait ne pas avoir de pieds. Enfant, il avait eu tendance à faire de mauvais rêves; une peur inconnue l'envahissait et lorsqu'il tentait de crier, aucun son ne surgissait; il se réveillait en sueur, draps et couvertures en tas autour de lui.

En vieillissant, les intervalles entre les cauchemars s'étaient espacés, mais l'intensité était demeurée; en quelque sorte, son cerveau lui avait appris à reconnaître l'expérience du cauchemar et, tout en le vivant, il était capable de se réveiller suffisamment pour se rassurer. « Ce n'est qu'un rêve. Ce n'est qu'un rêve », se disait-il.

Mais, à présent, le cauchemar l'habitait profondément depuis sept jours et, du fond de sa peur, il avait beau s'écrier : « Ce n'est qu'un rêve, » contrairement aux réveils des années écoulées, il savait que le cauchemar était vrai; alors, incapable de supporter cette pensée, il se forçait à plonger à nouveau dans les fantasmes du rêve. Lorsque, le septième jour, il ne lui fut plus possible de prolonger cet état, il s'obligea à porter son regard vers le bout du lit; il vit la bosse que formait le cerceau à l'endroit où auraient dû se trouver ses pieds et, même à ce moment, accroché à son rêve il pensa qu'ils devaient être là puisqu'ils le faisaient souffrir.

Il regardait fixement le couvre-pied lorsqu'un visage étranger fit intrusion dans son champ visuel et une voix, non moins inconnue, lui dit :

— Ah ! vous êtes réveillé. Bien. Vous sentez-vous mieux, ce matin ?

Il regarda la poitrine pulpeuse recouverte d'un tablier empesé blanc et le visage rond émergeant d'un bonnet tuyauté mais ne donna pas de réponse, et la voix poursuivit :

— Maintenant, nous allons manger un peu de soupe, n'est-ce pas ?

Une minute plus tard, il manqua de hurler — l'infirmière, le prenant sous les aisselles, tentait de le relever sur ses oreillers. Avec ses mains et de toute la force dont il était capable, il la repoussa violemment; elle recula en chancelant, le sourire figé quitta son visage, et elle protesta avec indignation :

— Enfin, enfin ! J'essayais simplement de vous installer confortablement.

— Eh bien, ne le faites pas comme un cheval de trait.

Sa voix lui paraissait étrange, elle était rauque, fêlée.

— Le Dr Kemp est en train de monter, dit-elle avec raideur.

Pour toute réponse, il lui jeta un regard presque féroce. Une colère sauvage l'habitait, il avait envie de griffer, casser, déchirer. Il regarda ses mains à l'endroit où ses doigts, comme des griffes, arrachaient la courtepointe de soie.

La porte s'ouvrit et Simes s'effaça pour livrer passage au Dr Kemp.

Le docteur était un homme petit. Il avait l'air robuste, joyeux et bien nourri et sa voix avait la même qualité chaleureuse que son apparence.

— Eh bien ! eh bien ! il y a du progrès, nous sommes vraiment réveillé, enfin. Très bien, madame Bailey. Vous lui avez donné l'air alerte et...

— Taisez-vous !

Le docteur et l'infirmière le regardèrent, tous deux stupéfaits, et lorsqu'il ajouta : « Sortez ! » en pointant le doigt en direction de l'infirmière, le Dr Kemp intervint :

— Allons ! allons ! de quoi s'agit-il ?

— Oh ! mon dieu ! Ne posez pas de questions aussi sacrément stupides. M'avez-vous entendu ? Sortez.

Et elle sortit, portée par une vague d'indignation.

— Cela n'est pas très aimable, dit Dr Kemp d'un air sérieux. Mme Bailey vous a très bien soigné depuis une semaine.

S'il avait obéi aux convenances, Mark aurait dû s'excuser, mais au contraire, il ordonna :

— Expliquez-moi ça, en portant son doigt vers le bout du lit.

— Ah ! eh bien, il fallait le faire.

— Pourquoi ? Au nom du Ciel, pourquoi ? Ne pouvaient-ils pas enlever les pierres ?

— Oui, ils auraient pu, mais vous seriez mort avant que l'on ne vous sorte de là, et avec vous, ceux qui essayaient de démolir l'éboulement de l'intérieur. J'ai fait de mon mieux.

— C'est vous qui l'avez fait alors ?

— Oui, oui, j'ai amputé et juste à temps. Ils commençaient à pourrir sur place, bonhomme. Vous aurez de la chance, même maintenant, je vous le dis, si vous vous en tirez sans que la gangrène s'y mette.

— Merci, merci, c'est bon à savoir.

— Eh bien, vous êtes en vie, vous devriez en être reconnaissant.

— Quoi ! vous m'avez enlevé les pieds et vous me dites que je devrais être reconnaissant !

La salive coulait le long de son menton et il l'essuya avec rudesse du côté de sa main.

— La vie est la vie, après tout. Cela aurait pu être pire.

— Cela aurait pu ? Vraiment ! Dites-moi comment.

— Oui, je vais vous dire comment. Vous auriez pu devenir aveugle comme l'un de vos hommes, il y a trois ans; ou pris jusqu'aux hanches sans le moindre espoir de jamais sortir de ce lit; mais, tel que vous êtes, vous serez en mesure de vous déplacer à l'aide d'une jambe de bois et de béquilles.

Mark ferma les yeux, puis s'enfonça plus profondément dans les oreillers. Subitement, sa colère parut l'abandonner en même temps que ses forces; il était las. Un long moment s'écoula avant qu'il parle à nouveau, puis, il reprit :

— Eileen, je suppose qu'elle a été prévenue ?

— Oui.

— Mais elle n'est pas venue ?

— Non. Mais votre belle-mère est venue. Elle est restée deux jours, mais vous ne l'avez pas reconnue, ni personne d'autre, à cette époque. Je lui ai dit que je la tiendrais informée, ce que j'ai fait.

— Et Eileen n'est pas venue ?

Les mots étaient doux, presque comme s'il les prononçait pour lui-même, mais le docteur répondit :

— C'est une femme malade, vous devez en tenir compte.

Mark tourna lentement la tête et regarda le Dr Kemp. Son visage portait une expression proche du mépris, lorsqu'il répondit :

— Je voudrais être aussi bien qu'elle à cet instant. Quant à être malade, vous savez à quoi vous en tenir, n'est-ce pas, docteur ?

— Elle se plaint des maux féminins habituels.

Le docteur s'était maintenant détourné du lit et fouillait dans sa sacoche posée sur une table, puis il dit :

— J'ai besoin de faire entrer l'infirmière, et si je peux me permettre de vous donner un conseil, je vous dirai d'être poli avec elle car vous avez des chances d'être ensemble pendant encore quelques semaines.

Au lieu de répondre, Mark demanda :

— Y a-t-il eu beaucoup de morts ?

— Non, non ; seulement une fille.

— Une fille ? Elle est morte, alors, Trotter ? Ah non ! Non !

— Non, ce n'est pas la fille Trotter, c'est une petite fille, Pringle. Son père est mort presque au même endroit il y a trois ans, vous vous souvenez ?

Oui, oui, il se souvenait. Et ainsi, c'était une petite fille qui était morte, une enfant qu'il avait retirée de l'eau. Toute la scène lui revenait à présent, comme les images d'une lanterne magique. Trotter, elle, l'avait tenu et réconforté. Pendant tout ce temps, il n'avait pas vu son visage mais il la voyait clairement dans son cerveau.

— La fille Trotter, que lui est-il arrivé ? S'en est-elle tirée ?

— Non, elle n'était pas sauvée, et elle ne l'est toujours pas. Elle a attrapé une pneumonie.

— Où est-elle à présent ?

— A l'hôpital, à l'hospice de Shields.

Il se coucha de nouveau dans les oreillers. L'hospice. Il savait ce que c'était. Et elle avait une pneumonie. Cela nécessitait des soins. Elle avait échappé à cette affreuse épreuve dans le trou noir uniquement pour mourir des soins grossiers que l'on pouvait recevoir dans un hôpital municipal.

— Infirmière.

Le Dr Kemp l'appela et lorsqu'elle apparut, l'atmosphère se refroidit considérablement.

Une fois l'examen terminé, les pansements changés, Mme Bailey passa à Amy Stiles, par la porte entrouverte, la cuvette remplie de bandages sanguinolents. Mark dit alors à voix basse :

— Je préférerais me faire soigner par un homme.

— Vous avez un homme la nuit, Simes vous tient alors compagnie ; mais vous avez besoin d'une infirmière. Et j'ai grande confiance en Mme Bailey, alors soyez brave et tâchez d'être poli avec elle.

Quelques instants avant le départ du docteur, Mark demanda :

— La mine, comment est-ce ?

Le Dr Kemp prit l'air très occupé avec sa sacoche pendant quelques secondes avant de répondre :

— Vous aurez tout votre temps pour penser à ça ; d'abord, récupérez vos forces, puis vous vous occuperez de vos affaires. Maintenant, soyez courageux.

252

Il hochait la tête, comme s'il avait parlé à un petit garçon, puis il sortit, suivi de l'infirmière, et Mark, se recouchant épuisé, dit presque tout haut : « Eh bien, alors, c'est la fin. La fin de tant de choses. » Peu après, il ajouta : « Dommage de n'avoir pas laissé Rosier endosser la moitié du fardeau, après tout. »

CHAPITRE II

A la vue de la grande silhouette de Biddy Drew s'approchant dans l'étroite salle d'hôpital, Tilly fit un effort pour se lever du tabouret à côté de son lit, puis se laissa retomber mais une fois Biddy devant elle, elle lui tendit les mains pour l'accueillir.

— Ah ! madame Drew, c'est merveilleux de vous voir !

— Et toi aussi, ma fille.

Leurs mains restèrent enlacées pendant un moment. Puis se redressant, Biddy regarda tout autour de la salle et agita la tête avant de s'écrier :

— Mon dieu ! Katie disait que ça sentait mauvais, mais l'odeur est pire que celle de notre fumier.

— On s'y habitue.

Biddy allait s'asseoir sur le bord du lit, mais Tilly lui souffla :

— On n'a pas le droit de s'asseoir sur le lit, madame Drew, ils... ils n'aiment pas ça.

— Eh bien, qu'ils le veuillent ou non, ma fille, je vais me reposer les jambes pendant une minute, et ce disant, elle s'assit.

Tilly remuait la tête en souriant faiblement.

— Oh ! que je suis contente de vous voir !

— Je serais venue plus tôt mais j'ai eu beaucoup à faire. Cependant, Katie et Sam m'ont donné de tes nouvelles. Sapristi ! Tu étais maigre avant, mais tu ferais peur à un épouvantail, à présent.

— Oui, c'est vrai, n'est-ce pas ?... Comment allez-vous ?

— Pas beaucoup mieux, je suis désolée de le dire, sauf que Sam a été envoyé dans une manufacture de bougies. Mais ce qu'il gagne ne lui paiera pas de quoi se chausser. C'est une mauvaise époque de l'année, l'hiver, pour quiconque cherche du travail. (Elle se pencha alors vers Tilly et saisit son poignet en disant :) Je voulais te remercier de nous avoir permis de prendre ce qui se trouvait dans ton balluchon. Ça nous a permis de passer deux semaines et ça a été un don du ciel. Et je te rembourserai un jour, je te le promets.

— Vous m'avez déjà remboursée, madame Drew; vous m'avez

donné un foyer à l'époque où j'en avais sérieusement besoin.

— Oui, eh bien, c'est pour ça que je suis venue aujourd'hui. Quand y rentres-tu ?

— Eh bien, ils m'ont dit que je ne peux rester dans la salle qu'un jour ou deux de plus, puis je dois aller à l'hospice.

— Tu ne vas aller nulle part ailleurs que chez moi. L'hospice, vraiment ! J'en ai entendu parler et, mon dieu ! il suffit d'ici.

— La plupart sont des vieilles personnes.

— Je m'en doute, ma fille.

— Enfin, je pense que je devrais leur être reconnaissante de m'avoir sauvée. A propos, comment êtes-vous venue ici ? Avez-vous fait tout le trajet à pied ?

— Eh bien, je suis partie à pied, mais j'ai eu de la chance, une charrette est passée qui emportait des choses au marché. Elle venait du Manoir. Un des jardiniers la conduisait et il m'a ramassée. Il n'a pas cessé de parler des événements qui s'y produisent.

— A... a-t-il donné des nouvelles du Maître ?

— Oh ouais ! il n'a parlé que de lui. Il est devenu un véritable tyran, disait-il; il pense qu'il perd un peu la tête.

— Le Maître, perdre la tête ? Non !

— Eh bien, c'est ce qu'il disait. En tout cas, il ne se laisse pas oublier, avec ou sans pieds.

A ces mots, Tilly baissa la tête et se mordit la lèvre ; elle ne pouvait supporter de l'imaginer sans pieds. Elle avait passé des nuits à penser à ce qu'il avait dû endurer lorsqu'on les lui avait amputés et cela lui avait donné envie de vomir.

— Renvoyer l'infirmière, il l'a fait, la semaine dernière. Il lui a jeté quelque chose à la figure, disait le jardinier. C'est la guerre dans la maison parce que tout est sens dessus dessous. Il a demandé au laquais de s'occuper de lui et, d'après ce qu'on raconte, il ne trouve pas ça amusant, non plus. Il jure comme un charretier, dit-il, et on ne l'avait jamais entendu jurer auparavant. Enfin, il a l'air de les secouer, et d'après ce que tu m'avais raconté avant, cela fera du bien à certains d'entre eux... As-tu eu d'autres visites ?

— Oui; Steve est venu. Vous savez le garçon, Steve McGrath. Et... et Simon, M. Bentwood, vous savez, le fermier, il est venu chaque semaine.

Elle détourna la tête et, après un moment, Biddy demanda doucement :

— Et que propose-t-il de faire pour toi, ma fille ?

Tilly jeta un rapide regard vers son aînée et vit que Biddy

n'ignorait rien ; puis, baissant de nouveau les yeux, elle dit :

— Il... il veut me prendre une chambre, ou... un logement quelconque à Shields.

— Et alors quoi ?

— Que voulez-vous dire, madame Drew, alors quoi ?

— Tu sais ce que je veux dire. Certains fermiers sont encore assez riches pour s'offrir de surcroît une femme entretenue ; as-tu l'intention d'en être une ?

— Oh non ! Non ! Je ne voudrais pas de ça, madame Drew, dit Tilly en secouant la tête.

— Je sais que tu n'en voudrais pas. Eh bien, voici ce qu'il faut faire ; dès que le docteur t'aura permis de sortir d'ici, et tu me dis qu'il est question d'un jour ou deux, eh bien, il faut que tu reviennes à la maison. Tu peux prendre la voiture publique qui part du marché, c'est-à-dire si tu ne peux pas prévenir l'un de nous de venir te chercher. Elle te laissera au-delà du village, à moins de deux kilomètres de la maison. Penses-tu pouvoir y arriver ?

— Oh oui ! madame Drew, oui. Et merci. Ce trajet ne viendra jamais assez rapidement.

Elles se regardèrent, puis se serrèrent longuement la main.

Trois jours plus tard, Tilly fit le trajet de retour de l'hôpital au coron. Elle prit la voiture publique sur la place du marché, mais lorsqu'elle en fut descendue, à la route à péage, elle crut que ses jambes ne la porteraient pas jusqu'à la maison.

Il était trois heures de l'après-midi et quelques flocons de neige tombaient. Avant d'avoir parcouru la moitié du trajet, elle avait déjà été obligée de s'arrêter plusieurs fois pour se reposer en s'adossant à un arbre, un mur de pierre, ou la barrière d'un champ ; lorsqu'elle arriva enfin, elle semblait prête à s'évanouir. Biddy lui arracha son manteau et ses bottes et massa ses membres gelés tout en ordonnant à ceux qui l'entouraient de mettre une brique chaude dans le lit ; puis, ils firent chauffer la soupe à l'os destinée à constituer leur repas du soir, et Tilly accepta tous ces soins sans proférer la moindre parole.

Une demi-heure plus tard, elle était confortablement bordée dans la paillasse. Et elle y resta pendant plusieurs jours. Elle ne s'était levée que depuis une journée et se tenait assise devant le feu, lorsqu'on entendit quelqu'un frapper à la porte ; Biddy alla ouvrir et vit une jeune femme chaudement vêtue qui disait :

— Je viens du Manoir, je suis Phyllis Coates, le Maître m'a envoyée avec... avec M. Leyburn. Est-ce que je pourrais dire un mot à Tilly, s'il vous plaît, Tilly Trotter ?

— Entrez.

La voix de Biddy était calme. Elle se demandait pourquoi elle n'avait pas entendu arriver la voiture. Mais évidemment, le sol était recouvert d'une fine couche de neige tassée. Elle regarda le cocher avant de refermer la porte, puis avança lentement vers la cheminée où la visiteuse se penchait sur Tilly.

— Bonjour, Tilly. Comment vas-tu ?

— Ho ! bien, bien, Phyllis. Cela me fait plaisir de te voir. C'est gentil d'être venue.

— Eh bien, je ne suis pas venue toute seule.

Elle se tourna vers Biddy qui approchait une chaise pour elle et dit :

— Merci. Ce n'est pas du tout moi qui devrais être ici, c'est Mme Lucas, mais... mais elle n'a pas voulu venir. Elle a trouvé une excuse, la neige, mais le Maître avait donné des instructions pour qu'elle vienne te demander d'aller lui rendre visite.

— Lui rendre visite ?

Elle répétait les mots en chuchotant.

— Oui, c'est l'ordre qui est venu d'en haut. Il n'a pas été donné à Simes, mais à Pike qui l'a transmis à Mme Lucas. Mais tu n'as pas l'air assez bien pour partir en promenade, ça, je le dis tout de suite.

— Je... je vais bien, Phyllis, je suis simplement un peu faible quand je me lève.

Tilly regardait Phyllis à présent. Celle-ci promenait son regard autour de la pièce et ce coup d'œil, qui embrassait Fanny, Jimmy et Arthur assis tout près d'un feu maussade, exprimait son aversion pour leur total dénuement.

— Le Maître s'est tenu informé à propos de ton état par le Dr Kemp et... et il a donné l'ordre à Mme Lucas de t'envoyer des repas de la cuisine. Evidemment, tu sais, je suis en haut la plupart du temps, et elle a prétendu l'avoir fait, mais j'ai des doutes... Est-ce qu'elle t'en a envoyé ?

— Non, Phyllis, non, je n'ai rien reçu du Manoir.

— Ha ! la vieille garce ! C'est la gouvernante, elle a toujours eu Tilly dans le nez. Mais, à présent, elle ne peut pas lui faire grand-chose car le Maître veut la voir. Vous pensez qu'elle est capable de sortir ?

Biddy sembla réfléchir. Elle baissa les yeux sur le visage levé de

Tilly ; puis, comme si elle prenait une décision, elle dit :

— Nous allons t'habiller, ma fille ; tu seras en voiture tout le long du chemin, il ne peut rien t'arriver. Allez, lève-toi.

Tilly se leva et Biddy l'enveloppa dans son manteau et son chapeau, et par-dessus ses épaules, elle lui noua son propre châle. Une minute plus tard, Tilly s'apprêtait à suivre Phyllis qui passait la porte ; elle se tourna et tendit une main qu'elle posa sur la poitrine de Biddy, et celle-ci, la lui prenant, lui dit tout bas :

— Prends tout ce qui viendra, ma fille, attrape-le à pleines mains ; il ne s'est pas donné le mal de te faire chercher pour te dire qu'il fait froid.

Tilly était plus qu'un peu intriguée par le conseil de Biddy. Ne l'avait-elle pas mise en garde contre Simon qui lui offrait une chambre ? Bien entendu, elle ne pouvait pas vouloir dire que le Maître allait lui offrir quelque chose d'équivalent. C'était idiot, mais pourquoi lui avait-elle dit de prendre ce qui viendrait et de l'attraper à pleines mains ? Peut-être faisait-elle allusion à de l'argent. Mais Tilly n'avait rien fait qui mérite une récompense en argent. Enfin, elle allait bientôt savoir pourquoi il voulait la voir...

Pendant qu'on l'aidait à monter les marches et à traverser l'entrée et le grand hall, il s'éleva de quelque part dans le tréfonds de son être, d'un endroit presque oublié, un soupçon d'hilarité, de rire joyeux, d'un rire sardonique. On l'avait pour ainsi dire jetée par la porte de service, l'année dernière, et voilà qu'elle arrivait en carrosse. Et on la faisait entrer par la grande porte ! Mais sa réception, remarqua-t-elle immédiatement, n'avait rien d'agréable, car M. Pike, qui avait toujours été poli envers elle, la regardait maintenant sans la moindre chaleur. Quant à Mme Lucas, debout au pied de l'escalier, eh bien, comme aurait dit Katie, elle avait l'air aimable comme une porte de prison.

Qu'elle ne ressemblait pas le moins du monde à la Tilly Trotter qui avait autrefois travaillé dans cette maison devint évident lorsqu'elle s'immobilisa au milieu du hall et, après avoir lentement enlevé le châle de ses épaules, le tendit à M. Pike.

Elle était parfaitement consciente de la stupéfaction du maître d'hôtel devant son geste effronté, et le soupçon de rire s'affermit en elle lorsqu'elle le dévisagea pendant un moment, négligeant Mme Lucas qui attendait et Phyllis qui la fixait, la bouche ouverte. Cependant, en regardant le maître d'hôtel, dont l'existence comparée à celle des gens qui habitaient les corons était une vie de grand luxe, elle se surprit à penser quelque chose de très singulier.

Il n'était pas vivant. Aucun d'eux ne l'était, car ils ne savaient vraiment rien de la vie, de l'existence telle que la connaissaient ceux qui rampaient dans les entrailles de la terre. Cette occupation faisait apprécier la vie à la surface. Même si on n'avait que du lait écrémé, un croûton et quelques patates, comme menu quotidien, on goûtait la vie d'une manière dont ces gens n'avaient aucune idée.

En dépit de ses jambes flageolantes sous sa longue jupe fanée, elle trouva la force de marcher d'un pas assuré jusqu'à Mme Lucas et de lui dire :

— Je pense que le Maître souhaite me voir.

Mme Lucas ouvrit la bouche, puis la referma, se retourna, sembla flotter jusqu'en haut de l'escalier, sans avoir besoin de tenir la rampe, comme Tilly fut obligée de le faire à mi-chemin.

Puis elles traversèrent la galerie et empruntèrent le large couloir de l'ouest. Finalement, Mme Lucas fit une halte, jeta un coup d'œil rapide du côté de Tilly avant de frapper à une porte, puis elle l'ouvrit et s'effaça pour la laisser passer. Elle ne l'avait pas annoncée, mais elle demeura suffisamment longtemps pour entendre son maître, assis sur une chaise longue en osier devant la cheminée, s'exclamer bruyamment :

— Bonjour, Trotter. Eh bien ! bonjour.

— C'était, leur raconta-t-elle à tous dans la cuisine quelques minutes plus tard, comme s'il avait accueilli son égale.

Elle n'avait jamais rien entendu de semblable, et cela n'augurait rien de bon. Elle en était certaine, cela ne présageait rien de bon.

— Assieds-toi. Assieds-toi. Enlève ton manteau. Simes, prends le manteau et le chapeau de Trotter. Assieds-toi.

Elle savait bien qu'elle avait changé depuis un an, et de même, elle comprit que le Maître avait également changé, mais, en un laps de temps plus court, car sa voix et sa manière étaient à présent différentes de ceux qu'elle avait reconnus dans les ténèbres; mais alors, se dit-elle, il avait dû changer depuis que la Maîtresse l'avait quitté. En tout cas, une chose était sûre, il était différent.

Elle s'installa dans le grand fauteuil en face de lui et il la regarda pendant une minute entière, puis se tourna vers le laquais et lui dit :

— Laisse-nous. Oh ! à propos, dis à Mme Lucas de nous faire monter le thé, un bon thé, des sandwiches, des gâteaux...

— Oui, Monsieur.

Quand la porte fut refermée sur le laquais, Mark se pencha en avant et demanda calmement :

— Comment vas-tu, Trotter ?

— Très bien, Monsieur.

— Eh bien, tu n'as pas l'air très bien. Tu étais maigre avant, tu as l'air d'un râteau à présent.

Elle rit doucement.

— C'est ce que l'on me dit, Monsieur. Mme Drew prétend qu'elle ne manquera jamais de porte-manteaux.

Il sourit chaleureusement.

— Tu habites chez les Drew ?

— Oui, Monsieur.

— Un peu serré, n'est-ce pas ?

— Oui, on est un peu serré. Mais ce sont de bonnes gens; je suis heureuse chez eux.

Elle respira profondément, puis regarda le feu et elle demeura silencieuse, en attendant qu'il poursuive. Lorsque de nouveau il s'exprima, c'était pour poser une question.

— As-tu jamais pensé que nous reverrions le jour, Trotter ?

— Non, Monsieur.

— Moi non plus.

Et maintenant, sa voix devenait un murmure et il conclut :

— Et j'ai souhaité plus d'une fois ne pas l'avoir revu.

— Ah non ! Monsieur, non ! ne dites pas ça.

Il tourna alors son visage vers elle, et, le sourire aux lèvres, lui demanda :

— Te souviens-tu de ce qui s'est passé là-dessous, Trotter ?

— Maintenant, je m'en souviens, mais au début, lorsque j'étais à l'hôpital, je ne pouvais me rappeler rien à part l'obscurité.

— Oui, je crois que c'était le plus pénible à supporter, l'obscurité. Tu sais que la mine est fichue, Trotter, inondée ?

— Je l'ai entendu dire, Monsieur.

— Et sais-tu autre chose, Trotter ?

— Non, Monsieur.

— Je ne le regrette pas. Je devais n'être qu'à demi conscient la plupart du temps, mais je me souviens de toi avec une très grande précision. Tu m'as parlé comme une mère. Tu m'as tenu pendant que je hurlais de douleur, et Dieu ! ce que j'ai hurlé ! Cette douleur ! Enfin, une chose est sûre, Trotter, je ne posséderai plus jamais de mine.

— Oh ! lorsque l'eau aura baissé, Monsieur, vous pourrez la faire repartir.

— Pas moi, Trotter, pas moi. Je ne savais rien sur les mines jusqu'à ces jours-là, et cela a bien duré des jours, n'est-ce pas ?... trois jours et demi nous avons été ensemble là-dessous. Eh bien, cela m'a donné l'expérience de ce que les hommes endurent pendant une vie entière. Non, j'en ai terminé avec les mines. Que quelqu'un d'autre les prenne sur sa conscience, mais plus moi. Je ne suis pas suffisamment robuste pour supporter ce genre de chose, j'ai l'estomac fragile.

Il rit; puis son visage se figeant dans des traits qui lui donnaient presque l'air d'un vieil homme, il demeura à la dévisager, et la tristesse émanant de lui la gênait tellement qu'elle éprouva l'envie d'étendre ses mains vers lui, comme elle l'avait fait dans les ténèbres. Mais cela ne conviendrait pas. Non, cela ne conviendrait pas.

— Je t'ai appelée, Trotter, pour une ou deux raisons. Premièrement, parce que je voulais te voir et te remercier de m'avoir fait traverser ce moment épouvantable.

— Oh ! Monsieur, je n'ai rien...

— Tais-toi. Tais-toi. Je sais ce que tu as fait. Mais pour l'autre question... je me demandais si tu irais suffisamment bien pour venir pendant les vacances. J'espère avoir les enfants ici avec moi. Il ne s'agirait peut-être que de deux ou trois jours, mais si tu...

— Oh ! Monsieur, oui, oh oui ! Monsieur, j'aimerais beaucoup venir. Rien ne me ferait plus de plaisir, Monsieur.

— Bon, bon; cela me rendra également heureux. Je suis impatient de les voir.

— Je le comprends bien, Monsieur.

— Evidemment, nous devons tenir compte du temps, mais je pense que nous aurons du dégel et que les routes seront praticables. Ah ! voici le thé, dit-il en se tournant vers la porte.

Simes entrait dans la pièce portant un grand plateau en argent sur lequel était posé un service chatoyant. Amy Stiles le suivait. Elle tenait un porte-douceurs à quatre niveaux, contenant des assiettes de pain beurré, des sandwiches et des gâteaux. Elle posa le porte-douceurs sur le côté de la table placée contre le fauteuil d'osier. Elle ne leva pas les yeux pour la regarder, ni Simes non plus; et ils ne la regardèrent pas plus lorsque le Maître déclara :

— C'est bien; Trotter va s'occuper de moi.

Une fois la porte refermée sur eux, Mark se pencha vers elle et dit :

— Fais semblant d'être revenue à la nursery et sur le point de servir la horde de sauvages.

Elle sourit et se leva prestement, et après avoir servi le thé dans les tasses de porcelaine fine, elle posa une serviette sur le châle qui lui recouvrait les jambes, puis, d'une main, lui tendit une petite assiette et de l'autre la grande assiette de pain beurré. Mais il refusa en secouant la tête :

— Je mange rarement à l'heure du thé, dit-il et lui prenant l'assiette de pain des mains, il ajouta doucement : Profites-en.

Elle avait envie de se comporter poliment comme l'aurait souhaité sa grand-mère mais son estomac lui disait que la politesse n'offrait aucun intérêt dans ce cas précis et, alors, elle en profita. Elle avala quatre tranches de pain beurré, trois sandwiches et deux parts de gâteau, et tout en mangeant, elle essayait de le faire avec délicatesse, et non pas comme le lui dictait son appétit, par grosses bouchées. Elle n'avait pas goûté à une telle nourriture depuis des mois, et même pas lorsqu'elle avait travaillé dans cette maison, car, à l'époque, le pain pour la cuisine était coupé en petits morceaux. A un moment, elle fut gênée de son silence et de son regard sur elle pendant qu'elle était occupée à manger, puis il lui demanda :

— J'espère que tu as bien reçu tout ce que je t'ai envoyé à l'hôpital.

Elle avala profondément, le dévisageant, la bouche un peu ouverte; mais la couleur envahit ses joues maigres et elle était sur le point de dire : « Oui, merci », lorsqu'il demanda d'un ton mordant :

— Tu as reçu les colis ?

De nouveau, sa gorge se serra et elle dit en hésitant :

— Oui... merci.

— Tu ne les as pas reçus ?

Elle baissa la tête, puis regarda vers la fenêtre en disant :

— Non, Monsieur, je n'ai rien reçu de vous.

— Sacrée bande de voleurs !

Cela paraissait étrange de l'entendre jurer, mais à cet instant il ressemblait beaucoup à Sam lorsqu'il se moquait du contrôleur de pesée ou des patrons de mines dans leur ensemble.

— Les choses se perdent dans un hôpital, Monsieur.

— Si mes ordres avaient été exécutés, Trotter, ces choses ne se seraient pas perdues. J'ai demandé que l'on t'envoie des colis quatre fois, et ils auraient dû te parvenir.

Elle le regardait grincer des dents, puis baisser la tête sur sa poitrine.

— Les choses ne vont pas dans cette maison. Voilà ce qui se produit sans maîtresse de maison pour commander.

Elle le regardait fixement et aurait pu lui dire : « Les choses se passaient ainsi du temps où la Maîtresse était là, Monsieur », mais elle ne pensait pas qu'il le croirait.

— Eh bien, quelqu'un paiera pour ceci, je te prends à témoin.

— Je vous en prie, Monsieur, je... n'ai pas voulu vous causer des ennuis. Vous comprenez, il faut que je voie cette situation en face. Ils ne m'aimaient pas du temps où j'étais ici, sauf M. Leyburn et Phyllis, Phyllis Coates. Les rumeurs provenant du village m'avaient suivie, à propos... du fait que j'étais une sorcière, et des choses comme ça. Ils m'en voulaient, et en même temps, même si ça paraît difficile à croire, Monsieur, ils avaient un peu peur de moi, et... et une fois ou deux, j'en ai joué avec cette Ada Tennant — c'est la fille de cuisine, vous savez. (Elle souriait à présent et pour la première fois lui posa une question directe :) Ai-je l'air d'une sorcière, Monsieur ?

Elle vit bouger ses épaules, puis il se mit à rire sous cape avant de l'étonner par sa réponse.

— Oui, oui, effectivement, Trotter, tu as tout à fait l'air d'une sorcière, mais une sorcière bonne et bienveillante.

— Oh ! Monsieur !

— Tu as ensorcelé mes enfants, tu les as en tout cas amenés à un semblant d'ordre, en particulier au moment de la catastrophe. Bon, à présent, pour en revenir aux enfants, je voudrais que tu prépares les chambres, là-haut. J'ai demandé à Mme Lucas ce matin si on y avait fait quelque chose récemment, et elle a dû avouer qu'on n'y avait pas touché. Elle l'a expliqué par le fait qu'ils avaient tous été très occupés et soucieux pour moi. (Il fit une sorte de grimace.) Cela sentait la dérobade à plein nez ! Cependant, je dois admettre qu'ils ne sont pas suffisamment nombreux; pour la taille de cette maison, nous manquons très nettement de personnel. Tu sais, Trotter, du temps de mon père, on marchait sur les bonnes et les serviteurs, on ne pouvait pas faire trois pas sans en rencontrer. Enfin, cette époque-là est révolue. Maintenant, quand penses-tu être capable de commencer ?

— Oh ! n'importe quand, Monsieur.

— Eh bien, je ne dirais pas cela : à te regarder, je crois que tu aurais encore besoin de quelques jours de repos. Cela te plairait-il de venir ici pour les prendre ? Ta chambre est toujours libre, je pense, là-haut.

— Oh non ! Monsieur, non, Monsieur. Non. Il vaudrait mieux que je ne vienne que lorsque vous aurez besoin de moi.

Il ne fit aucune réponse, mais la dévisagea pendant un long moment avant de dire :

— On aura toujours besoin de quelqu'un comme toi, Trotter... Bon, disons dans trois jours ?

— Oui, Monsieur.

— Dans l'intervalle, à ta mine, je pense que tu as besoin de te nourrir. Tire sur cette sonnette-là, veux-tu ? (Il indiquait une épaisse cordelière décorée de pompons qui pendait à côté de la cheminée; elle la tira deux fois, signal convenu signifiant son besoin d'aide, et s'imagina entendre la sonnette résonnant dans la cuisine et les pas se hâtant à contrecœur dans l'escalier.

Lorsque Simes apparut dans la chambre, Mark se tourna vers lui.

— J'ai eu du poulet pour le déjeuner, mais j'y ai à peine touché; dis à la cuisinière de l'emballer. Et également les restes de la langue en pâté et deux pots de confiture. Et puis dis à Pike qu'il me faut une bouteille de Bourgogne. A quand remonte la dernière cuisson de pâtisserie ?

— Je... je n'en sais rien, Monsieur.

— Tu es en bas et tu ne sais pas quand la cuisinière a fait de la pâtisserie ! N'as-tu rien senti, mon vieux ?

— Je... je crois que c'était hier, Monsieur.

— Eh bien, dis-lui de me faire monter deux pains et des gâteaux également, et du bacon, un bon kilo... le meilleur morceau.

— Oui, M... onsieur.

— Attends ! Je veux que tout cela soit emballé dans une bourriche et monté ici. Je tiens à en passer l'inspection, comprends-tu ?

De nouveau, le laquais répondit :

— Oui, Monsieur.

Tilly était à présent assise sur le bord de sa chaise. Elle était gênée; il voulait dire qu'elle allait emporter toute cette nourriture chez elle. Elle aurait dû la refuser. Mais non, elle ne la refuserait pas. Elle voulait voir tout cela étalé sur cette table en bois nu; elle imaginait déjà les yeux brillants des plus jeunes, surtout lorsqu'ils verraient les gâteaux. Mais s'alliait également à sa gêne un certain désarroi, elle était mystifiée par son comportement. Pendant tout

264

le temps où elle avait servi dans cette maison auparavant, jamais elle ne l'avait entendu parler aux serviteurs comme il le faisait aujourd'hui. Comme elle l'avait pensé précédemment, cet homme était différent du Maître qu'elle avait respecté, et totalement autre par rapport à celui qu'elle avait appris à connaître dans les ténèbres. Il y avait de la brusquerie chez lui, et une colère à peine dominée.

Ses yeux erraient sur le bout du fauteuil où la couverture, au lieu d'être soutenue par les orteils des deux pieds, tombait doucement le long du bord; là était la cause, pensait-elle tristement, de sa lutte intérieure; il se vengeait de son amputation sur le personnel, probablement parce qu'il n'avait personne d'autre à qui s'en prendre. Aucun des siens n'était avec lui. Quelle désolation ! Pourquoi la Maîtresse ne revenait-elle pas ? Elle n'était pas femme à le laisser ainsi, dans la solitude. Evidemment, elle était souffreteuse, mais sa présence lui aurait apporté un peu de réconfort.

— A quoi penses-tu, Trotter ? Tu es au bout du monde.

Surprise, elle détourna rapidement les yeux de l'extrémité de la chaise longue et dit :

— Oh ! quelque chose que ma mémé avait l'habitude de dire.
— Qu'est-ce que c'est ?

Que disait donc sa grand-mère ? Elle avait tant de dictons !

— Eh bien, elle disait : « Quand se ferme une porte, une autre s'ouvre. »

— Et tu penses qu'une porte s'est ouverte pour toi ?

Elle sourit joyeusement, à présent, sachant qu'elle pouvait être franche.

— Oui, Monsieur. Il y a juste huit jours, l'avenir paraissait bien sombre, pas de travail, rien, et, à présent, je vais reprendre mon ancien poste, enfin, juste pour un court moment. Mais... je vous suis très reconnaissante. Eh oui, comme l'aurait dit ma mémé, la porte vient de s'ouvrir pour moi, Monsieur.

Son visage était sérieux et ses yeux avaient l'air vide lorsqu'il demanda :

— Les gens dans les corons sont tous sans emploi. Que font-ils ?

— Ils courent les routes, Monsieur, et cherchent du travail. Sam, c'était un de vos piqueurs, peut-être ne vous souvenez-vous pas de lui, mais il était l'un de ceux que M. Rosier a renvoyés pour avoir appris à lire.

— Oh oui ! je me souviens bien de lui !

— Eh bien, il a trouvé du travail dans une manufacture de bougies. Cela ne se compare pas à la mine, mais... c'est quelque chose. Leur grand souci, c'est d'être mis à la porte et...

Ses yeux s'agrandirent, elle ouvrit la bouche toute grande et prit un air hébété... elle avait momentanément oublié à qui appartenaient les cottages. Elle ferma la bouche, avala sa salive et, avec un rire amène, il lui dit :

— Tu as oublié pendant un moment que tu parlais au propriétaire, hein, Trotter ?

Elle avait baissé la tête et répondit :

— Oui, en effet, Monsieur.

— Eh bien, tu peux leur dire qu'ils sont en sécurité pendant quelque temps, jusqu'à ce que la mine soit vendue. En tout cas, celui qui la reprendrait pourrait peut-être la remettre en route. (Il eut un geste saccadé, se redressa dans le fauteuil et dit en se penchant vers elle :) N'en parle pas, Trotter, je veux dire de la possibilité que quelqu'un reprenne la mine.

— Non, Monsieur, je n'en parlerai pas.

— Donne-leur l'assurance que je ne vais pas les mettre à la porte, mais... mais le fait que je risque peut être de vendre la mine, eh bien, je n'ai rien dit, comprends-tu ?

— Oh oui ! Monsieur ! Je n'en parlerai pas.

— Ah ! Enfin.

Il se retourna et regarda Simes qui entrait dans la pièce portant une lourde bourriche :

— Pose-la ici, dit-il en indiquant le sol entre le fauteuil en osier et les pieds de Tilly.

Puis, sans regarder l'homme, il reprit :

— Dis à Leyburn d'amener le carrosse dans... enfin, eh bien, que dirons-nous ? Il commence à faire noir, disons dans un quart d'heure. Puis tu reviendras et tu descendras cette bourriche et tu la mettras dans le carrosse. Tu as entendu ce que j'ai dit, Simes, n'est-ce pas ? Tu... la... mettras... dans ... le... carrosse.

L'homme avait rougi, il avait l'air profondément inquiet.

La porte se referma.

— Bon, maintenant, prends ce qui reste sur cette console, Trotter, et mets-le dans la bourriche.

— Oh ! Monsieur, elle est suffisamment remplie !

— Fais ce que je te dis, ma fille.

Elle lui obéit, puis elle referma le couvercle et, s'étant relevée, elle baissa les yeux sur lui en lui disant doucement :

— Je vous remercie, Monsieur. Je vous suis tellement reconnaissante.

Lorsqu'il lui tendit la main, elle y posa la sienne et il la serra en disant :

— Si mes souvenirs sont justes, nous nous sommes préparés à mourir comme cela, Trotter ?

Elle avait une boule dans la gorge.

— Oui, Monsieur, c'était bien ça.

— Tu es une bonne fille, Trotter.

— Oh ! Monsieur !

Elle secoua la tête, en retenant ses larmes, puis, se détournant rapidement, elle ramassa son manteau et son chapeau et, après avoir solidement fixé son chapeau sur sa tête et boutonné son manteau jusqu'au cou, elle s'assit à nouveau sur le bord de la chaise et attendit, et lui, calme à présent, continuait à la regarder.

Elle était si jeune, si maigre, si pauvrement vêtue, mais il y avait quelque chose d'éternel dans son visage; on aurait dit une sorte de sagesse au fond de ses yeux. Oui. C'étaient bien ses yeux qui faisaient penser à une sorcière, se dit-il. D'un brun profond, et cependant clairs comme des galets constamment lavés par la mer, ils n'exprimaient pas la moindre impureté. Tilly aurait pu être sa fille, née entre Harry et Matthew. Elle augmentait l'ardent désir qu'il avait de voir ses enfants, de tenir à nouveau Jessie Ann dans ses bras. La colère qui s'était calmée depuis une heure environ revint momentanément et il s'écria intérieurement : « Sacrebleu ! Que le diable l'emporte ! Elle est cruelle, cruelle. » Pourquoi n'était-elle pas revenue ? N'importe quelle femme de la moindre valeur connaissant la situation désespérée dans laquelle il se trouvait serait revenue, ne fût-ce que pour se remettre sur sa chaise longue. L'horrible impression qu'il allait pleurer l'envahissait. Il cligna les yeux et tourna un visage reconnaissant vers la porte qui s'ouvrait à nouveau, livrant passage à Simes.

Tilly était debout maintenant.

— Au revoir, Monsieur, et tous mes remerciements. Je... je serai là lundi.

— Bien, bien. Merci, Trotter. Je t'enverrai le carrosse !

Elle avait envie de dire : « Ce ne sera pas la peine, Monsieur, je peux venir à pied. » Au contraire, elle garda le silence et inclina la tête en guise de remerciement. Puis, elle sortit, suivie de Simes portant la bourriche.

Il n'y avait personne dans le hall, le châle de Biddy était posé sur le dos d'une chaise sculptée placée entre les deux fenêtres. Elle le prit et s'en entoura les épaules. Il n'y avait aucun valet de chambre pour ouvrir la porte et elle remarqua que Simes était contraint de poser le lourd panier sur le sol avant de déverrouiller la porte d'entrée. Puis, il la poussa tellement fort qu'elle alla heurter le mur avec un violent fracas.

Fred Leyburn se tenait sur l'allée de gravier, attendant qu'elle s'approche. Il avait pris le panier des mains de Simes et l'avait placé à l'intérieur du carrosse, et à présent, il lui tendait la main et l'aidait à monter, et, ce faisant, il murmura : « Prenez garde, Madame », et lorsqu'elle le regarda par en dessous, il lui fit un large clin d'œil qui faillit la faire tomber sur le siège. Elle avait un désir incontrôlable de rire, mais elle savait que ce ne serait pas un rire ordinaire, mais un rire qui se terminerait dans les larmes.

Une porte s'était entrouverte; elle pressentait instinctivement qu'elle pourrait s'ouvrir grande, et si cela se produisait, comme l'avait conseillé Mme Drew, elle avait l'intention de prendre ce qui se présenterait et de s'y agripper des deux mains.

CHAPITRE III

— C'est un sacré complot !

— Comment osez-vous utiliser un langage pareil en ma présence, Mark Sopwith ?

— C'est pourtant vrai. Vous avez bien pu faire la route; pourquoi pas les enfants ?

— Parce que, comme je vous l'ai dit, Luke et Jessie Ann ont tous les deux attrapé la coqueluche.

— Eh bien, dans ce cas, je redis que Matthew et John doivent bien pouvoir sortir.

— Le Dr Fellows l'a fortement déconseillé. De toute façon, vous allez avoir la visite de Harry pour les vacances, vous ne serez pas tout seul.

— Harry est un homme accompli, je veux être entouré de mes enfants... Elle l'a fait exprès, hein, rien que pour me contrarier ?

— Ne soyez pas puéril, Mark. Vraiment ! vous êtes devenu invivable. Elle se fait beaucoup de souci pour vous.

— Ah ! elle l'a bien manifesté. Si elle se faisait du souci, elle serait revenue.

— Elle n'est pas en état de soigner un invalide.

— Personne ne lui demanderait de me soigner, et vous le savez très bien; mais elle devrait être ici.

— Quoi ? Et approuver votre maîtresse ?

— Sacrebleu, madame ! Il agitait la tête puis, attrapant un livre sur la table, il le lança de l'autre côté de la pièce en criant :) Je n'ai pas de maîtresse ! Cette histoire était terminée longtemps avant qu'elle n'en entende parler.

Jane Forefoot-Meadows était debout, la main agrippant le nœud de velours noir épinglé en haut de sa robe prune. De toute évidence, elle était choquée et plutôt effrayée et elle se tenait, médusée, les yeux rivés sur son gendre, pendant que lui, tête baissée, marmonnait à présent :

— Je suis désolé, désolé, mais je suis si sacrément seul, Mère. (Il leva la tête, la regarda et lui demanda calmement :) Avez-vous la moindre idée de ce qu'est ma vie ? Le contraste est trop douloureux pour être accepté d'un seul coup; j'ai eu pendant des années une maison résonnant de voix enfantines et chaque fois que j'ouvrais la porte, c'était pour entendre des plaintes à propos de l'un ou de l'autre qui avait encore fait des bêtises; puis, subitement, la maison est presque vide, enfin vide de tous ceux qui comptent pour moi. C'était déjà assez pénible au début, mais je pouvais sortir, aller travailler, monter à cheval, bouger (sa voix s'élevait à nouveau), mais, à présent ! Je vous le dis, Mère, parfois je crois devenir fou.

— Ne recevez-vous aucune visite ?

Sa voix était douce à présent; elle parlait sur un ton exprimant la sympathie.

— Un ou deux d'entre eux, les hommes; mais ils viennent toujours seuls, ils n'amènent jamais leur femme. J'ai parfois envie de rire, mais la plupart du temps je me contente de jurer.

— J'ai remarqué ça depuis le peu de temps que je suis avec vous. Oui, je l'ai remarqué, dit-elle d'une voix redevenue acerbe. Vous ne parliez jamais ainsi, autrefois.

Il la regarda et, son visage marqué d'un sourire grimaçant, il répondit :

— Si, je jurais, mais jamais devant vous ou les enfants. Pardonnez-moi. J'... j'apprécie le fait que vous soyez venue vous-même, vraiment.

Elle s'approcha et s'assit près de lui.

— Quand vient Harry ?

— Après-demain, je crois. Il est venu deux ou trois jours après mon sauvetage, mais je m'en suis à peine rendu compte. Cela n'avait pas d'intérêt qu'il reste; il ne pouvait rien faire et il avait accepté une invitation pour se rendre en France avec un ami, à la fin du trimestre. Mais, d'après sa dernière lettre, il devrait arriver deux ou trois jours avant Noël.

— Ce sera agréable : vous ne serez pas tout seul.

— Non, je ne serai pas seul.

Le silence se prolongea quelques minutes, puis elle reprit :

— Le Dr Fellows étudie la question de...

Elle s'arrêta, gênée, et il lui souffla :

— Oui ? Dites-moi. Il s'agit des pieds ?

Elle s'humecta les lèvres et inclina la tête.

— Oui. Mais, il pense que cela pourrait prendre six mois ou

même plus; je veux dire qu'ils ne peuvent pas faire grand-chose tant que les plaies ne sont pas... enfin... cicatrisées.

— Oui, je comprends.

— Il y a un homme à Scarborough que l'on a équipé d'une jambe entière et personne ne le croirait, on est incapable de différencier la vraie de la jambe artificielle. Evidemment, dans votre cas, ce serait légèrement plus difficile, car...

— Oui, oui, Mère, l'interrompit-il, comprimant fortement ses paupières.

— Oh ! enfin, j'essayais simplement de vous dire...

— Je sais. Je sais.

Il hocha lentement la tête. On frappa légèrement à la porte et après qu'il eut dit : « Entrez », elle s'ouvrit pour livrer le passage à Tilly, mais celle-ci demeura interdite en voyant Mme Forefoot-Meadows.

— Entre donc, Trotter, lui dit Mark. J'ai une déception à t'annoncer. Mme Forefoot-Meadows vient de me dire que Jessie Ann et Luke ont attrapé la coqueluche, et qu'évidemment, aucun d'eux ne sera en état de voyager.

— Oh ! Oh ! je suis désolée !

— Je vous présente Trotter, Mère. Vous vous souvenez peut-être, elle était la nurse des enfants.

Si Jane Forefoot-Meadows en avait gardé le souvenir, elle n'en manifesta aucun signe; elle se contenta d'incliner la tête et dit :

— Oh oui !

— Elle est aussi la jeune femme qui a été ensevelie avec moi dans la mine; c'est elle qui m'a aidé à ne pas perdre la tête pendant ces trois éternités et demie que nous avons passées ensemble.

Il se tourna pour sourire à Tilly, mais Tilly ne lui rendait pas son sourire; elle regardait Mme Forefoot-Meadows et celle-ci la dévisageait.

De nouveau, Mme Forefoot-Meadows répéta : « Oh oui ! » et sur ce, Tilly prit congé. Mais avant qu'elle ait atteint la porte, Mark se retourna dans son fauteuil pour lui dire :

— Je te ferai venir plus tard, Trotter; ne bouge pas et attends que je t'appelle.

Elle inclina la tête et sortit, puis demeura debout sur le palier, promenant son regard d'un côté, puis de l'autre. Elle poussa un long soupir en frissonnant puis monta les marches menant à l'étage de la nursery.

Mark attendit près de vingt-quatre heures avant de l'appeler. A l'exception du temps passé à descendre les seaux hygiéniques, elle était constamment restée près de la nursery. On lui avait monté ses repas, bien que ce fût à contrecœur, d'après ce qu'elle avait pu juger par l'attitude de celle qui les lui apportait; que ce soit Ada Tennant ou Maggie Short, ni l'une ni l'autre des deux filles n'avait eu un mot à lui dire et elles s'étaient même très vite échappées, comme si elles avaient véritablement craint qu'elle ne leur jette un sort.

Simes la convoqua pour descendre au premier étage. Son comportement et sa voix étaient tous deux agressifs. Il avait brusquement ouvert la porte de la salle de classe, comme s'il s'attendait à la surprendre en quelque sorte à son désavantage; puis, avançant la tête comme le faisait Mme Lucas, il annonça : « On te demande en bas », et maintint son regard sur elle. Elle se leva de la table de travail et ferma le livre qu'elle lisait et, du regard, il la suivit jusqu'à l'étagère où elle replaça le livre. Voilà autre chose qui la rendait différente et qui leur inspirait de la crainte : elle savait lire, non seulement les titres des journaux, mais apparemment des livres, comme ceux de la bibliothèque d'en bas. Elle ne se détourna pas immédiatement de l'étagère, elle savait qu'il était là qui l'observait, mais elle lui fit enfin front; droite et d'une voix ferme et, pensa-t-elle, offrant une bonne imitation de Mme Ross, elle répondit :

— Très bien, merci.

Le merci était un congédiement et dut lui faire serrer les lèvres car il sortit en claquant la porte derrière lui.

Son dos s'affaissa et elle se pencha sur la table; elle regarda ses mains posées bien à plat et leur demanda pourquoi ils la détestaient tous ainsi, car elle n'avait rien fait pour les y inciter. Mais une chose était certaine, elle ne parviendrait jamais à les faire changer d'attitude à son égard.

En entrant dans la chambre de Mark, elle vit qu'il était de nouveau assis dans le fauteuil en osier, face au feu ronflant, et il lui sourit; mais c'était un pauvre sourire, empreint de lassitude. Elle le regardait et il dit lentement :

— Viens t'asseoir, indiquant de la main une chaise près de lui.

Une fois qu'elle fut assise, il lui dit :

— Hier, tu avais l'air presque aussi déçue que moi.

— Je l'étais, Monsieur, très déçue.

— Ma belle-mère m'a promis loyalement que si le temps le

permettait, elle en amènerait au moins deux à son prochain voyage ici.

— Ce sera agréable.

Il appuya alors sa tête dans les coussins et murmura :

— Mais il ne peut en être question avant pas mal de temps; l'état des routes va empirer avant de s'améliorer.

— Cette dame a été très courageuse de faire ce trajet, étant donné son...

Elle s'arrêta, elle avait failli dire « âge »; il tourna son visage vers elle et sourit généreusement.

— Tu as failli dire « son âge » n'est-ce pas ! Mon dieu ! Trotter, tu ne dois même pas penser de tels termes à propos de ma belle-mère, sinon tu anéantis tout l'effet de ses fards et de ses poudres. Cependant, je dois te l'accorder, pour son âge, que j'éviterai de préciser, c'était très courageux de sa part de faire le trajet sans sa femme de chambre. Oui. Sans sa femme de chambre. Et, à présent, parlons de toi.

Elle se sentait mal à l'aise sur sa chaise.

— Que feras-tu si tu retournes... chez les Drew ?

— Je chercherai du travail, Monsieur. Que puis-je faire d'autre ?

— Que dirais-tu si je t'offrais une place ici ?

Ses yeux se dilatèrent momentanément, puis, les paupières tombantes, elle remua lentement la tête et répondit :

— Cela ne servirait à rien, Monsieur, ils ne m'accepteraient pas, en bas, le personnel.

— A cause de cette histoire de sorcière ?

— Je le pense, Monsieur. Il y a quelque chose en moi qu'ils n'aiment pas.

Elle fit un geste d'impuissance impliquant qu'elle n'en comprenait pas la raison.

— Sacrés imbéciles ignorants ! dit-il, avant d'ajouter : Mais que dirais-tu si je t'annonçais que tu aurais la préséance sur eux, comme l'avait Price. Oh ! je savais tout de l'autorité de Price, elle avait même le pas sur Mme Lucas, n'est-ce pas ? Eh bien, permets-moi de te présenter la chose de la façon suivante. Simes s'occupe de mes exigences physiques. Mais, de toi à moi (sa voix se fit chuchotement, et il pencha la tête vers elle), je n'aime pas Simes, c'est un individu servile. Sais-tu ce que veut dire servile, Trotter ?

Elle réfléchit. M. Burgess avait utilisé ce mot-là, elle l'avait entendu en expliquer le sens aux enfants. Elle ne se souvenait pas du mot dont il l'avait remplacé, mais elle en connaissait la signification. Elle souriait en répondant :

— Un rampant, Monsieur.

Lorsqu'il éclata de rire, son sourire s'épanouit largement, et pendant un moment, elle se sentit totalement heureuse car elle avait réussi à le faire rire. Et maintenant, si elle parvenait seulement à se souvenir de certaines choses que l'on disait dans la cuisine des Drew et qui soulevaient des tollés de rires... Mais il parlait de sa place... Sa place. La stupéfaction la gagnait tandis qu'elle l'écoutait.

— J'avais une infirmière au début. Elle ne me plaisait pas non plus. Elle se comportait en adjudant-chef et elle me traitait comme si j'étais encore en culottes courtes et du même âge mental. Et je ne peux pas parler avec Simes — on ne peut pas parler avec quelqu'un qu'on n'aime pas — mais je peux parler avec toi, Trotter. C'est étrange, ceci. Je me suis demandé la nuit dernière pourquoi je réussis à parler avec toi, mais je n'ai pas trouvé la raison, car, après tout, tu n'as pas grand-chose à dire, n'est-ce pas ?

— Eh bien, ce n'est pas ma place, Monsieur.

— Non, Trotter, ce n'est pas ta place. N'avons-nous pas discuté de tout ceci déjà ? Je me souviens vaguement d'avoir discuté de place avec toi, sous terre. Peut-être me trompais-je. Enfin, que dirais-tu si je te demandais d'oublier ta place et de parler en premier, pour changer. Dis-moi ce que tu penses à propos de n'importe quoi, une chose ou une autre, simplement pour faire passer le temps.

Elle le dévisagea pendant quelque temps avant de répondre.

— Avez-vous pensé à réengager M. Burgess ?

— Burgess ? Mais pourquoi aurais-je envie de réengager Burgess ? Je pense avoir passé le stade des leçons. Je sais lire, enfin, je crois.

— C'était pour la conversation, Monsieur; M. Burgess parle bien. Cela me plaisait de l'écouter parler aux enfants, il avait le don de faire paraître les choses plus simples... enfin intéressantes. J'aurais aimé l'écouter pendant des heures. Il m'a donné des livres à lire et...

— Burgess t'a donné des livres à lire ?... et tu les as lus ?

— Certains, Monsieur. D'autres étaient trop forts pour moi. Le premier... enfin, je ne parviens pas encore à le comprendre.

— Comment s'appelle-t-il ?

Son titre ? Elle réfléchit un instant, puis dit :

274

— *Candid... de.*

— *Candide.* Mon dieu ! il ne t'a pas donné ça. Le *Candide* de Voltaire ? Ah ! vraiment !

— Eh bien, il m'a dit qu'il s'agissait d'une grande aventure et lorsque je lui ai expliqué que je ne le comprenais pas, il m'a répondu qu'il ne s'y attendait pas, pas encore, seulement lorsque je l'aurais lu une fois par mois pendant vingt ans.

Mark rejeta la tête en arrière et rit de bon cœur.

— Le vieux fou !

— Je l'aimais bien. Il était très gentil avec moi et j'ai beaucoup appris à son contact.

— Je suis désolé, Trotter. Cette remarque était tout à fait bienveillante. Je suis certain que M. Burgess est un sage... Alors tu voudrais que je l'engage uniquement pour parler ?

— Enfin, pas uniquement pour parler, Monsieur; peut-être pourrait-il s'occuper de vous. Il n'est pas tellement vieux; enfin, je veux dire qu'il n'est pas trop âgé pour travailler; il n'a sûrement pas soixante-dix ans.

Mark la regardait. Pas trop âgé pour travailler, il n'avait peut-être pas soixante-dix ans. C'était étrange, mais il avait le sentiment d'apprendre au contact de cette fille comme elle avait appris à celui de Burgess.

— Tu as peut-être une idée, là, Trotter; je vais y penser. Mais revenons à toi. Que dirais-tu d'occuper la place d'infirmière, plus matrone, plus dictateur du premier étage ?

Elle se leva à moitié de sa chaise mais sa main sur son genou la força à se rasseoir et comme elle commençait à dire : « Jamais ils ne l'accepteraient, Monsieur, ils... », il l'interrompit.

— Qu'ils aillent au diable, Trotter ! suis-je le Maître ici, ou non ?

— Oh oui ! Monsieur.

— Eh bien, si je déclare que tu es chargée de ma personne et de cette chambre et de tout ce qui se passe au-dessus du niveau de la cuisine, eh bien, les choses seront ainsi. Alors, qu'en dis-tu ?

— Oh ! Monsieur, je... je ne peux rien dire. C'est vraiment trop grand, c'est trop beau.

— Trop grand, dis-tu ? Eh bien, te considères-tu de taille à t'attaquer au problème, et à eux ? ajouta-t-il en indiquant vigoureusement la porte.

Leurs regards se rencontrèrent, elle sentit son dos se redresser, son menton se rentrer. La porte venait de s'ouvrir. Allait-elle la franchir ? Elle plaça automatiquement une main sur l'autre, les paumes tournées vers le plafond et prit une pose ressemblant fort à celle de Mme Lucas, lorsqu'elle était sur le point de faire la loi, et à présent, le visage sérieux, mais les yeux brillants, elle répondit :

— J'accepte le poste avec reconnaissance, Monsieur.

— Tope la ! Trotter. Eh bien, au moins nous allons avoir un peu de mouvement dans la maison au cours des jours suivants. Qu'en penses-tu ?

Ses paroles manquèrent de supprimer la raideur de son dos et de faire lever les mains qui reposaient sur ses genoux. Oui, en vérité, ce serait excitant. Ils allaient lui faire une vie d'enfer, lui rendre les choses insupportables... Mais seulement si elle le leur permettait. Oui, seulement si elle se laissait faire. Et, avec le soutien du Maître, eh bien, elle ne pouvait pas faillir. Ou alors, allait-elle lâcher ? Lui serait-il possible de supporter l'hostilité qui allait s'élever du côté de la cuisine et du hall des serviteurs comme la vapeur noire et suffocante d'un tas de fumier de latrines ?

Il posa soudain sa main sur la sienne et elle tressaillit ostensiblement; puis elle eut un rapide battement de paupières comme il poursuivait :

— Lorsqu'une fille qui a été ensevelie dans le noir a eu le courage de ne pas manifester de frayeur mais de concentrer son attention sur quelqu'un qui en avait un besoin désespéré, et qu'elle continue à agir ainsi pendant des jours, eh bien, je pense qu'elle devrait avoir le courage de faire face à quelques personnes à l'esprit mesquin. Qu'en penses-tu ?

Elle expira profondément, avant de répondre :

— Oui, Monsieur, on pourrait le penser.

Ils se souriaient à présent. Puis, il dit brusquement :

— Il te faudra un uniforme et des vêtements convenables. Tu iras à Shields demain, ou à l'endroit où Mme Lucas s'habille et tu t'équiperas. Et, à propos, va lui dire maintenant que je souhaite la voir... As-tu peur ?

— Non, Monsieur.

Elle se leva, prit le temps de le regarder, puis quitta la chambre, d'un pas alerte qui démentait le tremblement qui l'envahissait.

Il la regarda fermer la porte puis se laissa aller dans les oreillers et ferma les yeux. Les journées allaient être moins longues, à présent; une partie de sa solitude allait se dissiper. Sa simple présence le sortait de lui-même et, de plus, il allait s'amuser de la guerre imminente.

Soudain, une profonde tristesse, presque honteuse, l'envahit. Son état mental avait dû tomber bien bas pour que le seul sujet capable d'éveiller son intérêt consiste en luttes entre les membres du personnel. Comme pour se prouver le contraire, il étendit le bras pour prendre un livre sur la table et se mit à lire, et il pensa avec amertume que son choix aurait sûrement reçu l'approbation de M. Burgess.

CHAPITRE IV

— Je ne le supporterai pas, c'est aller trop loin. Mon dieu ! maintenant que j'y pense, j'ai su depuis la première fois que je l'ai vue qu'elle avait quelque chose d'étrange. C'est une sorcière, je te le dis, c'est une sorcière.

— Ne soyez pas sotte, madame Brackett.

— Et ne me traite pas de sotte, Phyllis Coates. Tu as admis toi-même hier soir qu'elle avait circonvenu le Maître d'une manière véritablement très étrange.

— Ouais, assurément, mais ça ne veut pas dire qu'elle soit une sorcière.

— Eh bien, alors, veux-tu m'expliquer à quelle autre source un petit bout de fille, élevée en crève-la-faim, dans un cottage sur cette propriété, ici même, et qui a passé la plupart de son temps à creuser ou scier du bois, a bien pu puiser l'art de distraire un homme comme le Maître, et non seulement lui, mais à présent Monsieur Harry ? Dis-le-moi, Phyllis Coates. Bon, si c'est une personne instruite, on pourrait le comprendre, mais c'est une petite drôlesse qui n'est jamais allée plus loin que Shields de toute sa vie. Alors, explique-moi d'où elle tient son pouvoir ?

— Elle n'est pas ignorante, madame Brackett, elle sait lire et écrire mieux que Mme Lucas; Fred me l'a dit.

— Ouais, et à quel prix a-t-elle appris à lire et écrire ? La ruine de la femme du pasteur et de lui-même. Et n'oublie pas le fermier, à notre porte, en quelque sorte, et le fiasco de sa nuit de noces; tout était de sa faute. Et, maintenant, voilà Monsieur Harry qui arpente les terres avec elle.

— Quelqu'un parlait de moi ?

La cuisinière, Phyllis et Maggie Short qui se tenait debout devant la table, la bombardant de raisins secs, sursautèrent toutes les trois et se retournèrent vers la porte de la cuisine menant à la cour.

Entre la mort de sa mère et le remariage de son père, Harry Sopwith avait pris l'habitude de vivre en sauvage sur la propriété, mais tout ceci avait pris fin avec l'avènement d'Eileen. Et maintenant, c'était la seconde fois en trois jours qu'il rentrait dans la maison en passant par la cuisine. Il avait changé, Monsieur Harry, ils l'avaient tous dit; il était devenu libre et décontracté, presque gai. On aurait pu croire qu'il était heureux de voir sa belle-mère éloignée de la maison.

Il dit de nouveau :

— Ai-je entendu prononcer mon nom ?

Son regard allait de l'un à l'autre; puis, ses yeux se posèrent sur la cuisinière.

— Alors, madame Brackett ?

Les yeux rivés sur le long visage bronzé du jeune homme, la cuisinière sauta sur cette occasion de passer à l'attaque et d'exprimer ses griefs en un lieu propice, et elle répondit :

— Ouais, vous avez entendu prononcer votre nom. (Puis se souvenant de ce qu'elle venait de dire à son propos, elle tourna la difficulté en poursuivant :) Nous étions contents de vous voir revenir et apparemment si heureux, en dépit de la tragédie qui a frappé cette maison et (sa grosse tête s'agita au bout de son cou épais, et ses lèvres formèrent un bouton de rose serré), et je dis tragédie, de plus d'une manière.

— Oui ?

— Ouais, Monsieur Harry. Il vaut mieux être franche, car les choses sont arrivées à un tel point que nous ne pouvons plus continuer comme ça; nous n'en pouvons plus, aucun de nous. C'est cette Tilly Trotter, Monsieur Harry.

— Trotter ? Quel rapport a-t-elle avec la tragédie si ce n'est qu'elle y a participé, tout à fait, jusqu'au cou, si j'ose dire ?

— Je ne parle pas de cette tragédie-là, mais des ennuis dont elle est la cause depuis son entrée dans cette maison. C'était une maison paisible, avant qu'elle n'y mette les pieds. Ça a commencé le jour où elle est arrivée pour s'occuper des enfants, mais ensuite nous avons retrouvé le calme après son départ. Maintenant qu'elle est revenue, la vie est insupportable, Monsieur Harry.

Le sourire tolérant quitta le visage du jeune homme.

— De quelle manière, madame Brackett ?

— Eh bien... (Son regard allait de Phyllis Coates à Maggie Short, comme pour chercher un appui, puis elle reprit mollement :) Ce n'est pas convenable, elle ne devrait pas avoir la place qu'elle a, pas au-dessus de nous. De M. Pike jusqu'en bas, nous disons tous la même chose, ce n'est pas juste. Elle commande même à Mme Lucas.

— Comment ? Expliquez-vous.

— Eh bien, elle nous transmet des ordres par Maggie Short, là (elle indiqua d'un coup de tête la fille de cuisine) ou Ada Tennant qui est dans la souillarde. Elle donne même des ordres par M. Pike à ceux qui travaillent dehors. Eh bien, ce n'est pas tolérable, Monsieur Harry, oh non ! Nous nous sommes réunis et je vais vous dire ceci... Nous... nous voulons en parler au Maître. Soit elle part, soit nous partons tous. Voilà comment nous voyons la chose, du haut en bas, c'est comme ça que nous la ressentons.

— Ce sont des paroles bien violentes, madame Brackett !

A ce moment-là, Mme Lucas arriva par la porte capitonnée et la cuisinière se tourna avidement vers elle, criant presque à travers la longue pièce, à présent :

— J'étais en train de parler à Monsieur Harry à propos de celle d'en haut. Je lui ai dit que si le Maître ne s'en débarrasse pas, nous devrons le quitter. C'est l'un ou l'autre, hein, madame Lucas ?

La gouvernante s'immobilisa au bout de la table et, toisant la cuisinière, lui répondit :

— C'est à moi, madame Brackett, de dire ce que le personnel à décidé ou pas décidé, mais je dois dire ceci, Monsieur Harry, les choses ne vont pas dans cette maison et il faut que ça change, sinon... eh bien, il y aura des difficultés. Vous ne pouvez pas faire marcher une maison avec la rancœur qui prévaut ici à l'heure actuelle.

— Pourquoi n'en avez-vous pas parlé à mon père, si cela vous tient tant à cœur, madame Lucas ?

— J'en... j'en ai l'intention; il faut que ce soit réglé.

— Réglé ? Ce qui veut dire, si je comprends la cuisinière, que si Trotter ne s'en va pas, vous partirez tous ?

L'ossature crispée de Mme Lucas frémit légèrement, lui faisant hocher la tête et elle répondit :

— Eh bien, oui, quelque chose dans ce genre-là, car je... je suis au bout du rouleau. Je suis la gouvernante mais ma place n'est pas reconnue. Ça allait déjà mal quand Mlle Price était ici, mais... mais c'était une dame, comparée à la personne là-haut.

Les yeux de Harry se plissèrent et il regarda Mme Lucas; d'une voix calme, très semblable à celle de son père, il enchaîna :

— Voici quatre jours que je suis ici, madame Lucas et, la plupart du temps, Trotter semble s'être occupée de mon père, de ses soins, et des questions des chambres. La seule fois où elle est descendue, à ma connaissance, c'est lorsqu'elle est sortie dans le jardin pour prendre l'air et, à l'exception des deux fois où je suis allé me promener à cheval, j'ai passé la plupart de mon temps dans la maison. Je ne vois pas où vous voulez en venir.

Mme Lucas et la cuisinière se regardèrent, puis elles regardèrent Maggie Short, mais lorsque leurs yeux se posèrent sur Phyllis Coates, celle-ci tenait la tête baissée, ses yeux scrutant le sol; et Harry les considéra l'une et l'autre, puis rompit le silence.

— Je vais informer mon père de la situation.

— Merci, Monsieur Harry.

La voix de Mme Lucas paraissait guindée.

Harry traversa alors la cuisine, passa devant Maggie Short et Phyllis Coates qui plongèrent chacune dans une révérence, puis franchit la porte capitonnée vers le hall et monta l'escalier.

Pourquoi détestaient-ils la fille ? Il ne voyait rien d'antipathique en elle; en fait, il n'avait jamais jusqu'à ce jour connu à son père un cœur aussi léger, même à l'époque où il se déplaçait normalement. Cependant, son père avait changé, il était devenu un autre homme; nerveux, il parlait plus fort qu'auparavant, et semblait habité par l'impatience. Eh bien, il fallait s'y attendre. Mon dieu ! Cela devait être épouvantable de ne pas avoir l'usage de ses pieds.

Tilly était dans le cabinet de toilette lorsqu'elle entendit Harry entrer dans la chambre, et elle y demeura, occupée qu'elle était à trier du linge et à choisir une chemise et un foulard que le Maître porterait le lendemain. Elle aimait sentir tous ses vêtements, et en particulier son linge de corps; et comme elle l'avait découvert dans le noir, le fin lainage donnait l'impression d'être de la soie.

Leurs voix lui arrivaient en sourdine, puis s'élevaient et retombaient et elle n'y prêta pas grande attention jusqu'au moment où la voix de Mark émergea :

— Je regrette pour le Parlement, ce sera au-delà de mes possibilités.

Puis vint la réponse de Harry.

— Cela n'a pas d'importance, je n'y ai jamais tenu. Mais je vous serais reconnaissant de pouvoir passer encore une année là-bas. Vous pouvez le ramener à cent, je me débrouillerai avec cela.

— Non, nous le laisserons à cent cinquante.

— N'y a-t-il aucun espoir de rouvrir la mine ?

— Non, aucun; enfin, pas sans y dépenser énormément

d'argent. Et tu sais que cela m'est devenu impossible, à présent, cela occupera tout mon temps de faire face aux dépenses d'Eileen et des enfants, en faisant fructifier mes capitaux, dont les revenus sont, comme tu le sais, fluctuants. S'ils devaient baisser, eh bien, je crains que cette maison ne coule avec eux.

— Combien employez-vous de personnes ici à présent, père ?

— Oh ! environ une douzaine, dans la maison et sur la propriété. Ce n'est rien, je suppose, mais ils doivent tous être nourris et vêtus et à en juger d'après certaines des notes que Mme Lucas m'a soumises la semaine dernière, ils doivent se gorger de nourriture au sous-sol. Et cependant, que puis-je faire ? Je ne pense pas que l'on puisse faire tourner la maison pour moins cher.

Il y eut une longue pause; puis, au moment où Tilly s'apprêtait à fermer un tiroir, ses mains se figèrent car elle entendit Monsieur Harry demander :

— Où est Trotter, à côté ?

— Non, je crois qu'elle est montée. Oui, elle est montée. Ecoute.

Elle écouta également le faible son de pas traversant la nursery et se demanda pendant un instant qui ce pouvait bien être. Puis, la voix de Harry attira brusquement son attention vers la porte entrouverte.

— Comment la trouvez-vous ?

— Que veux-tu dire ?

— Je veux dire, que pensez-vous de Trotter ? Est-elle querelleuse, fait-elle des effets de manche ou quoi que ce soit dans ce genre-là ?

— Ne sois pas idiot. Où veux-tu en venir ? Elle est ce qui m'est arrivé de plus agréable depuis tous ces événements. Oh ! tu as entendu cette histoire de sorcière, dit-il en riant.

— Histoire de sorcière ?

— Oui, certains d'entre eux pensent qu'elle est une sorcière. Est-ce croyable ? L'ignorance, tu sais, Harry, peut prendre des proportions véritablement terrifiantes, car s'il existait une fille ressemblant moins à une sorcière, elle serait difficile à trouver.

— Non, je n'avais pas entendu l'histoire de sorcière. Alors, ils la prennent pour une sorcière, n'est-ce pas. Ciel ! C'est probablement de cela qu'il s'agit.

— De cela qu'il s'agit ?

— Ils veulent se débarrasser d'elle, à la cuisine.

— Et pourquoi ?

— Mme Lucas et la cuisinière, je crois qu'ils vont vous présenter un ultimatum : soit vous la renvoyez, soit ils s'en vont.

Dans le silence qui suivit, l'imagination de Tilly était impuissante à évoquer la moindre idée de la réaction que ces paroles allaient susciter chez le Maître; puis elle entendit sa voix remplir la pièce comme un rugissement :

— Mon dieu ! un ultimatum ? Soit elle, soit eux ? Sacrés parvenus ! Les lâches !

— Allons, allons, ne vous mettez pas dans tous vos états.

— Me mettre dans tous mes états ? Dieu ! Je voudrais être sur mes pieds. Je leur présenterais un ultimatum. Enfin, je peux le faire d'ici.

— Allons ! Père ! Maintenant, ne vous emportez pas, vous allez simplement vous rendre malade.

— Tais-toi. Tais-toi ! Je ne suis pas un invalide. Je suis handicapé, mais c'est tout. En tout cas, tu peux leur dire de monter et de le présenter, leur ultimatum.

— Qu'avez-vous l'intention de faire ?

— Les prendre au mot. Qu'ils partent tous, tous tant qu'ils sont, ceux qui ne veulent pas accepter de recevoir d'ordres de Trotter... qu'ils s'en aillent.

— Mais, vous ne pouvez pas faire cela, père, vous ne pouvez pas laisser la maison sans personnel.

— Je peux laisser cette maison sans personnel de ce genre; et peut-être ne sais-tu pas qu'il y a des gens tout autour d'ici qui cherchent désespérément du travail.

— Mais ils n'auront aucune expérience de ce type de travail.

— Ecoute, Harry. Trotter n'avait pas d'expérience. C'était une fille ordinaire, mais elle avait un avantage, elle savait lire et écrire, et je peux ᵗe le dire, elle est plus compétente que n'importe laquelle des infirmières que j'ai eues. Quant à Simes, eh bien, elle pourrait s'essuyer les pieds sur lui. De plus, elle est intelligente. J'ai pensé ces jours-ci, que, si on lui en donnait l'occasion, elle pourrait devenir quelqu'un, cette fille. Le vieux Burgess lui a appris à lire. Non, non, c'était la femme du pasteur. Mais il l'a fait lire en profondeur; il l'a initiée à Voltaire, comme un rien. Tu imagines, Voltaire ? Elle admet ne pas le comprendre, mais elle y parviendra un jour, j'en suis certain. Mais quant à cette bande d'illettrés, un ultimatum ! Eh bien, laissons-les venir avec leur ultimatum. Va dire à Lucas que je veux la voir.

— Je pense qu'il serait sage... de laisser passer la nuit, père, si j'étais à votre place. Les vacances de Noël sont tout près et cela ne fera que rendre les choses très désagréables.

— Mais ne le sont-elles pas déjà ?

— Eh bien, pensez-y. Laissez-les venir à vous.

— Va me chercher un verre, veux-tu, Harry ? Le flacon est dans un placard dans le cabinet de toilette.

Tilly ouvrit grand la bouche, puis la referma et se retourna vivement pour se présenter adossée au tiroir, les mains étendues à chaque bout. Et c'est ainsi que Harry la trouva, en entrant dans la pièce. Elle porta vivement ses doigts à ses lèvres et il hocha légèrement la tête, se dirigea vers le placard, en sortit le plateau avec le flacon et un verre, et retourna à la chambre.

Quelques minutes plus tard, il s'excusa, alla dans le cabinet de toilette et ferma la porte; mais la pièce étant vide, il sortit dans le couloir avant de monter à l'étage de la nursery, et comme si elle l'avait attendu, Tilly lui fit face au moment où il entra dans la salle de classe.

Il dit en souriant :

— On dit que ceux qui écoutent aux portes n'entendent jamais dire du bien d'eux-mêmes, mais ce n'était pas le cas, hein, Trotter ?

— Je... je suis désolée, Monsieur Harry, je n'avais pas la moindre intention d'écouter mais... mais lorsque vous avez mentionné mon nom, eh bien, j'ai été incapable de sortir de la pièce.

— Je comprends. Bon, en tout cas, tu es au courant de l'ultimatum.

— Mieux vaut que je parte, Monsieur Harry.

— Oh non ! Trotter, je ne crois pas. Je... enfin, je suis de l'avis de mon père, il y a des changements à faire dans cette maison, et dehors également. Juste avant de te rencontrer dans le jardin, hier, je suis tombé sur Pilby et Summers profondément endormis dans la serre. Je sais que nous sommes en hiver et que la terre est dure à travailler, mais d'après ce que j'ai pu voir au cours de ma promenade, il y avait mille et une choses qu'ils auraient pu faire; les jardins sont laissés à l'abandon. Oui, je pense que des changements sont indispensables dedans, comme dehors, mais il sera délicat de les réaliser. Mon père pense qu'il pourrait reprendre du personnel parmi les hommes et les femmes privés de travail à la mine.

— Ouais, oui, il pourrait faire ça. Je ne veux voir personne renvoyé de son travail, Monsieur Harry, mais je peux au moins vous dire que, s'il réalisait ce projet, il économiserait pas mal d'argent, parce que la plupart d'entre eux seraient heureux de travailler simplement pour le gîte et le couvert.

— Oh ! nous n'allons pas commencer un nouveau commerce d'esclaves !

— Je...Je ne voulais pas vous agacer, Monsieur Harry, mais ce que je dis est vrai. Chez tous les ouvriers du Maître et leurs familles, le souci majeur est de se nourrir. Cependant, après avoir dit cela, je pense qu'il serait préférable que je parte.

— Mon père ne voudrait pas en entendre parler. Mais ne t'inquiète pas, cela va s'arranger. C'est curieux, la manière dont on vient à bout de telles vétilles.

« De telles vétilles... », pensa-t-elle.

A trois heures et demie, le lendemain après-midi, Tilly revenait à la hâte d'une visite chez les Drew.

Tôt ce matin-là, le Maître lui avait donné un demi-souverain pour s'acheter un cadeau de Noël et elle l'avait apporté à Biddy; celle-ci et Katie l'avaient prise dans leurs bras, les plus jeunes s'étaient mis à pleurer et elle aussi, avec eux.

Elle n'était pas restée plus d'un quart d'heure, car il lui tardait de retourner à ses tâches, et en dépit du vent glacial, la famille Drew au grand complet avait insisté pour l'accompagner jusqu'au bout du coron; leurs cris de « Joyeux Noël, Tilly ! » l'avaient réconfortée alors qu'elle courait le long de la route vers l'obscurité grandissante.

Elle empruntait le raccourci derrière le pavillon de gardien, près de la grille secondaire de la propriété, lorsqu'elle rencontra Frank Summers, portant d'une main un panier d'œufs et de l'autre un paquet mal ficelé d'où dépassait une pièce de bacon. Ils se figèrent l'un et l'autre en se dévisageant. Elle fut la première à parler.

— Je... je vous conseille de remporter cela, monsieur Summers.

Il marqua un silence avant de répondre puis grommela :

— Occupe-toi de tes satanés oignons, toi ! Sinon, je vais t'en donner où ça fait le plus mal, juste entre les deux yeux. J'en ai assez de toi. Nous en avons tous assez, espèce de petite salope !

Il posa le panier et le paquet devant la porte, s'avança vers elle et elle cria :

— Si vous osez ! Si vous osez poser la main sur moi ! Si vous me touchez, vous allez en entendre parler, je vous préviens.

Mais, tout en parlant, elle reculait devant lui et contournait le pavillon vers l'allée, pendant qu'il avançait pesamment en marmonnant :

— Espèce de sale petite nabote cafardeuse, toi ! Tu as lancé Monsieur Harry contre nous, hier !

— Je n'ai rien fait de la sorte.

— Qui d'autre alors ?

— Peut-être découvre-t-il les choses tout seul.

Elle reculait toujours lentement.

— Tu es une plaie. Tu le sais ? Une menace.

— Et vous et le reste, vous êtes une bande de voleurs. Voilà des années que vous volez le Maître. Vous avez empilé des choses là-dedans (elle indiquait le pavillon) tout l'été. Vous êtes aussi voleur que les autres dans la maison à tout faire payer en double au Maître avec leur partage mensuel. Vous devriez avoir honte, tous tant que vous êtes.

— Ferme ta gueule, espèce de petite sorcière moucharde ! Les petits bouts que nous prenons ne manquent à personne.

— Les petits bouts ! Des douzaines d'œufs à la fois, et des cochons... je sais, je vous ai déjà vus à l'œuvre. Et on vient les chercher pour le marché, hein ! Et les fruits des serres. Pour un peu, je serais prête à retourner là-bas et à tout raconter au Maître.

— Tu fais ça, ma petite, et je te le dis, tu ne verras plus rien avec tes deux yeux et tu seras incapable de marcher pendant des semaines. Il y en a un à qui tu as oublié de faire peur, sorcière ou non... Regarde, ça ne m'effraie pas de te saisir.

Au moment où elle sentit ses mains, elle hurla et lui griffa le visage de ses ongles. Mais cela ne dura qu'un court instant car il lui sembla être arrachée à lui et jetée dans les hautes herbes; et quand elle vit un fouet lui barrer les épaules, elle plaqua sa main sur sa bouche.

Elle se releva prestement. Summers était debout contre le mur du pavillon, se tenant le cou.

— Allez ! Va-t'en ! Prends tout ce qui t'appartient et ne mets plus les pieds sur cette propriété à partir de ce jour.

— Je... je ne dépends pas de vous. Seul le Maître a le droit de me renvoyer !

Harry le suivait en disant :

— Eh bien, j'agis au nom du Maître. Donne-moi la clé du pavillon, ajouta-t-il en regardant le paquet et le panier posés devant la porte du pavillon.

— Je ne l'ai pas.

Harry tourna la tête et regarda Tilly. Elle ne dit rien mais se baissa et tâtonna dans l'herbe. Quelques secondes après, elle trouva la pierre, retira la clé de dessous et la lui donna.

Harry ouvrit la porte du pavillon et entra. Sur le banc, dans la souillarde, se trouvaient trois cageots de fruits vides et, contre le mur, il vit un sac rempli à craquer de pommes de terre.

Il se tourna vers Tilly :

— Apporte ici ces paquets, Trotter. Pose-les sur le banc, là, et enlève ceux qui sont vides.

Elle le fit puis sortit de nouveau et vit Summers à quelque distance l'air sombre et menaçant. Harry ordonna :

— Retourne à tes affaires et restes-y jusqu'à ce que je vienne.

L'homme remua lentement la tête et grinça des dents avant de s'éloigner.

Harry regarda alors Tilly et lui dit calmement :

— Jette ces cageots dans l'herbe. Quiconque doit venir les chercher viendra sûrement avant la nuit... Sais-tu tenir un cheval ?

— Je... je ne l'ai encore jamais fait, Monsieur Harry.

— Eh bien, viens. Il est doux. Prends la bride, marche à côté de lui et ramène-le à Leyburn. Non, tout compte fait, je vais l'attacher le long de l'allée.

— Mais... mais que ferez-vous s'ils sont plusieurs, Monsieur Harry ?

— Ne t'inquiète pas; je ne vais rien faire de glorieux, je veux simplement voir qui viendra chercher ces choses-là. Mais je ne pense pas que ce puisse être aucun des mineurs ou ceux qui sont réellement dans le besoin, pas si, comme tu le dis, ceci dure depuis longtemps.

Elle baissa la tête en murmurant :

— Je voulais en parler, mais je savais que cela ne ferait que causer des ennuis.

— Tu dis que dans la maison c'est pareil ?

— Encore pire, Monsieur Harry. Les notes pourraient être diminuées de moitié, je le sais.

— Y participent-ils tous ?

— Ouais, oui.

— Seigneur ! Comment cela fonctionne-t-il ?

— Ils le distribuent selon leur rang.

— Et toi ? Comment t'en sortais-tu lorsque tu t'occupais des enfants ?

Elle baissa de nouveau la tête.

— Ils m'attribuaient de la menue monnaie; je la refusais mais... mais ils m'en voulaient suffisamment, alors je l'ai prise pour avoir la paix.

— Eh bien, eh bien, on en apprend tous les jours. Je sais qu'il y a toujours forcément de la gratte, mais je pensais qu'il devait s'agir uniquement du maître d'hôtel avec le vin, tu sais, ou de la gouvernante à qui les commerçants auraient donné un petit pourcentage. Mais crois-tu que tout soit doublé ?

Elle mit du temps à répondre, puis fit de la tête un geste exprimant le doute.

— Eh bien, je ne sais pas ce qu'il y avait dans les factures, mais la somme que l'on distribuait d'après le carnet de la cuisinière me paraissait importante.

— Le carnet de la cuisinière ? interrogea-t-il d'une voix insistante.

— Eh bien, elle dirigeait le personnel de la cuisine et... et... oh ! j'ai honte, Monsieur Harry, de vous dire tout ceci.

— Tu ne fais que confirmer que ce que j'ai entendu dire dans les environs. Et en dehors de cela, je crois que je suis arrivé juste à temps, car cet homme est mauvais, il aurait pu te faire du mal; et apparemment il n'a pas peur des sorcières.

Elle ne sourit pas; elle avait l'estomac trop chaviré. M. Pike, Simes, Mme Lucas, la cuisinière, Maggie Short, Ada Tennant, Amy Stiles, Phyllis Coates — oh oui ! — Phyllis. Qu'allait-il arriver à Phyllis ? Et Fred, Fred Leyburn ? Et puis les hommes de la propriété. Elle ne se souciait pas du sort de Summers, ni même de Pilby, mais M. Hillman... Enfin, il avait son cottage, mais sa femme n'était pas tellement en bonne santé non plus. A une époque, elle avait été une des laveuses à demeure, mais elle avait dû abandonner cette place lorsqu'on avait engagé des journalières... C'était Noël et ils allaient tous être sans travail. Elle les mettait à pied. Mais non, elle n'avait pas à endosser cette responsabilité.

— Vas-y maintenant, et ne dis rien à mon père.

Elle s'éloigna, remonta l'allée et rentra dans la maison par la porte de service et, lorsqu'elle eut atteint sa chambre à l'étage de la nursery, elle alluma la bougie et s'assit un moment sur le bord du lit. Elle était toujours vêtue de son manteau, mais le froid la transperçait jusqu'au fond du cœur. Qu'était-ce en elle qui attirait ainsi les ennuis ? Etait-elle différente des autres filles ? Non, elle ne voyait pas en quoi cela pouvait être vrai. Sa seule particularité était de savoir un peu lire et écrire; bien que pour l'instant, son écriture ne vaille pas encore grand-chose. Ces deux choses constituaient tout ce qui la distinguait des autres jeunes, car elle était certaine d'éprouver les mêmes sentiments que les autres jeunes filles de son âge : Katie, par exemple, bien qu'un peu plus jeune; ou Maggie Short dans la cuisine. Un doute lui vint alors à l'esprit. Restaient-elles éveillées la nuit à penser à l'amour ? Pas avec n'importe qui. Oh non ! bien sûr, pas avec n'importe qui; seulement avec une seule personne. Mais, quoi qu'ils puissent penser, les gens n'agissaient pas envers elles comme ils le faisaient vis-à-vis d'elle-même. Et les femmes n'étaient pas les seules à lui être hostiles, les hommes l'étaient également. Ils l'aimaient ou ils la détestaient, mais il n'y avait pas de moyen terme, pas d'amitié. Voilà ce qu'elle aurait souhaité. Si l'amour devait lui être refusé, alors l'amitié était ce qu'elle pouvait désirer de mieux et à cet instant même cela lui paraissait aussi invraisemblable que le désir quotidien et le rêve de chacune de ses nuits au cours duquel Simon Bentwood posait sa tête sur son sein.

Elle se leva, enleva son manteau et son chapeau avant de mettre son tablier à bavette et ses poignets en toile blanche; elle recoiffa ses cheveux, puis y posa son bonnet amidonné et, enfin prête, elle descendit au premier.

CHAPITRE V

Les vacances de Noël passèrent comme elles étaient venues, puis le Nouvel An, et il n'y eut aucune réjouissance dans la maison. Le personnel était inquiet : depuis le renvoi de Summers, ils attendaient quotidiennement d'être appelés dans la chambre du Maître ; mais cet appel ne venait pas. On aurait cru que le Maître méprisait toute l'histoire et bientôt on les entendit murmurer entre eux que Frank Summers n'avait eu que ce qu'il méritait, à se faire un peu de gratte comme cela. Et apparemment, pas seulement un peu, d'après ce que John Hillman laissa filtrer, car Pilby et Hillman y avaient tous les deux participé. Personne d'autre n'avait été au courant, pas même Leyburn, car son travail le retenait surtout dans la cour. Mais, de toute évidence, quelque chose préoccupait le Maître car, cette année, il n'y avait eu aucun envoi de cadeaux de Noël aux serviteurs, et aucun message à M. Pike de sortir une ou deux bouteilles de la cave. Mais, évidemment, cela ne l'avait pas empêché de le faire. Cependant, ils pensèrent malgré tout que cette omission provenait peut-être de l'absence d'une maîtresse de maison, car c'était elle qui pensait habituellement à ce genre de choses.

Et ainsi, avec le temps et le départ de Monsieur Harry, leur inquiétude s'estompa, même si la perplexité demeurait, et alors resurgit le sentiment contre celle-là, car, là encore, n'avait-elle pas été à la base de tous les ennuis ? Si elle n'avait pas espionné Frank Summers, il serait toujours là, n'est-ce pas ? Alors qu'allait-on faire à son propos ? Personne ne serait en sécurité tant qu'elle resterait.

Puis, comme un coup de tonnerre, l'appel arriva à la cuisine. Le Maître avait appelé M. Pike et Pike descendit, porté par des jambes qui se sentaient décidément faibles, et il convoqua Mme Lucas, la cuisinière et Simes, en annonçant :

— Le Maître veut vous voir tous.

En réponse à ceci, Mme Lucas demanda :

— Pourquoi n'ai-je pas été informée, si le Maître veut voir les membres du personnel féminin ?

A quoi Pike répondit avec lassitude :

— Ce que tu oublies, femme, c'est que c'est moi qui suis réellement responsable de la maison, mais je t'ai laissée prendre la tête pendant des années pour éviter les difficultés. Et maintenant, je te le dis, je crois que nous allons avoir des ennuis.

Tilly leur ouvrit la porte et elle aurait aussi bien pu être l'une des paumelles la soutenant, pour le peu d'intérêt qu'ils lui manifestèrent, car ils n'avaient d'yeux que pour le fauteuil en osier et l'homme qui y était assis, droit comme un I.

Ils se mirent en rang au pied du fauteuil et Mark les regarda; le grand Pike, maigre, à l'air fatigué, Simes, au visage en lame de couteau, Mme Lucas semblable à un petit mannequin humain, et la mère Brackett, la cuisinière avec l'air d'avoir goûté de tous les plats qu'elle ait jamais cuisinés au cours de sa vie. C'était étrange, il ne l'avait vue que deux fois en tant d'années, mais elle semblait avoir doublé de volume. Ses yeux glissèrent d'elle à Trotter, qui se dirigeait vers le cabinet de toilette, et, lorsque la porte se fut refermée sur elle, il porta son attention vers le groupe en face de lui, et il s'adressa à eux comme à un groupe.

— J'attendais que vous veniez me voir car si j'ai bien compris, vous avez une proposition à me faire, n'est-ce pas, monsieur Pike ?

Sa voix était calme d'un ton égal, et sa manière avait une aisance qui les trompa tous; cependant, pas tout à fait dans le cas de Pike, et lui, sachant qu'il devait parler en leur nom, trouvait difficile de répondre à son maître; il battit des paupières, s'essuya les pieds sur le tapis, se frotta les mains comme s'il les lavait, puis répondit :

— Eh bien, Monsieur, c'est... c'est...

— Oui, continuez.

Les yeux de M. Pike glissèrent à présent du côté de Mme Lucas qui avait les yeux braqués sur lui, comme l'étaient ceux de Jane Brackett; et l'agacement de la cuisinière exprimé sans ambiguïté par le mouvement subit de ses hanches avertit la gouvernante que si elle ne se méfiait pas, Jane Brackett allait lui couper l'herbe sous les pieds; aussi, fixant le Maître, elle intervint :

— Il a du mal, Monsieur, comme... comme nous en avons tous, à parler... de cette question.

— De quelle question ?

— Eh bien... Trotter, Monsieur.

— Trotter ? Qu'a-t-elle, Trotter ?

— Eh bien, Monsieur...

La gouvernante paraissait éprouver les mêmes difficultés que le maître d'hôtel et devant cet état de fait Jane Brackett, craignant que tout l'entretien ne se réduise à néant, ou tout au moins ne tourne à leur désavantage, prit la parole.

— Je vous prie de m'excuser, Maître, ce n'est pas mon rôle, je le sais, c'est à Mme Lucas ici, ou à M. Pike de vous l'expliquer, mais... il faut que ce soit dit, et nous, on pense tous la même chose, Monsieur, du haut en bas. Trotter a comme une mauvaise influence. Il n'y a plus de paix dans la maison depuis qu'elle est arrivée et, de plus... enfin, comme vous le dira Mme Lucas, personne n'est plus à sa place. Vous comprenez, Maître, comme vous le savez et vous n'avez pas besoin qu'on vous l'explique, on a sa place parmi le personnel et ça nous irrite la bile lorsque quelqu'un comme elle se met à faire du volume et donner des ordres.

— Trotter fait du volume ? Cela m'étonne, madame Brackett. Elle m'a toujours semblé plutôt manquer d'assurance, plutôt timide.

— Oh ! Maître, on peut se tromper. On sait ce qu'on sait, hein ? C'était... pareil quand elle était à l'étage au-dessus, rien n'allait dans la maison; elle paraissait créer des ennuis et... et à présent, c'est pire.

— Vraiment ? Et que suggérez-vous que je fasse ?

Jane Brackett était exubérante. Bon, alors, pourquoi n'avaient-ils pas fait ceci plus tôt ? Et elle osa sortir de son rang au point de faire un pas de plus vers le fauteuil et à voix basse maintenant, elle répondit :

— Débarrassez-vous d'elle, Maître.

— Me débarrasser d'elle ?

— Oui, Maître.

— Mais, et si je ne peux pas ?

Il n'avait pas dit « veux », mais comme s'il faisait appel à elle, il utilisa les mots « ne peux pas », ce qui l'enhardit.

— Eh bien, Maître, je crains que vous n'alliez au-devant de difficultés. Enfin, ce que je veux dire c'est, je vous demande pardon, nous l'avons dit avant Noël mais nous avons laissé passer les vacances, mais vous voyez... enfin, ce sera elle ou nous. Vous allez perdre votre personnel, Maître, si vous ne la renvoyez pas, et... et nous avons fait nos preuves, nous sommes auprès de vous depuis des années. M. Pike est là depuis plus longtemps que nous tous, il est dans votre famille depuis sa tendre jeunesse et, quant à moi, je vous ai bien servi pendant les dix dernières années, Maître, et...

— Oui, oui, madame Brackett, véritablement. Vous m'avez bien servi au cours de ces dix dernières années. Mais vous ne m'avez pas aussi bien servi que vous-même, madame la cuisinière, n'est-ce pas ?

Son visage changea de couleur. Elle ne parla pas, personne ne dit rien, ni ne bougea et il promena son regard de l'un à l'autre, avant de continuer :

— Vous vous êtes tous bien servis, n'est-ce pas ? Combien avez-vous gagné avec *votre* petit carnet, madame Lucas ?

— M... Monsieur !

— Et vous, si j'ai bien compris, madame Brackett, avez un petit carnet spécial, réservé à vos chapardages. Summers n'y figurait pas, *vous* dirigiez vous-même votre petite combine, hein ? A présent, votre proposition est que je renvoie Trotter, sinon vous partez. Bon, eh bien, pour votre information, je garde Trotter, alors que faites-vous ?

Ils demeuraient toujours muets.

— Toi, Simes, et vous, madame Lucas et vous, Brackett, vous compterez vos huit jours à partir d'aujourd'hui. Je vous accorderai un mois de gages pour remplacer tout autre préavis. Quant à vous, Pike, je vous donne le choix, vous avez servi non seulement mon père, mais aussi mon grand-père, mais bien qu'il soit admis qu'un maître d'hôtel ait sa gratte, il est également convenu que cela ne doit pas aller jusqu'au vol. Alors, vous pouvez partir avec les autres ou vous pouvez rester. Vous n'avez pas à répondre sur-le-champ, vous pouvez en discuter entre vous en bas. Entre-temps, il reste quatre autres membres du personnel de maison; ceux qui souhaitent rester, vous pouvez me les envoyer; après eux, vous direz à Leyburn, Pilby et Hillman de venir me voir. C'est tout.

— Ce n'est pas juste.

— Qu'est-ce qui n'est pas juste, Simes ?

— D'être... renvoyés comme ca.

— Mais tu ne tiens pas à ton poste, Simes.

— Je... n'ai jamais dit...

— Non, tu ne l'as jamais dit, mais ton attitude lorsque tu me pensais à ta merci était parfois d'une dureté insupportable. Vous pouvez me laisser, à présent, tous tant que vous êtes; et je crois, Simes, qu'il vaudrait mieux que tu aides Mme Lucas à sortir, elle a besoin d'assistance.

Pike et Simes soutenant Mme Lucas se dirigèrent vers la porte, mais Jane Brackett demeura en face de lui, le regard fixe, la bouche ouverte pour parler; cependant aucune parole ne vint, et elle ne bougea qu'au moment où Mark hurla vigoureusement :

— Laissez-moi, bonne femme !

Elle disparut en tremblotant, semblable, pensa-t-il, à une grosse vache dans une foire aux bestiaux.

Quelques minutes s'écoulèrent avant le retour de Tilly dans la chambre. Son visage était de cendre, sa tête basse et il s'écria en la voyant :

— Ne laisse pas ta conscience te troubler à propos de cette histoire, Trotter, tu n'as pas été la cause de cette affaire. Bon, d'après ce que Harry a calculé, les dépenses domestiques peuvent être réduites de moitié, et cela mérite qu'on l'étudie par les temps qui courent, c'est-à-dire, si tu réussis à organiser ce dont nous avons parlé hier... Relève la tête.

— Ils seront tous sans travail, Monsieur, je ne peux m'empêcher de les plaindre...

— Est-ce qu'ils t'ont plainte ? Ils t'auraient fait renvoyer sans sourciller. Cette femme, la cuisinière, elle est mauvaise. Mon dieu ? Et penser que l'on a été servi par quelqu'un de son espèce ? On ne sait vraiment pas ce qui se passe dans sa propre maison. En tout cas, souviens-toi de ce que tu m'as dit un jour. Cela me paraît bien loin à présent, comme dans un rêve, mais je t'entends encore me disant : « Lorsqu'une porte se ferme, une autre s'ouvre. » Eh bien, cet après-midi, prends le carrosse et exécute le projet dont nous sommes convenus hier... Allez ! aie l'air contente, ma fille.

— Je suis contente, Monsieur.

Sa voix était douce, mais elle aurait pu ajouter : J'ai aussi peur, car la cuisinière, Mme Lucas et Simes ont maintenant rejoint les villageois.

La cuisine des Drew sentait le linge mouillé, la sueur, et les émanations provenant d'un feu couvert de poussière de charbon. Aujourd'hui, il n'y avait pas de feu ronflant, le charbon gratuit était épuisé et la seule manière de maintenir un semblant de feu était de ratisser le tas de la mine.

La cuisine était encombrée, toute la famille était là, sauf Sam. Ils l'avaient accueillie, chacun à sa façon, les aînés des garçons avec des hochements de tête et un sourire exprimant leur sympathie, mais les filles, Katie, Peg et Fanny, se pressaient autour d'elle et leur accueil n'était pas moins chaleureux parce qu'elle était venue les mains vides. Ce fait fut cependant souligné par Jimmy qui demanda soudain :

— Tu n'as rien apporté aujourd'hui, Tilly ?

On entendit un claquement lorsque la main de Biddy rencontra l'oreille de son fils et quand il dit : « Oh, maman ! » elle lui cria :

— Et je te dirai « Oh, maman ! » si tu ne te tais pas. C'est la seule chose qui grandisse chez toi, la bouche.

Pendant que les autres riaient, Tilly étendit la main, attira Jimmy contre elle et lui répondit, avec un sourire :

— Je ne suis pas venue les mains vides.

Elle était consciente de tous les yeux braqués sur elle à présent et des regards glissant discrètement de sa personne vers le carrosse dehors. Ils avaient encore du mal à s'habituer au fait qu'elle vienne leur rendre visite en carrosse et elle se rendait compte que les aînés essayaient de ne pas imaginer qu'il puisse y avoir quelque chose de louche dans le privilège qui lui était accordé.

A présent, ils attendaient, et elle savourait leur attente; puis, tendant les mains impulsivement, elle prit celles de Biddy, et la força à s'asseoir sur une chaise :

— Vous feriez mieux de vous asseoir, sinon vous allez tomber lorsque vous entendrez ma nouvelle.

Comme une troupe convergeant sur un objectif, ils s'approchèrent tous insensiblement vers elle, mais elle continuait à laisser aller son regard de Biddy à Katie, debout à côté de sa mère et, lentement, elle demanda :

— Savez-vous cuisiner, madame Drew ?

Biddy ferma les yeux un instant et tourna la tête de côté, puis regardant de nouveau Tilly, elle dit :

— Oui, M'dame; si on me donne les ingrédients, je ne suis pas une mauvaise cuisinière.

— Bien. Vous êtes engagée. Mademoiselle Drew (elle regardait alors Katie), cela vous plairait-il de servir comme assistante de votre mère, dans la cuisine ? Je me rends compte que vous ne connaissez rien à ce travail, mais il y a de l'espoir, vous pourriez apprendre.

— Hé ! Tilly, où veux-tu en venir ?

— Ouais, où veux-tu en venir, ma fille ? Allons, ne nous laisse pas dans l'incertitude.

Le visage de Biddy était devenu sérieux. Tilly se redressa et les regarda tous avec tendresse, puis elle dit calmement :

— Vous avez tous du travail, si vous le voulez.

— Tous ?

Biddy se leva.

— Ouais, et pas seulement vous, mais un ou deux des hommes du coron, les Waters et M. McCann, mais eux seulement à mi-temps...

— Eh ! mon dieu ! du travail. Est-ce possible, Tilly ?

— Où est-ce, Tilly, je veux dire le travail pour les hommes ?

— Ecoutez. Ecoutez tous, et... et cela ne conviendra peut-être pas à tous, du moins les aînés, mais... enfin... Je peux m'asseoir ?

— Ôtez-vous de là.

Biddy balaya deux des garçons du banc et Tilly, une fois assise, commença par le début, complétant les éléments dont Biddy et Katie ne savaient rien, c'est-à-dire la haine dont elle avait été l'objet, et également le chapardage qui avait pris des proportions insupportables, à la fois dans la maison et sur le reste de la propriété. Puis, elle conclut :

— Ce n'est pas vraiment moi, c'est le Maître qui a pensé à vous.

— Je croirai ça quand on me donnera des ailes, protesta Alec.

Elle se tourna vers lui et insista :

— C'est vrai, Alec.

— Avec un peu de soutien de ta part, dit Katie, accompagnant sa phrase d'une bourrade amicale dirigée vers les côtes de Tilly.

Tilly continua à parler à un auditoire muet de stupéfaction et termina :

— Ada Tennant va rester, c'est la fille de cuisine, Phyllis, la première femme de chambre, elle reste également, mais Amy Stiles... eh bien, je crois qu'elle avait envie de rester, mais elle avait peur de la cuisinière, alors elle s'en va également. Alors, toi, Peg, tu serais sous les ordres de Phyllis. Quant aux hommes... alors il y a une question, là. Le Maître, je crois, a des difficultés sur plus d'un plan étant donné la fermeture de la mine, et comme je le vois, il doit continuer à suppléer aux besoins de la Maîtresse et des enfants, bien qu'ils soient chez sa mère, alors, de toute façon les gages n'auront rien à voir avec ce que vous gagniez à la mine. Mais, ce que vous aurez, ce sera votre nourriture, une bonne nourriture, pour les hommes et tout le monde, et ça c'est appréciable.

Biddy remua la tête, leva les yeux vers le plafond et renchérit :

— Appréciable ? C'est essentiel, ma fille. Oh ! rendons grâce à Dieu du Ciel ! Et à toi, Tilly Trotter. Quelle chance nous avons eue que Katie soit tombée sur toi !

296

Katie sourit et de nouveau donna un coup de poing amical à Tilly, et celle-ci se tourna vers Alec qui était l'aîné, et dit :

— Eh bien, à présent, Alec, il y a toi et Arthur et le jeune Jimmy. Que diriez-vous de travailler sur la propriété, je veux dire bêcher et nettoyer les allées et cultiver les légumes, et des choses comme ça ? Il y a un peu de bétail, uniquement des poules et des cochons, mais il y a des quantités de terres qui étaient autrefois cultivées en légumes et qui sont actuellement abandonnées et... et... comme je l'ai expliqué au Maître, il y a suffisamment de terre, non seulement pour cultiver de quoi nourrir toute la maisonnée, mais, comme ils le faisaient en douce, le surplus pourrait être vendu au marché et aider à payer vos gages.

— Ma fille (Biddy saisit le bras de Tilly), si nous pouvons manger cet hiver, nous travaillerons comme des nègres, car de quoi a-t-on besoin, si ce n'est la table, le feu et le couvert ?

— Sam sera-t-il de votre avis, madame Drew ?

— Oh oui ! ma fille, Sam sera de mon avis, je te le promets. Et également les Waters et les McCann et tous les autres à qui on pourrait proposer d'être nourris pour leur travail.

— Mais il se peut qu'on ne les emploie pas pendant très longtemps. Pour les mois d'hiver, peut-être. Et pourtant, je ne sais pas. Tout ce terrain-là, avec une paire de chevaux et une charrue...

— Et autrefois, il était cultivé. Il y avait une ferme à ce bout de la propriété à une époque, m'a-t-on raconté.

— Oh ! à propos de ferme, cela me rappelle. Ce n'est pas que le fermier soit venu, mais le jeune garçon, Steve, il est venu dimanche, s'attendant à te voir ici, et il a demandé de tes nouvelles.

— Il va falloir que tu te méfies de lui, Tilly.

Alec riait en hochant la tête et elle le regarda avec solennité en répondant :

— Ce n'est qu'un ami, un ami d'enfance.

Et devant le regard d'avertissement de sa mère, Alec, d'un air penaud, dit :

— Oui, oui.

Et soudain, Biddy, surprenant sa famille entière, se tourna brusquement, laissa tomber sa tête sur la table et se mit à pleurer. Aucun d'eux ne se souvenait de l'avoir jamais vue verser la moindre larme pas même lorsque leur père était mort. Cette nuit-là, ils l'avaient entendue faire des bruits étranges dans le lit, mais ils ne l'avaient pas vraiment vue pleurer.

— Ah ! maman ! maman !

Ils protestaient tous en chœur et elle leva la tête.

— Ne vous inquiétez pas, on pleure aussi de joie, et ah ! ma fille ! de te voir comme ça, aujourd'hui, et ce que tu nous as apporté... enfin, je ne pourrai jamais te remercier.

Tilly également sentit sa gorge se serrer. C'était merveilleux d'être aimée, et elle comprenait que Mme Drew l'aimait comme chacun de ses enfants. Elle se leva enfin.

— Il faut que je m'en aille, dit-elle.

Comme elle s'approchait de la porte, Katie lui demanda à voix basse :

— Si ce jeune homme revient, que dois-je lui dire ?

— Oh ! dis-lui que je vais bien et remercie-le d'avoir pris de mes nouvelles.

— Il voulait savoir s'il pouvait te rendre visite à la maison, maintenant que tu étais installée dans une bonne place, et j'ai dit que je n'en savais rien, mais que je te le demanderais la prochaine fois que je te verrais.

— Allons, Katie, laisse Tilly partir. Cela ne serait pas convenable qu'il aille là-haut. Tu n'as pas envie de le voir là-bas, n'est-ce pas, Tilly ?

Tilly regarda Biddy :

— Enfin, ce serait gênant.

— Merci. Au revoir.

Elle les enveloppa tous de son sourire et ils répondirent :

— Au revoir, Tilly.

Biddy les empêcha de la suivre sur la route mais comme Tilly s'approchait du carrosse et de Fred Leyburn qui se donnait de grandes claques dans le dos avec ses bras pour se réchauffer, Biddy la suivit et lui demanda en chuchotant :

— Quand me préviendras-tu ?

Souriant, Tilly lui répondit :

— Oh ! mon dieu ! j'avais oublié. Samedi après-midi; ils seront partis, alors.

— Bon, c'est bien.

Biddy recula. Le vent, s'emparant de son tablier, menaça de lui en couvrir la tête et elle le retint avec ses mains; et elle demeura ainsi pendant que le carrosse disparaissait au détour de la route boueuse.

QUATRIÈME PARTIE

ET L'ENSORCELÉ

CHAPITRE PREMIER

Les premiers mois de 1840 furent pour Tilly comme un temps passé dans un monde nouveau. Pendant toute sa longue vie, elle devait les considérer comme une espèce d'éveil, car ce fut l'époque où elle apprit à prendre des responsabilités. Elle découvrit la douceur de la déférence, mais par-dessus tout, elle apprit à être la compagne constante d'un homme, un gentilhomme. Il naquit également en elle une nouvelle frayeur, ou plutôt la résurrection de l'ancienne, car la plupart des plantations réalisées par les fils Drew, M. Waters et M. McCann sur la propriété avaient, à deux reprises, été complètement saccagées.

A la suite de la seconde dévastation, le Maître avait ordonné que l'on pose des pièges à hommes. Comme lui avait dit Sam, il détestait jusqu'au nom de ces pièges, les hommes qui les posaient, et également ceux qui ordonnaient leur pose; cependant, après avoir vu réduits à néant tous leurs efforts, il avait été obligé de considérer la question sous un autre aspect, et rempli de colère, il avait lui-même participé à leur pose et avait accroché sur chacun des pavillons d'entrée des panneaux avertissant que la propriété était piégée.

La destruction avait finalement été l'œuvre de plusieurs hommes, et Tilly ne savait pas s'ils venaient du village ou de Jarrow, le village de Jane Brackett. Mais, comme tous les autres, elle nourrissait un soupçon car les attaques avaient été préparées à Jarrow; on avait entendu la cuisinière annoncer que si elle ne faisait rien d'autre, elle s'arrangerait pour causer la perte non seulement de « celle-là », mais également de toute son équipe.

Mais la journée était belle, un vent vigoureux chassait les nuages; cela faisait des jours entiers qu'il soufflait, comme pour répondre aux prières de Tilly de faire durcir les routes, car si le Maître devait être déçu aujourd'hui, cette fois-ci il serait incapable de se dominer. Il y avait des moments, récemment, où sa frustration avait éclaté en colère et il avait tempêté auprès de M. Burgess et de tous ceux qui l'approchaient, y compris elle-même; mais cela ne la gênait pas, ni M. Burgess. Le précepteur était merveilleux avec lui. Ses visites d'une demi-journée, pendant lesquelles il aidait à le baigner et parlait avec lui, avaient apporté un nouvel intérêt à sa vie.

Quant à elle, elle avait découvert quelque chose de nouveau chez M. Burgess. Il aimait les commérages, et elle était bien consciente du fait qu'il apportait aux oreilles du Maître les nouvelles des naissances, des décès et des scandales et, en particulier, de ces derniers car maintes fois lorsqu'elle entrait dans la chambre, Burgess changeait la conversation d'une manière qui n'aurait même pas trompé un enfant.

La maison, elle le sentait depuis des semaines, devenait heureuse. Elle était plus propre qu'elle ne l'avait jamais vue. Et même, en cette saison précoce, les jardins avaient l'air différent. Les chemins avaient été désherbés, les haies taillées, des terres qui, depuis des années, n'avaient pas vu la lumière du jour avaient été nettoyées. John Hillman méritait bien ses gages à présent, mais il veillait à ce que tous les autres sous ses ordres en fissent autant, et le résultat était plaisant. Si bien que Mark avait parlé de se procurer un fauteuil roulant afin de faire le tour de la propriété, car il ne s'imaginait pas du tout capable de supporter des prothèses aux pieds qui lui auraient permis d'utiliser des béquilles.

Ainsi, ce beau matin, Tilly, remplie d'excitation et non sans un peu d'appréhension, faisait le tour de la maison pour vérifier que tout soit en ordre pour l'arrivée de Mme Forefoot-Meadows et des enfants. Elle était aussi excitée à propos de la venue des enfants que le Maître lui-même.

Tout le mobilier de la salle à manger brillait, le surtout au centre de la table déployait une masse de jonquilles et l'argenterie sur le long buffet en acajou resplendissait; dans le salon, le feu ronflait sur la grille de l'âtre, les rideaux de dentelle des hautes fenêtres avaient tous été lavés, les lourds doubles rideaux et les lambrequins avaient été descendus et brossés et on avait été jusqu'à épousseter les tableaux accrochés qui décoraient les murs. Tilly était satisfaite; il n'y avait pas un brin de poussière nulle part.

Dans le hall, un grand vase bleu rempli de fougères flanquait le grand pilastre de la rampe, au pied de l'escalier; le tapis rouge usé par endroits avait été enlevé et reposé et, trouvait Tilly, produisait un effet très satisfaisant.

Elle continua son inspection de la maison. L'étage de la nursery était prêt, la chambre qu'elle avait occupée auparavant était à présent dévolue à Katie qui allait avoir pour tâche de s'occuper des enfants pendant leur séjour de trois jours dans la maison. Sa propre chambre était de l'autre côté du cabinet de toilette et elle n'était pas encore habituée à la différence. Un lit de plumes, une énorme armoire, un lavabo avec sa cuvette et son pichet à eau pour elle toute seule et un seau si joli qu'elle répugnait à le remplir d'eaux sales.

Elle se tenait à présent devant le miroir. Elle n'avait pas souvent le temps de se regarder et de s'apprécier; lorsqu'elle le faisait, son reflet dans la glace la surprenait toujours. Elle avait dix-huit ans mais en paraissait plus. Peut-être était-ce dû à son uniforme, un ravissant uniforme, en alpaga. Le buste était ajusté comme une seconde peau. La jupe n'était pas très large; ils avaient voulu y rajouter un lé, mais elle avait refusé. Cela lui aurait donné l'air, avait-elle pensé, de singer les dames, et elle sentait qu'elle était suffisamment sortie de son rang, sans que sa robe soit un sujet de commérages. Elle portait maintenant pour la première fois de sa vie des culottes et également un corset à baleines. Les culottes ne la gênaient pas, mais elle trouvait le corset encombrant; cependant, elle le portait car du bas pendaient ce que l'on appelait des jarretelles qui lui tenaient ses chaussettes de coton blanc, mieux que des jarretières.

Son bonnet était également différent; il ne couvrait pas tous ses cheveux mais était posé dessus comme, se disait-elle en riant, une couronne amidonnée.

Elle s'approcha du miroir et toucha la peau de son visage. Elle avait un teint convenable. Elle savait qu'elle jouait les difficiles, mais elle ne pouvait se résoudre à se trouver jolie car, comme aurait dit sa grand-mère, ne crois jamais ce que te dit ton miroir, car tu ne vois que ce que tu veux bien.

Elle boutonna le haut de sa robe, passa ses mains sur ses hanches puis sortit dans le couloir pour vérifier que tout était en ordre et entra dans la chambre.

M. Burgess était assis à côté du fauteuil canné et il riait, la tête rejetée en arrière, et le Maître riait également. Son visage était coloré, ses yeux étaient brillants et il avait un autre air, ce matin, plus jeune. Il s'était donné la peine de brosser ses cheveux rebelles à plat sur le dessus de la tête. Il portait une chemise de soie blanche avec un jabot. Il s'était également forcé, remarqua-t-elle, à mettre un pantalon, ce qu'elle considéra comme un grand progrès, car il passait la plupart de ses journées vêtu de sa chemise de nuit et de sa robe de chambre. Cependant, le petit cerceau était placé ce matin sur le bout de la chaise longue et recouvert d'un tapis, mais avec son vêtement et dans sa position, il ne semblait pas diminué.

— Eh bien, Trotter, as-tu fait tes tournées ?

— Oui, Monsieur.

— Tout est en ordre ?

— D'après ce que je peux voir, oui, Monsieur.

— Et les repas ? Même si j'apprécie beaucoup le rôti de bœuf, de mouton, les pâtés de viande et ainsi de suite, je ne pense pas qu'ils suffiront au palais de ma belle-mère. As-tu vu la cuisinière ?

— Oui, Monsieur; nous avons parlé des repas hier soir.

— Et qu'avez-vous imaginé ?

— Eh bien, Monsieur, Mme Drew avait pensé débuter avec un potage blanc, puis un saumon poché à la sauce, et le plat de résistance serait du poulet rôti avec des carottes et des navets en purée et d'autres légumes; puis, elle voulait faire un choix de puddings ou bien une tarte à la rhubarbe et un flan spécial aux œufs, je veux dire fait avec des œufs et des fruits, on pourrait avoir un assortiment de fruits; et puis, il y a également les fromages.

Mark regarda M. Burgess.

— Que pensez-vous de cela, Burgess ?

— Cela paraît très appétissant, Monsieur, tout à fait appétissant; en fait, cela me fait saliver. Je suis certain que Mme Forefoot-Meadows sera satisfaite.

Elle ne répondit pas, mais ses yeux lui souriaient.

M. Burgess se tourna alors vers Mark.

— Je vais prendre congé, Monsieur, avec votre permission, mais je serai là de nouveau demain matin pour partager votre joie de revoir les enfants.

— Merci, Burgess, je suis certain qu'ils seront ravis de vous revoir. Et je ne pense pas me tromper en disant qu'ils vont souhaiter avoir à travailler de nouveau avec vous.

— Je le souhaiterais également, Monsieur, mais c'est la vie...

— Oui, assurément.

M. Burgess sortit et Mark, se tournant vers Tilly, lui dit :

— Je ne pense pas avoir été aussi agité depuis la nuit où Harry est né. Et n'est-ce pas merveilleux qu'il arrive ici après-demain ? Il pourra au moins passer une journée parmi eux. Trois jours ! Quelle malédiction !

Sentant le changement de son humeur, elle alla rapidement

jusqu'au fauteuil et arrangea la couverture qui avait légèrement glissé du cerceau, puis dit gaiement :

— Ils vont probablement vous raconter tellement d'histoires, Monsieur, que vous serez heureux de les voir partir.

Il tourna brusquement la tête vers elle et sa voix parut censurer la stupidité de sa remarque lorsqu'il répliqua :

— Oui, aussi heureux que je serais de te voir partir, Trotter.

Elle le considéra en silence comme elle le faisait souvent lorsqu'elle pensait qu'il valait mieux n'offrir aucune réponse à ses remarques.

— Si M. Burgess était resté plus longtemps, il aurait dit que ta réflexion était stupide, banale. Comprends-tu cela ?

— Je comprends seulement, Monsieur, que je visais à soulager votre désespoir en ce qui concerne les enfants.

Son expression se modifia et il la dévisagea; il y avait de l'esprit dans sa réponse, que l'on n'aurait pas trouvé quelques mois auparavant. Il n'y faisait aucune objection, en fait, cela lui plaisait car il entrevoyait la femme émergeant sous l'attitude de « Oui, Monsieur, non, Monsieur » qu'elle affichait. D'une voix basse à présent, il lui demanda :

— Si l'on t'enlevait tes quatre enfants, que ferais-tu, Trotter ?

Il la regarda réfléchir un moment avant de répondre.

— Etant donné... que je n'ai jamais eu d'enfants, je ne peux pas savoir quelle serait la profondeur de mes sentiments à leur égard. Je ne peux que juger d'après les réactions de Mme Drew par rapport à sa famille. Mais je n'ai pas la force de Mme Drew et je crois que je deviendrais folle. Et cependant, Monsieur, c'est une question à laquelle il est difficile de répondre, car si j'avais quatre enfants, pourquoi me les retirerait-on ?

Elle sentit le sang affluer à ses joues et ses yeux s'agrandirent tandis qu'elle le regardait fixement; puis sa voix d'un calme menaçant lui dit :

— Continue, termine !

Comme elle ne répondait pas, il vint à son secours et continua :

— Tu étais sur le point de me dire que tu ne ferais jamais rien qui pourrait t'amener à perdre tes enfants, n'était-ce pas cela ?

Elle demeurait muette.

— Eh bien, je te réponds, Trotter, tu as un long parcours devant toi et beaucoup à apprendre sur la nature humaine et également sur les punitions dues au péché. Certaines sentences sont hors de proportion avec le crime... Qu'est-ce... ?

Il se tourna avec vivacité et, comme il se soulevait sur ses mains pour regarder par-dessus l'épais appui de la fenêtre, son expression changea complètement et il s'écria :

— C'est le carrosse ! Les voilà. Descends. Descends.

Elle le quitta et sortit, traversa le palier en courant et descendit l'escalier. Pike attendait déjà; les deux portes étaient grandes ouvertes et, dans l'allée, le carrosse venait de s'immobiliser.

Son rang, elle le savait, lui dictait de se tenir en haut des marches et d'accueillir Mme Forefoot-Meadows à l'entrée, comme elle l'avait vu faire par Mme Lucas, mais elle s'oublia au point de descendre les marches en courant et elle était à peine arrivée en bas qu'ils l'entouraient tous en criant :

— Bonjour, Trotter ! Bonjour, Trotter !

Même Matthew souriait.

— Assez ! Assez ! Tenez-vous bien.

La voix de leur grand-mère ne calma pas immédiatement leur enthousiasme turbulent, mais ils quittèrent Tilly, se précipitèrent sur les marches et entrèrent dans la maison; et Tilly regardant Mme Forefoot-Meadows lui dit :

— J'espère que vous avez eu un voyage agréable, Madame ?

La surprise que produisit sur elle le fait d'avoir été accueillie par cette fille frappa Mme Forefoot-Meadows de mutisme car son regard alla d'elle à l'endroit où Pike se tenait, en haut des marches; puis se détournant, sans même lui avoir accordé un hochement de tête, elle monta majestueusement jusqu'en haut de la terrasse et passa devant Pike en disant :

— Que se passe-t-il ? Qu'est-ce que c'est ?

— J'espère que vous avez eu un voy...

— Ne vous occupez pas du voyage, où est Mme Lucas ?

— Elle n'est plus ici, Madame.

— Plus ici ! Et Simes ?

— Lui non plus n'est plus au service du Maître, Madame.

— Que se passe-t-il ici ?

Au pied de l'escalier, elle s'arrêta et de nouveau regarda tout autour du hall. Déjà une différence dans la maison la frappait, mais elle était incapable de mettre le doigt sur ce que c'était.

Lorsque, quelques instants plus tard, elle entra dans la chambre de Mark, elle se boucha les oreilles des deux mains en criant :

— Arrêtez ! Cessez ce bruit immédiatement ! et de nouveau les rires et le bavardage s'apaisèrent.

Se dirigeant à présent vers le fauteuil où Mark tenait Jessie Ann dans un bras et John dans l'autre, tandis que les deux aînés étaient assis un peu en avant de chaque côté, elle ne demanda pas de nouvelles de la santé de son gendre, mais dit :

— Qu'ai-je vu ? Pas de gouvernante, ni de laquais ? Et cette fille !

— C'est une longue histoire, Mère, une longue, longue histoire et nous en parlerons en son temps; mais d'abord, asseyez-vous.

— J'ai été assise pendant des heures, je suis toute raide... Arrêtez de faire ce chahut, John, et parlez doucement. Ne vous l'ai-je pas répété ?

— Ou... oui, grand-mère.

Mark regarda son jeune fils qui ne paraissait plus si petit maintenant; aucun de ses enfants ne lui paraissait petit; ils avaient tous grandi, chacun à sa façon. Mais John parlait encore plus mal que lorsqu'il avait vécu à la maison. A présent, il bégayait carrément.

— Laissez votre père et allez-vous-en tous à la nursery, et enlevez vos vêtements de voyage et ne descendez pas avant que je vous aie appelés. Allez, disparaissez.

Mark se mordit les lèvres pendant que Jessie Ann et John se glissaient hors de ses bras; puis, Jessie Ann, regardant du côté du cerceau, demanda :

— Avez-vous toujours mal aux pieds, papa ?

Mark ne la quitta pas des yeux et il continua à sourire en lui répondant :

— Oui, oui, ils me font encore mal, ma chérie.

— Vous avez peut-être envie que l'on vous coupe les ongles de pied, les miens me rentrent dedans et Willy Nilly enfonce ses ciseaux et les coupe. Cela me fait mal...

— Qui est Willy Nilly ?

La réponse vint de sa belle-mère.

— Williams, leur bonne d'enfants. Allez, les enfants, faites comme je vous ai dit.

Et ils sortirent de la chambre en se bousculant et riant. Ce chahut lui faisait l'effet d'une musique, c'était comme s'ils n'étaient jamais partis. Cependant, ils étaient partis et le changement qui s'était opéré en chacun d'eux était évident, en tout cas quant à leur taille.

— Eh bien, alors, que se passe-t-il ? La maison est toute sens dessus dessous.

— Non, Mère, la maison n'est plus sens dessus dessous. La

maison, je suis heureux de vous le dire, est tenue comme elle aurait dû l'être depuis des années.

Ses sourcils épilés se levèrent, les rides autour de ses yeux s'étirèrent, et elle dit simplement :

— Vraiment !

— Oui, vraiment. Asseyez-vous et je vais vous donner toutes mes nouvelles, je suis certain que cela vous fera plaisir, avant que vous ne me donniez les vôtres.

Elle jeta de côté son cache-poussière et ne fit pas le moindre commentaire avant que Mark ait terminé le récit du changement, et puis elle dit :

— La maison est tenue par des mineurs ?

— Oui, comme je vous l'ai dit, et dehors également, et ils s'en tirent merveilleusement bien.

— Cela ne peut pas marcher.

— Mais ça marche. Et je vais vous dire quelque chose de plus : à un tiers du prix.

— Un tiers !

— Oui, un tiers; et, d'après ce qu'il me paraît, la maison est beaucoup plus propre et je vois (il indiquait la fenêtre) que le parc à été remis en plantation de tous les côtés. Puis il y a la nourriture. Les notes ont baissé d'une manière extraordinaire, et tout le monde, que je sache, est bien nourri, moi y compris.

— Cette fille, savez-vous qu'elle était en bas des marches lorsque je suis sortie du carrosse, laissant Pike à la porte ?

— Peut-être avait-elle envie de vous saluer.

— Ne soyez pas ridicule, Mark, elle ne connaît pas sa place.

Son visage et sa voix perdirent leur amabilité à présent, et il dit brusquement :

— Elle connaît très bien sa place. Elle tient cette maison, et de plus elle s'occupe de moi.

Elle fit un geste pour se lever; puis sa mâchoire s'ouvrit et se ferma en entendant ces paroles.

— Elle est meilleure infirmière que cette espèce d'éléphant qui s'occupait de moi...

— Ce n'est pas correct, ce n'est pas convenable, elle est...

— Oh ! Burgess s'occupe des convenances.

— Burgess... vous voulez dire le précepteur ?

— Oui, le précepteur. Il vient tous les jours et veille aux principales convenances, alors, ne vous inquiétez pas, ma chère Mère, nous sauvegardons la bienséance.

— Cela ne me plaît pas. Et cela ne plaira pas à Eileen.

— Dieu du Ciel ! Je vous demande ce qu'Eileen peut bien avoir à faire là-dedans ?

— Elle est toujours votre épouse.

— Alors, si elle est mon épouse, elle devrait être ici. Que pensez-vous que j'aie ressenti d'avoir été abandonné depuis tous ces satanés mois...

— Je n'accepterai pas de vous entendre jurer en ma présence, Mark.

— Je jurerai où j'en ai envie, Mère, et si cela ne vous plaît pas, vous savez ce qu'il vous reste à faire. Mais ne venez pas me parler ici de moralité et d'inconvenances qui pourraient choquer ma femme, car je ne l'accepterai pas. Sa place est ici avec mes enfants. Trois jours, voilà ce qu'elle m'a accordé ! Mon dieu ! Si je me mets en tête de les garder pour de bon, elle devra se battre pour les reprendre.

— Ne vous agitez pas, Mark, et ne dites pas de bêtises. La place des enfants est avec leur mère.

— Et sa place est ici !

— Vous auriez dû penser à cela il y a déjà longtemps. De toute manière, j'ai des choses à voir avec vous, mais ce n'est pas le moment, je suis fatiguée de mon voyage. Vous n'avez pas l'air de réaliser, Mark, l'épreuve qu'a été pour moi ce trajet.

Il respira profondément plusieurs fois, puis baissa la tête et marmonna :

— Je sais, je sais; et je vous suis reconnaissant de l'effort que vous faites. Mais pouvez-vous réaliser ce que c'est pour moi que d'être rivé à ce fauteuil, emprisonné dans cette chambre ? Je me suis demandé de plus en plus souvent ces temps-ci si cela valait la peine de continuer.

— Ne dites pas de bêtises ! Je refuse de rester là et de vous écouter parler avec une telle pusillanimité; je viendrai vous retrouver plus tard.

Comme elle sortait en tempêtant, il ne put s'empêcher de s'émerveiller de sa vitalité; personne ne connaissait exactement son âge, mais elle ne pouvait pas être loin des soixante-dix ans. Si elle en avait transmis un peu à sa fille, les choses auraient peut-être pris une autre tournure. Il s'enfonça dans son fauteuil et regarda vers le cerceau recouvrant les moignons de ses jambes. Si seulement il lui était resté un pied ! Il se redressa dans le fauteuil ; il allait falloir qu'il fasse l'effort d'essayer ce truc de la jambe artificielle.

Pendant deux jours, la maison avait vibré de rires et de galopades. Les enfants n'étaient plus confinés à l'étage de la nursery; même Jane Forefoot-Meadows ne parvenait pas à les y retenir car, dès qu'elle avait le dos tourné, ils descendaient dans la chambre de leur père ou sortaient dans le parc, ou encore suivaient Tilly partout dans la maison. Au début, ils avaient été surpris du changement dans le personnel, en particulier à la cuisine. Ils avaient accepté Katie dans la nursery, mais qui était cette petite fille pas plus âgée que Jessie Ann et moins grande qu'elle qui travaillait dans la cuisine ?

Et ce n'était plus une grosse femme qui faisait la cuisine, à présent, mais une grande femme au visage osseux.

Au cours de leur première rencontre, Matthew avait demandé d'un air hautain à Biddy :

— Comment t'appelles-tu ?

— Biddy, Monsieur. Et vous ?

Et sans hésiter, il lui avait répondu :

— Matthew.

— Eh bien, comment allez-vous, Monsieur Matthew ?

— Je vais très bien, merci.

La conversation ne prenait pas la tournure qu'il avait imaginée, et il s'était retourné vers ses frères et Jessie Ann, et ils avaient tous éclaté de rire; puis, Jessie Ann avait pris la parole :

— Que nous fais-tu pour notre thé, madame Biddy ?

Et Biddy l'avait enchantée en se baissant pour lui dire tout bas :

— Des gâteaux de fée, Mademoiselle, avec de la crème sur les ailes.

Comme Biddy l'avait expliqué à Tilly plus tard, la maison vibrait. A sept heures du soir, le second jour, la nursery retentissait d'un déchaînement de rires. Mark tourna la tête vers la porte du cabinet de toilette, en criant :

— Qu'est-ce qui se passe là-haut, Trotter ?

Tilly entra dans la chambre et, repoussant la table et le dîner à demi terminé, elle répondit :

— Je crois qu'ils doivent s'amuser à quelques pitreries.

— Des pitreries ! Elles doivent être de taille pour entraîner de telles rafales d'hilarité. Va voir là-haut de quoi il s'agit.

Elle lui sourit :

— Ils vont vouloir descendre si je monte, Monsieur.

310

— Et quel mal y a-t-il à cela ? demanda-t-il. Leur grand-mère est en train de dîner et, telle que je la connais, elle en a encore pour une bonne heure. Allez, monte.

En fait, en sortant de la chambre, elle se retint de courir, mais difficilement, car elle se rendit compte que c'était une habitude dont il fallait qu'elle se débarrasse; toutefois, arrivée sur le palier, elle courut le long du couloir et dans l'escalier et se précipita dans la nursery, pour trouver Katie assise sur le tapis devant le foyer avec Jessie Ann sur ses genoux. Toutes deux se tordaient. Luke était assis à la table, les bras étalés dessus, la tête posée au milieu, et Matthew se tenait devant John et lui disait :

— Dis-nous l'autre. Dis-nous l'autre.

— Que se passe-t-il ?

Tilly les regardait l'un après l'autre mais ils ne pouvaient que bredouiller, jusqu'au moment où Katie, se relevant et s'essuyant les yeux, dit :

— C'était Monsieur John, Tilly, il récitait un poème.

— C'est à propos de nous. Il dit nos noms, Trotter, et même celui de papa.

— Et est-ce tellement drôle ?

Ce fut au tour de Matthew de répondre :

— Oui, oui, c'est drôle, Trotter. Vas-y John, redis-le pour Trotter. Vas-y.

Et John, tout sourire, reprit la pose, les pieds bien plantés et légèrement écartés, les mains jointes derrière le dos, et commença, en ânonnant :

— Ma... Matthew, Mark, Luke et J... John
Tiennent le bourricot pour que je le monte.
S'il r... rue, tire-l... lui la queue,
S'il p... pisse, tiens-lui le p... pot.

Ils étaient de nouveau pliés en deux de rire, John comme les autres. Il était à genoux et essayait de se tenir sur la tête pendant que les autres enfants se roulaient par terre dans des torrents de gaieté et Katie, la main plaquée sur sa bouche, regarda Tilly et murmura :

— Ils ne l'ont pas appris ici, crois-moi. C'est un des jardiniers chez leur grand-mère... Et ce n'est pas tout. Ce type devait venir d'ici car ils savent « Quand j'étais jeune homme », tu sais, « Quand j'étais jeune homme, je vivais avec ma mémé ! »

— Jamais !

Tilly se mordait fortement la lèvre à présent. Puis elle murmura

311

en aparté : « Mais cela ne vaut pas "Matthew". Je me suis fait tirer les oreilles une fois pour l'avoir chanté. » Elle se détourna de Katie.

— Silence ! Taisez-vous ! Ecoutez.

Ils se tenaient en grappe autour d'elle et ses yeux allaient de l'un a l'autre.

— Je vais vous emmener chez votre papa en bas, si vous promettez de partir immédiatement quand je vous le dirai, parce que votre grand-mère va remonter dès qu'elle aura terminé son dîner. Vous promettez ?

— Oui, Trotter. Oui, Trotter.

Comme ils se précipitaient vers la porte, elle leur cria :

— Mettez vos robes de chambre.

Et ils sortirent tous de la salle de classe en se bousculant, tandis que Tilly et Katie se regardaient, toutes les deux pressant leurs mains sur la bouche; puis Tilly dit :

— Il... le Maître a entendu les rires.

— On entend si bien en bas ?

— Oui, quand le bruit est fort.

— Il faudra faire attention... C'est merveilleux d'avoir des enfants dans la maison, n'est-ce pas ?

— Oui, Katie, merveilleux. Mais, je vais te dire quelque chose, ces enfants sont différents de ceux que j'ai connus au début. C'étaient des diables, en particulier ce Matthew.

— Ouais, il veut toujours commander, ce Monsieur Matthew; il ne veut en faire qu'à sa tête et tout régenter.

— Et cela n'est rien; on ne t'a pas mis une grenouille dans ton lit et tu n'as pas eu des bols de porridge renversés sur la table.

— Cela t'est arrivé ?

— Oh oui ! et encore pire.

Les enfants revinrent dans la pièce, s'écriant en de bruyants chuchotements :

— Viens, viens, Trotter.

Prenant les mains de John et de Jessie, elle les entraîna en courant, mais s'arrêta en haut des marches pour les avertir :

— Maintenant, marchez sur la pointe des pieds, car si votre grand-mère vous entend, elle va monter à toute allure.

Ils acquiescèrent; puis ils descendirent l'escalier silencieusement et entrèrent dans la chambre de leur père; mais, arrivés là, ils manquèrent de se jeter sur lui, bavardant et riant, obligeant Mark à les calmer et leur dire avec une sévérité feinte :

— Je ne vous ai pas fait appeler pour jouer avec vous, mais pour vous demander quelle était la cause de tout ce bruit qui m'empêchait de dîner.

Ils se poussaient les uns les autres, en ricanant, puis Luke dit :

— C'était John, papa, il disait une drôle de comptine; mais c'est à propos de nous.

« Oh ! mon dieu ! » Tilly gémit en elle-même. Voilà ce qu'elle aurait dû leur dire : de ne pas répéter celle-là.

Matthew prenait de nouveau les choses en main. Tirant son plus jeune frère vers le côté du fauteuil en osier, il dit :

— Récite pour papa. Récite pour papa. Vas-y.

Et John récita pour papa; mais il n'y eut pas de grands éclats de rire à la fin, car ils regardaient tous le visage de leur père. Ses yeux étaient écarquillés, son nez se plissait, ses lèvres étaient légèrement pincées. Etait-il mécontent ? Son regard passa au-dessus de leurs têtes et alla vers Tilly et il demanda seulement :

— Katie ?

— Non, non, Monsieur; ils ne l'ont pas apprise ici.

Oh ! mon dieu, il n'allait pas rire ! Lorsque son visage commença à se décrisper, les enfants se précipitèrent sur lui, mais il leva la main en avertissement, s'écriant :

— Riez si vous osez. Faites le moindre bruit et vous remontez à toute vitesse, car la salle à manger est juste en dessous, et qui est dans la salle à manger ?

— Grand-mère, dirent-ils tous en même temps.

— Oui, grand-mère.

Il regardait son plus jeune fils dont le visage resplendissait, ravi de les avoir divertis, mais c'était le bégaiement de l'enfant qui avait réellement donné du piquant à cette grossière comptine. Cela avait considérablement empiré depuis qu'il avait quitté la maison.

— Il connaît une chanson, papa, à propos de grand-mère.

— A propos de grand-mère ?

— Oui, papa.

Ils se mirent tous à ricaner; puis Luke ajouta :

— Nous la connaissons tous, papa, mais John la chante mieux que n'importe qui. Vas-y, John. Chante « Quand j'étais jeune homme ».

John paraissait trop heureux de plaire et, reprenant sa pose, il se mit à chanter et cette fois bégaya à peine, et tout sourire, il entra gaiement dans la chanson :

> — Quand j'étais jeune homme, je vivais avec ma mémé,
> Et bien souvent, elle me bourrait de coups,
> Mais, à présent, je suis un hom... me, je peux la cogner,
> C'est bien fait pour elle qui m'a bourré de coups.

Il termina précipitamment et, comme Mark, incapable de contenir son hilarité, s'enfonçait dans les coussins, en tenant sa main plaquée sur sa bouche, ses yeux brillant de larmes de joie, ils tombèrent tous sur lui, tout en étouffant leur propre rire.

Mark les repoussa et demanda :

— Qui... qui vous a appris ces comptines ? Votre nurse ?

— Non, papa; c'est Brigwell, un des jardiniers.

— Le vieux Brigwell ? Oh ! pardonnons-lui ! Mais votre grand-mère lui en voudrait énormément si elle devait entendre tous ces poèmes.

— Nous ne les disons pas devant elle, dit Luke. Nous chantons tous dans l'écurie, hein, Matthew ?

Mark regarda le garçon dont la tête blonde n'était plus couverte de boucles. Il ne parvenait pas à se faire à l'idée qu'il avait presque douze ans, bien qu'il en parût même plus, et lorsque Matthew proposa : « Voulez-vous que nous la chantions tous ensemble, papa ? C'est très gai lorsque nous chantons tous en chœur », il hésita un moment avant de répondre :

— Oui, oui; j'aimerais vous entendre la chanter tous ensemble. Mais (il leva la main et secoua son index avant d'indiquer le sol), n'oubliez pas qui est dessous.

Ils se bousculèrent et prirent place, tous en rang, au pied de la chaise longue à côté de Tilly qui s'y trouvait déjà, et on eût dit qu'elle aussi allait se produire. D'ailleurs, elle se serait bien jointe à eux, tellement elle se sentait heureuse, car depuis des mois elle n'avait jamais vu le Maître avec un cœur aussi léger, en fait absolument jamais, car il avait soudain l'air d'un jeune homme; et quand ils se mirent à chanter, ses lèvres les accompagnaient :

> Quand j'étais jeune homme, je vivais avec ma mémé,
> Et bien souvent, elle me bourrait de coups,
> Mais à présent je suis un homme...

Ce fut à ce moment que la porte s'ouvrit silencieusement et seul Mark la vit entrer, et, tandis que les enfants chantaient : « Je peux la cogner », il leva la main légèrement comme pour les avertir. Mais ils étaient inconscients de l'intrusion, parce que le son de leurs voix combinées, bien que retenues, occupait toute leur attention. Ils terminèrent la dernière ligne : « Et c'est bien fait pour elle qui m'a bourré de coups. »

— Qu'est... ce que... ceci ! Qu'ai-je entendu ?

Les enfants se retournèrent, interdits; on entendit la petite voix de Jessie Ann qui disait :

— Nous chantions simplement une petite chanson pour papa, grand-mère.

— J'ai entendu ce que vous chantiez : « frapper votre grand-mère » (apparemment elle ne pouvait permettre à sa langue de prononcer le mot « cogner ») « et c'est bien fait pour elle qui vous a tapé ». Où avez-vous bien pu apprendre une chose pareille ?

Elle les toisait tous et à présent son regard se posait sur Tilly.

— Tu leur as appris ceci ?

— Non, Madame.

— Alors, c'est cette personne là-haut. Mark, vous devez...

— Retenez-vous ! Retenez-vous ! Bonsoir, mes enfants. Venez me dire bonsoir.

Ils grimpèrent alors tous sur le divan et chacun posa ses lèvres sur sa joue avant d'être accompagné hors de la chambre par Tilly.

— Cette fille !

— Cette fille n'a rien à voir là-dedans, Mère. Personne d'ici n'a appris ces comptines aux enfants.

— Quelle vulgarité !

— Oui, certainement, c'est vulgaire. Mais ils ne l'ont pas apprise ici.

— Je ne vous crois pas...

— Croyez-moi ou non. Vous allez devoir retourner dans votre propre maison pour découvrir l'individu qui apporte un peu de gaieté à leur existence, et vous le trouverez en la personne de votre cher vieux serviteur, nul autre que Brigwell.

— Brigwell ! Je ne vous crois pas.

— Croyez-moi ou non, Brigwell leur a appris ce petit refrain. En plus, vous n'en connaissez pas la moitié.

— Brigwell fait partie de notre famille... depuis aussi longtemps que moi-même.

— Oui, et il a dû la trouver bien ennuyeuse.

— Mark !

— Que savez-vous de ce qui occupe l'esprit des gens, ce qu'ils font de leurs loisirs ? Vous avez vécu derrière les douves de votre pseudo-château depuis que vous étiez petite fille.

315

Il s'arrêta subitement et ils se dévisagèrent, puis elle dit d'une voix chargée d'indignation :

— Je commence à voir un autre aspect de l'existence d'Eileen dans cette maison, car vous parlez comme un...

— Comme un quoi ?

— Un homme déchu de sa classe.

Après encore un moment et tout en continuant à la dévisager, il reposa la tête sur les coussins et lâcha un rire sans joie; puis, d'une manière presque enfantine, il reprit :

— Oh ! si seulement je pouvais descendre et faire un pas, pour aller n'importe où, déchoir de cet étage, que ne donnerais-je pas ?

— Je le comprends bien, mais votre comportement n'attire certainement pas la compassion.

— Qui réclame la compassion ?

De nouveau, il lui lança un regard furieux.

— Oh ! Mark ! J'avais espéré m'entretenir calmement avec vous, ce soir, à propos... à propos d'une question privée, mais je vois que vous n'y êtes pas disposé, alors nous en parlerons demain.

— Je ne serai pas mieux disposé demain, Mère, alors, asseyez-vous et entamez votre entretien privé.

Sa voix rendait un son fatigué et son timbre ôtait à ses paroles leur brusquerie; au bout d'un moment, elle s'assit dans un fauteuil à côté de l'âtre, en face de lui; puis, arrangeant les jupes superposées de sa robe de gabardine, elle réunit ses pieds longs et maigres, joignit ses mains sur ses genoux, puis amorça :

— Il est difficile de savoir par où commencer pour parler de votre vie privée.

Il ne fit aucun signe, ne proféra aucune parole pour lui faciliter la tâche, mais attendit.

— Eileen tient à ce que je vous assure que, bien que tout à fait désolée de votre malheur, il n'y a aucune chance qu'elle revienne ici. Etant donné cela, elle souhaite être honnête avec vous et vous offre une séparation légale; vous pourriez convenir de lui accorder une somme, une somme raisonnable...

Elle fit alors une autre pause, attendant une réponse, mais comme rien ne venait, ses mains quittèrent ses genoux et elle se mit à ajuster la rangée de petits nœuds en soie menant de son cou à la taille; là, ses doigts s'immobilisèrent et elle dit :

— Elle pense que ce serait à votre avantage.

Mark ne donnait toujours pas de réponse. Mais au cours des quelques dernières minutes, en écoutant les paroles de sa belle-mère, son corps s'était raidi, et il avait l'impression que ses orteils poussaient au-delà du cerceau et contre le châle le recouvrant. Ses pieds se mirent à lui faire mal et, peu à peu, la douleur gagna ses jambes, remontant jusqu'à atteindre sa taille où elle se transforma en un fil de fer qui l'étouffait.

— Allons, je vous en prie, Mark, ne vous mettez pas en colère. Elle pense également à vos intérêts.

— Sacrebleu, qu'elle y pense ! Une séparation légale ! Savez-vous quelque chose ? Elle est idiote. Une séparation légale serait une séparation judiciaire et, dans un tel cas, je serais en mesure de demander la garde des enfants.

— Non !

— Oh si ! Mère, si... Mon dieu ! une somme raisonnable alors que je me saigne déjà aux quatre veines pour lui donner son allocation actuelle. C'est un miracle que le divorce ne lui soit pas venu à l'esprit; mais peut-être y a-t-elle pensé et a-t-elle découvert qu'une femme ne peut pas divorcer de son mari uniquement pour raison d'infidélité. Maintenant, Mère (il se pencha vers elle jusqu'à n'être plus qu'à une longueur de bras) vous pouvez rentrer chez vous et dire à ma chère femme que si elle ne se méfie pas, je crierai bien fort au tribunal qu'elle m'a interdit sa couche après la naissance de John et que son jeu d'invalide était un truc monté de toutes pièces; tout à fait, car mes enfants m'ont appris pas plus tard que ce matin que maman va se promener, à présent; maman sort en voiture; maman est allée au théâtre la semaine dernière. Et également, M. Swinburne a emmené maman faire le tour de la galerie de tableaux; M. Swinburne a invité Matthew et Luke et maman à un après-midi musical... Maman a soudain retrouvé l'usage de ses jambes, n'est-ce pas, Mère ? Retournez chez vous et dites à votre fille que je lui propose un marché. Si elle me rend les enfants sans faire d'histoires, j'augmenterai son allocation person-nelle, mais si elle refuse, je peux, comme je vous l'ai dit, demander une séparation judiciaire, auquel cas la loi m'accordera la garde de mes propres enfants.

Jane Forefoot-Meadows s'était maintenant levée, son visage avait retrouvé sa couleur naturelle. Elle lui jeta :

— Elle ne vous rendra jamais les enfants ! Habituez-vous à cette idée.

— Il se pourrait qu'elle n'ait pas le choix. En tout cas, c'est moi qui les ai, en ce moment, Mère, possession vaut titre. Et si je décidais de les garder avec moi ?

— Elle vous combattra. Elle évoquera vos infidélités répétées qui se soldaient par de la cruauté mentale. Oui, de la cruauté mentale ! Voilà de quoi elle vous accusera. Attendez un peu et vous verrez.

Muet à présent, il la regardait exprimer son indignation et quitter la pièce majestueusement et, quand il eut entendu la porte claquer derrière elle, il agrippa les deux bras de son fauteuil et le secoua violemment en un spasme de colère et, baissant la tête sur sa poitrine, jura :

— Sacrebleu ! Allez au diable toutes les deux et grillez en enfer.

Le lendemain matin surgit une vive discussion entre Mark et Jane Forefoot-Meadows à propos de la manière de compter le temps. Elle était arrivée le lundi après-midi et parlait de partir le jeudi matin.

A ceci, il avait répondu froidement : « Les enfants devaient passer trois jours avec moi et ils resteront ici trois jours entiers, pour repartir le vendredi matin, sinon ils ne retourneront pas à Waterford Place du tout. »

Jane Forefoot-Meadows comprit qu'il était parfaitement décidé. Cependant, elle protesta pour la forme et d'une voix qui n'avait rien de timide.

Katie était occupée à préparer le déjeuner des enfants à la cuisine et Tilly, entendant du bruit tout en haut, couvrant même la voix de Mme Forefoot-Meadows depuis la chambre du Maître, se hâta de monter à l'étage de la nursery. Lorsqu'elle ouvrit la porte de la salle de classe, ce fut pour trouver Matthew et Luke se roulant sur le sol, encouragés dans leur combat par les cris de Jessie Ann et de John.

Elle les sépara et les tint éloignés l'un de l'autre. Luke semblait au bord des larmes, mais le visage de Matthew était simplement assombri par la colère.

— Bon, alors, que se passe-t-il ? demanda Tilly. Pourquoi perdez-vous votre temps à vous battre ? Qu'est-ce qui vous a pris tous les deux ? Je devrais cogner vos deux têtes l'une contre l'autre. Ne savez-vous pas que votre père peut vous entendre en dessous ?

— Nous... nous entendons crier grand... grand-mère, bégaya John.

Tilly eut un regard affectueux pour le petit garçon qui riait en lui répondant; puis, relâchant sa prise sur les deux aînés, elle dit :

— Bon, maintenant, réconciliez-vous. Mais pourquoi, au nom du Ciel, vous battiez-vous ?

— C'était à cause de toi, Trotter, annonça Jessie Ann avec effronterie.

— Moi ?

Elle dévisagea tour à tour les deux garçons et, comme Matthew la regardait fixement, Luke baissa la tête et Jessie Ann continua :

— Luke a dit qu'il allait t'épouser quand il serait grand et Matthew a dit que non, parce qu'il va t'épouser lui-même.

Elle aurait dû rire, elle aurait dû les prendre dans ses bras et leur dire « Quels gros bêtas ! », mais alors que son regard allait de l'un à l'autre, la vieille angoisse la reprit. Les hommes soit l'aimaient, soit la détestaient, mais quelle que soit leur attitude, cela menait à des ennuis, et, à présent, même des ennuis chez les enfants.

L'entrée dans la pièce de Katie chargée d'un grand plateau lui évita de répondre aux garçons et comme Katie posait son plateau sur la table, elle se tourna vivement vers Tilly et lui demanda :

— Quelque chose ne va pas ?

— Non, non; ils étaient simplement en train de jouer au roulé-boulé et je suis montée pour voir ce qui se passait.

— Ils se battaient, précisa Jessie Ann, toujours prête à ajouter son grain de sel. Matthew et Luke se battaient pour savoir lequel des deux épouserait Trotter.

Katie était sur le point d'éclater de rire, mais l'expression de Tilly l'en empêcha; néanmoins, comme c'était Katie, elle ne pouvait que voir le côté amusant de la chose, et donc, retirant le linge qui recouvrait les assiettes, elle dit :

— Hé ! je crois qu'ils vont devoir prendre chacun son tour car il y a trois garçons de chez nous qui l'attendent.

— Ne dis pas ça !

Matthew frappa le bras de Katie de la tranche de sa main et elle grimaça en criant :

— Allons ! pas de ça.

Tilly, attrapant le garçon par l'épaule, le secoua en lui disant :

— Excusez-vous auprès de Drew.

— Je ne le ferai pas.

Elle se redressa.

— Eh bien, ne le faites pas, mais ne me demandez pas de m'occuper de vous ni d'aller dire à votre père que vous êtes un garçon merveilleux.

Elle tourna les talons et sortit de la pièce, mais, à peine avait-elle atteint le haut de l'escalier que Matthew la rattrapa et, s'accrochant à son tablier, la força à s'arrêter. Son visage était cramoisi, ses lèvres tremblaient, ses yeux gris et ronds brillaient, et quand il murmura : « Je... je suis désolé, Trotter », elle aussi sentit ses yeux s'humecter. C'était un événement de voir le grand Monsieur Matthew s'excuser; il avait assurément changé.

Elle lui entoura les épaules de ses bras, il se serra contre elle et elle lui caressa les cheveux en disant :

— Allons, c'est fini.

Il la regarda enfin. Ses yeux étaient noyés de larmes qui s'accrochaient à ses cils blonds, et sa voix paraissait crispée.

— Je ne veux pas repartir avec grand-mère, Trotter; aucun de nous ne le veut.

— Il le faut bien.

— Mais pourquoi ne pouvons-nous rester ici ? Tu pourrais t'occuper de nous et Drew aussi, et cela ne m'ennuierait pas d'aller à l'école ici si je pouvais revenir dans cette maison. Est-ce que tu peux... persuader mon père de nous garder ?

— Cela... cela ne semble pas dépendre de votre père, Monsieur Matthew, c'est votre mère qu'il faut persuader de revenir. Comprenez-vous ?

Il remua lentement la tête et baissa les yeux en répondant :

— Oui, oui, évidemment. J'... j'étais sincère en disant que je ne laisserais pas Luke t'épouser, je veux t'épouser quand je serai grand... Je... je sais que cela ne se fait pas pour un gentilhomme d'épouser une servante, mais ce n'est pas la même chose avec toi, parce que tu sais lire et écrire. Tu me permettras de t'épouser, n'est-ce pas, Trotter ?

— Mais j'ai presque deux fois votre âge, Monsieur Matthew.

— Oh ! je le sais, mais ça m'est égal parce que tu pourras mieux t'occuper de moi, si tu es plus âgée. Et, de toute façon, tu n'as pas vraiment deux fois mon âge, seulement six ans de plus et si je sais que tu veux bien m'épouser, ça me donnera du courage, parce que les vacances sont très ennuyeuses chez grand-mère.

— Bon, eh bien, comme vous voulez, Monsieur Matthew.

— Oh ! merci, Trotter, merci. Tu sais, Trotter, un garçon de l'école m'a dit qu'une fois il avait embrassé une fille en plein sur la bouche, mais je ne le crois pas parce que je sais qu'on ne peut embrasser personne sur la bouche avant d'être marié. C'est vrai, hein, Trotter ?

— Euh... C'est vrai, Monsieur Matthew, oui, c'est vrai. Allez dîner et... et faites des excuses à Drew.

— Oui, Trotter, oui.

Il fit deux pas à reculons, puis se retourna et courut jusqu'à la salle de classe, et elle demeura en haut des marches, ne sachant si elle devait rire ou pleurer. On ne peut embrasser personne sur la bouche avant d'être marié. Qui aurait imaginé ce qui se passait dans la tête de Matthew, lui entre tous, la terreur, le petit enfant gâté qu'il était, ou avait été. Les gens changeaient en grandissant; elle aussi changeait, et avec le changement apparaissaient les désirs qui ne faisaient que naître chez ce garçon de onze ans, mais qui bouillonnaient en elle, à présent.

Elle se hâta de descendre l'escalier pour aller à sa besogne.

CHAPITRE II

Les enfants étaient partis depuis huit jours et Monsieur Harry seulement la veille, non pas pour l'Université, mais de nouveau pour la France. D'après ce que Tilly avait entendu de la conversation entre lui et son père, son ami, dont un des parents était français, avait une sœur, et pour la plupart des vacances, la sœur et les parents retournaient dans un château en France. Le Maître lui avait expliqué cela hier soir; il avait parlé de son fils par bribes toute la soirée.

— Il n'a pas toujours été aussi gai, tu sais, Trotter; enfant, il était très sérieux et, jeune homme, encore plus solennel; je suis heureux qu'il ait ces amis en France car ça m'a permis de découvrir un autre aspect de lui. Il est très homme du monde, tu ne trouves pas, Trotter ?

— Oui, Monsieur. Monsieur Harry est un très agréable gentilhomme, très sympathique.

— Oui, assurément, très sympathique. Je me demande s'il va épouser cette jeune fille française. Elle s'appelle Yvette. C'est un joli nom pour une belle-fille, Yvette... Les enfants te manquent-ils, Trotter ?

— Oh oui ! Monsieur ! oui, beaucoup. La maison est si silencieuse sans eux.

— Oui, c'est vrai. Tout le monde semble nous avoir abandonnés en même temps, même Burgess.

— Il avait un très gros rhume, Monsieur. Je pense qu'il a raison de rester au lit pendant quelques jours, les rhumes peuvent être contagieux.

— Il vit complètement seul, n'est-ce pas ?

— Oui, Monsieur.

— Cela doit être pénible. J'aurais horreur de ça, de vivre absolument seul.

— Je ne crois pas que cela le gêne beaucoup, Monsieur. Il... il se consacre à ses livres. (Elle souriait.) Il n'a pratiquement rien d'autre dans sa maison que des livres, rien que le minimum nécessaire et des livres.

— Tu y es allée ?

— Oui, Monsieur. J'y suis allée un certain nombre de fois, mais uniquement lors de mes après-midi du dimanche.

— Comment fait-il pour ses repas ?

— Oh ! il a très peu de besoins, je crois; il vit surtout de porridge et de lait, la plupart du temps, et un petit peu de mouton de temps à autre.

— Vraiment ! Prend-il un repas lorsqu'il est ici ?

— Eh bien, il prend quelquefois un casse-croûte dans la cuisine, Monsieur.

— A l'avenir, Trotter, veille à ce qu'il prenne un bon repas chaque fois qu'il vient. Et je pense que ce serait gentil si tu allais lui porter quelque chose de chaud pendant qu'il est malade, ou que tu envoies quelqu'un d'en bas.

— Ça me ferait très plaisir de lui porter quelque chose... Monsieur. Cela ne me prendra pas longtemps. Je pourrais y aller et être de retour d'ici une heure.

— C'est ça, vas-y donc. Et ne te presse pas; tu es à peine sortie depuis plusieurs jours. Trouves-tu lassant d'être cloîtrée dans cette chambre avec moi ?

— Lassant ! Oh non ! Monsieur ! non; il n'y a rien que j'aimerais mieux faire. Cela a été comme un...

Elle regarda de côté, puis baissa la tête et il insista :

— Cela a été comme quoi ?

— Une nouvelle sorte de vie pour moi, comme ce dont parlait M. Burgess avant, à propos des gens qui se mettent à vivre.

— Cela t'a fait cet effet de t'occuper de moi ?

— Oui, Monsieur.

Il la contempla pendant un long moment avant de dire doucement :

— Tu n'attends pas grand-chose de la vie, n'est-ce pas, Trotter ?

— Seulement la paix, Monsieur.

— La paix ! La paix ! A ton âge, ma fille ? Ce n'est pas la paix que l'on recherche à ton âge, mais les choses excitantes, le rire, la joie.

Elle le considéra à son tour. Il semblait oublier sa place, et non seulement la sienne, mais également celle des très jeunes qui avaient travaillé pour lui à une époque. La vie avait apporté très peu de choses excitantes, de rires et de joies à ceux qui avaient eu à tirer leur subsistance de la terre, que ce soit dessus ou dessous. Ce qu'elle avait voulu lui faire comprendre en disant qu'elle souhaitait la paix, c'était la paix dans laquelle elle pourrait travailler sans crainte, sans avoir à se battre contre le flot du ressentiment.

— Pourquoi as-tu l'air si crispée ? T'ai-je froissée ?

De nouveau, elle ne lui répondit pas, au moins pas tout de suite, car les maîtres et les maîtresses ne se souciaient guère de qui ils froissaient. Dans sa classe, les serviteurs étaient là pour être froissés. Il la mettait, en quelque sorte, dans une situation délicate. Comme on dit, elle n'était ni chair, ni poisson, ni une bonne viande rouge. Par moments, elle ne savait pas à quoi s'en tenir avec lui : était-elle servante, ou infirmière, ou confidente, en particulier, quand il lui parlait des enfants et de son fils, Harry, et même de sa belle-mère; il ne parlait néanmoins jamais de sa femme.

Elle dit froidement à présent :

— J'ai simplement voulu dire, Monsieur, que je ne souhaitais pas autre chose que de pouvoir travailler en paix, et... et que de cela naîtrait un peu de gaieté de temps à autre, mais quant aux choses excitantes et à la joie, eh bien... cela n'est pas donné à tout le monde, Monsieur.

Ses yeux retenaient les siens à présent, et il lui demanda :

— N'aimerais-tu pas que cela te soit donné, Trotter ?

Et elle osa répondre :

— Ce que l'on souhaiterait, et ce qui vous arrive sont deux choses différentes, Monsieur. Je... je n'ai pas encore beaucoup vu de choses excitantes ni de joie parmi les gens que je connais, sauf les jours de foire où il arrive à certains de se soûler. Ils ne paraissent pas faire grand-chose d'autre que de travailler et...

Elle tressaillit au geste qu'il fit. Il étendit le bras et manqua de renverser le pichet de jus de fruit posé sur une table à côté d'un verre. Elle ne l'empêcha de tomber que par un mouvement rapide et, après l'avoir stabilisé, elle fit quelques pas en arrière et le fixa, stupéfaite, car il s'écria d'un air presque féroce :

— Ce que tu as dans la tête, Trotter, toi et la plupart de ceux de ta classe, c'est que vous êtes les seuls à souffrir des affronts, les seuls que la joie ne touche pas, les seuls à n'avoir aucune chance de vivre des choses excitantes; toutes ces choses, vous obligez-vous à croire, sont des prérogatives de la classe dominante. Alors, ai-je raison ?

Elle le défiait, mais avec une toute petite voix :

— Eh bien, n'est-ce pas vrai, Monsieur ?

— Non, ce n'est pas vrai, Trotter; l'argent, les postes, les titres, rien de tout cela n'apporte le bonheur. Les choses excitantes, peut-être lorsqu'on a de quoi entretenir une propriété, ou assez d'argent pour chasser le gros gibier, cette espèce de choses excitantes, mais la joie, le véritable bonheur n'appartiennent pas plus aux riches qu'aux pauvres, on les a en soi. Oui, oui, évidemment, je sais ce que tu penses; on n'a pas faim lorsqu'on a de l'argent, on peut être malade dans le confort, comme je le suis. Mon argent et ma place dans la société me permettent d'avoir quelqu'un comme toi qui s'occupe de moi de la tête aux pieds — pieds ! tu ne me le fais pas dire — alors que si j'étais pauvre je ne pourrais pas bénéficier de ces privilèges. D'accord, d'accord, mais si j'étais pauvre, Trotter, je ne serais pas écrasé de responsabilités, je ne craindrais pas l'opinion publique, je ne serais pas obligé de me conformer à des modes de vie qui me hérissent, je ne serais pas contraint de maintenir un train de vie qui est au-delà de mes moyens, il n'y aurait pas mille et une choses qui m'irritent; et si j'étais pauvre, je n'aurais pas à rester là, Trotter, couché, à chercher les moyens de continuer à subsister à présent que la mine ne fonctionne plus.

Il détourna la tête et serra les lèvres et, d'une voix douce et contrite, elle lui dit :

— Je suis désolée, Monsieur. Je suis navrée de vous avoir fait de la peine.

— Tu ne m'as pas fait de peine, j'essaie simplement de t'expliquer quelque chose.

— Je... je sais, Monsieur, et je comprends.

— Tu comprends ?

— Oui, Monsieur, je ne trouve pas les paroles pour expliquer la manière dont je comprends, mais... je comprends.

Il poussa un grand soupir et se laissa aller dans les coussins, puis sourit tristement.

— Eh bien, s'il en est ainsi, nous progressons, mais, si je me souviens bien, au début de la conversation, tu parlais d'aller quelque part.

Elle lui rendit son sourire.

— Oui, Monsieur, chez M. Burgess.

— Eh bien, vas-y vite avant la tombée du jour. Profite bien de ta promenade et offre-lui mes respects. Dis-lui que sa conversation me manque, ainsi que ses morceaux de choix.

— Je vous le promets, Monsieur et je.. je ne serai pas longue.

— Prends ton temps, mais sois rentrée avant la nuit.

— Oh oui ! Monsieur, je serai là avant la nuit.

La porte se ferma sur elle et il serra fortement les yeux comme pour effacer l'image mentale qu'il se faisait d'elle, puis murmura pour lui-même : « Oh ! Trotter. Tilly Trotter. Tilly Trotter. »

M. Burgess fut enchanté de la voir.

— Qu'ai-je fait pour mériter une telle gentillesse ? Je ne serai jamais capable de manger tout cela.

Il indiquait le poulet froid, le pâté de viande, le pain, le fromage, le morceau de beurre, entre autres choses posées sur la table et elle lui répondit :

— Eh bien, si vous ne le mangez pas, vous ne parviendrez jamais à sortir de ce fauteuil. Et regardez-moi ce feu, il est mourant. Je croyais que vous m'aviez dit qu'un jeune garçon vous apportait du petit bois et du charbon ?

— C'est juste, il vient, mais je ne l'ai pas vu depuis deux jours, il ne doit pas être bien, lui-même, avec ces vents glacés. Savez-vous qu'il y avait du givre sur le carreau de la fenêtre ce matin et nous voici à la fin du mois d'avril ? J'aspire à l'été.

— Vous ne le verrez jamais si vous ne vous soignez pas.

Elle s'affairait dans la chambre et il sourit en lui disant :

— Vous feriez une merveilleuse mère, Trotter ; vous ressemblez tout à fait à une poule, quoiqu'un peu grande.

— Oh ! monsieur Burgess ! Je ne considère pas ça comme un compliment.

— Eh bien, vous devriez car le Maître trouve que vous êtes une merveilleuse mère poule.

— Monsieur Burgess ! Je ne me sens pas du tout mère poule.

— Non, ma chère, j'en suis certain ; vous ressemblez plus à un paon. Habillée pour la circonstance, vous l'emporteriez sur n'importe quel paon.

— Taratata ! Je crois que votre rhume vous est monté à la tête. Enfin, poules, paons ou le reste de la basse-cour, si vous ne vous forcez pas à manger, je demanderai au Maître l'autorisation de vous envoyer une des filles pour s'occuper de vous, et cela ne vous plaira pas, n'est-ce pas ?

Il s'ébroua dans le fauteuil et répondit :

— Non, Trotter, cela ne me plairait pas. Je ne supporte pas les gens s'agitant autour de moi et déplaçant mes... affaires.

En voyant que la pièce était encombrée de livres éparpillés de tous côtés, elle imaginait sa réaction si quelqu'un avait essayé de ranger; mais elle se faisait réellement du souci pour lui, et ainsi, pendant la demi-heure qui suivit, elle rentra du bois et du charbon, vida les seaux et remplit les brocs d'eau fraîche qu'elle alla chercher au puits. Une fois tout cela terminé, elle se lava les mains dans une bassine posée sur une petite table au bout de la pièce et tout en les séchant, elle regarda par la fenêtre :

— On dirait qu'il va pleuvoir, dit-elle, et le crépuscule approche. Il va falloir que je m'en aille, mais vous allez me promettre, n'est-ce pas, que vous mangerez tout ce qui est dans le garde-manger ? (Elle indiquait la vieille presse qu'elle avait dû débarrasser d'une pile de livres pour placer la nourriture.) Et si je ne peux pas venir demain, je serai là le jour d'après.

M. Burgess ne dit rien, mais il lui tendit la main et quand elle la lui prit, il dit calmement :

— Vous apportez le bonheur à tant de personnes, Trotter.

Son visage n'exprimait aucune douceur lorsqu'elle répondit :

— Et des ennuis également, semble-t-il, monsieur Burgess.

— Ne vous souciez pas des ennuis, ma chère; les gens attirent eux-mêmes leurs propres ennuis, et c'est en y pensant qu'ils créent leurs difficultés. Continuez à être comme vous êtes et un jour vous vous réaliserez. Oui, cela vous arrivera. J'ai souvent de fortes prémonitions et j'en ai toujours ressenti une à propos de vous; un jour, vous vous réaliserez.

Ses paroles, empreintes d'une telle sincérité, lui firent monter une boule dans la gorge. Elle se détourna de lui, enfila son manteau qu'elle boutonna jusqu'au cou, puis mit son chapeau, le vieux chapeau de paille qu'elle portait depuis des années. Enfin, elle ramassa le panier et dit :

— Maintenant, soignez-vous bien, n'est-ce pas ?

— Oui, ma chère, je vais me soigner. Remerciez le Maître de ma part et dites-lui que je serai bientôt revenu à mon poste.

— Il sera heureux de l'apprendre, vous lui manquez.

— Et il me manque. Oui, c'est vrai. Je le trouve très intéressant.

Ils se regardèrent fixement encore un moment; puis, ils se dirent au revoir et elle sortit.

La température avait encore baissé et le froid la prit à la gorge. Comme la nuit menaçait de tomber rapidement ce soir-là, elle hâta le pas.

Le cottage de M. Burgess était situé au bout d'un étroit chemin débouchant sur deux routes, une menant éventuellement à Shields et l'autre allant à Jarrow. La route de Shields était bordée d'un côté par un haut remblai menant à un terrain public. Plus loin, un bois s'étendait en haut de ce qui était presque un petit défilé. Après avoir traversé le bois, on arrivait à la propriété. Elle était venue de la maison par cette route et avait l'intention de la reprendre pour rentrer.

Au cœur du bois, il faisait sombre, même noir par endroits, mais ceci ne l'effrayait pas. Aucune obscurité ne l'effrayait plus, depuis qu'elle avait connu les ténèbres de la mine; maintenant, même la nuit paraissait claire.

Elle émergeait du bois et passait devant le dernier gros arbre avant les limites du défilé, lorsque, de derrière un arbre, surgit un homme lui barrant le chemin. A sa vue, son sang se figea et elle crut étouffer. Pendant une minute entière, ni l'un ni l'autre ne firent le moindre geste. Ils se regardèrent fixement et tandis qu'elle gardait les yeux rivés sur le visage de Hal McGrath, un hurlement la traversa mais ne parvint pas à s'échapper de sa gorge paralysée.

— Eh bien, alors, nous voilà, hein ?

Elle entrouvrit les lèvres. Elle fit un pas de côté et il en fit de même.

— Tu ne t'attendais pas à me voir aujourd'hui, hein, *Madame la Maîtresse* Trotter, car j'entends dire que tu es la maîtresse à présent dans la grande maison ? Tu t'es pas mal débrouillée, hein ?

Elle demeurait toujours muette.

— Tu étais libérée de tes soucis, hein, depuis que je m'étais éloigné ? Et il s'en est passé des choses, là-haut ! Ouais ! d'après ce que j'ai entendu dire, il s'en est passé. Tu sais ce qu'on dit au village ? On dit que c'est pas n'importe quelle fille qui aurait réussi ce que tu as réussi. Tu t'es débarrassée de toute la clique, et tu as placé ta propre équipe et maintenant que tu as du vent dans les voiles, tu peux te promener… Eh bien, tu n'as rien à me dire après tout ce temps ? Non, pas un mot ?

Il redressa un peu la tête, comme pour mieux l'observer, puis poursuivit :

— Tu as changé, tu t'es un peu épaissie. Tu en avais besoin, mais je ne sais pas si je vais préférer la femme à la jeune fille. Enfin, on verra bien, hein ?

A ce moment, ses mains se jetèrent sur elle comme les fils tendus d'une aussière de remorque. Il attrapa ses bras et elle retrouva enfin sa voix pour hurler.

— Lâche-moi, Hal McGrath. Ce n'est plus à une fille que tu as affaire à présent. Laisse-moi.

Incapable d'utiliser ses bras, elle se battait avec ses pieds; mais sa jupe entravait les coups et elle ne tira de lui que des rires. Puis, il la fit pivoter comme il l'aurait fait d'une baudruche et l'entraînant hors du bois obscur, il la poussa contre un tronc d'arbre et grommela en la maintenant prisonnière :

— C'est mieux comme ça. Je peux voir ce que je fais, ici, hein ? Je peux voir ce que je fais.

Comme elle utilisait de nouveau ses pieds, il pencha son corps de côté pour se mettre hors d'atteinte. Puis, abandonnant son comportement jovial et approchant son visage du sien, il siffla à travers ses dents serrées :

— Bon dieu tout-puissant ! j'ai rêvé de ceci nuit et jour, jour après jour. Même quand j'avais le ventre tordu de douleur, les bras quasiment arrachés, et des coups de bottes de marin aux fesses, j'ai toujours rêvé de cette minute, et maintenant qu'elle est arrivée, je vais prendre ma revanche et personne sur cette fichue terre ne va m'en empêcher. Tu m'entends, Tilly Trotter ? (Il la tira par les épaules, l'éloignant un peu du tronc et d'un coup sec lui cogna la tête contre le tronc. Puis, comme elle hoquetait et cherchait à crier, il poursuivit :) Ce n'est que le début, car je n'ai jamais connu une minute de chance ou de paix depuis que mes pensées se sont posées sur toi. Au début, je croyais que c'était à cause de l'argent, mais ce n'était pas tout, ce n'était qu'un élément.

Puis, à sa grande terreur, il lui agrippa la gorge d'une main et comme un collier d'acier la retint contre l'arbre, insensible aux mains de Tilly lui griffant le visage et à ses pieds lui frappant les mollets. De son autre main, il lui arracha son manteau d'un geste brusque, il en déchira le devant et les boutons volèrent comme des plombs; et maintenant, sa main était sur le corsage de sa robe imprimée et, lorsqu'il en eut déchiré l'étoffe, son poing se glissa à l'intérieur de sa chemise, l'arrachant à sa peau.

Au moment où ses doigts s'enfoncèrent dans son sein, le cri déchira tout son corps, mais ne trouva pas à s'échapper; puis, réunissant tout ce qui lui restait de forces, elle fit comme elle avait fait une fois auparavant et porta son genou à son aine avec toute la malignité dont elle était capable. Instantanément, il lâcha sa gorge et demeura devant elle, plié en deux, les mains crispées sur le bas de son ventre.

Terrifiée comme elle l'était, elle ne trouva pas immédiatement la force de courir et, haletant un instant, elle vit qu'il se tenait tout à fait en bordure du ravin. Elle comprit également que dans quelques secondes il allait retrouver ses esprits et alors, Dieu lui vienne en aide, car si elle se mettait à courir, il l'attraperait. Elle ne sut jamais d'où lui était venue l'énergie de poser les mains sur lui. Elle courut vers lui et son élan faillit l'entraîner par-dessus bord, tandis qu'elle le précipitait en arrière, les bras grands ouverts, la bouche crachant des jurons. A l'instant où elle se retournait pour courir, elle l'entendit crier. C'était un cri aigu et faible qui paraissait à peine venir de sa gorge. Elle demeura immobile, se tourna une nouvelle fois et regarda vers le bas. Son corps avait pris une posture bizarre. Il gisait sur le dos; il était tombé sur un rocher affleurant et son torse paraissait bombé. Pendant un instant, elle le vit dans une position semblable à celle dans laquelle s'était trouvé le Maître. Comme il ne faisait aucun mouvement, elle plaqua sa main sur sa bouche et geignit : « Oh non ! Mon dieu, pas cela ! »

Une minute plus tard, tenant ses vêtements déchirés autour d'elle, elle dégringola à pic dans le ravin; puis, elle s'approcha lentement de lui, à pas prudents pour le cas où il se serait agi d'un artifice, et s'arrêta à un mètre de lui. Ses yeux étaient fermés. Ils s'ouvrirent enfin et il gémit. Lorsqu'elle vit qu'il tentait de bouger, elle se détourna rapidement, mais sa voix l'immobilisa. Il grommelait :

— Mon dos. Je suis coincé. Donne-moi la main.

Comme elle secouait la tête, il ferma de nouveau les yeux; et à présent ses paroles venaient plus lentement et comportaient ce qu'elle prit peut-être pour de la panique :

— Alors, va chercher quelqu'un. Ne me laisse pas ici, espèce de putain, à la nuit tombante. Tu entends, tu entends ?

Elle sentait son regard sur elle pendant qu'elle grimpait en haut du ravin. Une fois en haut, elle se mit à courir.

Il faisait presque noir lorsqu'elle atteignit la maison. Elle n'avait rencontré personne.

Elle entra par la porte de la distillerie et parvint au couloir, puis s'arrêta. Elle entendait le son étouffé des rires venant du hall des serviteurs. C'était à peu près le moment de la journée où ils faisaient une pause pour boire un peu de bière ou de thé et manger un morceau.

Sur la pointe des pieds, à présent, elle monta en trébuchant l'escalier de service et, comme une intruse, se glissa par la porte capitonnée et traversa la galerie. Et, comme elle passait devant la porte de la chambre de Mark pour aller à la sienne, il lui cria d'une voix forte :

— Qui est là ? C'est toi, Trotter ? (Puis, plus fort :) Trotter !

Elle s'appuya alors contre le mur à côté de la porte et, comme sa voix répétait, insistante : « Qui est là ? » elle sut qu'elle ne pouvait faire autrement que de se présenter à lui, sinon, il sonnerait certainement. Lorsqu'elle ouvrit la porte et entra lentement dans la chambre, il se hissa dans son fauteuil et s'écria :

— Dieu du Ciel ! Que... que t'est-il arrivé ?

— Hal McGrath. Il m'attendait à l'orée du bois.

— Mon dieu ! Regarde-toi. Qu'a-t-il fait ? Viens... Viens ici. Assieds-toi. Assieds-toi !

Il tendit la main et lui saisit le poignet en murmurant :

— Que s'est-il passé ? Cela ne fait rien. D'abord, va te chercher un bon verre de cognac. Vas-y, ma fille ! Cela fera cesser ces tremblements.

Dans le cabinet de toilette, quelques instants après, elle se servit une petite dose de cognac, en prit une petite lampée, s'étrangla et se mit à tousser; il lui fallut un certain temps avant de pouvoir se maîtriser et d'être en état de retourner dans la chambre.

Sa voix exprimait l'impatience, à présent.

— Bon, alors ! Viens me dire.

Et elle lui raconta toute son aventure, et elle conclut :

— Il s'est... blessé le dos, il... il ne peut pas bouger. Il faut prévenir quelqu'un...

Mark l'interrompit alors avec énergie :

— Il faut prévenir quelqu'un ? Un peu de bon sens, ma fille. La meilleure chose qui puisse arriver, c'est qu'il reste là et espérons que la nuit l'achèvera, car cet homme est un danger pour toi. Va, à présent, change-toi. Et écoute-moi. Ne parle de ceci à personne, à âme qui vive. Tu m'entends ? T'a-t-on vue rentrer dans cet état ?

— Non, Monsieur.

— Bon. Maintenant, va dans le cabinet de toilette et arrange-toi, autant que possible, car si quelqu'un du personnel te voit dans cet état il sera capable de m'en accuser. De plus, ne passe jamais sur la pointe des pieds devant ma porte, mon oreille a appris à reconnaître ton pas, même sur le tapis.

Sa voix avait pris un ton léger, certainement pour l'égayer, mais elle ne parvenait pas à forcer son sourire.

Après s'être lavée, elle enfila le tablier qu'elle gardait pour protéger son uniforme lorsqu'elle nettoyait le cabinet de toilette. Elle prit cette précaution pour le cas où elle aurait rencontré quelqu'un en parcourant la courte distance entre sa chambre et la sienne. Et, à nouveau, elle eut de la chance. Alors, comme personne d'autre que le Maître ne savait ce qui lui était arrivé, pourquoi se soucierait-elle à présent du fait que Hal McGrath risquait de mourir là-bas. Elle souhaitait sa mort, n'est-ce pas ? Oui, oh oui ! Mais elle ne voulait pas l'avoir sur la conscience. Si seulement elle pouvait en parler à quelqu'un. Qui ? Biddy ? Mais le Maître l'avait avertie de se taire... Cependant, mon dieu, elle ne savait pas quoi faire.

La réponse se présenta lorsque Katie frappa à la porte et entra en silence dans sa chambre :

— Tilly, ce garçon est revenu, Steve. Il veut te parler. Il est venu juste après ton départ. Comment vas-tu ? Tu as l'air pâlotte.

— J'ai...j'ai un peu mal au foie.

— Eh bien, cela doit être à cause du canard, car j'avais un peu mal à l'estomac après le déjeuner. Il faut s'y habituer un peu, à l'alimentation riche, après avoir mangé de la carne pendant des années. Vas-tu descendre ?

— Dis-lui que j'arrive dans une minute.

— Oui, bon, très bien, Tilly.

Elle descendit quelques minutes plus tard, mais pas sur la pointe des pieds. Dans la cuisine. Elle regarda autour d'elle et Biddy indiquant la cour de la tête lui dit :

— Il n'a pas voulu entrer, il a simplement demandé à te dire un mot.

Elles s'interrogèrent du regard, puis Tilly sortit.

La cour était éclairée par une lanterne à bougie suspendue à une potence et sa lueur paraissait avoir ôté toute couleur au maigre visage de Steve qui entama directement sans son habituel : « Salut, Tilly. »

— Il est revenu, Hal, dit-il. Il est arrivé hier soir. Il était là ce matin quand je suis revenu de mon poste. J'ai cru mourir. Il savait que je viendrais te prévenir et il m'a menacé. Ma mère m'a enfermé dans la maison toute la matinée. Elle a enlevé l'échelle du grenier pour que je ne puisse pas descendre et lorsqu'elle m'a enfin libéré, il était parti depuis des heures. Je... je suis venu aussi vite que possible, Tilly, je...

Elle posa sa main sur son bras.

— Je sais, Steve. Je... je l'ai rencontré.

— Tu quoi ! Et tu es encore en vie ! Hé, Tilly ! qu'est-ce qu'il t'a dit ? Comment est-ce que tu t'es... ?

Elle l'attira loin de la lueur de la lanterne et dans l'obscurité du haut mur délimitant les jardins, et chuchotant à voix basse, à présent, elle lui raconta brièvement ce qui s'était produit. Quand elle eut terminé, il fut incapable de parler pendant quelque temps; il demanda enfin :

— Tu penses que son dos est fichu ?

— Eh bien, il ne pouvait pas bouger, Steve. Et... et il pourrait mourir, et je ne veux pas de ça sur la conscience.

— Tu es folle, Tilly, folle. Tu ne sais pas ce que tu dis. Je vais te dire la vérité, c'est ou toi ou lui. Il n'est pas bien dans sa tête, pas en ce qui te concerne; il ne le sera jamais tant qu'il respirera. D'une manière ou d'une autre, il t'aura. Même s'il parvenait un jour à t'épouser, il te ferait du mal, malgré tout; il te battrait à plates coutures. Tu l'as rendu fou, en quelque sorte. Je ne comprends pas pourquoi, je sais seulement que tu t'es mise entre lui et son bon sens, alors la meilleure chose à faire... c'est de le laisser là-bas.

— Non, non, Steve. Ni toi ni moi, nous ne pourrions supporter de le laisser mourir là-bas. Je souhaite sa mort, mais... pas de cette façon-là, pas sans qu'on ait fait quelque chose, alors, va voir s'il a réussi à se lever. Sinon, eh bien, tu sais ce qu'il convient de faire, va le dire à ton père et ils iront le chercher.

Comme il secouait lentement la tête, elle ajouta :

— Je t'en prie, Steve, je t'en prie, fais-le pour moi.

— Je ne le ferai pas pour toi, Tilly, tu ne comprends pas — c'est comme signer ton arrêt de mort et le mien, car il m'estropiera complètement un de ces jours. Il ne retourne pas en mer et il te poursuivra, tu n'auras pas un moment de répit. Ah ! sapristi ! Pourquoi a-t-il fallu qu'il naisse ? Rentre, tu trembles de froid. Je vais me débrouiller. Allez, rentre.

— Tu vas y aller ? Promets-moi d'y aller, Steve.

— Ouais, d'accord, je vais y aller.

— Merci, Steve, Merci.

Il ne répondit pas et elle regarda sa sombre silhouette disparaître dans la nuit.

CHAPITRE III

Le lendemain après-midi, la nouvelle atteignit le Manoir : c'est Sam qui l'annonça. Il avait été à Shields chez le marchand de grains. Toutes les nouvelles des villages des environs passaient par chez le marchand de grains puis, comme des fétus de paille soufflés par le vent, se répandaient dans les environs. Evidemment, cela n'avait rien de si extraordinaire de trouver un homme mort dans un ravin, pas à Shields, en tout cas; on trouvait toujours des marins dans des impasses, assommés et totalement nus. Le front de mer sécrétait ses propres événements en matière de meurtres. Mais ce type-là avait mis pied à terre d'un navire sur la Tyne l'avant-veille, et on l'avait trouvé tôt ce matin-là, étendu dans un ravin, un couteau entre les côtes. L'opinion générale considérait que le pauvre bougre aurait mieux fait de rester en mer. Mais c'était la vie.

S'était-il battu ? Personne n'en savait rien, à part le fait qu'il était couché sur le ventre. Il semblait être tombé du haut d'un remblai et sur son propre couteau, car ses initiales, disait-on, étaient marquées sur le manche.

Mais pourquoi aurait-il sorti son couteau s'il ne se battait pas ? Eh bien, d'après ce que l'on avait pu voir, il ne portait aucun signe de bagarre, des yeux au beurre noir ou des ecchymoses, rien de tout cela, simplement quelques griffures sur son visage où les ronces l'avaient apparemment marqué.

Sam fit son récit à Katie et celle-ci le transmit à sa mère, et Biddy la considéra, les yeux fixes et la bouche ouverte, si bien que Katie lui demanda :

— Qu'y a-t-il, maman, tu es malade ?

Biddy répondit :

— Non, ça m'a simplement quelque peu surprise, c'est tout, car c'était le gars qui tourmentait Tilly, et qu'il meure ainsi, et près de la propriété, et tout.

— Ouais, c'était lui, et elle au moins sera heureuse d'apprendre la nouvelle. Je vais lui dire.

Elle rencontra Tilly dans le couloir, tout près de la chambre du Maître.

Le regard fixé sur Katie, Tilly ouvrit deux fois la bouche avant de pouvoir articuler :

— Mort ? Il est mort ?

— Ouais; comme je te le dis. Il est tombé sur son couteau, d'après ce que dit Sam ! Mort et bien mort, alors il ne viendra plus t'embêter. Qu'est-ce qu'il y a ? Hé ! tu ne vas pas t'évanouir, hein ? Cela arrive parfois de s'évanouir de soulagement, c'est comme un choc.

— Je... je dois aller m'occuper... du Maître.

— Ouais, ouais, Tilly, mais j'ai pensé que tu aimerais le savoir.

— Oui, merci. Merci, Katie.

Tilly la quitta et entra dans la chambre où l'attendait Mark. Ses yeux se plissèrent et il la regarda en demandant vivement :

— Alors, qu'y a-t-il ? Tu... tu as eu des nouvelles ?

Elle s'approcha de lui et se tordant les mains, elle bredouilla :

— Ils... ils l'ont trouvé, mais croyez-moi, vraiment, Monsieur, pas comme je l'ai laissé. Lorsque je l'ai quitté, il était étendu sur le dos sur le rocher. On a raconté qu'il était sur le ventre avec... avec un couteau entre les côtes.

— Un couteau ?

— Ouais, oui, Monsieur.

— Un couteau. Quelqu'un a dû y aller après toi, quelqu'un qui le détestait encore plus que toi.

— Oui, Monsieur.

— As-tu une idée de qui ce pourrait être ?

Elle baissa les yeux.

— Son... son frère, il est venu hier soir. Je lui ai demandé d'aller le trouver car... car je ne pouvais pas avoir sa mort sur la conscience et... et je pensais qu'il risquait de mourir dans la nuit. Il... Steve... m'a promis d'y aller et... et...

— Eh bien, il semblerait de toute évidence qu'il y est allé, en effet, et je peux dire qu'il t'a rendu un fier service.

— Mais, si on devait le découvrir, il... il se balancerait.

— Très probablement mais nous verrons ce qui en sortira. Et, Trotter, tu en es débarrassée. Cela fait une angoisse de moins dans ta vie. Et c'était bien ta hantise principale, n'est-ce pas ?

— Oui, Monsieur. Mais, à présent, j'ai peur pour Steve.

— Eh bien, pourquoi devrait-on le soupçonner ? Personne d'autre que toi et moi ne sommes au courant de cette histoire, alors qui va accuser le frère de l'avoir tué ? Allons, viens. Tu ne peux être impliquée d'aucune façon.

— Je... je n'en suis pas si certaine, Monsieur. Steve m'a dit que Hal avait menacé de le rosser s'il venait me prévenir. Et, de plus, la mère avait enfermé Steve au grenier et quand Hal McGrath est sorti, ils savaient bien qu'il partait à ma recherche.

— Eh bien, laisse-les dire ce qu'ils voudront; tu ne m'as jamais quitté depuis une semaine, et je suis prêt à le jurer sur toutes les Bibles de la chrétienté. Oublie que tu as rendu visite à M. Burgess, oublie que tu m'as laissé pendant un moment. Tes amis en bas l'oublieront également si nous en venons à un moment difficile.

Sa voix s'évanouit et ses yeux étaient rivés sur les siens. D'une voix fêlée, elle dit :

— Je mourrais s'il arrivait du mal à Steve par ma faute !

La prise de Mark sur ses doigts se resserra et du fond de sa gorge, il lui répondit :

— Et moi, je mourrais, Tilly Trotter, s'il t'arrivait du mal.

Comme ils se regardaient, son cerveau se mit à tournoyer. « *Oh non ! Non ! Non ! Pas cette porte-là !* » Elle ne voulait pas que la porte s'ouvre ainsi. Et cependant, n'avait-elle pas compris depuis déjà longtemps que peu à peu elle s'entrouvrait ?

Personne ne vint au Manoir pour enquêter auprès de Mlle Mathilda Trotter et la questionner sur ses allées et venues un certain jour, car on découvrit lors de l'enquête que l'homme, après avoir quitté son navire, avait passé le plus clair de sa soirée dans une taverne sur le front de mer et en était sorti à une heure très tardive. Ses parents durent admettre qu'il était arrivé chez lui aux petites heures du matin et oui, qu'il avait bu. Mais, malgré leur insistance sur le fait qu'il avait longuement dormi avant de sortir le lendemain, le juge d'instruction n'en fit que peu de cas. Il remarqua néanmoins qu'il n'y avait aucun indice d'une lutte. Le dos de l'homme portait des contusions, mais aux endroits où il avait dû se heurter sur les rochers avant de rouler sur le ventre et sur son couteau. Pourquoi il tenait un couteau à la main allait demeurer un mystère; mais le couteau était le sien, et ses parents l'avaient confirmé. On rendit un verdict de mort accidentelle.

Le jour de l'enquête judiciaire, tout le village attendit. Que feraient les McGrath ? Ils n'allaient pas accepter ceci sans coup férir, n'est-ce pas ? Le Grand McGrath irait-il au Manoir pour en sortir cette fille Trotter ? Car si elle ne l'avait pas réellement tué, elle avait certainement jeté un sort sur Hal. Et cette dernière nuit de sa vie, il avait traversé le village en hurlant son nom. Le village entier l'avait entendu.

Mais le Grand McGrath ne fit rien, car sa femme lui avait dit : « Non ! assez » ; s'il ouvrait la bouche contre la fille, à présent, il risquait de perdre un autre fils.

McGrath était resté bouche bée de stupéfaction comme si sa femme avait perdu la tête lorsqu'elle lui avait dit simplement :

— Stevie l'a fait. En tout cas, Hal se serait balancé de toutes les manières avec ce qu'il avait l'intention de faire à cette maudite putain.

— Je ne le crois pas, avait répondu le Grand McGrath, pas Stevie ; il n'aurait jamais eu le culot.

— Il a eu le culot, bien qu'il ait failli rendre ses tripes dans le ravin au milieu de la nuit — c'est là que je l'ai trouvé.

— Mais pourquoi... pourquoi son frère ?

Il parlait à présent comme s'il avait ignoré l'animosité entre ses fils.

— Deux raisons, répondit sa femme. D'abord, Hal n'a jamais cessé de le tabasser depuis qu'il était enfant. Ensuite, il est pris comme Hal lui-même aux rets de cette sorcière. Et je dirais que ça, c'est la raison principale.

— Oh ! mon dieu ! et nous devons rester là, à ne rien faire ?

— Ouais. Mais Dieu et le diable ont l'habitude de régler leurs comptes. Attends ton heure et ajoute tes prières à toutes celles de ceux qui ont souffert à cause d'elle et son tour viendra. Son tour viendra, tu verras. Que Dieu le hâte et m'accorde de le voir.

CHAPITRE IV

L'été arriva et avec lui les enfants, pendant une semaine entière. La maison résonna de leurs rires. La grande distraction, à cette époque, était de faire la course avec le Maître le long de la grande allée dans sa nouvelle acquisition, une chaise roulante métallique. La seule ombre au tableau de cette semaine-là, pour Mark et surtout pour Tilly, fut la présence de Mme Forefoot-Meadows, accompagnée cette fois de sa femme de chambre, Mlle Phillips, qui aurait pu être la jumelle de Mlle Mabel Price.

Après leur départ, la maison retomba dans ses habitudes et le Maître devint morose et apparemment plus exigeant au fil des jours. Il y avait des moments où rien ne lui plaisait. Cela se produisait généralement après un insuccès à adapter sa jambe de bois et son pied artificiel à la cheville droite. Cependant, il réussissait mieux avec la jambe qui prenait au genou qu'avec le pied attaché à sa cheville; les os y étaient si sensibles que la plus légère pression lui faisait monter les larmes aux yeux et l'amenait à enfoncer ses ongles dans le bras qui le tenait à ce moment particulier, qui, la plupart du temps, était celui de Tilly.

Il s'en excusait toujours; et une fois il déboutonna le poignet de sa manche, la remonta et regarda la marque de ses ongles. Pendant un moment, elle pensa qu'il allait y poser ses lèvres, et elle retira son bras en disant :

— Ce n'est rien, Monsieur. Ce n'est rien.

Sa vie était délivrée de toute peur, à présent. Le village aurait pu être une autre planète. Il y avait tellement longtemps qu'elle ne l'avait traversé, qu'elle avait oublié à quoi il ressemblait. Et ceux qui l'entouraient ne lui portaient aucun ressentiment, au contraire. On la respectait et on réalisait ses souhaits à tous points de vue. Cependant, elle n'était pas heureuse, car au fond d'elle-même, elle savait que tôt ou tard une certaine question allait lui être posée, et si elle refusait, alors quoi ? En revanche, si elle disait « Oui »... Mais elle ne pouvait pas dire « Oui ». Elle était incapable de se donner à quelqu'un qu'elle n'aimait pas. Elle éprouvait cependant un sentiment à son égard, un sentiment très profond, mais différent de celui qu'elle avait éprouvé pour Simon.

Elle se demandait parfois pourquoi, puisque sa vie actuelle ne pouvait mener à rien, il lui était impossible d'imaginer pour elle-même une autre existence. Elle ne se faisait aucune illusion sur le sort des servantes qui se donnaient à leur maître. Oh oui ! elle savait très bien à quoi cela menait. Cependant, la chose était étrange, car elle n'avait plus du tout le sentiment d'être servante. Mais, enfin, ce n'était pas tellement étrange, se disait-elle, car ce n'était pas n'importe quelle servante qui pouvait discuter de livres. Et, de plus, il n'était pas un maître ordinaire. Par moments, elle avait l'impression de le connaître mieux que n'importe quelle femme ne connaîtrait jamais son mari, certainement mieux que sa propre femme ne le connaissait, car elle savait qu'elle avait passé plus de temps avec lui en un mois que son épouse pendant toutes ces années, en tout cas pendant les années après qu'elle se fut alitée. Alors qu'allait-il advenir ? Elle n'en savait rien. Puis, une nuit, elle eut l'occasion de le découvrir.

On était en 1840, à l'avant-veille de Noël. La maison était chaleureuse et remplie de gaieté, malgré l'absence des enfants. Des bouquets de houx pendaient ici et là. Une branche de gui était accrochée dans le hall où un immense feu ronflait dans la grille en fer du grand foyer. Le salon étincelait de lumière. On avait allumé toutes les lampes de la maison car le Maître recevait des invités. M. John Tolman, M. Stanley Fieldman et M. Albert Cragg et leurs épouses venaient dîner.

Mark était vêtu d'une veste neuve de velours bleu et d'une chemise et d'un foulard de soie crème. M. Burgess lui avait coupé les cheveux juste au-dessus du col. Quelques minutes avant d'être prêt pour que Fred Leyburn et John Hillman le descendent, il demanda à Tilly :

— Eh bien ! comment suis-je ! La chenille qui émerge de la chrysalide. Mais une éclosion très tardive, et par conséquent un très vieux papillon.

Elle sourit chaleureusement.

— Vous êtes très élégant, Monsieur.

— Merci, Trotter. Et toi, tu es très... charmante. Le gris te sied, mais... mais enlève ce tablier.

Elle baissa les yeux sur le délicat petit tablier en linon qu'elle avait mis des heures à broder :

— Il ne vous plaît pas, Monsieur ?

— Il est très bien à sa place, mais pas ce soir. Tu agis en tant que gouvernante, n'est-ce pas ?

— Oui, Monsieur.

— Sais-tu ce que l'on attend de toi ?

— Oui, Monsieur. Je dois conduire les dames dans... la chambre de Madame, puis les aider à enlever leurs manteaux et... et attendre dans le cabinet de toilette pour le cas où elles m'appelleraient. Et je dois être à leur disposition au cours de la soirée, pour le cas... où elles auraient besoin de monter.

— Tu as bien appris ta leçon. Qui t'a parlé de ce protocole ? Je voulais simplement que tu les aides à enlever leurs manteaux lorsqu'elles monteront...

— Il me semble que c'est ainsi que faisait Mme Lucas, Monsieur.

— Bon, je vois. Enfin, je te laisse cette partie de la soirée. Maintenant, dis à Leyburn que je suis prêt...

Dix minutes plus tard, il était installé dans son fauteuil roulant dans le salon. Le maître d'hôtel entra pour s'occuper du feu.

— Tout est-il en ordre, Pike ?

— Oui, Monsieur. Je pense que la table est mise comme vous le souhaitez et la cuisinière a suivi vos instructions en ce qui concerne le plat principal. La dinde est une belle bête, Monsieur, et la langue braisée est à point.

— Bien. Bien.

— Mlle Trotter a établi un menu que la cuisinière doit suivre pour le reste du repas : potage pour commencer, Monsieur, puis de la morue avec une sauce aux huîtres, suivie de côtelettes de porc à la sauce tomate; puis, comme je vous le disais, Monsieur, la dinde et la langue. Tout ceci sera suivi d'une tarte au fromage blanc parfumé au citron et de pudding de nesselrobe et, bien entendu, de fromages; nous avons un très bon Stilton, bien à cœur, Monsieur.

— Cela me paraît parfait, Pike, excellent.

Mark avait tourné son fauteuil vers le feu, il ne devait pas laisser le vieil homme voir son amusement. A présent qu'il savait que Trotter était en faveur, Pike ne manquait jamais une occasion de chanter ses louanges, bien que discrètement. Cela faisait déjà longtemps que, de son propre chef, il avait ajouté « Mademoiselle » à Trotter. C'était ce qu'un jour Trotter avait appelé ramper; cependant, il lui arrivait de plaindre le vieil homme, car il avait visiblement vieilli depuis le renvoi de l'ancien personnel, alors qu'il avait choisi de rester, et ses jambes paraissaient à peine capables de le porter. Mark ne savait pas ce qui lui arriverait s'il le mettait maintenant à la retraite, car il n'avait jamais eu d'autre toit que cette maison depuis sa jeunesse. Oh ! pourquoi se soucier de telles questions en ce moment ? Ce soir, il recevait des amis pour la première fois depuis plus de deux ans, et il y aurait des femmes à sa table.

Curieux, maintenant qu'il y repensait, mais l'idée de cette réunion n'était pas venue de lui; c'était Cragg, à sa dernière visite, qui avait suggéré : « N'est-il pas temps que vous receviez des amis ? » et il avait sauté avec joie sur l'occasion.

En entendant les voitures approcher de la maison, il amena son fauteuil dans le hall, pour y accueillir ses invités.

— Enchanté de vous voir, ravi de vous retrouver. Bonjour, Joan. Bonjour, ma chère Olive. Ah ! Bernice, cela fait si longtemps que nous ne nous sommes vus.

— C'est merveilleux de vous voir.

— Vous avez l'air si bien, Mark.

— Mon cher Mark, quelle joie d'être ici de nouveau.

— Voulez-vous venir par ici, Madame ?

Après un moment, les dames se retournèrent et suivirent la grande silhouette mince vêtue de gris. Leurs jupes de soie rendant le son de vagues venant mourir sur la grève, elles montèrent majestueusement l'escalier, traversèrent la galerie et atteignirent le large couloir où Tilly, après avoir ouvert la porte de ce qui avait été le petit salon d'Eileen, s'effaça pour les laisser entrer.

La pièce baignait dans une douce lumière venant de deux lampes à pétrole aux abat-jour roses et d'une belle flambée, et mettant en valeur les broderies d'or de la chaise longue et la tapisserie de velours d'un rose profond de la bergère Louis XVI. Les candélabres posés à chaque bout de la longue table de toilette ajoutaient leurs feux et, entre eux, étaient disposées les boîtes à poudre et les eaux de toilette.

L'une après l'autre, elle aida les dames à enlever leur manteau et elle accrocha dans la garde-robe les vêtements de velours et de fourrure, consciente tout le temps que les femmes l'observaient, l'une d'elles dans la grande psyché, une autre de l'endroit où elle était assise devant la table de maquillage, et la troisième, une dame très imposante, la dévisageant sans le moindre prétexte.

Tilly humecta ses lèvres, avala sa salive, puis s'adressa à elles.

— Si ces dames ont besoin de moi, je serai dans la chambre voisine.

Avait-elle dit ce qu'il ne fallait pas dire, car, à présent, elles la regardaient toutes en face ? Puis elle se rendit coupable d'une faute impardonnable, elle oublia sa place au point de ne pas plier le genou. Récemment, elle en avait perdu l'habitude et, lorsqu'elle s'en souvint, il était trop tard, elle avait déjà passé la porte du boudoir.

Elle ferma la porte derrière elle, et lâcha un profond soupir, puis serra fortement les paupières, et comme elle se tenait ainsi les voix assourdies lui parvinrent, des mots inintelligibles d'abord, puis des bribes par-ci, par-là.

— Je vous avais prévenue, n'est-ce pas ?

— C'était évident, m'a dit Albert.

— Absurde !

— Vous aviez raison, Bernice.

— Pas après Myton; il ne s'abaisserait pas à cela. Qu'il fasse son éducation ? C'est ridicule !

— Stanley dit qu'il est impossible d'instruire la paysannerie.

— Histoires bizarres.

— Tout à fait étrange... aucune silhouette.

L'une d'elles rit, un rire aigu; puis une voix reprit:

— Eh bien, vers quoi allons-nous ?

Et une autre répondit d'un ton très ordinaire :

— Oui, je me le demande bien ! Descendons.

— Ma fille !

Elle attendit un instant, puis se retourna et ouvrit la porte. Les trois femmes se tenaient proches les unes des autres, c'est-à-dire aussi proches que le permettaient leurs jupes gonflées et ce fut la grosse qui, d'un geste paresseux, indiqua la porte de la main. Répondant à cet ordre silencieux, Tilly l'ouvrit et s'effaça, et elles passèrent toutes majestueusement devant elle, laissant dans leur sillage un délicieux parfum.

Après avoir refermé cette porte, elle s'y adossa.

Et à présent, elle se demanda pourquoi montait en elle une telle colère; était-ce parce qu'elles avaient parlé d'elle ? Cependant, en essayant de se souvenir des bribes de phrases, elle se rendit compte qu'elle en était incapable. Mais l'impression demeurait, forte et gênante; elles parlaient bien d'elle et elle se douta que si elle n'était pas la raison principale, elle était bien une des raisons pour lesquelles elles étaient là ce soir.

« Ah ! ne sois pas idiote ! » Elle s'arracha à la porte et fut sur le point de s'asseoir dans un fauteuil, mais elle s'en empêcha en pensant : « Non, ce ne serait pas convenable, pas dans cette chambre »; elle s'enfuit donc dans la chambre du Maître et, là, s'assit et se mit à s'interroger. Comment se faisait-il que l'on ait une aversion instinctive pour certaines personnes. Ces trois-là, par exemple, elle sentait qu'elle les détestait. C'était à cause de la manière dont elles l'avaient toisée, comme si elle ne comptait pas plus qu'un animal. Encore moins, car les gens de la « société » étaient réputés pour le soin qu'ils prenaient de leurs chevaux et de leurs chiens. Biddy disait l'autre jour qu'il y avait la bonne société et la mauvaise. Dans certaines de leurs maisons, on avait de la chance, dans d'autres, on vous traitait comme de la crotte. Biddy disait de drôles de choses. Ce qui lui rappela qu'elle ferait mieux de descendre.

Quelques minutes plus tard, elle était dans la cuisine.

Ici régnaient l'affairement et l'excitation : M. Pike et Phyllis servaient dans la salle à manger, mais Peg et Katie les secondaient, et pour faire les allées et venues vers la cuisine, il y avait Ada Tennant et la jeune Fanny, pendant que Biddy surveillait tout le monde.

— Comment cela se passe-t-il ? demanda-t-elle à Biddy.

— Très bien, par ici, ma fille. Tout était cuit à point. Mais, mon dieu ! ce pudding m'inquiète. J'espère seulement qu'il aura aussi bon goût que tout ce qui a servi à le faire. La tarte au citron est parfaite et le reste, mais oh ! (elle jeta un regard à Tilly) ceci est plus dans mes cordes, dit-elle en continuant à empiler les petites saucisses autour de la base de l'oiseau.

Finalement, elle versa une sauce glacée sur la dinde et recula pour la regarder en penchant la tête de côté :

— Nous lui ferions bien un sort nous-mêmes, hein, Tilly ? dit-elle. Va, Peg, à présent; mets le couvercle et emporte le plat. Attention ! Ne renverse pas la sauce. Et toi, Katie, emporte les légumes.

Elle traversa alors la cuisine et sortit du four rond les légumiers en argent, en disant :

— Ils ne sont pas tellement chauds, tu peux les tenir. Voilà.

— Une fois le plat principal servi, j'ai toujours l'impression que ça va être facile, ensuite.

— Vous serez contente de vous asseoir.

— Ouais, c'est certain. Cela fait une longue journée, mais une journée importante. Tu vois, je n'ai encore jamais cuisiné un dîner comme celui-ci pour la haute société, pour une réception. C'est autre chose que d'envoyer des petits plats au premier. Il fallait que tout soit parfait, ce soir, n'est-ce pas ?

— Et vous avez très bien réussi. J'en étais sûre.

— Tu as l'air fatigué, ma fille. Y a-t-il quelque chose qui ne va pas ?

— Non, rien.

— Comment sont-elles, les dames ?

Tilly eut soudain envie de répondre : « Des catins ! » mais, au lieu de cela, elle dit :

— Si elles n'avaient pas de beaux vêtements, elles ressembleraient à des femmes ordinaires.

Biddy releva la tête et rit, puis regarda Tilly en biais :

— Tu t'instruis, ma fille, lui dit-elle. Oui, tu apprends. Cela me rappelle ce que me disait mon grand-père, comme le racontait ma mère, lorsqu'elle revenait de sa place au château et parlait des dames et des gentilshommes là-bas. Il disait : « Ouais, ouais, ma fille; mais souviens-toi simplement qu'ils doivent utiliser les toilettes comme toi et moi. »

— Comme vous avez raison.

Au bout d'un certain temps, Biddy lui demanda :

— Où est ton tablier, je pensais que tu allais le porter, celui que tu as fait ?

— Il ne plaisait pas au Maître; il... il m'a dit de l'enlever.

— Pourquoi ?

— Je ne sais pas. Je suppose qu'il ne lui plaisait simplement pas.

Biddy tourna la tête et étendit le bras pour soulever doucement le superbe pudding glacé reposant dans un plat peu profond en cristal taillé, à la base entourée de fleurs de cristal de couleur, et elle secoua lentement la tête mais ne fit pas d'autre commentaire, et Tilly, devinant ses pensées, s'éloigna...

Le dîner dura environ une heure et demie. Des bribes de rires et de conversation atteignirent le hall, mais plus tard, après que la compagnie se fut retirée dans le salon, les rires et la conversation devinrent plus forts, l'odeur des cigares remplit la maison et l'ambiance parut plus gaie. Certainement, en tout cas, dans le hall des serviteurs où ceux-ci attaquaient tous les restes du festin.

Tilly s'était fait monter un plateau afin d'être disponible si les dames avaient besoin d'elle. Elle avait oublié de leur montrer le chemin des toilettes, mais aucune d'elles n'avait paru les chercher. Il était onze heures, elle était levée depuis six heures du matin et à présent, que ce soit bien ou mal, elle était assise dans le fauteuil, la tête tombante, lorsqu'elle entendit le bavardage sur le palier.

Elle était debout lorsque la porte s'ouvrit et les trois femmes entrèrent dans la chambre. Passant devant elle comme si elle n'existait pas, elles se laissèrent tomber dans les fauteuils çà et là. Puis l'une d'elles dit en riant :

— J'ai besoin d'aller aux toilettes.

— Moi, aussi, dit une autre, mais je vais devoir attendre d'être rentrée et d'avoir enlevé mon corset.

— Pensez-vous pouvoir attendre, Bernice ?

— Eh bien, si je n'y arrive pas... alors j'exploserai ?

Debout, au bout de la pièce, près de la porte menant au cabinet de toilette, Tilly n'en croyait pas ses oreilles. Elles étaient grossières, ces femmes et, cependant, c'étaient des dames.

En fait, deux d'entre elles avaient pour pères des hommes titrés. Elles s'étaient comportées en grandes dames quelques heures et, à présent, gavées de vin et de mets, elles ne parlaient pas mieux que ceux qu'elles employaient; en fait, certaines personnes, même ordinaires, n'évoquaient pas de tels sujets.

— Mon manteau, ma fille.

Elle traversa rapidement la chambre, prit un manteau au hasard dans la garde-robe et le tendit à la femme.

— Ce n'est pas le mien. Ne sois pas stupide, ma fille ! Le velours brun.

Elle apporta le manteau de velours marron et aida sa propriétaire à l'enfiler. Puis, elle en sortit un autre et le tint dans ses mains, regardant les deux autres femmes et l'une d'elles, très poliment, lui dit :

— Celui-là est à moi.

Maintenant, elles étaient prêtes à descendre et, riant et bavardant, elles sortirent sans même la regarder. Et, c'était étrange malgré tout, elle les savait conscientes de sa présence autant qu'elle de la leur. Des bribes de leur conversation l'atteignirent tandis qu'elle les suivit le long du couloir.

— Avez-vous vu sa tête lorsque Albert a parlé du nouvel amant d'Agnès ?

— Ce n'était pas gentil de la part d'Albert et Mark était furieux.

— Que pensez-vous de l'autre ?

— Je ne sais pas, vraiment, c'est possible.

— J'ai cru que j'allais m'évanouir lorsque Stanley s'est mis à grommeler à propos de ses pieds goutteux.

— Il ne l'a pas fait exprès.

— Mon dieu ! Je dois aller aux toilettes !

Tilly ne savait pas si elle devait les suivre en bas et assister à leur départ, mais elle n'y alla pas. M. Pike était là et cela suffirait. Le nouvel amant dont elles parlaient devait probablement être celui de Lady Myton, et ceci avait dû déplaire au Maître. Elles étaient telles qu'elle les avait jugées au début, des catins, trois catins.

La porte était à peine refermée derrière eux que le Maître ordonna qu'on le monte en haut, et à la vue de son visage, elle sut qu'il était en colère.

Les hommes le portèrent devant elle et l'emmenèrent dans les toilettes; puis ils l'installèrent dans un fauteuil près du lit. Après leur départ, il l'appela dans le cabinet de toilette, d'une voix impérieuse.

— Trotter ! Trotter !

— Oui, Monsieur.

Elle était debout devant lui et comme il levait les yeux sur elle sans mot dire, elle lui demanda :

— Avez-vous passé une bonne soirée, Monsieur ?

— Non, Trotter, répondit-il. Je n'ai pas, comme tu dis, passé une bonne soirée. (Il parlait lentement.) Combien d'amis peut-on espérer avoir dans la vie, peux-tu me dire ?

— Non, Monsieur.

— Si on en a deux, on a une chance folle, mais je ne pense pas en avoir un, pas un seul véritable ami. Si un homme était un véritable ami, il modérerait les propos de sa femme, au moins en société. Trotter, ces trois dames sont venues ici ce soir pour découvrir quelque chose. As-tu une idée de ce que c'était ?

Elle le regarda droit dans les yeux, sans sourciller, et lui dit :

— Non, Monsieur, sachant à présent qu'elle aurait pu répondre honnêtement : « Oui, Monsieur. »

— C'est aussi bien. Tiens, enlève-moi cette chemise.

Il tirait sur son foulard et une fois qu'elle l'eut déshabillé jusqu'à la taille, il dit, comme toujours à présent :

— Je peux me débrouiller.

Elle avait déjà étalé sa chemise de nuit sur son lit. Il n'y avait pas de bonnet de nuit à côté, car il avait cela d'étrange qu'il n'en portait pas. Et, cependant, la plupart des gentilshommes en portaient, d'après ce qu'elle avait compris. Peut-être était-ce dû au fait qu'il n'avait jamais poudré ses cheveux ni porté perruque. Mais, cependant, un grand nombre de gentilshommes ne portait pas de perruque à cette époque et ne se poudrait pas les cheveux. Malgré tout, elle croyait qu'ils portaient tous des bonnets de nuit.

— Va te coucher, tu dois être fatiguée.

— Oui, Monsieur. Bonsoir, Monsieur.

— Bonsoir, Trotter. A propos (il marqua un silence), le repas était excellent, je n'en ai jamais goûté un meilleur. Tu le diras à la cuisinière.

— Certainement, Monsieur. Cela lui fera très plaisir.

Dans sa chambre, elle s'assit pendant quelque temps sur la chaise à côté du lit. Elle était triste, triste pour elle-même, mais surtout pour lui; il n'avait pas profité de sa soirée, contrairement à tout le reste des occupants de la maison. Evidemment, elle ne pouvait pas parler des invités. Elle se leva lentement, se déshabilla et se coucha.

Elle ne sut pas depuis combien de temps elle dormait mais le fracas la réveilla, l'amenant en un clin d'œil à s'asseoir sur son lit, tout éveillée. Le bruit était venu de la chambre au-delà des toilettes et du cabinet. Etait... était-il tombé ? Avait-il tenté de se lever du lit et renversé quelque chose ?

Avant de s'être donné le temps de répondre, elle franchit la porte, longea le couloir et entra dans la chambre et là, devant elle, faiblement visible à la lueur de la veilleuse de verre cramoisi, gisait la table de nuit renversée, la carafe à eau non pas cassée, mais à demi renversée et un verre brisé; également éparpillés au sol, un certain nombre de livres et tout près du feu, gisant sur le tapis, elle vit la pendule de voyage carrée en cuivre.

— Qu'y a-t-il ? Que se passe-t-il ?

Elle avait fait le tour du lit. Il reposait sur le dos dans ses oreillers, le visage grimaçant.

— J'ai... j'ai eu un accident, la table s'est renversée.

— Ne vous inquiétez pas. Je vais vite nettoyer.

Il secoua sa torpeur en disant :

— Le verre, attention à tes pieds.

— Oui, oui, très bien. Restez couché.

Elle alluma les bougies; puis, s'éclairant de l'une d'elles, elle se hâta pour aller aux toilettes. Comme elle prenait le seau et le chiffon, on frappa à la porte.

Elle l'ouvrit et se trouva en face de Katie et d'Ada Tennant. Depuis pas mal de temps à présent, elles couchaient à l'étage de la nursery, alors que Biddy, Peg et Fanny habitaient dans le pavillon arrière qui était devenu leur maison.

— Qu'... qu'est-il arrivé ? Nous avons entendu le fracas.

— Ce n'est rien. Il… le Maître a renversé la table, la table de nuit.

— Je peux faire quelque chose pour t'aider, Tilly ?

— Non, non, Katie. Va te recoucher.

Elle regarda alors Ada Tennant accrochée au bras de Katie. Elle avait l'air effrayé. C'était une fille bête, vide en quelque sorte, et son cerveau, le peu qu'elle en avait, était terriblement impressionnable. Elle la rassura :

— Ce n'est rien, Ada, il ne s'est rien passé de grave. Va vite te recoucher.

Comme Ada agitait son visage grassouillet, l'idée lui vint que dans quelques années, elle ressemblerait à Mme Brackett, car, comme elle, elle passait son temps à manger.

Une fois les filles parties, elle ferma la porte, puis traversa rapidement le cabinet de toilette et entra dans la chambre. Il reposait comme elle l'avait laissé, la tête en arrière, les yeux fermés.

Après avoir ramassé les débris au sol et épongé l'eau du tapis, elle emporta le seau et le verre cassé dans les toilettes et les y laissa. Elle s'en occuperait le lendemain matin. Il ne lui restait plus qu'à remplir la carafe d'eau fraîche et lui donner un verre propre.

Il était adossé aux oreillers lorsqu'elle rentra dans la chambre et, s'approchant de lui, elle lui demanda :

— Y… y a-t-il autre chose que je puisse faire pour vous, Monsieur ?

Ses yeux étaient grands ouverts et il la dévisageait, puis il dit lentement :

— Oui, Trotter; assieds-toi là à côté de moi.

— Mais, Monsieur…

— Trotter, je t'en prie.

Elle porta alors instinctivement la main sur sa chemise de nuit. Elle ne portait même pas une robe de chambre. Elle dit doucement :

— Voulez-vous m'excuser un moment, Monsieur, pour que j'aille chercher une robe de chambre ?

— Non, Trotter, je ne t'excuserai pas un moment. Assieds-toi comme tu es.

Lentement, elle lui obéit.

— Donne-moi ta main.

Elle la lui donna; il la prit et posa sa paume dans la sienne. Puis, il plaça son autre main par-dessus et, d'une voix ressemblant à un profond grondement dans sa gorge, il dit :

— Tous ces derniers mois, je me suis senti très seul, Trotter, mais jamais autant que ce soir, en bas.

Momentanément, sa surprise domina son appréhension et elle réussit à articuler :

— Ce... ce sont vos amis, Monsieur.

— Non, Trotter, non; je n'ai pas d'amis. Je vais te dire quelque chose, Trotter. Ces hommes qui étaient ici ce soir ont tous des maîtresses, deux à Newcastle et un à Durham. Un de ces messieurs a même oublié combien il a eu de maîtresses. Et leurs épouses sont au courant de ces femmes qu'entretiennent leurs maris. Moi, j'ai eu une liaison, pas ma première, je l'avoue, mais la seule que j'aie eue pendant tout le temps qu'a duré mon second mariage, et que se passe-t-il ? Je perds ma femme et mes enfants, et du fait de l'abandon de ma femme, je suis rejeté. Si elle avait choisi de rester, mon escapade n'aurait été qu'un autre sujet de conversation et de commérages parmi mes soi-disant amis. Comprends-tu, Trotter ?

Elle ne lui répondit pas. Elle n'en était pas capable. Elle savait à quel point tout ce qu'il lui avait dit était vrai, et l'injustice de la situation la laissait sans voix.

— J'ai l'air de me plaindre, n'est-ce pas ?

— Non, Monsieur.

— Alors, de quoi ai-je l'air, pour toi ?

Elle pouvait répondre à ceci sans prendre le temps de réfléchir.

— De quelqu'un de seul, Monsieur.

— De quelqu'un de seul. Comme tu as raison, Trotter. Quelqu'un de solitaire. Mais cela ne flatte le moi de personne que d'avouer sa solitude. Sais-tu ce que c'est que le moi ?

— Non, Monsieur.

— Eh bien, c'est... c'est son orgueil, c'est cette chose à l'intérieur de lui qui lui dit qu'il est important. Tous les hommes naissent ainsi, les grands et les petits. C'est étrange, mais plus l'homme est petit, plus son moi est grand. Tu comprends, l'homme petit est obligé de se battre pour faire ses preuves. Mais je ne suis ni grand ni petit et mon moi est tombé à zéro. Il doit l'être pour que j'aie pu agir comme je l'ai fait ce soir pour t'amener près de moi.

Il se tourna, et regarda la table redressée et lui dit :

— J'ai renversé ce meuble exprès parce que je voulais t'avoir près de moi.

Il ne tourna pas la tête pour la regarder, mais sentant sa main se raidir dans la sienne, il poursuivit :

349

— N'aie pas peur de moi, Trotter.

— Je n'ai pas peur, Monsieur.

— Tu n'as pas peur ?

— Non, Monsieur.

— Alors, pourquoi te dérobes-tu ?

— Je ne me dérobais pas; j'étais... seulement surprise, Monsieur.

— Et choquée ?

— Non, Monsieur, pas choquée.

— Sais-tu ce que je te demande, Trotter ?

Elle baissa les yeux vers l'endroit où leurs mains jointes reposaient sur l'édredon ouaté et elle remua une fois la tête.

— Oui, Monsieur.

— ... Acceptes-tu ? demanda-t-il dans un très léger chuchotement.

Elle avait toujours la tête baissée et lui répondit sans ménagement :

— Non, Monsieur.

Il retira sa main, et elle leva les yeux et le regarda.

— Je... je suis désolée, Monsieur. Je... ferais n'importe quoi pour vous, n'importe quoi sauf... sauf..

— Dormir avec moi ?

Elle avait de nouveau baissé la tête.

— Tu... tu ne m'aimes pas ?

— Oh si ! Monsieur. (Elle tendit instinctivement la main vers lui maintenant, puis la retira en poursuivant :) Oh si ! Monsieur, je vous aime. Je vous aime beaucoup, Monsieur.

— Mais pas suffisamment pour me consoler ?

— Ce ne serait pas bien, Monsieur. Et... et cela changerait tout.

— Comment ?

— Ce ne serait plus pareil. Lorsque je ferais ma tournée dans la maison, je... je... ne pourrais plus marcher la tête haute.

De nouveau, sa gorge émit un son ressemblant à un rire, puis il dit :

— C'est ce que l'on appelle la morale de la classe ouvrière.

— Quoi, Monsieur ?

— Cela n'a pas d'importance, Trotter. Mais dis-moi, as-tu jamais aimé quelqu'un ?

Il regarda sa poitrine se soulever sous la chemise de nuit en coton. Il vit son cou se crisper pendant qu'elle avalait profondément, et comme il insistait :

— As-tu aimé ?

— Oui, répondit-elle.

— Et lui, t'aime-t-il ?

— Je... je le crois, en quelque sorte, Monsieur.

— En quelque sorte. Que veux-tu dire par cela ?

— Enfin, ce serait inutile, Monsieur, ce ne serait pas bien.

— Oh ! Trotter ! Trotter ! Tu n'as pas de chance, Trotter. Apparemment, tu ne suscites que l'amour des hommes mariés. Je suppose qu'il est marié ?

— Oui, Monsieur.

— Est-ce le fermier ?

A son tressaillement, il répondit :

— Oh ! ne te fais pas de souci; je suis sûr qu'un certain nombre de personnes soupçonnent ton secret, car ce n'est pas n'importe quel homme marié qui laisse sa femme le soir de ses noces pour voler au secours d'une ravissante jeune fille. Et un homme ne la prend pas chez lui en dépit des protestations de sa femme. A propos, je ne fais que deviner, là. Lorsque je t'ai trouvée dans la cabane, j'ai pensé que quelque chose ne devait pas aller dans le ménage du fermier pour que tu sois retournée dans les ruines du cottage. Alors, Trotter, tu es amoureuse d'un homme qui ne pourra jamais rien signifier pour toi. Que vas-tu faire ? Passer ta vie à lutter contre la frustration et devenir une vieille fille desséchée ?

— Non, Monsieur. Je me marierai. Un jour, je me marierai et j'aurai une famille.

Il la regarda à la lueur de la lampe et sa réponse parut le décourager encore plus, car il se laissa aller dans les oreillers et soupira.

— Je suis navrée, Monsieur.

— Cela ne fait rien, Trotter, cela ne fait rien. Mais reste. Ferais-tu... quelque chose pour moi ? Je ne vais te faire aucun mal. Mais cela réaliserait une sorte de fantasme que j'ai nourri récemment.

— Comme vous voulez, Monsieur.

— Bon, alors, étends-toi sur le dessus de ce lit avec ta tête sur l'oreiller, en face de moi.

— Monsieur !

Elle était debout à présent, les mains jointes sur sa taille et il lui dit :

— Ce n'est pas demander grand-chose. Je ne te ferai aucun mal.

Je serai sous les couvertures et toi dessus. Je voudrais simplement te voir allongée là.

Il la regarda baisser lentement et profondément la tête, puis faire posément le tour du lit. Il la vit remonter légèrement sa chemise de nuit et poser son genou sur le couvre-lit. Puis, après s'être appuyée sur son coude, elle s'allongea complètement. Sous son regard elle étendit la main et tira sa chemise de nuit bien en dessous de ses genoux. Et maintenant, ils étaient allongés, leurs visages se faisant face l'un l'autre.

Lorsqu'il leva la main et toucha doucement sa joue, Tilly ferma les yeux; elle se dit très fort dans sa tête de ne pas pleurer, car si elle fondait en larmes ce serait la fin, sa pitié pour lui l'envahirait et elle ne pourrait plus rester allongée sur le dessus des couvertures.

— Tu es très belle, Trotter. Le sais-tu ?

Elle ne répondit pas.

— Je vais te dire quelque chose. Je n'aime pas du tout ton nom, je le déteste chaque fois que je dois le prononcer. C'est un nom dur, Trotter. Ton nom est Tilly et Tilly rend un son agréable, gai, chaleureux. Une Tilly, je crois, ne pourrait pas être autrement que gentille. Je pense à toi sous le nom de Tilly.

— Oh ! Monsieur !

Ses doigts, à présent, suivaient le contour de ses yeux et il lui dit :

— Tu as des yeux très étranges, Trotter, ils sont si clairs et si profonds. C'est pour cela que les gens te prennent pour une sorcière.

Elle répéta :

— Oh ! Monsieur !

— Et sais-tu, je ne pense pas qu'ils se trompent de beaucoup. Je pensais l'autre jour que c'était une chance que tu ne sois pas née dans la haute société, car tu y aurais fait un malheur. Aucun homme t'ayant vue n'aurait pu connaître la paix.

Il fallait qu'elle parle ou qu'elle pleure, alors elle répondit :

— Ce n'est pas vrai, Monsieur. Certaines personnes... certains hommes me détestent profondément.

— C'est uniquement parce qu'ils te veulent.

— Non, Monsieur. Non, Monsieur. Il y a quelque chose en moi. Les femmes me détestent également. C'est ce qu'il y a de plus dur à supporter, la haine des femmes.

Au bout d'un certain temps, sa main abandonna son visage et il

352

se contenta de la regarder. Elle avait les yeux dans l'ombre et il permit aux siens de descendre le long de sa silhouette sous la chemise de nuit bon marché.

Puis, soudain, ils tournèrent tous deux la tête et au son d'une porte qui se fermait, regardèrent le plafond; elle se leva vivement sur son coude et ils s'interrogèrent du regard. Il lui dit enfin :

— Très bien, ma chère, et merci.

Elle descendit du lit et se dirigea vers la porte du cabinet de toilette, mais elle se retourna vers lui et vit qu'il était étendu sur le côté et la regardait. Elle sortit rapidement puis, arrivée dans les toilettes, s'assit, se pencha en avant, et prit sa tête entre ses mains. Elle tremblait de tout son corps et son cerveau se troublait. Encore une minute et je l'aurais fait. Quelle pitié, quelle pitié ! Et lui, le Maître. Ce n'est pas bien. Si seulement je pouvais. Mais, non, non, ce ne serait pas bien. Et comme je l'ai dit, je ne pourrais plus marcher la tête haute. Et il sait à propos de Simon. Enfin, s'il a compris, combien d'autres aussi ? Sa femme ? Oh oui ! sa femme ! Mais que va-t-il se passer maintenant ? Comment puis-je continuer en sachant ce qu'il désire, alors qu'il est si gentil, si bon ? Je l'aime vraiment. Oui, c'est vrai.

Elle se leva enfin, car son cerveau lui disait avec rudesse : « Va te coucher ! Pour l'amour de Dieu ! va te coucher ! »

Elle devait sortir par la porte des toilettes pour aller à sa chambre et elle venait d'arriver dans le passage, lorsqu'elle se trouva nez à nez avec Ada Tennant. Ada portait une bougie; elle la tenait au-dessus de sa tête et scruta Tilly. Elle portait un manteau par-dessus sa chemise de nuit, et Tilly, se souvenant de son rang, lui dit sévèrement :

— Où étais-tu ?

— Juste en bas à la cuisine, j'avais faim. Mon ventre gargouille pendant la nuit. J'ai simplement mangé un morceau.

Ada regardait maintenant Tilly. Tilly ne portait rien par-dessus sa chemise de nuit et elle osa demander :

— Vous étiez avec le Maître ? Vous avez dû vous occuper de lui pendant tout ce temps ?

— Non, non, évidemment pas. Je viens d'aller aux toilettes, répondit-elle vivement.

— Oh oui ! J'ai cru l'entendre parler quand je suis passée en descendant. Il devait rêver.

Puis, elle se détourna et se dirigea vers le bout du couloir et l'escalier menant au grenier, et Tilly entra dans sa chambre. Elle se jeta sur le lit et demeura figée dans l'obscurité. Il ne manquait plus qu'Ada Tennant pour dire que deux et deux font quatre ; malgré sa simplicité d'esprit, elle en était bien capable et, alors, toute la maison allait savoir qu'elle servait le Maître de plus d'une façon. Elle se retourna sur le ventre et tenta de chasser la pensée qui venait de lui traverser l'esprit, elle avait envie de le servir de plus d'une façon, et à part le fait qu'elle risquait d'avoir un enfant, oui, elle finirait par le faire, car où pouvait bien la mener ce sentiment qu'elle éprouvait pour Simon ?

Peu à peu s'évanouissait l'idée qu'en s'engageant dans une telle voie elle ne pourrait plus jamais marcher la tête haute.

CHAPITRE VI

La routine peut devenir lassante, mais elle est souvent synonyme de paix. Après l'incident du lit, une nouvelle relation s'instaura entre Mark et Tilly. On ne parla pas de l'événement et son comportement envers elle ne se modifia aucunement. Cependant, de son côté, elle trouvait difficile, au fil de toutes ces journées, d'être naturelle. Elle s'adapta néanmoins, presque trop rapidement, et la vie continua en douceur... presque trop.

Puis, un matin, la douceur fut troublée. Telle la surface de la mer avant la tempête, tout avait été calme, mais après la brise, se leva le vent qui agita les vagues avec une telle férocité qu'à un moment, Tilly craignit de sombrer.

Elle entrait dans la cuisine, lorsque Peg se précipita sur elle et lui dit :

— Steve, le jeune homme, te demande derrière, à la porte de la cuisine, Tilly.

S'efforçant de dissimuler son impatience, elle répondit :

— Merci Peg. Je vais le voir.

Elle descendit à la cuisine, passa devant Biddy qui redressa son dos penché sur le fourneau, haussa les sourcils et secoua la tête, mais ne dit mot.

Steve avait grandi depuis environ un an. Il avait près de dix-huit ans maintenant, mais en paraissait plus; il devait en grande partie à son air solennel de paraître au moins deux ans de plus. Il salua Tilly de sa façon habituelle.

— Salut, Tilly.

— Salut, Steve. Comment vas-tu ?

Il ne lui répondit pas, mais lui demanda :

— Je peux te parler ailleurs qu'ici ?

Elle se retourna un instant et regarda derrière elle, dans la cuisine, puis répondit :

— Eh bien, je suis de service, mais je peux t'accorder environ cinq minutes.

Il la surprit car il ferma les yeux un instant en relevant la tête;

puis il marcha à côté d'elle, franchit la voûte et se réfugia auprès du haut mur de pierre. Autrefois bordée par une haie grossière, la terre était à présent entièrement nettoyée et l'on voyait un chemin net et des haies taillées en broderies.

A nouveau, elle fut surprise par son comportement lorsqu'il s'arrêta brusquement et dit :

— Je suis venu te demander quelque chose.

Elle ne lui dit pas : « Eh bien, de quoi s'agit-il ? »; elle attendit un peu, le regardant bien en face, et il poursuivit :

— Il faut que je te parle et que je te dise ce que j'ai à dire avant qu'il ne se remette de sa prétendue tristesse et vienne te rechercher.

— De quoi parles-tu ?

— Tu sais de quoi je parle.

— Je ne le sais pas, Steve, dit-elle en secouant la tête avec impatience.

— Bon, pour commencer, ça m'est égal ce qu'ils disent à propos de toi et... de lui... (Il indiquait, par-dessus et au-delà du mur, la maison.)

— Que veux-tu dire ?

Son menton rentrait dans son cou et elle sentait son corps s'étirer.

— Tu sais ce que je veux dire.

— Je ne sais pas de quoi tu parles, Steve McGrath.

— Eh bien, tu devrais, si tu as trois sous de bon sens. Pose-toi la question : quelle fille de ta condition est prise dans une grande maison comme celle-là et mise à la tête comme une maîtresse ? On dit que des chances comme celle-ci ne vous viennent pas sans rien donner en échange.

— Eh bien, j'ai eu ma chance pour rien.

Sa voix était forte et s'en rendant compte, elle tourna la tête d'abord d'un côté, puis de l'autre, et appuya ses doigts contre ses lèvres pendant un moment.

— Tu veux dire qu'il n'y a rien ? demanda-t-il tout contrit.

— Je ne vois pas pourquoi je devrais même me fatiguer à te répondre.

— Ah ! je suis désolé ! (Il donna un coup de pied dans un caillou sur le chemin.) C'est le village; ils semblent incapables de parler d'autre chose que de toi. C'est drôle.

— Je ne trouve pas ça drôle.

— Tu sais ce que je veux dire. Enfin... (Il se redressa et dit :) Voici où je veux en venir, cela fait bien longtemps que je tourne

autour du pot, depuis aussi longtemps que je me souvienne. Je...
voudrais t'épouser, Tilly. Je voudrais savoir si je peux commencer
à te fréquenter ? Je vais bientôt travailler sur le front de taille et je
gagnerai de quoi nous...

Elle regardait par terre. Elle ne donnait pas de coup de pied dans
un caillou, mais demeurait parfaitement immobile, tenant une
paume levée vers son visage. Et ce geste l'avait arrêté dans son
discours.

Un long silence s'écoula, puis il dit :

— J'attendrai le temps que tu voudras.

— C'est inutile, Steve. Je... je ne pense pas à toi ainsi.

— Parce que j'ai un an de moins ?

— Non, cela n'a rien à voir, simplement... je pense à toi comme
à un frère.

— Je ne veux pas que tu me considères comme un frère, je ne
t'ai jamais considérée comme une sœur.

— Je sais.

— Tu le sais ?

— Eh bien, évidemment, je sais et... et j'ai essayé de te
décourager. Tu ne peux pas dire le contraire.

— Tu ne me décourageras pas, Tilly, pas tant que tu n'auras pas
épousé quelqu'un d'autre.

— Steve, je t'en prie, ne m'attends pas car cela n'arrivera jamais,
pas... pas avec toi. Bien que je t'aime beaucoup, cela ne pourra pas
se faire, Steve.

Il baissa la tête en disant :

— Les choses changent; tu seras peut-être contente de me
trouver un jour.

— Je... je serai toujours heureuse de te trouver et ton amitié,
Steve, mais... mais pas pour autre chose.

Elle regarda son visage se défaire comme s'il allait fondre en
larmes et ce qu'elle entendit la fit tressaillir.

— J'ai tué Hal pour toi, Tilly.

— Ne dis pas ça ! (Le chuchotement rauque sortit du fond de sa
gorge et elle répéta une deuxième fois :) Ne dis pas ça. Je t'ai dit
d'aller à son secours... Oh ! mon dieu ! Enfin, si tu l'as fait, tu ne
l'as pas fait pour moi, mais à cause de ta haine contre lui.

— Je le détestais à cause de sa manière d'agir envers toi, et ce
que je lui ai fait, je l'ai fait pour toi. De plus, ils savent que c'est
moi, en tout cas, ma mère. Mais elle ne me dénoncera pas de peur
d'en perdre un second, et ma paie en plus.

L'amère ironie de ses paroles la remplit de tristesse, et soudain, elle eut envie de l'entourer de ses bras et de lui dire toute sa profonde reconnaissance pour ce qu'il avait fait, mais elle savait où cela risquait de l'entraîner; alors, elle se contenta de répondre :

— Oh ! Steve ! je suis désolée. Je suis navrée et je ferais n'importe quoi pour toi, sauf... sauf cela. Essaie de me considérer comme une amie, Steve. Il y a des filles très bien autour de toi. Katie, tu sais, parle toujours de toi, elle t'aime beaucoup, c'est une gentille fille...

— Ah ! tais-toi, Tilly ! Autant dire à un assoiffé de mâcher du sable.

Le silence s'étendit à nouveau entre eux, puis elle reprit :

— Je dois m'en aller, Steve, je... je suis désolée.

— J'attendrai.

— Je t'en prie, Steve, ne m'attends pas, c'est inutile.

— Enfin, je ne pourrai pas être plus malheureux que maintenant mais je voulais te parler avant que le fermier n'arrive au galop.

Elle le regarda fixement, en fronçant les sourcils.

— Que veux-tu dire, le fermier arrive au galop ? Je n'ai pas vu S... M. Bentwood depuis des mois. Et qu'est-ce qui te fait dire qu'il va venir ici au galop ? demanda-t-elle d'une voix aussi dure que son visage.

— Eh bien, il est veuf maintenant, n'est-ce pas ?

— Quoi ?

Il la regardait.

— Tu ne savais pas qu'elle, sa femme, était morte ?

Elle ouvrit la bouche et elle prit une grande inspiration, puis secoua lentement la tête et demanda :

— Quand ?

— Il y a quatre... non, six semaines. Et tu ne savais pas ?

— Pourquoi le saurais-je ? Nous ne voyons personne du village, ici.

— Mais sûrement quelqu'un dans la maison... ?

Elle regarda au loin en pensant, oui, sûrement, quelqu'un dans la maison. Le Maître, il devait forcément savoir que la femme du fermier était morte. Et cependant, pourquoi le saurait-il ? Puis, il y avait M. Burgess, il était au courant de tous les commérages de la région, il avait sûrement dû en parler. Son regard errait de part et d'autre, comme pour chercher une réponse; enfin, elle répéta :

— Je dois partir. Au revoir, Steve. Je... je suis désolée.

— Tilly !

Elle refusa de répondre à l'appel de sa voix et, se retournant précipitamment, elle franchit la voûte, puis la cour et entra dans la cuisine; et là, elle rencontra Phyllis qui arrivait par la porte capitonnée et lui dit dans un chuchotement bruyant :

— Je... je venais juste te chercher; il y a de la visite.

— Une visite ? Qui ?

— On vient de faire entrer M. Rosier.

Mark était dans un tel état d'esprit qu'il aurait volontiers accueilli n'importe quel visiteur, ce matin-là, à l'exception de celui qui se trouvait à présent devant lui.

— Eh bien, comment allez-vous ?

— Je vais très bien.

Mark s'abstint de faire signe à M. Burgess de proposer un siège au visiteur, mais M. Burgess le fit de son propre chef, avant de quitter la pièce.

— J'aurais dû passer te voir plus tôt, mais j'ai été très occupé.

Il s'était écoulé plus d'un an depuis le désastre de la mine et quelle qu'ait pu être la cause de la présence de Rosier ici aujourd'hui, ce n'était pas la compassion ou la sympathie... Pourquoi demander un chemin qu'il connaissait ?

— Comment vont les choses ?

— Comme tu vois (Mark indiqua d'un grand geste de la main toute la pièce), tout à fait confortable. Tout ce qu'il me faut.

— Oui, oui. (Rosier tapota son genou; puis, se levant d'un bond, il fit sauter sa queue-de-pie avant de dire :) Je ne suis pas doué pour faire des ronds de jambe — je n'y crois pas, en tout cas — je crois que tu sais pourquoi je suis ici aujourdhui.

Mark demeurait silencieux, se contentant de regarder l'homme.

— Voilà, Sopwith, rien n'a été fait dans ta mine depuis que l'eau y est rentrée. Si tu la laisses ainsi encore un peu, il sera trop tard pour sauver quoi que ce soit.

— Je ne pensais pas avoir donné l'impression de vouloir sauver quelque chose.

— Ne sois pas fou, bonhomme. Soyons francs. Et je ne vais pas y aller par quatre chemins, car tu n'es pas un invalide. Parlons d'homme à homme, tu es dans le pétrin.

— Je te demande pardon ?

— Tu as bien entendu ce que j'ai dit, tu es dans le pétrin. Tu n'as pas d'argent pour remettre cette mine en état et seul un fou s'en chargerait.

— Je ne t'aurais jamais classé dans cette catégorie, Rosier.

— Ah ! ne plaisante pas, tu sais ce que je veux dire. La mine nécessitera des investissements, même lorsque l'on aura pompé toute l'eau qui s'y trouve, et cela va demander un boulot du diable. Mais, tu sais, tu as toujours été en retard sur ton époque. Il faut bien l'avouer. Sapristi, tu as eu une des rares mines qui fonctionnait uniquement avec des chevaux, pendant des années. Tu as cru pouvoir la faire marcher tout seul. Toutes les mines regroupent leurs réseaux de voierie et certaines les prolongent jusqu'aux ports. Regarde ce qui se produit de l'autre côté de la rivière. Seghill ne se contente plus de la ligne de Cramlington et construit sa propre voie jusqu'à Howdon.

— Vas-y, continue.

— Oui, je continue. Bon, comme je te l'avais proposé la dernière fois, la ligne entre nous nous aurait été d'une grande utilité, nous aurions pu nous brancher sur la voie principale qui remonte la rivière...

— Grande utilité pour qui ?

— Ne prends pas ces airs supérieurs, Sopwith. Si tu avais accepté mon offre sur les bases de moitié/moitié, nous en aurions tous deux profité ; à présent, ta mine vaut à peine la terre qui la porte.

— Alors, pourquoi es-tu ici ?

— Parce que je suis un homme qui prend des risques, un joueur au fond de moi-même, je pense.

— Et tu es prêt à parier sur quelque chose qui ne vaut pas la terre qui la porte ? Oh ! à qui crois-tu parler, Rosier ? Maintenant... attends ! Cette mine est dans notre famille depuis des générations ; elle y était avant même que l'on ne pense à faire des lignes de wagonnets, du temps où les poneys et les chevaux portaient le charbon sur leurs dos, et elle restera dans notre famille. Sèche ou trempée, active ou désaffectée, elle restera ainsi. Me suis-je bien fait comprendre ?

Rosier était debout maintenant, secouant sa tête en forme de boulet.

— Tu es un sacré imbécile, Sopwith. Voilà ce que tu es. Tu coules, toi et tout ce que tu possèdes, ta maison, ta terre. Elles auraient aussi bien pu être inondées avec la mine pour tout l'usage que tu vas pouvoir en tirer lorsque tu n'auras plus de quoi les entretenir. Je peux te promettre de ce que je retirerais de ce trou d'ici deux ans, assez pour te permettre de vivre tranquille pour le reste de tes jours.

Mark étendit le bras et attrapa le cordon de sonnette à côté de la cheminée; puis, l'ayant relâché, il empoigna la cloche posée sur la table, et la secoua violemment.

Les jambes raides de Pike n'avaient pas grimpé la moitié de l'escalier que M. Burgess était déjà entré dans la pièce.

— Veuillez avoir l'obligeance de reconduire Monsieur, Burgess.

M. Burgess baissa la tête et s'effaça pour laisser sortir le visiteur, mais Rosier demeurait debout, dévisageant Mark et, à présent, il lui dit :

— Tes jours sont comptés; l'époque des tiens et de ton engeance est révolue. Il se passe des choses, là-bas. Le règne du fer arrive; la vapeur est en train de donner un coup de pied au cul des chevaux, tu verras. Tu verras. Toi et tes chevaux qui sortent le charbon sur tes rails de bois, bon dieu ! vous êtes aussi morts que le siècle dernier.

Il manqua de renverser M. Burgess en se retournant; en fait, s'il ne s'était pas appuyé à la porte, l'homme serait certainement tombé.

Pike attendait en haut de l'escalier pour accueillir le visiteur, mais lui aussi fut repoussé.

Tilly retint sa respiration un instant en voyant M. Pike s'appuyer à la balustrade; puis elle se hâta vers la chambre.

M. Burgess était penché sur le fauteuil lorsqu'elle entra dans la pièce et il demandait :

— Allez-vous bien, Monsieur ?

— Non, je ne vais pas bien, Burgess; qui pourrait aller bien après cela ?

Burgess se redressa et, d'une voix calme à présent, il reprit :

— Les porcs sont censés être intelligents, Monsieur, et c'est possible, mais ils ne seront jamais capables de s'intégrer à la société civilisée.

— Oh ! Burgess ! (A Tilly :) Apporte-moi un verre de quelque chose, pas du lait, ni de la soupe.

Elle lui sourit et disparut dans le cabinet de toilette.

Quelques minutes plus tard, après avoir savouré le verre de cognac qu'elle lui avait apporté, il les regarda tous deux et dit doucement :

— Il a raison, vous savez, il a raison en quelque sorte, j'appartiens au siècle dernier.

— Quelle absurdité !

Il sourit à Burgess, puis, dit à Tilly :

— Je ne pense pas que nous ayons d'autres visites de lui, mais préviens, Trotter, que sous aucun prétexte on ne lui permette l'accès de cette maison.

— Oui, Monsieur.

Elle quitta la chambre, descendit et donna les instructions à Pike qui répondit :

— Eh bien, c'est une bonne nouvelle, car rien ne me ferait plus plaisir que de reconduire ce Monsieur avant même qu'il n'ait franchi le seuil.

De nouveau remontée, elle alla immédiatement au cabinet de toilette où elle attendit d'avoir entendu Burgess prendre congé. Elle voulait demander quelque chose au Maître. En fait, elle avait deux choses à lui demander; d'abord, qu'il lui accorde cet après-midi. Lorsqu'elle pensa à ce que cela risquait d'entraîner, elle porta sa main à son cœur, comme pour en calmer les battements. Elle savait pourquoi Simon n'était pas venu la voir depuis la mort de sa femme : pour la simple raison que cela n'aurait pas été convenable, et quelle que soit sa spontanéité apparente, elle savait qu'il faisait cas de ce que les autres pensaient de lui. Mais rien ne pouvait l'empêcher de lui rendre visite pour lui présenter ses condoléances. Oh ! elle secoua la tête, à cette pensée — elle agissait en hypocrite. Elle était heureuse de sa mort. Oui, absolument. Mais, non. Elle ne devait pas penser ainsi. Cependant, que pouvait-elle penser d'autre ? Simon était libre et elle l'aimait… et il l'aimait également. Elle le savait depuis des années et peut-être l'avait-elle même su avant lui.

Elle entra dans la chambre et se tint à quelque distance de Mark.

— Pourrais-je vous demander une faveur, Monsieur ?

— Oui, Trotter, n'importe quoi. Tu sais que je t'accorderai tout ce qui est en mon pouvoir.

— Pourrais-je… avoir mon après-midi, Monsieur ?

Avec un éclat de rire, il jeta la tête en arrière et elle lui offrit un large sourire. Après la prise de bec de tout à l'heure, cela faisait du bien de l'entendre rire.

— Certainement, Trotter, tu peux avoir ton après-midi. Je trouve que nous devrions nous organiser pour que tu aies plus souvent des après-midi, tu passes trop de temps dans la maison et... dans cette chambre.

— Oh ! cela ne m'ennuie pas, Monsieur.

— J'en suis heureux, Trotter. Avais-tu l'intention d'aller à Shields ou de faire le trajet jusqu'à Newcastle ?

— Non, ni l'un ni l'autre.

— Oh !

Il attendit, le visage interrogateur, et elle lui posa sa seconde question.

— Saviez-vous, Monsieur, que la femme du fermier Bentwood était morte ?

Ils se regardaient droit dans les yeux, mais elle avait rougi en lui posant la question, car elle se souvenait de lui avoir avoué ses sentiments, une certaine nuit, quelques mois auparavant.

— Oui, oui, je le savais, Trotter.

Elle sentait à présent ses traits se tendre sous l'étonnement. Lorsqu'elle retrouva sa voix, elle eut envie de lui demander : « Et pourquoi ne m'avez-vous pas prévenue ? » mais elle se demanda comment il avait su. Quelqu'un avait dû le lui dire. Une telle nouvelle ne pouvait offrir aucun intérêt au contremaître ou à l'agent qui rendaient visite à Mark pour lui parler de la mine; peut-être était-ce M. Rolman ou M. Cragg ? Puis elle comprit qui avait porté la nouvelle. C'était M. Burgess. Sa voix était calme lorsqu'elle demanda :

— Y a t-il quelqu'un d'autre, Monsieur, qui soit au courant de sa mort ?

— Oui, Trotter, Burgess.

— Oh !

— Tu te demandes peut-être pourquoi il ne t'en a pas parlé ?

— Oui, Monsieur.

— Eh bien, c'est parce que je lui ai dit de ne pas le faire.

Son visage était de nouveau crispé; mais il poursuivait :

— J'avais mes raisons, Trotter, de très bonnes raisons. Si le fermier Bentwood veut te trouver, il saura bien venir te chercher, voilà comment je vois la chose. Si j'aimais une femme et si je la savais libre, je me ferais un devoir d'aller la trouver et de lui expliquer mes sentiments.

— Ce... ce n'aurait pas été convenable, Monsieur, si... cela ne fait que peu de temps qu'elle est morte.

— Près de six semaines, Trotter.

Ses yeux n'avaient pas quitté son visage.

— Quant à la question de ne pas être convenable, c'est ridicule. Je n'ai pas besoin de te demander s'il t'a écrit, car, s'il l'avait fait, tu ne manifesterais pas autant de surprise et d'agitation à présent.

Elle baissa la tête et il dit :

— Ne serait-ce pas mieux que tu attendes... En fait, je pense qu'il serait préférable que tu retardes ta visite. Donne-lui le temps...

Il s'arrêta brusquement et elle leva la tête pour le regarder; il haussa les épaules. Ils se dévisagèrent un moment en silence, puis elle reprit :

— Pourrais-je tout de même avoir mon après-midi, Monsieur ?

— Oui, Trotter.

— Merci, Monsieur, je... vous servirai votre déjeuner avant de sortir.

Comme elle s'éloignait, il se souleva de son fauteuil avec les bras comme pour la suivre ou lui parler; puis, se laissant retomber, il tourna la tête et regarda par-dessus l'épais appui de fenêtre, vers le ciel, en pensant, si elle s'en va, alors quoi ?... Mon dieu, pourvu que Burgess ne se trompe pas !

— Je vais faire une course, dit-elle à Biddy.

— Tu vas t'envoler, ma fille.

— Qu'importe, le soleil est radieux.

— Pas pour longtemps.

Portée par une rafale de vent, Katie était entrée par la porte de service et, faisant rebondir son gros derrière, elle repoussa la porte, en disant :

— Pff ! Je l'ai échappé belle. Une tuile est tombée du toit et a failli me couper le bout du nez. Sapristi ! Elle aurait bien pu me couper en deux... Où vas-tu, Tilly ?

— Je vais simplement faire une course.

— Oh ! Eh bien, je te conseille de mettre un châle autour de ton chapeau pour lui éviter de rouler comme un cerceau dans les champs.

— Cesse de bavarder, lui dit sa mère. Occupe-toi de ta besogne et laisse Tilly sortir... Profite bien de ta promenade, ma fille; tu ne sors pas assez.

— Merci.

Elle hocha la tête et sortit, et avec la poussée du vent dans son dos, elle dut se retenir de courir. Arrivée à une bonne distance de la maison, son désir de courir fut contrarié par le vent qui venait à présent d'en face et elle dut s'arc-bouter, tenant son chapeau d'une main, et de l'autre retenant le devant de sa jupe.

Elle emprunta la route le long de l'allée cavalière et passa devant le cottage. Là, elle s'arrêta un moment, le dos au vent, et contempla les murs calcinés. Un fouillis de broussailles avait poussé presque jusqu'à l'appui de la fenêtre du rez-de-chaussée. Une éternité semblait s'être écoulée depuis qu'elle avait habité là. Il lui était arrivé tant de choses. Et pourtant, elle habitait à moins de trois kilomètres. Elle coupa à travers Billings Flats; puis, pour éviter le village, elle grimpa en haut du ravin, traversa un champ semé de cailloux et parvint ainsi à la colline rocheuse. Ayant atteint un petit mur de pierre, elle s'y assit et passa ses jambes de l'autre côté. Les quelques moutons qui s'abritaient là s'éparpillèrent. Cela la fit rire tout haut de les voir détaler. Comme il était agréable de se trouver à l'air et dans le vent ! Elle avait envie de courir de nouveau, mais à présent, elle s'approchait de la ferme et elle risquait de rencontrer Randy Simmons, Billy Young ou Ally Taylor.

Elle ne vit aucun des ouvriers avant d'avoir atteint les bâtiments de la ferme; puis elle aperçut Randy Simmons. Il sortait de l'étable, dirigeant une génisse en aiguillonnant sa croupe avec un bâton pointu, et s'immobilisa en la contemplant, tandis que l'animal galopait de l'autre côté de la cour. Il ne bougea que lorsque Bill Young eut crié :

— Où va-t-elle, celle-là ?

Puis, lui aussi se figea après avoir arrêté l'animal et, de chaque côté de la cour, ils la regardaient.

Le dos au vent, elle faisait face à Bill Young et cria :

— M. Bentwood est-il dans les parages ?

Pressant l'animal devant lui, Bill Young s'approcha d'elle et la dévisagea un instant avant de répondre :

— Bien, non, non, il n'est pas là, Tilly.

— Je vais te dire où tu le trouveras.

Elle se tourna alors vers Randy Simmons et attendit qu'il poursuive, et après l'avoir contemplée pendant un moment, il indiqua la direction derrière son épaule, en disant :

— Il travaille dans le champ du bas, dans la grange.

— Merci.

Elle s'éloigna. Elle était de nouveau face au vent, et elle entendit Bill Young crier et Randy Simmons lui répondre, mais ne comprit pas ce qu'ils se disaient. Elle remonta la route et franchit une barrière avant d'atteindre un champ. Elle en fit le tour car il venait d'être labouré. Puis elle se trouva dans une prairie, et dans un creux, tout au fond, elle vit la grange.

Elle courait à présent, laissant le vent l'entraîner vers les portes. Elles étaient fermées, mais non verrouillées. Tilly en poussa une qui commença par céder de trente centimètres, puis buta. Elle voulut se glisser par l'étroite ouverture et son chapeau s'accrocha au bord du battant demeuré fermé et lui tomba sur les yeux. Lorsqu'elle le redressa, elle avait franchi la porte, mais ne pouvait aller plus loin car, à sa grande stupeur, elle se trouvait à quelques centimètres des flancs d'un cheval. Celui-ci souleva sa patte arrière et en frappa le sol grossièrement empierré et Tilly retint un cri et se colla à la porte. Puis, elle avança de nouveau, avec précaution.

Pourquoi avait-il fait entrer son cheval ici ? Utilisait-il la grange comme écurie à présent ? Avait-il acheté d'autres chevaux ? Elle battit des paupières et scruta la semi-obscurité qui l'enveloppait. Puis, soudain, ses yeux s'agrandirent et son corps entier se raidit. Elle était entrée dans son rêve où Simon faisait l'amour avec elle, mais subitement ce rêve était devenu un cauchemar éveillé. Elle le regardait. Il était nu, à l'exception du caleçon blanc qui pendait de ses reins. Son corps était tordu et il se soutenait sur un genou. Il attrapa sa veste et la tint devant lui, et la femme dans la paille se souleva sur un coude. Elle était entièrement nue. Elle avait été surprise au milieu d'un éclat de rire, mais à présent son visage prit une expression de surprise hautaine. Elle ne fit néanmoins pas le moindre geste pour se couvrir. Alors, sur un ton aigu qui aurait pu signifier qu'une servante venait d'entrer dans une chambre sans y avoir été invitée, elle s'exclama :

— Vraiment ! cette fille !

Tilly émit un gémissement prolongé; elle se glissa de nouveau par la porte et une seconde fois son chapeau lui tomba sur les yeux. A nouveau elle courait, et lorsque le vent souleva sa jupe jusqu'à sa taille, elle n'en tint aucun compte.

Elle avait atteint la barrière de la prairie et en se retournant pour la fermer, elle le vit debout devant la grange; elle ne s'arrêta pas pour fermer la barrière, ne fit pas le tour du champ labouré, mais traversa les sillons, puis trébucha, se glissa de l'autre côté du mur et courut, et courut encore, et ne s'arrêta qu'après avoir atteint l'obscurité de Billings Flat. Là, appuyée contre un arbre, elle l'entoura de ses bras, inconsciente maintenant de son chapeau qui tombait à terre, et elle gémit, ne proférant que des sons inintelligibles. Son esprit, pour le moment, ne lui offrait aucun mot capable de traduire ses sentiments, car une image, plusieurs images l'envahissaient. Le Maître lui disait :

— Attends qu'il vienne te chercher...

Il savait. Il était au courant de cette liaison. Et c'était la femme qui avait brisé sa vie. Puis Randy Simmons lui indiquait où trouver son maître; et ensuite Bill Young s'exprimait en paroles inintelligibles. Il avait dû le lui reprocher, sachant ce qu'elle allait trouver. Et qu'avait-elle trouvé ?

Le tableau s'élargissait. Il recouvrait le tronc de l'arbre; il s'étalait sur le taillis, remontait le long du remblai, devenait de plus en plus large, les deux silhouettes le remplissaient ! L'homme comme un bébé la bouche contre ses seins, les membres tordus, et puis la femme se relevant, effrontée.

Nulle part dans la scène n'apparaissait clairement le visage de Simon, car à ce moment-là elle fut consciente de son propre désir de ne plus jamais revoir ce visage.

Elle ramassa son chapeau, puis appuya son dos contre le tronc. Pourquoi ne pleurait-elle pas ? Jusqu'au tréfonds d'elle-même, son corps était déchiré, mais pourquoi les larmes ne venaient-elles pas ? Eh bien, il ne fallait pas qu'elle pleure. Elle devait rentrer et faire face aux autres, à la gentillesse de Mme Drew, comme à celle de Katie et Peg. Il lui fallait éviter la bonté à présent, elle ne pourrait pas la supporter. Depuis le jour où sa mémé était morte, elle avait brûlé d'une soif ardente de bonté, elle lui était essentielle; mais à présent, elle la briserait. Il lui aurait fallu, à ce moment, quelqu'un avec qui se battre, s'affronter. C'était étrange, car de sa vie, elle n'avait jamais eu envie de se battre, ni de se disputer, mais à présent, elle avait envie de frapper quelqu'un et, comme si cette personne avait été elle-même, cette folle qui était en elle, idiote et romantique, elle prit son poing et frappa sa poitrine, et la force du coup était telle qu'elle se courba sous l'impact.

Au bout de quelque temps, elle remit son chapeau, arrangea son manteau, essuya ses bottes crottées en tordant ses pieds de-ci, de-là, dans l'herbe, brossa la boue du bas de sa jupe; puis, d'un pas lent à présent, elle reprit le chemin de la maison.

— Tu n'as pas été longue, ma fille, dit Biddy, la regardant avec attention. Veux-tu une tasse de thé ?

— Non, merci.

— Le vent t'a fatiguée, tu as l'air moulue.

— Oui, il souffle fort. Je vais simplement monter.

— Je vais t'envoyer un plateau.

La phrase la suivit tandis qu'elle traversait la cuisine, et sans se retourner, elle dit :

— Merci.

Elle passa dans le hall et gravit l'escalier, traversa la galerie, atteignit le palier et entra dans sa chambre.

Sur le point de se laisser tomber sur le lit, elle se retint. Une voix, fort semblable à celle de sa grand-mère, lui disait : « Ne t'assieds pas, tu n'es pas assez forte pour le supporter. » Alors, elle se déshabilla, se recoiffa, enfila son uniforme; elle allait quitter la chambre pour aller se rendre à sa besogne, lorsque Katie frappa à la porte. Sans attendre de réponse, elle l'ouvrit, se baissa pour ramasser le plateau posé sur le tapis, puis entra et le posa sur la petite table sous la fenêtre en disant :

— J'ai beurré les galettes. Maman vient de les sortir du four; elles sont toutes fraîches. Ecoute, y a-t-il quelque chose qui ne va pas, Tilly ?

— Non.

— Ah ! ne me raconte pas d'histoires. Ne peux-tu me le dire ?

— Non, non, Katie. Peut-être une autre fois.

— Est-ce à cause de ce Steve ?

— Steve ? Oh non ! non !

— Bon, très bien, je te laisse, mais à propos, il, le Maître, il a sonné. Et M. Pike était à la cave et Phyllis était de l'autre côté, dans les écuries, alors ma mère m'a dit de monter. Oh ! Seigneur ! il m'a fait une de ces peurs, Tilly. Ha ! je te trouve merveilleuse, la manière dont tu le prends ! Il a une façon de vous regarder, on a l'impression d'être une plaque de verre.

— Que voulait-il ?

— Il voulait simplement donner des lettres à envoyer par la poste. Es-tu certaine de n'avoir besoin de rien ?

— Oui, Katie, merci.

— A bientôt, alors.

— Oui, Katie.

Elle resta debout pour boire le thé, mais ne mangea aucune des galettes de Biddy, puis respira profondément en frissonnant. Elle sortit de sa chambre, longea le couloir et entra chez le Maître, prête à subir un interrogatoire. Mais elle fut toute décontenancée car, après l'avoir dévisagée pendant quelques secondes, il n'évoqua absolument pas sa sortie ni l'objet de sa course mais, comme si elle venait de quitter sa chambre quelques instants plus tôt, il déclara :

— Je voudrais descendre au salon, ce soir, Trotter. Tu sais, à une époque, je jouais du piano. Mes mains vont très bien, n'est-ce pas ? Je ne vois pas pourquoi je n'aurais pas un violon d'Ingres, qu'en penses-tu ?

— D'accord, Monsieur.

— Bien, alors dis à Leyburn que j'aurai besoin de lui. Et, aussi, je crois que je dînerai en bas, ce soir. Oui, oui, j'ai décidé. Cela changera. Occupe-toi de cela, Trotter.

— Oui, Monsieur.

Dans le couloir, elle se tint devant la porte pendant un moment, se pinçant les lèvres entre le pouce et l'index. Il savait, il savait ce qu'elle allait trouver... Mais comment pouvait-il le savoir ? Et pourquoi ne lui avoir rien dit ? Pourquoi ? Parce que c'était probablement une question trop délicate pour en parler. La femme qui avait été sa maîtresse prenait maintenant son plaisir avec son locataire. Oh ! elle était malade. Elle aurait voulu être à des milliers de kilomètres. Rien de bon ne lui arrivait jamais; et rien de bon ne pourrait lui arriver tant qu'elle resterait ici. Elle aspirait à la nuit, car maintenant elle avait envie de pleurer. Oh ! comme elle avait envie de pleurer !

Le faisait-il exprès ? Il était bien plus de dix heures et il était toujours en bas. Ils l'avaient descendu à cinq heures et il avait joué du piano et, de temps à autre, certains d'entre eux s'étaient glissés dans le hall et avaient écouté de l'autre côté de la porte du salon; et, tous, ils avaient admiré son jeu.

Il avait dîné à sept heures, était retourné ensuite dans le salon mais à présent il se mettait à faire des patiences.

Il ne demanda pas à être remonté avant dix heures et demie et, alors, alla directement aux toilettes où il resta encore pendant une bonne demi-heure.

Lorsqu'il apparut dans la chambre, il s'était changé et était prêt à se coucher.

La maison était silencieuse : les lampes étaient éteintes, à part les veilleuses dans la galerie et dans le couloir.

On avait fait la couverture du lit, la table de nuit était prête, le feu était couvert; et, à présent, elle se tenait, comme d'habitude, à quelque distance du lit.

— Avez-vous tout ce qu'il vous faut, Monsieur ?

Il ne lui répondit pas comme habituellement : « Oui, merci, Trotter », mais dit :

— Non, non, il me manque quelque chose; et je suis très fatigué et j'ai fait durer cette soirée tant que j'ai pu. (Devant ses yeux écarquillés, il reprit :) Dès que tu es rentrée cet après-midi, tu t'attendais à ce que je t'accueille avec une batterie de questions, et quel aurait été le résultat ? Eh bien, d'après ton air, j'ai compris qu'il y avait toutes les chances pour que tu fondes en larmes; et alors toute la maisonnée aurait été au courant de tes affaires privées. Bon, maintenant ils sont tous couchés... espérons. Enfin (il leva brusquement la tête) il n'y a que les deux bonnes en haut, et elles doivent dormir maintenant; alors, viens. (Il étendit la main et, sa voix se faisant basse et douce, il lui dit :) Assieds-toi là, près de moi, et raconte-moi comment cela s'est passé.

Incapable de bouger, elle parvenait à peine à respirer. L'avalanche se déclenchait, mais elle ne devait absolument pas pleurer; les autres ne devaient pas dormir, là-haut, et elles pourraient l'entendre.

— Allons.

Tilly s'approcha de lui et le fait de sentir sa main lui ôta ce qui lui restait de forces.

— L'as-tu vu ?

Sa tête tombait; elle regardait le velours marron de sa robe de chambre et l'endroit où reposait sa propre main sur ses genoux.

— Dis-moi. Que s'est-il passé ? Qu'a-t-il dit ?

Elle ne pouvait toujours pas parler.

Une éternité s'écoula avant qu'il ne demande :

— Il t'a dit qu'il avait une liaison avec Lady Myton, n'est-ce pas ?

Comme elle remuait la tête d'un côté, puis de l'autre, il reprit :

— Alors que s'est-il passé ? Tu as bien dû découvrir quelque chose ?

Une note d'impatience apparaissait dans sa voix. Elle leva son visage vers le sien. Sa gorge se serrait, la boule qui s'y trouvait l'étouffait. Et alors, les larmes parurent jaillir de tous les pores de sa peau et l'étau de sa gorge devint un couteau qui la déchirait; il mit ses bras autour d'elle, l'attira contre lui et étouffa ses pleurs contre son épaule, en disant :

— Là, là, ma chère. Allons, allons ! personne ne mérite de telles larmes. Chut ! Chut ! Allons, tu ne vas pas réveiller toute la maison après mes longs efforts pour les épuiser.

Longtemps après la fin de sa crise, il la tint contre lui puis, lorsqu'elle leva enfin la tête, il prit un grand mouchoir blanc et lui essuya doucement le visage.

— Oh ! Monsieur, je... suis désolée.

— Ne t'excuse pas de pleurer; tu ne serais pas une femme si tu ne pleurais pas. Mon père disait toujours à propos des femmes qui pleuraient que leurs larmes étaient dues à une faiblesse de leurs reins.

Aucun sourire ne vint en réponse et il ajouta avec un petit mouvement de la tête :

— Ce n'est pas le moment de plaisanter. Je vais te poser encore une question, peut-être deux. Premièrement, lui as-tu parlé ?

— Non.

Il eut un mouvement de recul.

— Alors, pourquoi ?

— Parce que... on m'a envoyée à... la grange.. Je l'ai vu là.

— Oh ! mon dieu ! Tu les a vus tous les deux ?

— Oui, Monsieur.

— Pourquoi es-tu allée à la grange ?

— On... on m'y a envoyée.

— Qui t'y a envoyée ?

— Un de ses ouvriers, un homme appelé Randy Simmons.

— Salaud ! Cochon cruel ! Enfin, maintenant, c'est fini. Te souviens-tu de ce que tu disais à propos de pouvoir marcher la tête haute ? Eh bien, continue à faire exactement cela. Mais je vais te poser une autre question et puis nous ne reparlerons plus jamais du sujet... S'il devait venir demain te supplier de lui pardonner, l'accepterais-tu ?

Elle le regarda sans sourciller pendant un moment avant de dire :

— Non, Monsieur, non, pas après aujourd'hui, je... je ne pourrais pas.

Après un bref silence, il dit :

— C'est étrange, ne trouves-tu pas ? Nous avons tous les deux souffert à cause de la même femme. Tu peux voir qu'elle a pratiquement ruiné ma vie, mais il ne doit pas en être forcément de même pour toi, Tilly. Tu mérites mieux que le fermier. Je l'ai toujours su. Va te coucher maintenant et dors bien, et demain commence une nouvelle vie.

Elle se leva de l'endroit où elle s'était agenouillée à côté de sa chaise et, respirant profondément, elle se redressa, avant de dire :

— Bonsoir, Monsieur.
— Bonsoir, ma chère.

Comme elle franchissait la porte, il comprit qu'il avait manqué une occasion; il aurait pu la garder avec lui ce soir. Mais il ne voulait pas la prendre ainsi. Maintenant, il avait tout son temps.

CHAPITRE VI

Lorsqu'il fit enfin l'amour avec Tilly, elle vint à lui comme une mère à un enfant malade.

Une tragédie devait se produire, qui, environ trois semaines plus tard, s'abattit sur Mark et bouleversa toute la maison. Elle se présenta sous la forme de deux lettres. M. Burgess et Tilly étaient tous les deux dans la chambre au moment où il les ouvrit. Il décacheta la première avec un ouvre-lettre; il était toujours très méticuleux dans sa manière d'ouvrir son courrier. Souvent, il passait un long moment à contempler la marque de la poste et le timbre avant de l'ouvrir. A présent, sortant la lettre de son enveloppe, il s'appuya dans son fauteuil et se mit à lire et, à la première ligne, il se raidit et sursauta. Ses sourcils se réunirent en une barre au-dessus de son nez et ses lèvres s'entrouvrirent car il venait de lire ce qui suit :

C'est avec une profonde tristesse que je vous écris ceci, ayant été le confesseur de Harry depuis son arrivée à l'université. Son décès est ressenti comme une grande perte pour nous tous.

Il semblait avoir cessé de respirer et l'expression de son visage était telle que Tilly et M. Burgess demeurèrent immobiles, les yeux rivés sur lui. Puis il se mit à déchirer de ses doigts l'autre longue enveloppe et, au moment d'en retirer l'unique feuille de papier, sa main en chiffonnait déjà le bas.

Cher Monsieur

C'est avec un profond chagrin que je dois vous informer que votre fils, Harry, a été renversé et tué instantanément, hier matin par un cheval de trait échappé dans Petty Cury. Cette nouvelle vous portera un choc immense et douloureux, comme à nous tous ici au collège. Soyez assuré, Monsieur, de notre très profonde sympathie.

Une enquête judiciaire a déjà eu lieu, entraînant un verdict de décès accidentel, et j'attends maintenant que vous me fassiez parvenir vos instructions quant à vos souhaits en ce qui concerne la dépouille mortelle de votre fils et ses effets personnels.

Je vous envoie cette triste nouvelle par la malle-poste. Puis-je vous demander de m'envoyer votre réponse par le même moyen; je veillerai à ce que vos souhaits soient exécutés à la lettre et aussi rapidement que possible.

A nouveau, permettez-moi de vous offrir, à vous et à votre famille, l'expression de mes très sincères condoléances à l'occasion de ce deuil cruel et douloureux.

Veuillez agréer, Cher Monsieur, l'expression de mes sentiments dévoués.

W.R. Pritchard
Doyen

Il s'adossa de nouveau et regarda les deux visages devant lui. Plusieurs fois, il ouvrit la bouche et la referma; puis il remua lentement la tête et lorsqu'il parla enfin, il chuchota une longue syllabe :

— N... on !

— Avez-vous reçu de mauvaises nouvelles, Monsieur ?

M. Burgess se penchait sur lui et pour toute réponse, Mark prit la feuille de papier et la lui tendit. Lorsque M. Burgess eut terminé sa lecture, il regarda Tilly car elle disait, tout bas :

— De quoi s'agit-il ?

— Monsieur Harry.

— Oh non !

A son tour, il lui tendit la lettre et quand elle en eut terminé la lecture, les lèvres tremblantes, elle regarda Mark. Il tenait la tête haute, fortement appuyée contre le dossier de son fauteuil, les yeux levés au plafond. Il était si complètement immobile que, pendant un instant, elle craignit qu'il n'ait eu une attaque, mais comme elle était sur le point d'avancer vers lui, il redressa brusquement la tête, ses genoux se relevèrent et il s'y cramponna avec les mains. Ils se tinrent silencieux, de chaque côté de lui, jusqu'au moment où il murmura :

— Laissez-moi.

Et ils quittèrent la chambre.

Une semaine plus tard, le cercueil arriva. Il fut exposé pendant une journée dans la bibliothèque, avant d'être conduit au cimetière.

L'enterrement eut lieu dans l'intimité. Mark, assis seul dans la première voiture, suivait le corbillard. Derrière lui, une seconde voiture transportait sa belle-mère, accompagnée de Matthew et Luke; à sa suite, venait un certain nombre d'autres voitures conduisant les membres mâles de diverses familles. Seuls, les membres masculins du personnel de la maison suivaient à pied le cortège funèbre; il s'agissait surtout de membres de la famille Drew.

Mark et Mme Forefoot-Meadows demeurèrent tous deux dans leurs voitures et regardèrent le cercueil descendre dans la fosse. Mark étant seul pouvait pleurer et ses larmes coulèrent comme à aucun autre moment de sa vie. A cet instant, la solitude lui était plus cruelle que jamais. Elle ne lui était, certes, pas étrangère, mais elle prenait ici un caractère différent; son premier enfant était parti, juste au moment où ils apprenaient à se connaître. A la suite de son second mariage, le garçon était devenu désagréable et n'avait retrouvé son ancienne aménité qu'une fois Eileen partie de la maison. La dernière fois qu'ils avaient parlé ensemble, le garçon, ou plutôt le jeune homme qu'il était devenu, lui avait parlé de son affection pour la sœur de son ami, expliquant ainsi ses fréquents séjours en France et il avait avoué qu'il se croyait aimé de retour. Alors, à présent, un autre jeune cœur allait porter le deuil.

Au retour du cimetière, les membres du cortège, comprenant sa détresse, ne critiquèrent pas le fait de son absence au repas préparé pour eux dans la salle à manger et présidé par Mme Forefoot-Meadows.

Après avoir reçu les condoléances habituelles, Mark avait ordonné qu'on le monte directement au premier et, une fois dans sa chambre, il avait dit à Tilly, comme à M. Burgess, qu'il ne voulait pas être dérangé. Il sonnerait lorsqu'il aurait besoin d'eux. Il refusa même de voir sa belle-mère avant le lendemain matin, ce qui, cela va sans dire, agaça Mme Forefoot-Meadows.

Lorsque, enfin, ils se rencontrèrent, il sembla, au moins pendant quelque temps, qu'ils n'avaient rien à se dire. Mark était assis, raide dans son fauteuil, les yeux dirigés vers la fenêtre, tandis que Jane Forefoot-Meadows se tenait tout aussi raide dans le sien, comme si elle attendait qu'il amorçât la conversation. Il le fit enfin, avec brusquerie. Tournant la tête vers elle, il grommela :

— Mon fils est mort, mon premier-né, et elle n'a même pas eu la correction de venir à son enterrement. Que craignait-elle, que je l'enchaîne ?

— Elle n'est pas bien. Le trajet l'aurait fatiguée, et...

— D'après ce que j'entends dire, elle va suffisamment bien pour faire des sorties. Vous avez peut-être vos informateurs qui vous rapportent à Scarborough les nouvelles d'ici; eh bien, c'est étonnant à quel point mes amis se complaisent à me donner des nouvelles de Scarborough.

— Il y a de la vie à Scarborough, des choses à faire, des distractions. Il n'y a rien de tel, ici.

— Dieu du Ciel ! Combien de fois ai-je tenté de lui faire quitter ce canapé et d'aller en ville, entendre un concert ou voir une pièce, mais non, elle était toujours indisposée, trop malade. Que le diable l'emporte ! Quand je pense à la comédie qu'elle a jouée, la manière dont elle m'a trompé...

— Oh ! Mark, réfléchissez ! Je ne prononcerais pas ce mot, à votre place.

— Ecoutez-moi, Mère. Il y a diverses formes de défection et la pire n'est pas d'avoir une maîtresse.

— Peut-être n'avons-nous pas la même vision de ce sujet, Eileen non plus, d'ailleurs. Et pendant que nous parlons des nouvelles qui voyagent, je ne vais pas y aller par quatre chemins pour vous dire ce qui me préoccupe. C'est ceci : Vous devriez vous débarrasser de cette fille.

— Quelle fille ? Trotter ?

— Quelle autre fille s'occupe de vous ?

— Voulez-vous me donner une bonne raison pour que je me défasse de Trotter ?

— Je pourrais vous en donner plusieurs, mais la principale est son nom associé au vôtre.

— Oh ! mon nom est associé au sien ? Voulez-vous poursuivre et me décrire de quelle manière ?

— Ne soyez pas idiot, Mark ; je n'ai pas besoin de vous faire un dessin.

— Oh si ! je vous demande de préciser votre pensée, Mère. Oh si ! Trotter agit en tant que mon infirmière et également ma gouvernante, et elle s'acquitte très bien de ces deux tâches...

— Vous devriez avoir un infirmier, vous le savez.

— J'en ai un, Burgess; mais j'aime bien également avoir une femme près de moi pour s'occuper des agréments de la vie, de ma vie telle qu'elle est. Mais vous parlez surtout du rôle de maîtresse. Eh bien, au risque de vous décevoir, je dois vous dire qu'elle ne joue pas encore ce rôle.

Il s'arrêta et tous deux se dévisagèrent; à son regard, Jane Forefoot-Meadows se rendit compte qu'il disait la vérité; puis, il ajouta :

— Je répugne à recevoir un bienfait que je n'ai pas vraiment mérité, alors soyez aimable de dire à ma femme que je ferai de mon mieux pour obtenir que Trotter se charge du rôle principal dans l'avenir.

— Ce... ce n'était qu'un avertissement.

— Je vous remercie de votre sollicitude.

— Les gens ne peuvent s'empêcher de parler, la fille est jeune et... et...

— Oui, Mère, qu'alliez-vous dire, jolie ?

— Non, ce n'est pas cela.

— Alors, quoi ?

— Oh ! qu'importe ? Simplement, en ce qui me concerne, je n'aime pas cette fille; il... il y a quelque chose en elle. Et de plus, elle ne reste pas à sa place.

— A-t-elle été impolie avec vous ?

— Non, elle ouvre à peine la bouche.

— Doit-on la critiquer pour cela ?

— Il y a manière et manière de se taire. Le regard de cette fille... Enfin, je vous mets en garde, Mark, et je le fais en toute sincérité; je vous conseille de la renvoyer.

— Et en toute sincérité, Mère, je dois vous dire, et vous pouvez également transmettre le message à ma femme, que je n'ai aucune intention de renvoyer Trotter, jamais. Si elle quitte cette maison, ce sera de son propre chef, car elle a fait plus pour m'apporter secours et assistance que quiconque dans ma vie auparavant. Bon, vous pouvez dire cela à ma femme. Et également, dites-lui que jusqu'à ma mort, je lui en voudrai de n'avoir pas été présente à mes côtés ces jours-ci. Je savais assez qu'elle n'avait pas d'affection pour Harry; en fait, elle le détestait, mais par respect et simple correction, elle aurait dû être à mes côtés aujourd'hui. Aux yeux du comté entier, elle me traite comme un lépreux; personne ici ne croira qu'elle m'a quitté simplement à cause de l'affaire Myton. Je suis certain qu'ils doivent penser que je me suis conduit en monstre envers elle. Quelle autre raison pourrait l'éloigner en une pareille occasion ?

Jane Forefoot-Meadows mit un certain temps avant de reprendre la parole, puis, d'une voix faible, répliqua :

— Elle vous a envoyé ses condoléances; vous avez reçu une lettre.

— Oh oui ! J'ai bien reçu ses condoléances, une lettre si cérémonieuse qu'ella avait dû la copier d'un manuel intitulé : « *Lettres qu'il convient d'envoyer aux membres de la famille d'un défunt* ». Il existe un tel livre, je l'ai lu et il m'a bien fait rire.

Un autre silence s'ensuivit, puis elle reprit la parole :

— Vous devez vous souvenir qu'elle a fait sortir les garçons de leur école par respect.

Comme il fermait les yeux et ne répondait pas, elle poursuivit :

— A propos des garçons, il y a un petit problème qu'il convient d'aborder. Nous avons dû changer Matthew de collège.

— Pourquoi ? interrogea-t-il brusquement.

— Parce qu'apparemment il n'était pas heureux dans celui où il était, et il s'est fait renvoyer. Cet... autre établissement est très onéreux et... et...

— Et vous voudriez bien que j'en règle la note ?

— Eh bien, Eileen vous serait reconnaissante...

— Dites à Eileen de ma part que je lui envoie tout ce que je suis en mesure de lui donner. Si elle n'a pas de quoi entretenir les enfants, il ne tient qu'à elle de les envoyer à la maison; ils vivront pour beaucoup moins cher ici, collèges inclus.

Elle lui faisait face, le regard inflexible et répondit :

— Vous auriez dû vendre la mine quand vous en aviez l'occasion.

— Que savez-vous de l'occasion que j'ai pu avoir de vendre la mine ? Oh ! votre informateur de tous mes agissements, je me demande qui ce peut être.

— Tout le monde sait que M. Rosier est prêt à l'acheter.

— Et, Mère, que tout le monde sache que ma mine va demeurer là et pourrir, ce qu'elle fait déjà manifestement, avant que je ne la vende à Rosier ou à n'importe qui de son engeance.

— Vous êtes stupide. A quoi sert-elle dans l'état où elle est actuellement ? Vous n'avez pas de quoi...

— Non, je n'ai pas d'argent pour la remettre en état, mais je suis fichtrement sûr qu'il ne ferait rien pour la remettre en état de marche. Je hais le bonhomme et tout ce qu'il représente.

— Vous êtes un homme très éprouvant, le savez-vous ?

Mark regarda sa belle-mère. Elle venait de se lever. Il allait faire une remarque ironique, mais se retint. C'était une femme âgée et elle avait accompli ce long voyage pour être à ses côtés en cette pénible occasion, mais il savait au fond de son cœur qu'elle l'aurait entrepris même s'il avait été deux fois plus long et plus dur, plutôt que de laisser sa fille revenir le voir. La mère possessive tenait à nouveau sa fille. Il lui dit donc :

— Merci d'être venue, Mère.

A quoi elle répondit :

— C'était la moindre des choses, ajoutant : Je vous plains beaucoup, Mark.

Sa sincérité le surprit, et il fut stupéfait de l'entendre dire :

— Cela... vous aiderait-il que je vous laisse les deux garçons pendant une semaine environ ? Vous pourriez les renvoyer avec Leyburn. Je m'arrangerais pour expliquer la chose à Eileen.

Il la regarda pendant une longue minute avant de répliquer :

— Vous êtes très bonne, mais... mais non, emmenez-les avec vous, il n'y aurait aucun plaisir, aucune joie ici pour eux en ce moment.

Il ne pouvait ajouter qu'il n'avait pas envie de voir ses fils à ce moment particulier. Il était incapable d'analyser ses propres sentiments, mais leur turbulence, qu'ils ne sauraient pas maîtriser — la mort ne signifiait rien pour eux à cet âge — et leurs voix, venant de l'étage supérieur, fussent-elles étouffées, ne feraient que remuer le fer dans la plaie et exacerber sa douleur.

— Je comprends, mais je pensais que cela pourrait vous faire du bien.

— Je vous suis et demeurerai toujours très reconnaissant pour votre proposition.

— Bon, eh bien, à présent, je dois partir. Phillips a fait nos bagages, je vais l'envoyer chercher les garçons, ils doivent être dans la nursery. Vous voulez, bien entendu, les voir ?

— Oh oui ! absolument.

— Au revoir, Mark.

— Au revoir, Mère. Et, à nouveau, je vous remercie d'être venue.

Elle lui fit un signe de tête et sortit de la chambre.

Au bout d'un certain temps pendant lequel il se reposa dans son fauteuil et ferma les yeux très fort tout en se mordillant la lèvre, il se pencha en avant et tira le cordon de sonnette...

Cinq minutes plus tard, Tilly conduisit les garçons dans la chambre et les y laissa. Ils se tenaient de chaque côté du fauteuil de Mark qui promenait son regard d'un visage à l'autre et leur souriait. Matthew, remarqua-t-il, avait encore changé et ses cheveux blonds paraissaient avoir légèrement foncé, mais le plus grand changement résidait dans ses yeux. Alors qu'ils avaient dégagé une expression gaie et espiègle, en fait, diablotine par moments, il discernait dans leur profondeur une lueur qui l'intriguait; chez une personne plus âgée, on l'aurait appelée du désespoir, mitigé de crainte, mais Matthew était un garçon ardent, et donc l'expression devait s'expliquer autrement. Luke, cependant, avait à peine changé, ses yeux ronds brillaient et, sur sa bouche, semblait toujours planer un sourire.

Mais, malgré leurs différences, ils étaient du même avis, et le confirmèrent au bout de quelques minutes. Après les avoir salués, il poursuivit en leur disant qu'il leur souhaitait un agréable retour et les remercia d'être venus. Mais avant qu'il ait terminé, Matthew l'interrompit :

— Papa...

— Oui, Matthew ?

— Je... Je voudrais vous demander quelque chose. Nous... avons tous les deux quelque chose à vous demander, n'est-ce pas, Luke ?

— Oui, papa.

— Qu'avez-vous à me demander ?

— Nous... nous voudrions revenir à la maison.

— Je crains que cela ne dépende pas entièrement de moi, Matthew; c'est à votre maman de décider. Si vous parveniez à la persuader de revenir et...

— Elle... refuse de nous écouter, papa. Si... vous pouviez lui parler, lui écrire, et je vous promets, que si vous nous permettiez de revenir, je ne vous causerais pas d'ennuis, je veux dire aux serviteurs, je serais sage, nous serions tous les deux sages, n'est-ce pas, Luke ?

A nouveau, Luke hocha la tête et affirma :

— Oui, papa, nous serions gentils.

Mark avala lentement sa salive, se demandant comment répondre à ses fils, et Matthew reprit :

— Nous... nous en avons parlé avec Trotter. Trotter serait heureuse que nous revenions et... nous lui avons promis, à elle aussi, que nous ne ferions pas de bêtises. Et... je pourrais aller au collège d'ici. Je pourrais aller à Newcastle.

Mark posa doucement sa main sur l'épaule de Matthew.

— Je suis désolé, mon grand, vraiment navré. Rien ne me ferait plus plaisir que de vous voir tous revenir à la maison, mais, comme je le disais, cela dépend de votre maman. Si vous parvenez à la persuader, alors très bien. Vous comprenez, c'est toujours difficile de tenir une maison comme celle-ci, mais lorsqu'il y a des enfants, en fait quatre, eh bien, cela nécessite...

Oh ! mon dieu ! le garçon allait pleurer, Matthew, le dur, le cerveau brûlé. Il ne fallait pas, il ne devait pas pleurer; Mark ne pourrait pas supporter de les voir pleurer.

— Allons, allons ! Nous ne sommes plus des petits garçons, n'est-ce pas ? Je vais faire en sorte que vous passiez vos prochaines vacances entièrement ici, et, entre-temps, je vais écrire à votre maman et débattre de la question avec elle.

Il vit Matthew battre rapidement des paupières et prendre une grande inspiration avant de répondre :

— Merci, papa.

Et Luke, souriant à présent, dit :

— Oh ! merci, papa. Et Jessie Ann et John également aimeraient bien revenir. (Se penchant en avant, il chuchota tout près de l'oreille de Mark :) Ils ressemblent à des boulettes.

— Des boulettes de graisse ?

— Tous, chez grand-mère. Grand-mère, Phillips, tous les serviteurs, des boules de graisse. C'est comme cela que Brigwell les appelle. Parfois, il les traite d'étouffe-chrétiens.

Mark regarda le visage rieur et pensa : « Il s'en sortira, il chevauchera la tempête »; mais Matthew ? Matthew ne demeurerait pas assis à chevaucher la tempête, il la combattrait, même la peur au ventre, il se battrait.

—Allez, à présent, dit-il, et soyez bien sages; et nous nous reverrons très bientôt.

— Au revoir, papa.

— Au revoir, papa. Ecrivez bien à maman, n'est-ce pas ?

— Oui, Matthew, je vais écrire à votre maman. Au revoir, mes chéris.

Une fois la porte refermée sur les enfants, il tourna son fauteuil vers le large appui de fenêtre, se pencha en avant, y posa le bras et laissa tomber sa tête sur son coude.

Huit heures s'écoulèrent et il n'avait pas sonné. Tilly s'aventura à frapper à la porte. Elle entra et le vit assis dans le noir près de la fenêtre, contemplant la nuit étoilée. Il ne se retourna pas à sa venue et, lorsqu'elle lui dit d'une voix douce : « Je vous ai apporté une boisson chaude, Monsieur », sa tête esquissa un léger mouvement de refus. Rien n'éclairait la chambre, à part le reflet du palier venant de la porte ouverte, et elle posa le plateau et alluma la veilleuse ; puis, après avoir refermé la porte, elle revint à ses côtés et posa une main sur son épaule. Au contact de sa main, il se retourna vers la pénombre et demanda :

— Pourquoi ? Comprends-tu pourquoi, Trotter ? Pourquoi lui, entre tous, au seuil de la vie, se faire tuer par un cheval échappé ?

Elle était incapable de lui repondre et, après un silence, il reprit :

— Nous commencions tout juste à nous connaître et, à présent, je sombre sous le poids de la culpabilité. Je l'ai négligé pendant des années, il y avait les autres. Il devait le sentir car... enfin, tu as vu combien il était brillant, gai, cela était dû au fait qu'ils n'étaient plus là. Ni elle.

Accablée, Tilly se hâta d'aller dans le cabinet de toilette où elle lui servit un verre de cognac qu'elle rapporta sur le plateau, pour le verser dans le lait chaud. Il avait un faible pour le lait chaud au cognac. Comme elle lui tendait le verre dans son support en argent, il la remercia, puis ajouta :

— Va te coucher; tu as eu une longue journée.

Elle hésita un peu.

— Je... je ne suis pas fatiguée; je vais passer un moment avec vous, Monsieur.

— Pas ce soir, Trotter. Merci tout de même. Bonsoir.

— Bonsoir, Monsieur.

Les jours se transformèrent en semaines et le Maître n'exprima pas de nouveau le souhait de descendre. Il semblait avoir perdu tout intérêt pour la plupart des choses. M. Burgess lui parla d'un nouvel auteur qu'il venait de découvrir, du nom de William Makepeace Thackeray, auteur d'un récent livre intitulé : *The Yellowplush Correspondence* (La Correspondance de Monsieur de la Peluche Jaune). C'était une œuvre très intéressante et le Maître souhaiterait-il en poursuivre la lecture ? Le Maître le remercia.

— Oui, oui, une autre fois, Burgess.

La léthargie du Maître inquiétait toute la maison. Biddy se demandait à quoi cela servait de lui faire des plats, c'était du gâchis de bonne nourriture; évidemment, rien n'était jamais perdu de ce qui revenait du premier étage. Mais, précisait-elle, les ouvriers, comme les poules, pouvaient se nourrir de fourrage et elle ne voyait pas l'utilité de les bourrer d'aliments faits de beurre, d'œufs et de crème.

Un soir, elle demanda à Tilly :

— Ne peux-tu rien inventer, ma fille, qui puisse le sortir de lui-même ?

Elles étaient assises dans la cuisine, comme cela leur arrivait parfois après le départ des autres. La maison était silencieuse, tous étaient allés se coucher. Les feux étaient couverts. Les lampes avaient été baissées, à l'exception de la lampe principale de la cuisine. Et alors, Biddy se leva et, s'en approchant, souleva le grand verre cylindrique; elle baissa la flamme, pinça le bout noir de la mèche entre le pouce et l'index, frotta ses doigts sur sa jupe de serge foncée, puis, insista :

— Alors ?

— Si, répondit Tilly brièvement.

— Eh bien, qu'as-tu l'intention de faire ?

— Que penses-tu que je devrais faire ?

Biddy remit le verre de lampe avant de répondre :

— Ce n'est pas à moi de te conseiller. Je n'ai pas ton cerveau, ni ton cœur. *Tu* sais ce que *tu* ressens... et la maison entière sait ce qu'*il* ressent. Mais, de toute façon, c'est une décision importante. Et cela pourrait aller dans un sens bénéfique pour toi, à longue échéance.

— Des tas de gens pensent que cela est déjà arrivé, surtout Mme Forefoot-Meadows. Elle voulait se débarrasser de moi.

— Eh bien, si tel est le cas, si tu devais faire honneur à la réputation que tu n'as pas méritée, tu lui damerais le pion, car il ne te laisserait jamais partir. Et cela, ma fille, c'est ce qu'il faut considérer, il ne pourrait y avoir aucun autre homme pour toi, aucun mariage honnête.

Elles se dévisagèrent pendant un moment, puis Tilly se leva lentement et sans rien ajouter sortit de la cuisine.

Arrivée dans sa chambre elle se lava à l'eau tiède, de la tête aux pieds, utilisant le savon parfumé du cabinet de toilette du Maître. Pour la première fois, elle enfila une chemise de nuit neuve. Elle était faite dans une pièce de fine batiste qu'elle avait trouvée un jour, en fouillant dans les cartons du grenier. Il y avait des tas de cartons, là-haut, contenant de vieilles robes, et dans l'un d'eux, elle avait découvert des coupes d'étoffe; elle n'avait ressenti aucune honte à prendre la plus petite d'entre elles, mesurant environ quatre mètres. Cela avait occupé ses mains désœuvrées pendant des mois, et la broderie à brins de fougères qui finissait le devant lui avait procuré une grande satisfaction.

Elle la tendait à présent par-dessus ses genoux. Puis, regardant ses mains, elle les tint sous la lampe. Elles étaient devenues douces, il n'y avait plus de lignes noires sous ses ongles; la peau qui les bordait n'était plus craquelée. Le dos de ses mains était presque aussi blanc que la paume. Elle mit alors ses mains à ses cheveux. Elle se les lavait chaque semaine, et chaque soir, sauf si elle était trop fatiguée, elle les brossait à fond avant de les natter.

Elle plaça les deux nattes devant ses épaules. Elles descendaient plus bas que ses seins et étaient soyeuses au toucher. Elle était propre et sentait bon. Son corps était prêt, mais elle avait encore à s'occuper de son esprit. Ce qu'elle était sur le point de faire allait vraisemblablement modifier sa vie entière, comme l'avait insinué Biddy. Et si elle attendait un enfant ? Eh bien, et alors ? Elle ne serait pas la première. Il serait de lui, et de personne d'autre, il n'était pas homme à rejeter ses responsabilités.

Mais, avant que cette éventualité ne se présente, si elle devait se présenter un jour, était-elle sur le point de se donner à lui uniquement pour le réconforter ? Y avait-il une autre raison ? Oui, il y en avait une autre, mais son cerveau ne l'autorisait pas à y penser, c'était trop personnel. En dehors de cela, l'aimait-elle suffisamment pour prendre elle-même cette initiative ?

De nouveau, elle baissa les yeux sur les paumes de ses mains et hocha la tête. Oui, oh oui ! elle l'aimait suffisamment...

Vêtue de sa robe de chambre, une bougie à la main, elle sortit sur la pointe des pieds, longea le palier et entra dans le cabinet de toilette. Une pendule sur la cheminée indiquait minuit moins vingt. Serait-il endormi ? Eh bien, s'il dormait, elle n'allait pas le réveiller.

Ouvrant la porte de communication, elle entra doucement dans la chambre. Il y faisait complètement noir, sauf la lueur de sa propre bougie. Elle la leva au-dessus de sa tête et le vit; appuyé contre ses oreillers, les yeux grands ouverts, il la regardait fixement. Son visage prenait un teint blafard à la lueur vacillante et sa chevelure, qui n'avait pas commencé à blanchir, était noire aux tempes. Il se souleva légèrement.

— Trotter... Qu'y a-t-il ?

— Je... je suis venue vous tenir compagnie, Monsieur.

Il s'était assis d'un bond, et, après un moment, sa tête tomba sur sa poitrine et il passa ses doigts dans ses cheveux en murmurant :

— Oh ! Tilly ! Tilly ! Tu éprouves de la pitié envers moi ?

— Ce n'est pas uniquement cela, Monsieur.

— Non ? Est-ce vrai ? Dis-tu cela sincèrement ?

— Oui.

Il tendit sa main et lorsqu'elle y plaça la sienne, il dit :

— Sur la couverture ou dessous ?

Elle était heureuse de discerner un ton légèrement enjoué dans sa question et, se détournant partiellement de lui, elle posa la bougie sur la table de nuit, puis de sa main libre, repoussa les draps et, libérant son autre main de la sienne, elle lui tourna le dos, laissa tomber sa robe de chambre à terre, s'assit sur le bord du lit, et lentement souleva ses pieds et se glissa sous les couvertures. Et, à présent, assise à son côté, elle tourna légèrement la tête vers lui, mais, sans le regarder, lui demanda :

— Me trouvez-vous trop hardie ?

— Oh ! Tilly !Tilly ! Oh ! ma chérie !

Elle était maintenant dans ses bras et il l'avait enlacée si vivement qu'ils tombèrent tous deux sur les oreillers. Puis ils restèrent immobiles.

— Oh ! Tilly ! Ses doigts remontèrent et lui touchèrent le menton. Je n'avais jamais pensé, jamais rêvé que tu ferais toi-même le premier pas. Je... pensais avoir à te cajoler, te manœuvrer, et je l'aurais certainement fait un peu plus tard, lorsque mon besoin de toi aurait été moins grand qu'en ce moment. Merci. Merci, ma chérie, de venir à moi.

Ses doigts remontaient de nouveau et suivaient les contours de son visage et ses yeux suivaient sa main et, lorsque ses doigts caressèrent ses paupières, il déclara :

— Tu as les yeux les plus étranges, les plus ravissants que j'aie jamais vus chez une femme. Le sais-tu, Tilly ?

Il l'entendit avaler sa salive avant de répondre :

— Non, Monsieur.

— Ne m'appelle plus Monsieur, Tilly... Entends-tu, Tilly... Entends-tu ?

Elle le regardait à présent.

— Ne m'appelle plus jamais Monsieur, en tout cas pas lorsque nous sommes ensemble comme ceci, et aux autres moments, omets-le aussi souvent que, disons, les convenances le permettent. Je m'appelle Mark. Comme tu le sais, mon nom est Mark. Dis-le, Tilly, Mark.

— Je ne pourrais pas. Si je... Non, je ne pourrais pas, Monsieur.

— Tilly, Tilly Trotter, ceci est un ordre, veux-tu à l'avenir m'appeler par mon nom. Comment peux-tu aimer quelqu'un que tu appelles Monsieur ?... Tilly... As-tu juste... juste un peu d'affection pour moi ?

— Oui, oh oui ! j'ai de l'affection pour vous.

— Merci, ma chérie. Merci. Maintenant, je vais te dire quelque chose, Tilly, et tu dois me croire... C'est simplement ceci. Je t'aime. Entends-tu ? Je t'aime. Le sentiment que j'éprouve pour toi, je ne l'ai jamais ressenti de toute ma vie, ni pour ma première femme, ni pour la seconde, ni pour mes enfants. Depuis la première fois où j'ai pris conscience de toi, j'ai su que j'allais être ensorcelé. (Elle fit un léger mouvement et il l'attira fortement contre lui en murmurant :) Le jour où je t'ai offert le poste dans la nursery, j'avais déjà ce sentiment, car j'avais simplement envie de te regarder constamment et je voulais que tu me regardes. Je ne le reconnaissais pas comme étant de l'amour, mais c'est bien cela, Tilly, de l'amour. Je t'aime... Je t'aime... Oh ! Tilly, je t'aime !

Lorsqu'elle frissonna sous son étreinte, il reprit avec une voix différente :

— Tu sais ce que tu es sur le point de faire ? Cela peut avoir des conséquences et il est possible que je ne sois pas en mesure de te donner ma protection autrement que sur le plan pécuniaire. Comprends-tu cela ?

Elle se libéra un peu de lui afin de voir son visage se refléter à demi à la lueur de la bougie et elle répondit :

— Je comprends très peu de choses pour l'instant. Je sais seulement que je veux vous rendre heureux.

— Tilly, ma chérie ! Oh ! tu es comme un cadeau venu du ciel. Le sais-tu ? Toi, si jeune et belle, j'ai, j'ai du mal à croire que tu es ici.. Dis-moi, ma condition ne te répugne-t-elle pas ?

— Vous... voulez dire, l'accident, vos pieds ?

— Exactement, cela.

— Bo... of (L'exclamation commune avait une sorte de résonance, puis elle ajouta à voix basse :) Pas du tout. Pas du tout. Pour moi, vous êtes un homme merveilleux, de partout.

Et, un moment plus tard, elle le prouva, car lorsque sa cuisse se glissa doucement entre ses jambes, ni son corps ni son esprit n'esquissèrent le moindre mouvement de recul; instinctivement, elle l'entoura de ses bras¹ Sa bouche recouvrit la sienne et sa main descendit le long de ses hanches; elle lui répondit et il gémit de plaisir. Et à ce moment-là naquit son amour pour lui.

TABLE DES MATIÈRES

Cet ouvrage a été composé par EUROCOMposition S.A. Paris
et imprimé par la S.E.P.C. à Saint-Amand-Montrond (Cher)
pour le compte des éditions Belfond

Achevé d'imprimer le 4 septembre 1981.

Dépôt légal : 3e trimestre 1981.
N° d'Édition : 418. N° d'Impression : 1059.

Imprimé en France